TECHNOLOGIE des COMMUNICATIONS

TECHNOLOGIE des COMMUNICATIONS

Mark Sanders

Consultant à l'édition française
Robert Lazure
London (Ontario)

Adaptation à l'édition française
Laurent Le Ber
Kingston (Ontario)

Sylvie Houle
Buckingham (Québec)

Traduit de l'anglais par
Anne Courtois

Chenelière/McGraw-Hill
MONTRÉAL • TORONTO

Technologie des communications

Traduction de : *Communication Technology. Today and Tomorrow,*
de Mark Sanders © 1996 McGraw-Hill Glencoe.
(ISBN 0-02-838759-7)

© 2004 Les Éditions de la Chenelière inc.

Édition : Natalie Bourcier et Nicole Blanchette
Coordination : Maryse Lavallée
Révision linguistique : Nicole Blanchette
Correction d'épreuves : Marie-Nicole Cimon
et Pierre-Yves L'Heureux
Rédaction des profils de carrière : Christine Guilledroit
Infographie et maquette intérieure : Infoscan Collette
Couverture : Gabriel Guttiérez

Cette ressource est disponible grâce à l'appui financier de Patrimoine canadien/ Canadian Heritage, sous la gestion du ministère de l'Éducation de l'Ontario.

Chenelière/McGraw-Hill
7001, boul. Saint-Laurent
Montréal (Québec)
Canada H2S 3E3
Téléphone : (514) 273-1066
Télécopieur : (514) 276-0324
chene@dlcmcgrawhill.ca

ISBN 2-89461-921-9

Dépôt légal : 1er trimestre 2004
Bibliothèque nationale du Québec
Bibliothèque nationale du Canada

Imprimé au Canada

1 2 3 4 5 A 07 06 05 04 03

Nous reconnaissons l'aide financière du gouvernement du Canada par l'entremise du Programme d'aide au développemem de l'industrie de l'édition (PADIÉ) pour nos activités d'édition.

Gouvernement du Québec — Programme de crédit d'impôt pour l'édition de livres — Gestion SODEC

L'Éditeur a fait tout ce qui était en son pouvoir pour retrouver les copyrights. On peut lui signaler tout renseignement menant à la correction d'erreurs ou d'omissions.

DANGER
LE PHOTOCOPILLAGE TUE LE LIVRE

Table des matières

Partie 1 : Introduction à la technologie des communications

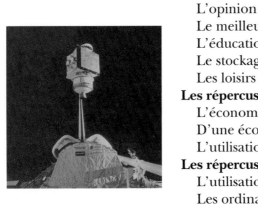

Partie 2 : Les systèmes d'information

Partie 3 : Les systèmes optiques

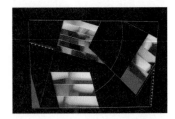
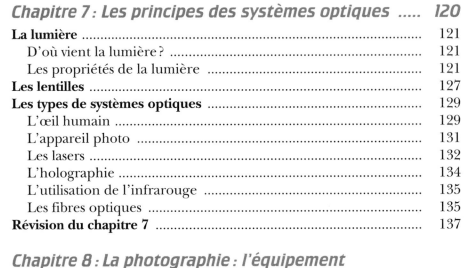

Partie 4 : Les systèmes de production graphique

Chapitre 10 : La conception d'imprimés, la composition et l'assemblage 190

Chapitre 11 : La conversion en film et l'assemblage 206

Chapitre 12 : L'impression et la conversion en produits 219

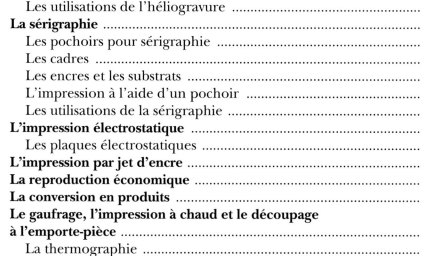

Partie 5 : Les systèmes audio et vidéo

Chapitre 13 : Les principes de la communication audio et vidéo 256

Chapitre 14 : L'équipement audio et vidéo 268

Liste des rubriques

Faits scientifiques

Santé et sécurité

Techno liens

Guide d'utilisation en technologie

La technologie et toi

partie 1

Introduction à la technologie des communications

Si tu demandes à 10 personnes de définir le terme « technologie », tu obtiendras sûrement 10 réponses différentes. Ce mot devenu si courant prend un sens différent selon la personne qui l'emploie. Il est parfois synonyme d'ordinateurs. Dans d'autres cas, il évoque le marteau et la scie. Il peut même représenter des idées.

En réalité, le terme « technologie » va au-delà des ordinateurs, des outils et des idées. La technologie fait appel à des connaissances, à des outils et à des compétences utilisés dans le but de résoudre des problèmes. Elle suppose une action.

Il y a plusieurs façons d'étudier la technologie. En formation, on s'intéresse d'abord aux processus techniques. On découvre ainsi les applications de nos connaissances technologiques.

Pour faciliter l'étude de la technologie, on peut tenir compte de trois thèmes généraux : la communication ; la production ; l'énergie, la puissance et le transport. Chaque thème se divise ensuite en sous-thèmes. Par exemple, quand on traitera de la production, il sera question de construction et de fabrication.

Ce manuel met l'accent sur les technologies qui nous permettent de communiquer. La communication, c'est le transfert de l'information, de la pensée et des idées. Tu verras que les différents thèmes sont regroupés en systèmes. Tu étudieras les systèmes de communication suivants :

- les systèmes de communication de données ;
- les systèmes de conception technique ;
- les systèmes optiques ;
- les systèmes de production graphique ;
- les systèmes audio et vidéo.

Pourquoi parler de « systèmes » alors que nous disposons déjà de termes connus comme « impression » ou « télévision » ? Au fil de ta lecture, tu vas t'apercevoir que ces termes ne représentent plus tous les aspects de la technologie des communications. Par exemple, aujourd'hui, reproduire des images graphiques, c'est plus que mettre de l'encre sur du papier. En fait, certains systèmes de production graphique n'utilisent même pas d'encre. Par conséquent, le terme « impression » ne peut pas les représenter. Le phénomène se répète pour les autres systèmes. La technologie des communications est de plus en plus complexe.

Les systèmes de communication de base

On dit que la technologie est l'utilisation de connaissances, d'outils et de compétences pour résoudre des problèmes. Dans ce cas, qu'est-ce que la **technologie des communications**? On pourrait dire que c'est l'utilisation de connaissances, d'outils et de compétences pour communiquer.

Bien entendu, cette définition est très générale. Nous communiquons de différentes façons. Pense au téléphone, bien sûr, mais aussi aux signaux d'une agente ou d'un agent de la circulation. Tu ne l'as probablement jamais envisagé de cette façon, mais le thermostat fixé au mur est aussi un dispositif de communication!

Ce chapitre te prépare à l'étude de la technologie des communications. Tu vas découvrir chacun des systèmes de communication étudiés dans le manuel: les systèmes de communication de données, les systèmes de conception technique, les systèmes optiques, les systèmes de production graphique et les systèmes audio et vidéo.

Vocabulaire

- développement
- entrée
- modèle universel de système
- processus
- processus de design
- recherche
- rétroaction
- sortie
- système de commande par ordinateur
- système de communication technique
- technologie des communications
- télécommunication

Au fil de ce chapitre, tu vas trouver les réponses à ces questions:

- Qu'est-ce que le modèle universel de système?
- Quelles sont les composantes de base d'un système de communication?
- Quels concepts aident à comprendre les systèmes de communication?
- Est-ce que seuls les êtres humains peuvent communiquer?
- Comment résout-on des problèmes reliés à la technologie?

chapitre 1

Le modèle universel de système

Pour étudier un système technologique, on peut examiner ses entrées, son processus et ses sorties, ou résultats. Pense à une automobile comme à un « système technologique ». On met de l'essence dans le réservoir (entrée), le moteur brûle l'essence (processus) et l'automobile se met à rouler (sortie). En réalité, une automobile est beaucoup plus complexe. À plus grande échelle, il faut prendre en considération tout ce qu'il a fallu pour la construire : des gens, de l'argent, de l'énergie, etc. Le résultat ne se limite pas au mouvement. As-tu pensé à la pollution ? Aux emplois créés par l'industrie automobile ? Que dire des changements survenus dans notre société à cause de l'automobile ?

Pour tout système, il y a une entrée, un processus et une sortie. Cette description s'appelle le **modèle universel de système** (figure 1.1). Le fait d'examiner séparément chaque partie du modèle fait ressortir différents aspects de la technologie. Par exemple, prends les entrées. Peu importe le type de technologie, son développement et son utilisation requièrent des **entrées** : de l'information, des matériaux, de l'énergie, des ressources financières et du travail humain. Peux-tu nommer une seule technologie qui ne dépend pas de ces entrées ?

Le **processus** est le traitement qu'on applique aux entrées. Il s'agit des procédés techniques, mais aussi des concepts et des principes propres à la technologie. Le moteur d'une automobile brûle l'essence. Ce processus découle des principes de la combustion interne. Les freins fonctionnent grâce aux principes de la pression hydraulique, et ainsi de suite.

La plupart des systèmes ont plusieurs sorties. Les **sorties** sont le résultat du processus. Certaines sont souhaitables, d'autres ne le sont pas. Le déplacement est une sortie souhaitable d'une automobile, mais pas l'accumulation des gaz d'échappement dans l'atmosphère. L'utilisation de l'automobile affecte l'environnement, l'économie et la société. Il faut examiner les sorties en fonction de leurs répercussions sur notre monde.

La dernière composante du modèle universel de système est la rétroaction. La **rétroaction** est un retour sur les résultats d'un processus technologique qui a des effets sur l'ensemble du système. Dans les années 1970, une trop grande consommation d'essence a mené à la conception de moteurs plus petits et économes en carburant.

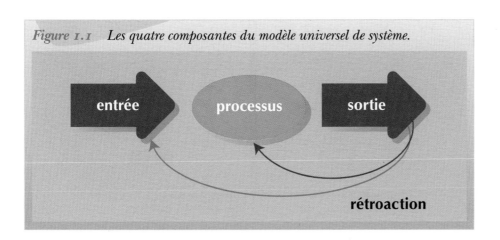

Figure 1.1 *Les quatre composantes du modèle universel de système.*

Ici, nous avons appliqué le modèle entrée/processus/sortie à un système de transport. Toutefois, il peut aussi bien s'appliquer à un système de communication. Au fil du manuel, rappelle-toi ce modèle universel de système. Il t'aidera à comprendre le système technologique que tu seras en train d'étudier.

Le modèle de système de communication

Il y a différentes technologies en communication, mais elles ont toutes des éléments en commun. Il y a tout d'abord un message. Ce message peut prendre la forme d'une image, d'un son, d'un mot, entre autres. Une *expéditrice* ou un *expéditeur* transmet le message. Le message se déplace le long d'un *canal* de transmission et se rend à la ou au *destinataire*.

Ces éléments de base constituent le modèle de système de communication. Toutes les technologies des communications fonctionnent avec un message, une expéditrice ou un expéditeur, un canal de transmission et une ou un destinataire (figure 1.2).

La communication par satellite peut paraître très complexe. Pourtant, tu peux la réduire au modèle de système de communication. Par exemple, pense à un bulletin de nouvelles du Japon. Le bulletin est le message. L'expéditeur est un émetteur relié à une antenne. Le canal est un rayon électromagnétique qui traverse l'atmosphère (consulte la section VI pour plus de détails). Le destinataire est ton poste de télévision. En fait, une antenne reçoit le message puis le retransmet à ton poste de télévision. Encore là, il y a un message, un expéditeur, un canal et un destinataire. En principe, tous les systèmes de communication correspondent à ce modèle.

Figure 1.2 *Dans tout système de communication, il y a un message, une expéditrice ou un expéditeur, un canal et une ou un destinataire. La plupart du temps, il y a rétroaction.*

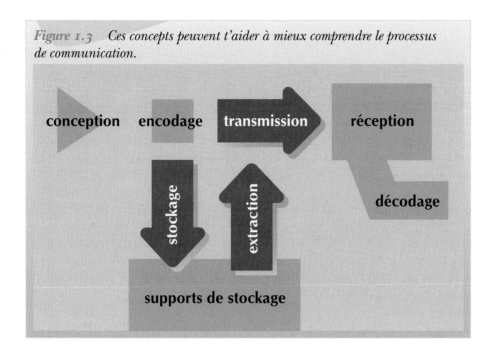

Figure 1.3   Ces concepts peuvent t'aider à mieux comprendre le processus de communication.

Les concepts de communication

Lorsque tu étudies les sciences, tu te concentres sur les principes et les concepts scientifiques. Tu as sans doute déjà vu le principe de la gravité. Il te permet de comprendre le mouvement des planètes. Il t'explique pourquoi il faut de puissantes fusées pour propulser les navettes spatiales. Il t'apprend aussi que tu peux peser 589 N sur la Terre et seulement 97 N sur la Lune… sans suivre un régime!

Tu peux aussi penser à la communication en fonction de concepts de base. Les plus importants sont la conception, l'encodage, le stockage, l'extraction, la transmission, la réception et le décodage (figure 1.3).

Pour mieux comprendre ces concepts, prends l'exemple d'une illustration d'un journal faite par ordinateur. Les journaux utilisent de plus en plus ce genre d'illustrations.

Tout commence dans le cerveau de l'artiste. D'abord, elle ou il conçoit l'illustration. C'est le « message ». Tu as vu qu'un message se compose de mots ou d'images. Ensuite, il faut raffiner l'illustration, à la main ou à l'ordinateur.

Une fois le message conçu, l'ordinateur l'encode. Autrement dit, il le traduit en codes, le plus souvent en « mode point ». Imagine l'écran de ton ordinateur comme une feuille de papier quadrillée contenant des milliers de cases. Si tu noircis certaines cases et que tu laisses les autres en blanc, tu obtiens un motif. C'est ainsi que l'ordinateur encode le message.

Par commodité, on enregistre le message sur un support magnétique, comme une disquette ou un disque dur. C'est le concept de stockage. On peut récupérer le message qu'on a enregistré sur un support. C'est le concept d'extraction.

Sous cette forme, on peut transmettre le message par ligne téléphonique ou par satellite à tous les journaux du pays. Est-ce de la fiction? Pas du tout. Les journaux communiquent ainsi depuis des décennies!

Envoyer le message ne suffit pas. Il faut qu'une ou un destinataire le reçoive pour compléter la communication. Dans notre exemple, la ou

Désir ou besoin ?

Abraham Maslow est un psychologue en développement humain reconnu pour sa théorie : selon lui, les êtres humains doivent répondre à certains besoins communs pour pouvoir se développer. Maslow a établi une hiérarchie de ces besoins. Ce classement est à l'origine de la «pyramide de Maslow». La pyramide montre qu'on ne peut satisfaire un besoin tant qu'on n'a pas satisfait celui du niveau précédent.

Selon Maslow, tout le monde a besoin d'eau, de nourriture, d'un abri et, si le climat l'exige, de vêtements. C'est la base de la survie de l'individu. Tant qu'on n'a pas satisfait ces besoins, les autres n'ont tout simplement pas d'importance. Par exemple, pourquoi te procurer un baladeur si tu n'as rien à manger ?

Une fois les besoins physiologiques comblés, l'individu s'occupe de répondre aux besoins suivants de la pyramide. Ce sont les besoins de sécurité, les besoins d'appartenance à un groupe, les besoins d'estime de soi et de promotion sociale, et enfin les besoins de réalisation.

La technologie joue un rôle dans la satisfaction des besoins. Regarde autour de toi. Tu verras que plusieurs outils technologiques répondent à tes besoins, entre autres : des ustensiles, une fournaise, un système d'air climatisé, un téléphone, un ordinateur, un système d'alarme, un caméscope, etc.

Cependant, il est bon de te demander si les produits que tu consommes répondent vraiment à un besoin ou s'ils viennent combler un désir.

Les besoins de réalisation : croissance, succès, avancement

Les besoins d'estime de soi et de promotion sociale : reconnaissance, estime de soi, statut

Les besoins d'appartenance à un groupe : camaraderie, amitié, affection

Les besoins de sécurité : absence de crainte, protection contre le danger, sécurité et stabilité

Les besoins physiologiques : air, eau, nourriture, évitement de la douleur, abri

La pyramide des besoins de Maslow

le destinataire recevra le message sous la forme de données informatiques, c'est-à-dire en «mode point». Il reste à le décoder pour obtenir un message graphique qu'on peut publier dans le journal. Dans ce cas, un dispositif de sortie effectue le décodage, comme une imprimante.

Ces concepts de base font partie de tout système de communication. Par exemple, on peut décomposer le langage en ces mêmes concepts, à la différence que ton cerveau remplace l'ordinateur.

Les modes de communication

Le type de communication le plus classique est le dialogue entre deux personnes. C'est la communication de personne à personne. Toutefois, les êtres humains ne sont pas seuls à communiquer. Les animaux communiquent selon la communication animale. Des machines peuvent communiquer entre elles : c'est la communication machine.

Lorsque des personnes communiquent avec des machines dans un sens ou dans l'autre, on parle de communication homme-machine.

La communication humaine

Lorsque tu parles à quelqu'un ou que tu lis ce manuel, tu utilises la technologie. En effet, que ferait-on sans les mots ? Les mots sont les outils que nous utilisons pour communiquer. Ce sont des sons qui ont la même signification pour tout le monde. Les lettres de l'alphabet sont des symboles qui représentent un son particulier.

Figure 1.4 *Le langage des signes (à gauche) et le braille (à droite) sont deux formes de communication humaine.*

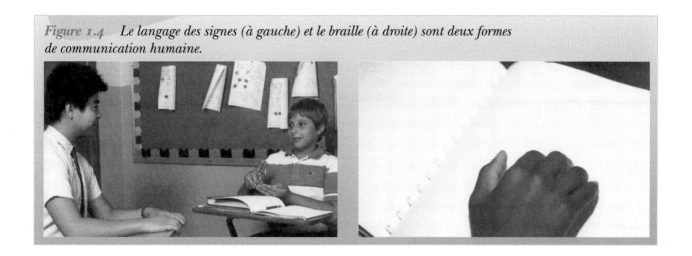

Figure 1.4 *Le langage des signes (à gauche) et le braille (à droite) sont deux formes de communication humaine.*

La communication est plus difficile pour les personnes malvoyantes ou malentendantes, mais elle prend une autre forme. Le langage des signes est un système de communication mis au point pour les personnes sourdes ou malentendantes (figure 1.4). Le braille est un autre système de communication pour les aveugles. En braille, des groupes de points en relief représentent chaque lettre de l'alphabet.

Le langage et les alphabets sont de bons exemples d'applications des connaissances pour résoudre des problèmes. Ils font partie des technologies des communications destinées à faciliter la communication humaine.

Le langage est utile lorsque deux personnes qui communiquent sont l'une à côté de l'autre. Qu'arrive-t-il lorsqu'elles sont très éloignées l'une de l'autre ? Au cours des siècles, les êtres humains ont inventé des centaines, peut-être même des milliers de façons de communiquer avec des personnes très éloignées. La **télécommunication** est la communication à distance.

Parmi les premières formes de télécommunication connues, il y a les tambours et les signaux de fumée des Autochtones. Le sémaphore est un système de communication qui se sert de deux drapeaux dans différentes positions pour représenter les lettres de l'alphabet. On a commencé à utiliser le sémaphore sur les navires vers 200 av. J.-C. (figure 1.5).

Figure 1.5 *Avec les signaux à bras, les différentes positions des drapeaux correspondent aux différentes lettres de l'alphabet.*

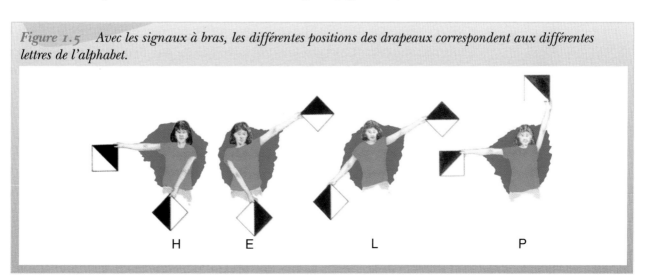

H E L P

Figure 1.6 Une abeille communique son message à d'autres abeilles par la danse.

On utilise des signaux pour communiquer à distance dans toutes sortes d'activités : opérations policières, lutte contre l'incendie, arpentage, athlétisme, réalisation de films. Peux-tu décrire ces systèmes de communication humaine ? En connais-tu d'autres ?

Les scientifiques ont observé des systèmes de communication complexes chez certaines espèces animales. Tu n'as pas besoin d'un diplôme en sciences pour voir à quel point les fourmis qui envahissent ton pique-nique sont bien organisées. On compare souvent les fourmis à une armée parce qu'elles semblent si disciplinées. De toute évidence, elles savent communiquer.

On sait que les abeilles domestiques communiquent entre elles par la danse (figure 1.6). Lorsqu'une abeille domestique repère une nouvelle source de nourriture, elle retourne à la ruche et « danse » pour indiquer aux autres abeilles où se trouve la nourriture. Elle reproduit le chiffre 8, avec de nombreux bourdonnements et battements d'ailes.

Plusieurs scientifiques considèrent que les dauphins font partie des animaux les plus intelligents. Les dauphins communiquent entre eux à l'aide de sons très aigus. Même s'ils n'en comprennent pas la signification, les scientifiques croient qu'il s'agit d'un langage très complexe.

La communication machine

Lorsque tu utilises un ordinateur, tu communiques avec une machine. Quand le texte que tu saisis apparaît à l'écran, c'est la machine qui te répond. Lorsque tu commandes l'impression de ton texte, il communique la commande à l'imprimante, qui est une autre machine. Voilà des exemples de communication homme-machine et machine à machine.

La communication machine est courante. Il y a probablement un thermostat qui contrôle la température de la pièce où tu es présentement. Ce contrôle s'effectue en deux étapes. D'abord, le thermostat capte la température de la pièce. (L'utilisation d'une machine pour enregistrer des données est l'« instrumentation ».) S'il fait trop froid, le thermostat commande le démarrage du système de chauffage (figure 1.7). (Lorsqu'une machine donne des ordres à une autre machine, on parle de « commande ».)

Les systèmes de communication machine les plus complexes sont les ordinateurs. Les **systèmes de commande par ordinateur** acceptent les entrées, traitent les données (processus), puis émettent des signaux de commande (sortie) aux autres dispositifs (figure 1.8). (Un système de commande par ordinateur est un bon exemple du modèle universel de système représenté à la figure 1.1.)

Ces systèmes enregistrent des données à partir d'un ou de plusieurs capteurs. Les capteurs peuvent détecter des phénomènes comme la lumière, la pression, la température ou le son. Les systèmes de commande par ordinateur sont courants dans la climatisation de grands édifices. Ils gèrent le système de chauffage, le système de refroidissement, le système d'éclairage, le système d'échangeur d'air, etc.

Faits scientifiques

Le chant des baleines

Le chant des baleines est une des formes de communication animale les plus fascinantes. Il se compose de claquements, de gémissements, de babillages et de sifflements. Les baleines produisent ces sons en poussant l'air dans les valves et les clapets situés sous leur évent.

Chaque chant respecte un motif et certains chants durent jusqu'à 30 minutes. Les chants varient selon les groupes de baleines. Il arrive qu'un chant entendu une année ne soit plus « à la mode » l'année suivante.

On ne sait pas exactement pourquoi les baleines chantent. Elles veulent peut-être attirer des partenaires ou repousser les prédateurs. Ou encore, elles chantent peut-être pour le plaisir !

Les types de systèmes de communication

Nous sommes entourés d'un nombre impressionnant de systèmes de communication. Le présent manuel étudie les **systèmes de communication techniques**. Ce sont des systèmes de communication qui dépendent d'outils et d'équipements particuliers.

La communication de données

De nos jours, les systèmes de communication de données par ordinateurs jouent un rôle vital en communication. Ils font partie intégrante de tous les autres processus de communication techniques que tu vas étudier.

Figure 1.7   Voici le schéma d'un thermostat. Selon toi, comment le principe de rétroaction s'applique-t-il ici ?

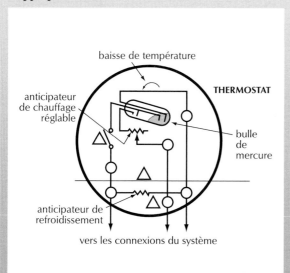

Figure 1.8   Un robot est un dispositif commandé par ordinateur. Dans la plupart des robots actuels, les capteurs optiques et tactiles sont des éléments importants du système de commande. Voici un robot en train d'assembler un ordinateur personnel.

Figure 1.9 Un étudiant réalisant un plan à l'aide d'un système de conception assistée par ordinateur (CAO).

Dans la section sur la communication de données, tu vas apprendre les principes de base d'un ordinateur. Tu pourras comprendre comment les ordinateurs recueillent les données, comment ils les traitent et ce que deviennent ces données par la suite.

La conception technique

En génie, en architecture et en conception industrielle, on utilise beaucoup les plans. Les esquisses sont utiles à l'étape des idées, mais il faut un plan précis pour fabriquer un produit ou construire un édifice.

Les systèmes de conception technique servent à dessiner ces plans. Autrefois, la conception technique comprenait des esquisses, des dessins d'exécution et des dessins techniques. Pourtant, ces techniques ne correspondent pas tout à fait à ce que les systèmes de conception technique font de nos jours.

Les outils et les équipements utilisés vont du té et de la planche à dessin aux ordinateurs. Aujourd'hui, on fait presque tout le travail technique à l'aide de systèmes de conception assistée par ordinateur (CAO).

L'optique

Les systèmes optiques utilisent la lumière pour transmettre et enregistrer un message. Le système optique le plus connu est la photographie. La photographie consiste à diriger la lumière sur un support d'enregistrement, soit un film. Les éléments de base sont la lumière, une lentille et un support.

La photographie peut t'aider à comprendre les systèmes optiques, car on y trouve les mêmes principes, les mêmes matériaux et les mêmes équipements. Pour cette raison, nous nous limiterons à l'étude de la photographie dans ce manuel.

Toutefois, les systèmes optiques vont au-delà de la photographie. Tu vas étudier les principes de la lumière, les lentilles et le matériel photosensible. Tu vas aussi découvrir les fibres optiques, les lasers et les hologrammes. Ce sont des systèmes optiques à la fine pointe de la technologie.

La production graphique

Autrefois, la production graphique se résumait à « mettre de l'encre sur du papier ». On parlait en général d'« impression ». De nos jours, on produit encore beaucoup de documents imprimés selon la méthode classique, mais il y a beaucoup d'autres façons de reproduire des images.

Parfois, on n'utilise même pas d'encre. Par exemple, pour reproduire une image, un photocopieur dépose et fusionne de la poudre sur le papier. Souvent, on reproduit les images sur des surfaces autres que le papier, comme le métal, le plastique ou un textile.

Les systèmes audio et vidéo

Les systèmes de communication sonore et visuelle font partie intégrante de notre vie. La radio est encore très populaire. Beaucoup de familles possèdent plusieurs radios et téléviseurs.

Au Canada, une personne regarde la télévision en moyenne 21,6 heures par semaine. Selon Statistique Canada, ce nombre décroît d'année en année. On attribue ce phénomène à une plus grande fréquentation des cinémas pour une septième année consécutive et au nombre croissant d'internautes. En 1999, il y avait une personne utilisant régulièrement Internet dans plus de 40 % des ménages, une hausse de plus de 35 % par rapport à l'année précédente.

La plupart des gens ne s'imaginent pas tous les aspects technologiques liés à la télévision et à la radio. Pendant que tu syntonises ta radio à une station, il y a des millions de messages qui circulent dans l'atmosphère !

Dans la section sur la communication sonore et visuelle, tu vas découvrir le fonctionnement des radios, des téléviseurs, des téléphones, des lecteurs de disques compacts et des lecteurs de vidéodisques. De plus, tu verras les principes de base de la communication radiodiffusée. Enfin, tu examineras certaines utilisations des systèmes audio et vidéo.

Les systèmes intégrés

En communication, il faut se rappeler que les domaines se chevauchent. Par exemple, on utilise les ordinateurs dans tous les exemples de systèmes précédents. Les lentilles décrites pour les systèmes optiques se retrouvent aussi dans les appareils vidéo. On emploie la théorie des couleurs dans les systèmes optiques, en production graphique et dans les écrans d'ordinateur.

Il est important de comprendre qu'aucun système de communication n'existe pour lui seul. Par exemple, les lignes téléphoniques permettent de transmettre la voix et des données informatiques. Elles sont faites de fibres optiques ou de fils de cuivre. Tu vas étudier l'*intégration* de ces systèmes au chapitre suivant.

À mesure que tu découvres les différents systèmes de communication, pense à leurs répercussions sur le monde. Définis leurs effets sur ta propre vie : de quoi aurait l'air une journée sans ordinateur, sans photos, sans films, sans documents imprimés, sans radio, sans télévision et sans téléphone ?

Figure 1.10 *(À gauche) La découverte de l'électricité par Benjamin Franklin a apporté de nouvelles connaissances. (À droite) Le Canadien Alexander Graham Bell a utilisé les connaissances en électricité pour inventer le téléphone.*

La recherche et le développement

Tu entends souvent parler de haute technologie. On découvre toujours de nouvelles façons de faire les choses. C'est possible grâce à la recherche et au développement.

La **recherche** est la collecte de données en vue d'acquérir de nouvelles connaissances. Les découvertes ne sont pas toujours utiles au moment où on les fait. Toutefois, il est important de les faire, car elles peuvent apporter des solutions insoupçonnées.

Le **développement**, ou recherche appliquée, est une recherche visant à résoudre un problème particulier. Il en résulte un produit ou une méthode. Par exemple, la découverte de l'électricité est le résultat d'une recherche. Elle a mené à l'invention, c'est-à-dire au développement, du téléphone (figure 1.10).

La résolution de problèmes

L'inventeur américain Thomas Edison a dit un jour: «Le génie se compose de 1 % d'inspiration et de 99 % de transpiration». Autrement dit, trouver des solutions à l'aide de la technologie est un travail énorme. En recherche, on suit une méthode de résolution de problèmes établie pour trouver des solutions. Nous appelons cette méthode le **processus de design**. Voici les étapes du processus de design (figure 1.11).

1. *Définir le problème.* Il s'agit de décrire le problème d'une façon claire et précise.
2. *Effectuer une recherche.* Il faut amasser et analyser des renseignements qui se rapportent au problème.
3. *Proposer des solutions.* On dresse une liste de toutes les solutions possibles au cours d'une séance de «remue-méninges».
4. *Évaluer les solutions.* On effectue des essais pour chacune des solutions au moyen d'un modèle ou d'un prototype.

Figure 1.11 *(À gauche) Pour développer de nouvelles technologies, on utilise le processus de design. (À droite) Philo T. Farnsworth, l'un des inventeurs de la télévision, fait une démonstration d'un récepteur de télévision à des journalistes, en 1935.*

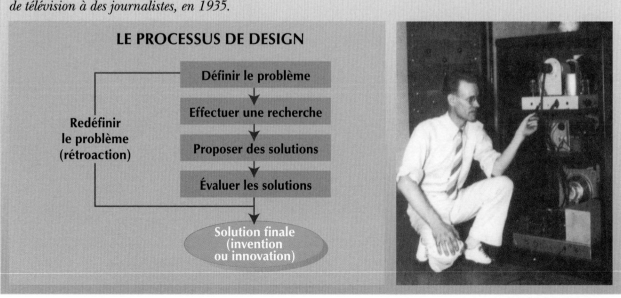

5. *Redéfinir le problème.* Lorsqu'on évalue les solutions, on fait parfois des observations qui obligent à redéfinir le problème. Cette nouvelle définition du problème permet souvent de trouver une meilleure solution.

6. *Présenter la meilleure solution.* Après avoir parcouru plusieurs fois les étapes de 1 à 5, on choisit la meilleure solution.

Des carrières en technologie des communications

Il y a beaucoup de métiers reliés aux communications. Par exemple, on dit que l'industrie graphique est la plus grande industrie au monde ! En fait, c'est l'industrie qui possède le plus de moyens de production. Toutefois, la production graphique est seulement l'un des cinq grands domaines de la technologie des communications. C'est pourquoi il y a un grand choix de carrières, que ce soit dans les domaines technique, artistique, administratif ou de la gestion, de la production, etc.

La figure 1.12 illustre certaines carrières dans la technologie des communications. Tu trouveras des descriptions de carrières à la fin de chaque section de ce manuel. Tu peux également consulter les ressources électroniques et Internet à ton école ou à la bibliothèque municipale.

Figure 1.12 *La technologie des communications propose toutes sortes de carrières. Relève comment les différents métiers illustrés utilisent la technologie des communications.*

Révision du chapitre

1

Questions de révision

1. Qu'est-ce que la technologie des communications?

2. Quelles sont les quatre composantes du modèle universel de système? Décris-les.

3. Décris les éléments de base du modèle de système de communication.

4. On te donne 2000 $, mais tu dois te procurer une seule chose avec cet argent. Que choisiras-tu: un scooter? des vêtements griffés? une chaîne stéréo? un ordinateur? des études postsecondaires? Parmi ces produits, lesquels considères-tu comme faisant partie de tes besoins? Où les classerais-tu dans la pyramide des besoins de Maslow?

5. Décris les modes de communication humaine, animale et machine.

6. Donne une définition des télécommunications. Inclus des exemples.

7. Énumère cinq types de systèmes de communication techniques.

8. Quelle est la différence entre la recherche et le développement?

9. Quand peut-on appliquer la méthode de résolution de problèmes, ou processus de design? Donne des exemples.

10. Quelles sont les six étapes de base du processus de design?

Activités

1. Demande à 10 personnes de définir le terme «technologie». Présente les réponses au reste de la classe.

2. Fabrique une affiche qui illustre le fonctionnement des systèmes de communication de base.

3. Analyse un dispositif de communication de haute technologie selon les modèles décrits dans le présent chapitre. Conçois un modèle, une affiche ou une présentation multimédia (Corel Presentations, Powerpoint, Viewlet ou page Web). Assure-toi d'indiquer ces éléments: l'expéditrice ou l'expéditeur, la ou le destinataire, l'entrée, la sortie, etc.

4. Trouve cinq carrières liées à la technologie dans un journal ou sur Internet. Décris chaque carrière en un paragraphe: description du poste, compétences et formation exigées, salaire, si disponible.

5. Applique la méthode de résolution de problèmes présentée dans ce chapitre pour régler le problème suivant. Tu veux installer un nouveau programme d'édition vidéo sur ton ordinateur, mais tu n'as plus d'espace sur ton disque dur. Cet espace est occupé par le système d'exploitation de l'ordinateur, deux jeux, un logiciel de traitement de texte et un logiciel de traitement de l'image ainsi que plusieurs photos personnelles qui n'existent qu'en format numérique. Suppose que chaque élément utilise le même nombre de méga-octets sur ton disque dur, soit 800 Mo. Tu dois libérer 1200 Mo en tout. Dans un compte rendu, décris les étapes que tu as suivies dans ta recherche de solutions. Lis ton compte rendu au reste de la classe.

L'évolution de la technologie des communications

Benjamin Franklin a dit un jour que les deux seules certitudes de la vie étaient la mort et les impôts. On pourrait ajouter l'évolution de la technologie. La technologie est dynamique, c'est-à-dire qu'elle change sans arrêt, qu'on le veuille ou non. Cela amène de nouvelles possibilités et de nouveaux défis.

Dans ce chapitre, tu vas étudier l'évolution de la technologie des communications. La plupart des changements de cette technologie ont eu lieu grâce à l'invention de l'ordinateur. Grâce à une chronologie de la technologie des communications, tu verras non seulement les changements survenus dans le passé, mais tu auras un aperçu des possibilités de l'avenir.

Vocabulaire

- courrier électronique
- données
- fiche signalétique SIMDUT
- impression sur demande
- informatisation
- intégration
- miniaturisation
- numérisation

Au fil de ce chapitre, tu vas trouver les réponses à ces questions :

- À quelle époque y a-t-il eu le plus de changements dans la technologie des communications ?
- Quel rôle a joué l'informatique dans l'évolution de la technologie des communications ?
- Y a-t-il des lois et des règlements qui encadrent la technologie des communications ? Si oui, lesquels ?
- Quels types d'emplois peut-on occuper en technologie des communications ?
- Quelle formation faut-il avoir pour travailler en technologie des communications ?

chapitre 2

Les contributions du passé

L'histoire des systèmes de communication a vu passer toutes sortes d'innovations et d'inventions. La plupart des découvertes ont transformé le mode de vie des gens. Au milieu du XV\ :sup:`e` siècle, Johannes Gutenberg a révolutionné l'imprimerie par l'utilisation des caractères mobiles. Dès ce moment, on a imprimé les livres plus rapidement. Pour la première fois, tout le monde avait accès aux livres, pas seulement l'élite. Plus tard, Alexander Graham Bell a inventé le téléphone. Son appareil permettait à deux personnes en des endroits différents de se parler. Les ordinateurs ont aussi modifié notre mode de vie, de différentes façons.

Une chronologie de la technologie des communications te permet de voir en un coup d'œil les découvertes qui ont marqué l'histoire des communications. Elle fait aussi ressortir les liens entre les différents systèmes techniques (système optique, système de production graphique, etc.). À quelles découvertes t'attends-tu dans les 10 prochaines années ? au XXI\ :sup:`e` siècle ?

L'ère électronique

Jusqu'à 1850 environ, presque toute la population vivait de l'agriculture. On semait, on cultivait et on récoltait, au rythme des saisons, pour se nourrir. L'agriculture était *le* mode de vie de l'époque.

Au milieu du XIX\ :sup:`e` siècle, la révolution industrielle a transformé ce mode de vie. Pour la première fois dans l'histoire, beaucoup de gens ont quitté les campagnes pour aller travailler dans les industries. L'ère industrielle venait de commencer.

Aujourd'hui, nous vivons à l'ère électronique. Un exemple est l'automatisation des opérations dans les usines. Des machines font le travail de fabrication des produits, alors les usines emploient moins de personnes. Il y a eu une explosion d'information. On appelle souvent cette information des **données**. Les nouveaux systèmes de communication permettent de traiter facilement ces données.

Figure 2.1 *Le lecteur de disques compacts a remplacé le tourne-disque d'autrefois. En quoi ce changement représente-t-il la tendance dans la technologie des communications ?*

Les changements dans les communications

La technologie des communications a beaucoup évolué. Par exemple, pense à l'informatisation, à la miniaturisation, à la numérisation et à l'intégration. On observe aussi un autre changement : il y a de plus en plus d'ordinateurs dans les maisons.

L'informatisation

Le changement le plus représentatif en technologie des communications est l'**informatisation**. Les systèmes de communication dépendent de plus en plus de la puissance des ordinateurs pour fonctionner. Les ordinateurs sont plus que des appareils de bureau. Ce sont aussi des microprocesseurs (des « puces » électroniques) à l'intérieur de ton téléphone, d'un téléviseur, d'un photocopieur, d'une radio, d'un lecteur de disques compacts, d'un lecteur de vidéodisques ou d'un appareil photo (figure 2.2). Pense à un équipement de communication, et il est presque certain qu'il contient une sorte d'ordinateur.

L'informatisation offre de nombreux avantages. D'abord, elle améliore la qualité. Si tu compares l'image d'un téléviseur dernier cri à celle d'un téléviseur d'il y a 20 ans, tu verras qu'elle est bien meilleure. La qualité du son d'un disque compact est également supérieure à celle d'un ancien disque en vinyle.

Un autre avantage est la fiabilité des dispositifs de communication. Lorsqu'ils ont commencé à utiliser les ordinateurs, les gens blâmaient la machine s'ils avaient des problèmes. Aujourd'hui, ils admettent que les ordinateurs sont très fiables, avec des pièces plus résistantes qu'avant. Quand on a un problème, en général, c'est à cause d'une erreur humaine.

Figure 2.2   *Plusieurs appareils photo comportent des puces électroniques. Ces puces contrôlent la mise au point, le temps d'exposition et fournissent une image numérisée.*

LA CHRONOLOGIE DE LA TECHNOLOGIE DES COMMUNICATIONS

Avant 35 000 av. J.-C. : Apparition du langage ; les signaux de fumée et les tambours servent à communiquer à distance.

Vers 3000 av. J.-C. : Apparition de l'abaque (probablement la plus ancienne machine à calculer).

Vers 1500 av. J.-C. : Développement des premières formes de l'alphabet au Moyen-Orient.

350 av. J.-C. : Aristote découvre le principe de la chambre noire. La lumière pénètre à l'intérieur d'un orifice situé sur un des côtés d'une boîte noire en formant une image sur le côté opposé de la boîte.

105 ap. J.-C. : Ts'ai Lun invente le papier (Chine).

1822 : Le physicien Joseph Nicéphore Niépce met au point l'« héliographie ». Quatre ans plus tard, il produit la première image fixe.

1823 : Charles Babbage construit la « machine à différences », une machine à calculer capable de résoudre des équations algébriques.

1833 : Charles Babbage développe la « machine analytique », un prototype d'ordinateur programmable à l'aide de cartes perforées.

1840 : Samuel F. B. Morse fait breveter le télégraphe.

1884 : Le mécanicien Ottmar Mergenthaler fait breveter la linotype, une machine à composer qui fond les caractères par lignes complètes.

1888 : Thomas A. Edison et William Dickson créent le premier appareil cinématographique, le « kinétoscope ».

1888 : George Eastman met au point un appareil photo presque automatique. Il l'appelle « Kodak ».

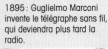

1895 : Guglielmo Marconi invente le télégraphe sans fil, qui deviendra plus tard la radio.

1895 : Les frères Lumiè[re] font leur première pro[jection] à l'ai[de] de leur ciném[a]tographe. Le public effray[é] quitte la sall[e] en courant.

1930-1940 : Invention du magnétophone à bande. On voit ici un modèle amélioré.

1944 : IBM dévoile le premier ordinateur, *Harvard Mark I.*

1947 : John Bardeen, Walter Brattain et William Shockley inventent le transistor.

1947 : Dennis Gabor invente l'holographie.

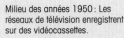

Milieu des années 1950 : Les réseaux de télévision enregistrent sur des vidéocassettes.

1952 : Lancement de la première radio à transistors de poche.

1962 : Mise en orbite du premier satellite commercial. Il permet la transmission téléphonique et télévisuelle entre les États-Unis et l'Europe.

1970 : Mise sur le marché de la première fibre optique commerciale.

Début des années 1970 : Une firme développe le vidéodisque laser.

1971 : Theodore Hoff invente le premier microprocesseur (un ordinateur sur une puce).

1976 : Steve Wozniak et Steve Jobs inventent le premier micro-ordinateur.

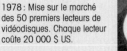

1978 : Mise sur le marché des 50 premiers lecteurs de vidéodisques. Chaque lecteur coûte 20 000 $ US.

868 ap. J.-C. : Impression du premier «livre» connu, *The Diamond Sutra*, à l'aide de blocs de bois.

1000 : Développement de la sérigraphie.

1540 : Johannes Gutenberg développe le premier système à caractères mobiles métalliques connu en Occident.

1045 : Pi Sheng invente les caractères mobiles.

1811 : Friedrich Koenig fait breveter la première presse à vapeur.

Années 1600 : Blaise Pascal construit des prototypes de machine à calculer qui ouvrent la voie à l'ordinateur.

1864 : James Clerk Maxwell propose une théorie de l'électromagnétisme. Cette théorie sera à la base de l'invention de la radio.

1868 : Christopher Sholes fait breveter la première machine à écrire moderne.

1876 : Alexander Graham Bell fait breveter le téléphone.

1877 : Thomas A. Edison fait breveter le phonographe.

1898 : Valdemar Poulsen invente le premier phonogramme.

1904 : Ira Rubel invente la première presse offset.

1908 : C. A. Holweg fait breveter la première presse flexographique.

1912 : Le chimiste Rudolph Fischer fait breveter le premier procédé photographique en couleurs.

1923 : Le physicien Vladimir K. Zworykin fabrique la caméra et le récepteur de télévision.

1930 : Vannevar Bush, ingénieur en électricité, construit le premier ordinateur analogique fiable.

1959 : Mise sur le marché du premier photocopieur moderne.

1960 : Theodore Maiman développe le premier laser.

1960 : E. N. Leith produit les premiers hologrammes à laser.

1960 : *Echo I* est le premier satellite à recevoir les signaux radioélectriques de la Terre et à les renvoyer.

1982 : Une entreprise développe l'écran plat grâce à l'affichage à cristaux liquides.

1983 : Premiers disques compacts (ou CD).

1984 : Avènement sur le marché de l'ordinateur Macintosh. Il se vend moins bien que les ordinateurs personnels (PC). Toutefois, son interface conviviale novatrice (avec des icônes, des pointeurs et le concept du bureau) sera vite reprise par la plupart des fabricants de logiciels et de matériel informatique.

Années 1990 : Les dispositifs de communication sans fil se répandent : le téléavertisseur, le téléphone cellulaire, le modem cellulaire et l'ordinateur de poche.

Années 2000 : AIBO est le premier chien robot doté d'une intelligence artificielle.

L'informatisation a permis de réduire le délai d'exécution. Dans plusieurs systèmes de communication, les ordinateurs ont éliminé certaines tâches. Cela a accéléré les communications. On peut envoyer des textes ou des images n'importe où en moins de temps qu'il n'en faut pour faire un appel téléphonique.

Les ordinateurs coûtent cher à l'achat, mais il faut se rappeler qu'ils nous permettent d'économiser. Si un processus de communication est plus rapide, on diminue les heures de travail et on économise sur les salaires.

La miniaturisation

On ne peut pas parler d'informatisation sans parler de **miniaturisation**, c'est-à-dire le fait de fabriquer les choses en plus petit. Les premiers ordinateurs étaient volumineux. Maintenant, ils tiennent sur une table, parfois moins. C'est la même chose pour les composantes électroniques. Dans le passé, elles pouvaient remplir une salle, alors qu'aujourd'hui, elles se réduisent à des « plaques » contenant des puces électroniques. Ces plaques peuvent entrer dans un ordinateur personnel (figure 2.3).

Bien sûr, tous les éléments qui dépendent de ces puces électroniques sont également plus petits. Lorsque Thomas Edison a inventé le phonographe, crois-tu qu'il a imaginé que des gens feraient un jour leur jogging avec un appareil stéréophonique dans leur poche? Aujourd'hui, nous portons même un ordinateur autour de nos poignets.

Les recherches sur la miniaturisation se poursuivent. Plus les dispositifs sont petits, plus les prix baissent. Les machines à calculer des années 1970 coûtaient plusieurs centaines de dollars et occupaient la plus grande partie d'un bureau. Aujourd'hui, une calculatrice de poche se vend quelques dollars.

Figure 2.3 *(À gauche) L'ordinateur* Harvard Mark I *occupait une pièce. (À droite) Nos ordinateurs personnels sont plus puissants et tiennent sur une table.*

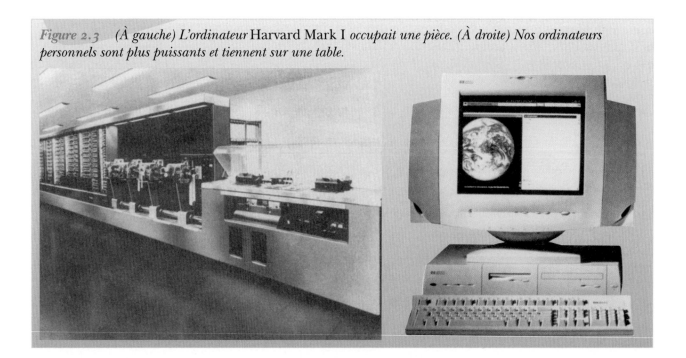

Faits scientifiques

Les ordinateurs optiques

Les puces sont petites et rapides. Toutefois, les connexions entre les puces limitent leur vitesse. Des scientifiques veulent mettre au point des ordinateurs optiques, voire moléculaires. Les ordinateurs optiques utilisent des rayons laser plutôt que des fils électriques. Ces rayons peuvent transporter plus d'information que les fils. Il faut séparer les fils pour leur permettre de bien transmettre l'information. Ce n'est pas le cas avec les rayons de lumière. Ils peuvent se traverser sans modifier l'information qu'ils transportent. Un ordinateur optique sera encore plus petit que nos ordinateurs actuels.

La numérisation

Il y a deux types de montres-bracelets : l'un indique l'heure à l'aide d'aiguilles, et l'autre affiche des nombres. La montre-bracelet qui affiche des nombres est numérique. Elle donne toujours l'heure exacte, arrondie à la seconde.

La montre-bracelet à cadran à aiguilles est analogique. Étant donné que les aiguilles ont un mouvement continu, tu n'as jamais tout à fait l'heure exacte. Les systèmes analogiques ne fonctionnent pas de façon fragmentée ; ils fonctionnent en continu.

Tous les systèmes de communication que tu étudies dans ce chapitre (système de production graphique, système optique, système de conception technique, systèmes audio et vidéo) ont d'abord été des systèmes analogiques. Ils sont en train de devenir des systèmes numériques.

Le passage d'un système analogique à un système numérique est la **numérisation**. Cela se produit parce que les ordinateurs remplacent les systèmes de communication. Puisque les ordinateurs sont numériques, ils doivent traiter des données numériques.

L'intégration

La numérisation des systèmes a un avantage. On peut les relier et transférer des données de l'un à l'autre. Par exemple, on peut relier un appareil photo numérique à une imprimante numérique. C'est un procédé courant dans l'industrie des communications graphiques. On nomme cette tendance l'**intégration**, c'est-à-dire la combinaison des systèmes de communication.

Il y a beaucoup d'exemples d'intégration dans les entreprises. Chaque jour, des télécopieurs distants de plusieurs milliers de kilomètres envoient et reçoivent des textes et des images, puis les transfèrent à un ordinateur. Le processus est plus complexe lorsqu'il s'agit d'audio et de vidéo. Toutefois, la vidéo interactive permet de combiner toutes ces technologies sur un même écran d'ordinateur.

Dans les années 1970, les systèmes d'audio, de vidéo, d'impression et de photographie étaient très différents les uns des autres. Dans les années 1980, ces systèmes sont devenus numériques et on a pu les relier et les combiner. De nos jours, l'intégration est courante car ces systèmes se sont informatisés. La plupart des systèmes de communication utilisent une technologie à système numérique.

La conception technique

Le domaine de la conception technique se prête à l'informatisation. D'une part, la plupart des conceptions techniques utilisent des figures géométriques. Et bien, les ordinateurs peuvent facilement créer et afficher des figures géométriques.

D'autre part, en conception technique, on doit souvent dessiner les mêmes objets plusieurs fois. Par exemple, tous les plans de maison doivent inclure un évier, de l'éclairage, une douche, des prises électriques, etc. Avec un ordinateur, il suffit d'extraire des symboles représentant ces différents objets de logiciels et de les insérer dans le dessin. Voilà pourquoi on fait de plus en plus de conceptions graphiques à l'aide d'un ordinateur.

Une nouvelle tendance consiste à relier l'équipement de conception et l'équipement de production à l'aide d'ordinateurs. C'est la fabrication assistée par ordinateur, ou FAO. Une autre tendance semblable vise à contrôler l'ensemble du processus de fabrication à l'aide d'ordinateurs. C'est la fabrication intégrée par ordinateur, ou FIO (figure 2.4). Plus les installations de production seront automatisées, plus la conception assistée par ordinateur, ou CAO, la FAO et la FIO joueront un rôle important dans les processus.

L'optique

Les appareils photo ont beaucoup évolué depuis 100 ans. Dans leur cas aussi, c'est l'informatique qui a causé le changement le plus important. Les lentilles sont de meilleure qualité, car on les conçoit à l'aide d'ordinateurs. Elles produisent donc de meilleures images, même lorsqu'il y a très peu de lumière.

De plus, les appareils photo sont maintenant entièrement automatiques. Des puces font presque tout le travail. Elles déterminent la durée appropriée d'exposition à la lumière. Elles font la mise au point. Les photographes peuvent se concentrer sur leur sujet au lieu de s'occuper des réglages de l'appareil photo.

La tendance est à la photographie numérique. L'appareil photo numérique encode électroniquement chaque détail de la photo. Ces données mémorisent la place et la nature de la couleur. Par la suite, il est facile de modifier la photo en appliquant des effets spéciaux ou en apportant des changements. De plus, la photo numérique peut se transmettre par voie électronique.

Figure 2.4   Dans un système FIO, toutes les étapes du processus de fabrication sont reliées entre elles à l'aide d'ordinateurs.

La production graphique

L'utilisation des ordinateurs dans les systèmes de production graphique s'appelle édition électronique. On parle aussi d'éditique dans le cas des ordinateurs personnels. De nos jours, les ordinateurs interviennent dans presque toutes les étapes du processus de publication (figure 2.5).

L'utilisation accrue de la couleur est l'un des changements apportés par les ordinateurs. Dans les années 1970, on voyait peu de couleur dans les journaux. À présent, c'est l'inverse : il est plutôt rare de *ne pas* voir de couleur dans les journaux. C'est la même chose pour les magazines et les livres.

Il y a une autre tendance en production graphique. C'est l'**impression sur demande**. On stocke des documents dans des fichiers informatiques et on les imprime au besoin. Cela réduit les coûts liés à l'entreposage d'énormes quantités de documents imprimés. En production graphique, le papier représente une grande partie des coûts. Par conséquent, l'impression sur demande permet d'économiser de l'argent et des fournitures. On n'imprime que ce qui est déjà « vendu ». Peut-être verrons-nous un jour des boutiques de livres, de journaux ou de magazines qui imprimeront chaque commande sur demande.

La conception par ordinateur en production graphique permet de faire un meilleur suivi du produit. Dans le passé, pour apporter des corrections, il fallait recommencer tout le travail. Maintenant, on ne fait qu'insérer les corrections dans un fichier conservé en mémoire. Cela fait économiser temps et argent. Un suivi amélioré de la conception jusqu'à l'impression donne un produit de meilleure qualité.

L'audio et la vidéo

Parmi les produits électroniques, les disques compacts (CD) ont reçu un très bon accueil sur le marché en raison de leur son numérique très pur.

Figure 2.5 *On utilise les ordinateurs dans plusieurs étapes de la production graphique. Tu vois ici un système de mise en page électronique.*

Figure 2.6   Les systèmes numériques à satellite offrent une programmation variée et une qualité vidéo et audio supérieure.

Les magnétoscopes sont également très populaires. Ces deux produits ont permis de combiner la qualité et l'utilité dans l'industrie du divertissement.

La numérisation gagne aussi la communication sonore et visuelle. Nos téléviseurs sont en train de devenir des « systèmes de divertissement numériques ». Ces systèmes pourront recevoir des sons audionumériques (de qualité égale aux CD), de la vidéo numérique de qualité supérieure et des données informatiques.

Leur caractère numérique va rendre ces systèmes plus proches de l'ordinateur que du téléviseur, donc beaucoup plus versatiles. On pourra les relier directement à des réseaux informatiques, comme Internet. On aura ainsi accès à l'incroyable quantité d'information stockée et communiquée par ordinateur.

Les nouveaux systèmes de divertissement offrent une autre innovation. Ils pourront non seulement recevoir des données, mais aussi en transmettre. Cela signifie que ces systèmes vont devenir interactifs. Pour un prix donné, on aura accès à un nombre croissant d'options de divertissement interactif.

La transmission voix-données est une autre forme de message audio envoyé et reçu sous forme numérique. La téléphonie va se numériser de plus en plus, et pourrait même inclure une image vidéo.

Tu peux deviner que la quantité de données numériques sera immense. Pour les transmettre, il faudra utiliser davantage les satellites, les fibres optiques et les câbles coaxiaux. En 1994, les systèmes numériques à satellite ont été les premiers à bénéficier des nouvelles technologies de transmission numérique. Ces systèmes utilisent une antenne parabolique

Faits scientifiques

Les orbites de satellite

Les satellites de communication se déplacent à la même vitesse que la rotation de la Terre. Par conséquent, ils sont toujours au même endroit au-dessus de la Terre. Ils ont des orbites *géostationnaires*. Avec seulement trois satellites dans des orbites géostationnaires, à 35 785 km au-dessus de la Terre, on peut transmettre de l'information d'un endroit donné à n'importe quel autre endroit sur la planète.

orientable de 45 cm (18 po) de diamètre pour recevoir les signaux audio et vidéo numériques des satellites. Ces signaux numériques passent par une boîte qui les convertit en signaux analogiques. Ces signaux analogiques conviennent à un téléviseur ordinaire. Les systèmes numériques à satellite offrent une qualité vidéo et audio supérieure à des prix comparables à ceux de la câblodistribution.

L'industrie et la technologie des communications

Tous les secteurs de l'industrie se sont adaptés aux changements apportés par la technologie des communications. Internet a permis de mieux gérer les ventes et la publicité. Les réseaux intranet ont amélioré les communications internes. Le **courrier électronique** simplifie la correspondance avec la clientèle. Le personnel se perfectionne en exploitant les nouvelles technologies. Imagine une entreprise qui n'aurait pas d'ordinateurs, de lecteurs de cédéroms, de graveurs de cédéroms, de page Web, de téléphones cellulaires, de système de téléconférence ou de système de vidéoconférence. Toutes ces innovations créent de nouveaux types d'emplois et de nouvelles spécialisations. La figure 2.7 brosse un tableau des types d'emplois reliés à la technologie des communications.

Il y a beaucoup de possibilités de carrières reliées à la technologie des communications. Une ingénieure ou un ingénieur est responsable de tous les aspects relatifs à la production et à l'utilisation de systèmes de

Figure 2.7   La technologie des communications offre de nombreuses possibilités de carrières.

Secteur	Types d'emplois	Formation nécessaire
Graphique	Publicitaire : conception de catalogues, de publicités, etc. Éditrice, éditeur : conception de magazines, de journaux, de livres, etc.	Formation collégiale en technologie publicitaire Formation collégiale en éditique (technique)
Audio	Production radiophonique : mise en ondes, génie du son, animation	Formation collégiale (technique) Formation universitaire en journalisme, en communications
Vidéo	Production visuelle : montage, production, prise de son, éclairage, réalisation, animation	Formation collégiale ou universitaire en production cinématographique et vidéo
Systèmes	Sites Internet : conception, scénarisation, production, analyse, programmation	Formation collégiale en technique de gestion de site Web Formation universitaire en commerce et en communications
Équipements	Gérance de réseau de communication : mise en place, entretien et dépannage	Formation collégiale en informatique Formation universitaire en génie des sciences de l'information ou en génie électronique
Câblodistribution	Soutien technique	Formation collégiale
Lettres et communication	Services de communications et d'information	Formation universitaire en commerce, en communications

communication, de la conception d'un réseau de communication à la production d'un programme audiovisuel. Pour obtenir ce titre, il faut faire des études universitaires et avoir un baccalauréat en génie. Ce programme est offert par la plupart des universités ontariennes. Certains établissements proposent des programmes de spécialisation pour étudier les réseaux de communication et les technologies des communications. Les ingénieures et les ingénieurs sont membres du Conseil canadien des ingénieurs, qui regroupe différents organismes responsables de l'accréditation, de la déontologie et de la formation.

■ *Choisir sa profession*

Quel travail aimerais-tu faire ?

Pense à un travail que tu aimerais faire. Rencontre une personne qui fait ce travail. Prépare à l'avance une liste des questions que tu veux lui poser. Voici quelques exemples.
- Quelle est la formation requise pour faire ce travail ?
- Quelles aptitudes et compétences faut-il posséder ?
- Faut-il être membre d'une guilde, d'un ordre professionnel, d'un syndicat ?

Consigne tes réponses. Tu les utiliseras plus tard.

Fais un retour sur ce que ton entrevue t'a appris au sujet du travail que tu aimerais faire. Réponds aux questions suivantes. Tu prépareras ensuite un portfolio électronique.
- Quelles compétences et habiletés devras-tu développer pour faire ce travail ?
- Détermine tes forces et tes faiblesses pour ce travail.
- Quelle formation devrais-tu poursuivre pour acquérir ces habiletés et ces compétences ?
- Quels établissements offrent cette formation ?
- Fais une recherche sur des programmes d'études postsecondaires. Dans quelle mesure ces programmes conviennent-ils à ton plan de carrière ?

Portfolio électronique

Prépare un portfolio électronique. Inclus ton plan de carrière, tes projets d'études et la formation que tu vas acquérir. Indique aussi tes habiletés, tes compétences et tes motivations. Décris tes connaissances techniques. Conçois une carte de visite.

Les technologues ont généralement une formation technique de niveau collégial liée au génie industriel ou à l'électronique industrielle. Ils s'occupent des aspects relatifs à l'entretien et au montage de systèmes de communication (par exemple, la gestion d'un réseau câblé de distribution de l'information, l'entretien et la réparation d'un système). C'est un secteur d'activité en pleine expansion. Les technologues ont leurs propres associations et sont affiliés à un syndicat qui défend leurs intérêts professionnels.

Les techniciennes et les techniciens possèdent un diplôme d'études collégiales ou un certificat spécialisé dans l'application de technologies de pointe. Dans certains cas, ils poursuivent leurs études à l'université pour se spécialiser dans une technique (par exemple, une technique d'impression particulière, un type d'appareils). Ils sont également affiliés à un syndicat.

La figure 2.8 résume la situation des corps professionnels des ingénieures et ingénieurs, des technologues et des techniciennes et techniciens.

Figure 2.8   *La situation des divers corps professionnels*

Titre	Formation	Travail	Organisations et associations professionnelles
Ingénieure ou ingénieur	Formation universitaire	Conçoit et définit l'utilisation des systèmes de communications	Profession représentée par l'Ordre des ingénieurs et ingénieures, qui détermine les critères d'admissibilité, offre une protection juridique, recommande et organise des séminaires et des stages de perfectionnement
Technologue	Formation collégiale	Entretient les systèmes développés par l'ingénieure ou l'ingénieur	Métier non protégé par un ordre ou une association professionnelle. Les technologues sont généralement membres d'un syndicat regroupant des personnes exerçant un métier similaire.
Technicienne ou technicien	Formation collégiale ou universitaire, voire autodidacte	Exploite la technologie pour répondre aux spécifications techniques pointues des systèmes	Travail indépendant ou effectué de manière autonome. Parfois membre du Syndicat des technologues.

La formation continue

Les métiers reliés à la technologie des communications sont en constante évolution, comme la technologie elle-même. De nouvelles techniques apparaissent régulièrement sur le marché (par exemple, l'enseignement par vidéoconférence en Ontario). On fait face à de nouveaux problèmes (par exemple, les problèmes relatifs à la protection de la propriété intellectuelle). C'est pourquoi il est important de maintenir et d'améliorer sa formation de façon régulière. On peut le faire en s'abonnant à une revue spécialisée, en devenant membre d'une association ou d'un club, en prenant régulièrement une « année sabbatique » pour suivre des cours ou faire des recherches, et bien sûr en assistant à des séminaires, à des colloques ou à des conférences.

La santé et la sécurité au travail

La santé et la sécurité au travail sont une préoccupation majeure. Les règles de sécurité ont pour but de prévenir les accidents et les blessures. Un lieu de travail sécuritaire et une attitude consciencieuse sont tous deux essentiels pour assurer la santé et la sécurité au travail.

Au Canada, les gouvernements fédéral et provinciaux se partagent des responsabilités en regard de la santé et de la sécurité au travail. Le gouvernement fédéral émet des normes, comme celles du SIMDUT. Les gouvernements provinciaux sont responsables de l'application de ces règles.

■ L'Association canadienne de normalisation

L'Association canadienne de normalisation, ou ACNOR, est un organisme d'envergure internationale de certification et de mise à l'essai de produits. Tout équipement, par exemple les rallonges et les appareils électroniques, doivent respecter des critères précis. L'ACNOR vérifie si l'équipement est conforme et l'accrédite si c'est le cas. Chaque accréditation vise une ou des catégories de produits et s'applique à un territoire particulier. Elle signifie que le produit répond à toutes les exigences du Conseil canadien des normes en matière de santé et de sécurité. On ne peut vendre aucun produit électrique qui n'a pas reçu cette approbation.

Le Système d'information sur les matières dangereuses utilisées au travail (SIMDUT)

Le SIMDUT est l'une des normes canadiennes les plus importantes en matière de santé et de sécurité au travail. Le gouvernement fédéral a établi le SIMDUT en 1987. Le SIMDUT a pour objectif d'assurer la protection des travailleuses et des travailleurs contre les effets nocifs des matières dangereuses. Ce sont les provinces qui s'occupent de l'application du SIMDUT.

Le SIMDUT accorde des droits aux entreprises et à leur personnel. Les travailleuses et les travailleurs ont le droit de savoir dans quelles conditions ils travaillent. Les entreprises ont le droit de garder confidentielle de l'information de nature commerciale. Le système permet de contester des décisions et de demander l'autorisation de ne pas divulguer certains renseignements.

Le SIMDUT exige trois choses des entreprises. D'abord, elles doivent renseigner leur personnel sur les produits dangereux grâce à un étiquetage par symboles. Ces symboles désignent les catégories de matières dangereuses définies par le SIMDUT.

Deuxièmement, elles doivent mettre des fiches signalétiques sur les produits. Selon la loi, il faut mettre sur les contenants des matières dangereuses une fiche indiquant les éléments suivants : la composition du produit (dénomination chimique et concentration), les risques, les précautions à prendre et les mesures de premiers soins. Ces fiches sont utiles en cas d'incident.

Troisièmement, les entreprises doivent offrir une formation sur la sécurité à leur personnel. On y explique comment entreposer, manipuler et utiliser des produits dangereux en toute sécurité.

La prévention des risques biologiques et chimiques

Le SIMDUT (**S**ystème d'**i**nformation sur les **m**atières **d**angereuses **u**tilisées au **t**ravail) préconise l'application de quelques règles. Tu peux les lire sur son site Web. En technologie des communications, rappelle-toi de vérifier si chaque produit porte une étiquette : la **fiche signalétique SIMDUT**. Cette étiquette signale les dangers qu'un produit présente et les mesures à prendre en cas d'accident.

Avant de développer des photographies en chambre noire, il est important de connaître les risques associés à l'emploi de produits chimiques. Ce cours peut t'amener à nettoyer un écran ou une carte électronique avec de l'acétone ou de l'alcool. Tu pourrais avoir à souder des connexions électroniques. Dans tous les cas, assure-toi de lire attentivement la fiche signalétique du produit. Cette fiche t'indiquera les dangers potentiels associés au produit (allergies, risques d'incendie, vapeurs nocives, nécessité de porter des gants, etc.). Les connaître t'évitera des problèmes. La prévention des risques biologiques et chimiques consiste aussi à jeter certains produits de façon appropriée : les piles, les produits chimiques usagés comme les cartouches de poudre d'impression des imprimantes, etc. (Section IV, articles 33 à 42 de la LSST).

La Loi sur la santé et la sécurité au travail

La *Loi sur la santé et la sécurité au travail*, promulguée par le gouvernement de l'Ontario, établit qu'une entreprise est responsable de la santé et de la sécurité de son personnel. L'entreprise doit fournir les matériaux et les appareils de protection exigés par les normes de santé et de sécurité. Elle doit entretenir ces équipements de sécurité. Elle doit aussi s'assurer que le lieu de travail est sécuritaire. De plus, l'entreprise doit s'assurer que le personnel applique des méthodes de travail sécuritaires.

Figure 2.9 La loi sur la santé et la sécurité au travail

Selon cette loi, la travailleuse ou le travailleur doit respecter les exigences de l'entreprise en regard de la sécurité au travail. Ainsi, une personne salariée ne peut pas enlever les appareils de protection requis et utiliser du matériel ou de l'équipement d'une façon qui met en danger sa sécurité ou celle des autres. La loi s'applique à tous les milieux de travail, y compris les écoles et les autres institutions publiques.

Des comités paritaires de santé et de sécurité composés de personnes représentant une entreprise et son personnel définissent les situations susceptibles de présenter un danger et font des recommandations afin d'améliorer les conditions de santé et de sécurité au travail dans l'entreprise.

La *Loi sur la santé et la sécurité au travail* veut définir les conditions d'un environnement de travail sécuritaire. Elle s'applique à l'utilisation des laboratoires de l'école. Tu dois connaître ces règles et les respecter quand tu vas au laboratoire. Si tu apprends dès maintenant des règles de sécurité au travail, tu pourras les appliquer dès ton embauche dans une entreprise. Pour te renseigner sur la *Loi sur la santé et la sécurité au travail de l'Ontario*, rends-toi à l'adresse www.dlcmcgrawhill.ca.

Il y a des règles précises à suivre pour garantir la sécurité au travail. Ces dispositions légales font partie de la *Loi sur la santé et la sécurité au travail de l'Ontario* (LSST). Une employeuse ou un employeur doit définir les dangers possibles et t'informer sur les méthodes de travail sécuritaires à appliquer. Par exemple, si tu tournes un film vidéo à l'extérieur, tu dois connaître les risques potentiels afin d'adopter les mesures qui s'imposent (articles 23 à 32 de la LSST).

Tu as le droit de refuser d'effectuer un travail dangereux si tu estimes qu'il y a un risque pour ta sécurité (Section V, articles 43 à 49 de la LSST).

Tu as la responsabilité de t'informer en matière de santé et sécurité (Section V, articles 43 à 49 de la LSST).

La LSST témoigne d'un souci d'assurer la protection des droits et des libertés. Pour être en sécurité, il faut toutefois être proactive ou proactif. Si tu as des doutes sur une méthode de travail, si tu n'es pas à l'aise avec l'idée d'utiliser un équipement ou une substance, le bon réflexe est de questionner ton enseignante ou ton enseignant, et plus tard ton employeuse ou ton employeur. Renseigne-toi sur les produits dangereux que tu pourrais utiliser pendant le cours, par exemple, si tu développes des photographies. Lis les étiquettes pour vérifier si tu es allergique.

Santé et sécurité

Adopter des méthodes de travail sécuritaires

En technologie des communications, il y a de nombreux dangers électriques potentiels, comme un fil débranché au sol ou une prise de courant défectueuse. Inspecte tes câbles avant de les utiliser, ne fais pas courir des câbles au sol dans un endroit mouillé, fixe tes câbles à terre afin que personne ne puisse les débrancher par mégarde (Section III, articles 23 à 32 de la LSST).

Lorsque tu travailles en hauteur pour faire une prise de vue, par exemple, veille à utiliser une échelle appropriée, immobilise l'échelle par le haut et par le bas, prévois un garde-fou ou un dispositif anti-chute.

N'ouvre jamais une machine sous tension. Assure-toi d'abord que le courant est interrompu.

Si tu travailles à l'extérieur, protège-toi du froid ou de la chaleur en portant des vêtements appropriés.

Si tu prends des photos avec un projecteur, pense au bien-être du sujet. Certaines personnes sont extrêmement sensibles aux coups de chaleur.

Figure 2.10 Voici quelques exemples de symboles que tu peux retrouver sur l'étiquette de produits dangereux. Ils t'informent sur les risques présents lors de l'utilisation de ces produits.

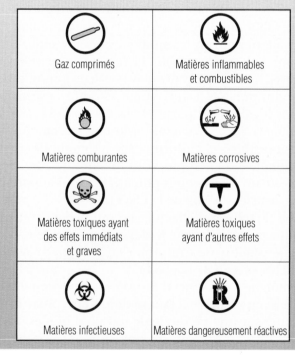

Révision du chapitre

2

Questions de révision

1. Quelle est la différence entre une montre-bracelet numérique et une montre-bracelet analogique ?

2. Comment les ordinateurs ont-ils permis l'intégration des systèmes de communication ?

3. À quelle époque y a-t-il eu le plus de changements dans la technologie des communications ?

4. Comment fonctionne la photographie numérique ?

5. Dans toute l'histoire, quel produit électronique a reçu le meilleur accueil sur le marché ?

6. Quel instrument a probablement été la première machine à calculer ?

7. Quelles répercussions a eues la miniaturisation ?

8. Nomme au moins trois utilisations d'un ordinateur personnel.

9. Qu'est-ce que la CAO ? la FAO ?

Activités

1. Fabrique une affiche sur la sécurité au travail. Présente les mesures de sécurité adoptées pour manipuler différents produits. Consulte une fiche signalétique SIMDUT pour t'aider.

2. Dresse une liste de points à vérifier avant d'entreprendre un tournage extérieur. Comment peux-tu t'assurer de la sécurité des lieux ? Quelles méthodes de travail adopteras-tu ?

3. Avec le consentement de ton enseignante ou de ton enseignant, invite une personne responsable de la sécurité dans ta classe. Prépare des questions à lui poser au sujet de son travail.

4. Place une feuille de papier millimétré très fin par-dessus une photo en noir et blanc. Pose-les sur une plaque lumineuse ou colle-les sur une fenêtre exposée au soleil à l'aide de ruban adhésif. À l'aide d'un crayon n° 2, remplis les cases qui correspondent aux zones noires de la photo. Laisse en blanc les cases où la photo est pâle. Montre le résultat à la classe. Explique comment tu as converti une image analogique en une image numérique.

5. Avec l'accord de ton enseignante ou de ton enseignant, invite une professionnelle ou un professionnel de l'informatique ou de la vidéo à venir en classe. Prépare des questions à lui poser sur son travail. Essaie de déterminer les qualités nécessaires pour travailler dans ce domaine.

6. En équipe, consulte Internet pour connaître les métiers liés à la technologie des communications nécessitant une formation postsecondaire. Construis un tableau à quatre colonnes dans un tableur. Donne les titres suivants aux colonnes : « Métiers », « Formation », « Équipement et techniques », « Qualités requises ». Fais valider ton travail par une orienteuse ou un orienteur, ou encore par ton enseignante ou ton enseignant en technologie des communications.

7. Parle à plusieurs personnes de ton entourage qui travaillent dans des secteurs d'activité différents. Demande-leur comment la technologie des communications a changé leur environnement de travail. Ont-elles dû recevoir une nouvelle formation pour s'adapter à leur travail ? Si oui, comment cela a-t-il contribué au bon déroulement de leur plan de carrière ?

8. Prépare et effectue des vérifications et des inspections de sécurité dans l'installation de technologies des communications de ton école. Mets en œuvre un plan afin de corriger les lacunes que tu auras observées.

9. Analyse la *Loi sur la santé et la sécurité au travail*. Dresse une liste des articles de cette loi qui ont particulièrement trait aux activités reliées à l'installation de technologies des communications de ton école. Pour chacun des articles de ta liste, évalue la façon dont il pourrait s'appliquer dans ton école.

10. Relève les questions dont traite le Système d'information sur les matières dangereuses utilisées au travail (SIMDUT). En d'autres mots, quelles sont les exigences du SIMDUT à l'égard des technologies des communications ?

Les répercussions de la technologie des communications

Les dispositifs de haute technologie en communication ne sont que la pointe de l'iceberg technologique. La pointe d'un iceberg est la partie que tu peux voir hors de l'eau (figure 3.1). Toutefois, la plus grande partie de l'iceberg se trouve sous l'eau, cachée. Ce que tu ne peux pas voir peut te causer des problèmes si tu ne fais pas attention.

Les nouveaux dispositifs technologiques règlent certains problèmes, mais peuvent aussi en entraîner d'autres. Bien sûr, les répercussions ne sont pas toujours nuisibles. Certains changements sont positifs. D'autres ne sont ni positifs, ni négatifs. Ils sont juste différents.

Dans ce chapitre, tu vas étudier les répercussions de la technologie des communications. Certaines pourraient t'étonner… Par exemple, connais-tu les effets de la technologie des communications sur les forêts ?

Vocabulaire

- culturel
- échantillonnage
- économique
- édition numérique
- environnemental
- éthique
- évaluation technologique
- internaute
- médias de masse
- politique
- social
- vidéodisque
- virus informatique

Au fil de ce chapitre, tu vas trouver les réponses à ces questions :

- Comment peut-on évaluer les technologies pour déterminer leurs répercussions ?
- Quelles sont les conséquences des systèmes de communication ?
- Par rapport à quels aspects fait-on des évaluations ?

chapitre

3

Figure 3.1   Les répercussions d'une nouvelle technologie ne sont pas toujours faciles à voir, comme la partie immergée d'un iceberg.

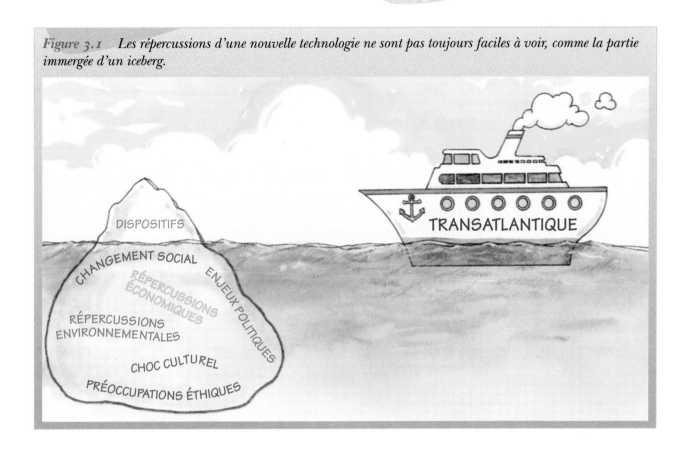

L'évaluation technologique

Évaluer signifie «juger en fonction de critères déterminés dans le but d'améliorer». Lorsque tu étudies les effets d'une nouvelle technologie, tu fais une **évaluation technologique**. Cette évaluation te permet de connaître tous les aspects d'un dispositif, pas seulement quelques-uns.

Par exemple, pense à l'invention du téléphone. Pour la première fois, des personnes ont pu communiquer avec d'autres de l'extérieur sans quitter la maison. Ce simple changement a complètement transformé le mode de vie. Que feraient les entreprises sans le téléphone, de nos jours? Qu'adviendrait-il de tes amitiés si tu ne pouvais plus téléphoner à tes camarades? Combien de personnes travaillent pour des compagnies de téléphone? Comment le téléphone a-t-il changé notre politique étrangère?

Les changements technologiques peuvent avoir des répercussions importantes sur notre société. Certaines sont bénéfiques, d'autres sont nuisibles. Pour aborder et utiliser la technologie de façon intelligente, il est important de bien connaître ses répercussions (figure 3.2).

Figure 3.2   De petits émetteurs fixés à une automobile permettent, à la police par exemple, de suivre sa trace. Quelles conséquences pourraient avoir ces émetteurs sur la vie privée et l'anonymat de personnes vivant dans une société libre?

Les types de répercussions

Il y a tellement d'aspects à traiter dans une évaluation technologique qu'il peut être difficile d'en faire le suivi. Toutefois, on reconnaît six grands types de répercussions de la technologie des communications.

Les répercussions politiques – Relatives au gouvernement.

Les répercussions sociales – Relatives au mode de vie d'une communauté.

Les répercussions économiques – Qui concernent l'économie.

Les répercussions environnementales – Qui ont un effet sur l'environnement physique.

Les répercussions culturelles – Relatives à l'art et aux compétences développées dans une société à une époque donnée.

Les répercussions éthiques – Relatives à ce qui est bien ou mal d'un point de vue moral.

Dans ce chapitre, tu vas analyser différentes répercussions et différents enjeux, selon les types de répercussions décrits ci-dessus. Rappelle-toi que ces catégories peuvent se chevaucher. Par exemple, un enjeu économique peut avoir un lien avec des enjeux politiques. De plus, la plupart des changements technologiques ont des répercussions de plusieurs types.

Les répercussions politiques

Les répercussions politiques d'une technologie influent sur le gouvernement, c'est-à-dire sur la gestion de ta province, sur la gestion de ton pays et sur les relations d'un gouvernement avec les autres gouvernements.

La politique et les médias

Il y a très longtemps, quelqu'un a écrit : « La plume est plus puissante que l'épée. » Selon cette personne, les écrits peuvent entraîner plus de changements politiques et sociaux que la violence ou la guerre.

Figure 3.3   En politique, on mise sur les médias de masse pour informer la population et la convaincre. Comment serait la politique sans la télévision, la radio ou les journaux ?

Les **médias de masse** (la télévision, la radio, les journaux, les magazines et les livres) ont de réelles répercussions sur notre système politique. Pense à une campagne électorale d'envergure. Les candidates et les candidats ont une conseillère ou un conseiller en communication. Le travail de cette personne est d'aider la candidate ou le candidat à projeter une belle image dans les médias. Elle lui fait répéter ses discours et donne des conseils d'ordre vestimentaire. En fait, le *message* lui-même devient moins important que la *façon* de présenter le message.

Il arrive souvent que les conseillères et les conseillers en communication traduisent des enjeux électoraux complexes en déclarations simples et courtes. Quelques mots clés suffisent pour élaborer ces « formules-chocs » destinées aux médias. Pourquoi ? D'une part, les médias les préfèrent à de longs discours et, d'autre part, la population les mémorise plus facilement. Toutefois, ces formules-chocs peuvent orienter ou déformer l'information selon les valeurs et l'éthique des journalistes. L'information objective ne va pas toujours bien avec le désir de distraire, qui est plutôt subjectif.

Les médias exercent une grande influence sur le déroulement d'une campagne électorale. Il arrive que des candidates ou des candidats démissionnent après la diffusion de reportages dans les médias. Les résultats des sondages varient selon l'image que les médias projettent des candidates ou des candidats.

Les opinions quant à l'influence des médias sur la politique varient grandement. Beaucoup de gens pensent que les médias ont une grande influence sur les résultats d'une élection, alors que d'autres considèrent que les médias de masse ne jouent pas un rôle important dans le processus politique.

La communication par satellite

À la fin de la Seconde Guerre mondiale, dans certaines régions du Pacifique, il a fallu plusieurs années avant que ces personnes apprennent que la guerre était officiellement terminée. La nouvelle ne s'était pas rendue jusqu'à elles. Une telle situation est pratiquement inimaginable de nos jours. À présent, les satellites de télécommunications permettent d'envoyer et de recevoir presque instantanément des messages à travers le monde. Des chefs de gouvernement téléphonent régulièrement à des chefs d'autres gouvernements. Ces appels sont transmis par satellite. Grâce aux satellites, nous recevons les nouvelles d'autres pays au moment même où les événements se produisent. Lorsque deux avions ont percuté les tours du World Trade Center, à New York, le monde entier l'a tout de suite su. Ce transfert rapide de l'information a bien sûr des conséquences sur les relations entre les gouvernements.

Les satellites de télécommunications ont d'autres usages. Certains servent à faire de l'espionnage (figure 3.4). Des satellites de cartographie photographient les zones surveillées à des fins de défense. On peut repérer les constructions suspectes ou les

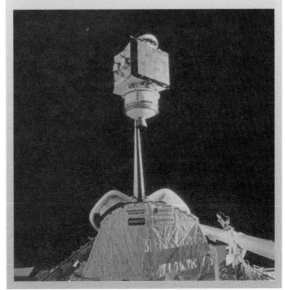

Figure 3.4 *La navette spatiale a permis de placer plusieurs satellites de télécommunications commerciales en orbite, comme celui ci-dessous. Elle a aussi servi à mettre des satellites militaires en orbite.*

Faits scientifiques

Des communications instantanées… ou presque !

Quand tu parles au téléphone, l'autre personne n'entend pas tes paroles au moment même où tu les prononces. Il faut un certain temps aux signaux téléphoniques pour se rendre d'un point à un autre. La plupart du temps, le délai est si court (une minifraction de seconde) que tu ne t'en aperçois même pas.

Cependant, si tu téléphones à un endroit très éloigné, par exemple en Australie, tu pourras remarquer que la personne ne te répondra pas tout de suite. Ce silence est dû au temps que mettent les signaux à parcourir la très longue distance qui vous sépare. Les signaux sont d'abord envoyés à un satellite, puis retransmis à un autre satellite et renvoyés sur Terre. Ce délai peut atteindre au moins… une seconde !

mouvements de troupes, ce qui donne la possibilité de désamorcer une guerre avant même qu'elle ne commence.

Les répercussions sociales

Pour te renseigner sur la désinformation, rends-toi à l'adresse suivante :

www.dlcmcgrawhill.ca

Le mode de vie des gens subit grandement l'influence de la technologie des communications. Cela se répercute sur plusieurs domaines, de la façon dont le gouvernement gère le pays jusqu'à tes loisirs.

L'opinion publique

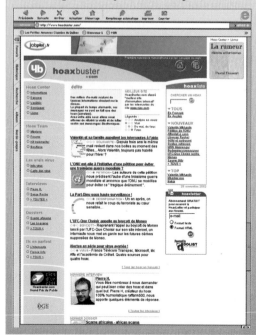

Figure 3.5 Voici un exemple de site Internet qui met à jour la désinformation.

Des gens mal intentionnés profitent de la facilité avec laquelle on peut transmettre un message par courriel et par Internet pour propager de fausses nouvelles. C'est ce qu'on appelle de la désinformation. Voici un exemple : une personne reçoit le message suivant dans son courrier électronique : « jdbgmgr.exe va supprimer les archives de votre disque dur dans 14 jours ! » Le message indique qu'il faut absolument exécuter un certain nombre d'instructions spécifiques et éliminer un fichier du disque dur. De peur de perdre ses documents, la personne suit les instructions indiquées. Elle découvre par la suite qu'il s'agissait en fait d'un canular. Heureusement, dans ce cas, le fichier n'était pas essentiel au fonctionnement de l'ordinateur. Néanmoins, les dommages auraient pu être plus importants. Voilà un exemple de désinformation. La désinformation utilise des méthodes de communication bien spécifiques : impressionner, exagérer l'importance d'un détail, faire croire que c'est normal, citer des sources invérifiables… Certains groupes de pression peu scrupuleux peuvent, par la même méthode, promouvoir des idéologies négatives. Plus que jamais, il faut adopter une attitude critique et analytique face aux nouvelles technologies de communications.

Le meilleur des mondes

Dans les années 1950, Aldous Huxley a publié le livre *Le meilleur des mondes* (*Brave New World*). Dans ce livre, l'auteur décrit un monde où le gouvernement a accès à des renseignements sur la vie privée des citoyennes et des citoyens. Le gouvernement a donc un très grand contrôle sur la population. Ce monde était bien sûr fictif. Mais aujourd'hui, on peut dire que la réalité a dépassé la fiction.

Pour tous les appels faits avec un téléphone cellulaire, les numéros des appels et la durée de communication sont mémorisés. Sur Internet, des sites téléchargent des fichiers témoins la plupart du temps à l'insu des **internautes**. Chaque fois qu'on répond à un sondage commercial, les données sont compilées dans des bases de données de marketing.

La plupart des personnes vivant au Canada seraient d'accord pour dire que le gouvernement ne contrôle pas nos vies. Cependant, les ordinateurs de l'État contiennent des renseignements confidentiels importants à notre sujet. Par exemple, presque tout le monde au Canada possède un numéro d'assurance sociale. Au départ, ce numéro devait aider le gouvernement à mettre sur pied un programme d'aide sociale. Aujourd'hui, ce numéro est associé au permis de conduire, aux comptes bancaires, aux déclarations de revenu, à la carte d'assurance-maladie, etc.

À chaque achat, nous laissons une trace de nos transactions. Si nous payons par carte de crédit, la compagnie émettrice de la carte conserve des enregistrements informatisés du montant et de l'endroit où a eu lieu la transaction. Si nous payons par chèque ou par carte bancaire, la banque en garde aussi des traces.

Toutes ces données réunies permettent de dresser le profil économique d'une personne. C'est la cote de solvabilité. Lorsqu'une personne demande un prêt à une banque, la banque vérifie sa cote de solvabilité pour déterminer s'il s'agit d'un « risque acceptable ». C'est donc la banque qui décide si on peut acheter ou non un certain type de maison, de voiture, etc. Grâce aux ordinateurs, les cotes de solvabilité sont mises à jour rapidement et faciles d'accès. Cependant, ces données contenues dans les ordinateurs ont souvent préséance sur le jugement humain. Cette situation pose des problèmes moraux. En Ontario, on a mis sur pied un commissariat à la protection de la vie privée. Ce commissariat observe des lois adoptées par le gouvernement pour mieux protéger la vie privée des citoyennes et des citoyens.

L'éducation et la formation

Au Canada, il y a des micro-ordinateurs dans les écoles depuis les années 1980. Les enseignantes et les enseignants s'en servent pour préparer leurs cours, compiler les notes et tenir à jour leurs dossiers. D'autres outils, comme les bandes vidéo éducatives et les cédéroms, sont d'une grande utilité en enseignement. Ils fournissent un complément d'information qui n'était pas disponible auparavant pour l'enseignement en classe, comme les émissions de la télévision publique ou des vidéos de formation. À la maison, des émissions de télévision comme *La rue Sésame* ont transformé l'alphabet et l'arithmétique en jeux éducatifs

Figure 3.6 *La popularité de la vidéoconférence transforme le monde de l'enseignement.*

amusants pour des millions d'enfants d'âge préscolaire. Les adultes peuvent dorénavant recevoir une formation à distance par le biais de la télévision (Télé-Université) et de cédéroms. Certaines écoles secondaires en Ontario donnent des cours par vidéoconférence. Une enseignante ou un enseignant basé à Marathon peut donner des cours à des élèves de Timmins, Windsor, North Bay, Kingston, Kenora et Alexandria en même temps.

Les entreprises se servent également des nouvelles technologies pour former leur personnel. L'une des technologies les plus populaires est la vidéo interactive. Des **vidéodisques** et des ordinateurs servent à diffuser l'information. Par exemple, la formation des pilotes d'avion se fait à l'aide d'un écran vidéo. Un ordinateur lit la façon dont les apprentis pilotes utilisent les commandes d'un avion. L'image à l'écran se transforme en fonction de la commande reçue.

Le stockage et l'extraction de l'information

La technologie des communications est en train de transformer l'archivage des données. Depuis 500 ans, on a toujours consigné les données importantes dans des documents écrits ou imprimés. Ces documents, le plus souvent des livres ou des magazines, étaient conservés dans des bibliothèques. C'est toujours le cas aujourd'hui, mais à présent les bibliothèques ont intégré d'autres moyens pour stocker l'information. Les disques optiques permettent de stocker d'énormes quantités de données. Par exemple, une encyclopédie complète n'occupe qu'un cinquième de la capacité totale d'un disque optique. Grâce à l'ordinateur, tu peux trouver tout de suite les renseignements que tu recherches dans l'encyclopédie.

Mieux encore : tu n'as plus à te rendre à la bibliothèque pour obtenir l'information que tu recherches. En effet, il est possible de transmettre les données informatiques par ligne téléphonique. Tu peux donc avoir accès à l'information à partir de chez toi, à l'aide de ton ordinateur. Tu n'as pas besoin d'un document imprimé, disons un livre. Si tu veux conserver l'information que tu as à l'écran, tu peux tout simplement l'imprimer avec ton imprimante.

Le même système s'applique à l'achat des produits d'un catalogue. Tout d'abord, tu sélectionnes le produit que tu veux acheter. Ensuite, le système prélève de ton compte bancaire ou de ta carte de crédit la somme qui correspond au prix de ton achat. Cette opération effectuée, le produit te parvient par la poste.

Quelles seront les conséquences du stockage de l'information sur notre société ? Tu peux imaginer qu'il facilitera la collecte de données pour la recherche scientifique. On trouvera des solutions à des problèmes dans le domaine médical ou scientifique, et ce, plus rapidement qu'avec les méthodes de recherche traditionnelles.

Par ailleurs, il y aura beaucoup plus d'information à notre portée en général. Il sera important d'apprendre à trouver l'information dont on a besoin, à se montrer critique et à vérifier les sources. C'est là un changement culturel majeur.

Les loisirs

Que faisaient les gens avant la venue de la télévision ? Ils lisaient des livres, écoutaient la radio, avaient des discussions et s'occupaient à des passe-temps. Aujourd'hui, beaucoup de personnes passent leur temps devant leur téléviseur ou leur ordinateur. Elles se rendent beaucoup moins souvent visite qu'il y a 100 ans.

Les répercussions économiques

Aujourd'hui, les entreprises dépendent des ordinateurs, des téléphones de pointe, des télécopieurs et des réseaux informatiques locaux. Ces systèmes influent directement sur notre économie.

L'économie mondiale

Les communications à l'échelle mondiale vont de pair avec une économie globale. Notre économie a toujours été reliée à celle des autres pays. Les nouvelles technologies viennent accélérer l'expansion des tendances économiques. Par exemple, une variation enregistrée un matin à New York peut, en quelques heures, avoir des conséquences sur le monde des affaires à Tokyo, qui est à des milliers de kilomètres. Ainsi, le 19 octobre 1987, la Bourse américaine a perdu 508 points, puis la Bourse de Toronto a suivi avec une baisse semblable. Cela équivalait à une baisse de 20 % en un seul jour ! Or, les Japonaises et les Japonais possèdent de nombreux investissements aux États-Unis. Le jour suivant, l'indice Nikkei de Tokyo a dégringolé aussi vite que le Dow Jones (figure 3.7) !

Au cours des semaines qui ont suivi, le Canada, les États-Unis et le Japon ont surveillé de près l'évolution des indices boursiers. Les indices des Bourses de New York, de Toronto et de Tokyo fluctuaient ensemble. Il a fallu fermer les trois Bourses pour éviter la vente d'actions due à une panique générale. Si les gens de Tokyo avaient reçu l'information quelques jours plus tard et non quelques heures plus tard, auraient-ils réagi de façon aussi émotive ?

Selon toi, une telle répercussion est-elle positive, négative ou sans conséquence ? De toute façon, les économistes doivent dorénavant tenir compte de la rapidité des communications.

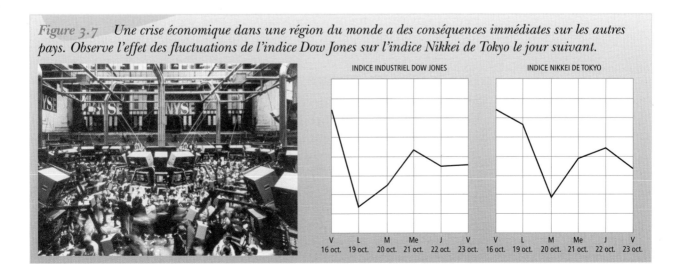

Figure 3.7 *Une crise économique dans une région du monde a des conséquences immédiates sur les autres pays. Observe l'effet des fluctuations de l'indice Dow Jones sur l'indice Nikkei de Tokyo le jour suivant.*

D'une économie de production à une économie de services

Selon des économistes, l'économie mondiale se régule en s'adaptant au marché par la création d'emplois et l'apparition de nouvelles activités. De leur point de vue, les technologies des communications permettent de passer d'une économie fondée sur la production à une économie de services. De plus en plus de personnes travaillent dans le secteur des services plutôt que dans la fabrication. La restauration rapide, l'enseignement et la conception de sites Web sont de bons exemples du secteur des services.

D'autres économistes pensent qu'il est difficile de prévoir l'effet de la technologie des communications sur l'économie mondiale. Par exemple, l'utilisation des technologies rend les usines plus profitables : grâce à elles, on raccourcit les délais de livraison et on réduit les stocks. On en vient à relocaliser des usines de production pour faire face à la concurrence internationale. On met à pied du personnel. Or, les mises à pied massives ont des conséquences immédiates sur l'économie. Pour lutter contre le taux de chômage élevé, on met sur pied de nouveaux programmes d'enseignement et de formation axés sur les services. Y aura-t-il une place sur le marché du travail pour ces personnes nouvellement formées ?

L'utilisation du crédit

Au Canada, de plus en plus de personnes vivent à crédit et dépensent plus d'argent qu'elles n'en gagnent. Nos grands-parents et arrière-grands-parents épargnaient parfois longtemps avant de s'acheter quelque chose. De nos jours, on ne veut plus ou on ne peut plus attendre. Selon toi, les communications à haute vitesse ont-elles un rôle à jouer dans cette attitude ? Que doit-on penser de la publicité ? Chaque jour, la télévision diffuse des centaines d'annonces publicitaires qui nous poussent sans cesse à acheter. Crois-tu que la télévision a un effet sur notre façon de dépenser ?

Les répercussions environnementales

On perçoit généralement la technologie des communications comme une technologie « propre ». En comparaison des industries polluantes, par exemple la production d'acier, l'industrie des communications nuit peu à l'environnement. Cependant, cela ne signifie pas que la technologie des communications n'a pas de répercussions environnementales.

L'utilisation du papier

Avec l'avènement des micro-ordinateurs, vers la fin des années 1970, beaucoup de gens ont prédit que les entreprises de l'avenir seraient « sans papier ». L'information serait enregistrée dans la mémoire des ordinateurs. Il suffirait de lire les informations directement à l'écran des ordinateurs. On n'aurait plus besoin de remplir des classeurs.

Quelle erreur ! Aujourd'hui, il y a encore plus de papier qu'avant dans les bureaux, et ce, principalement à cause des ordinateurs. Les logiciels de traitement de texte facilitent beaucoup la production de documents écrits. On produit donc plus de documents, et ils sont souvent plus volumineux qu'avant.

Figure 3.8 *La production de papier a des conséquences sur l'environnement. Le recyclage du papier protège les arbres et réduit la production de déchets.*

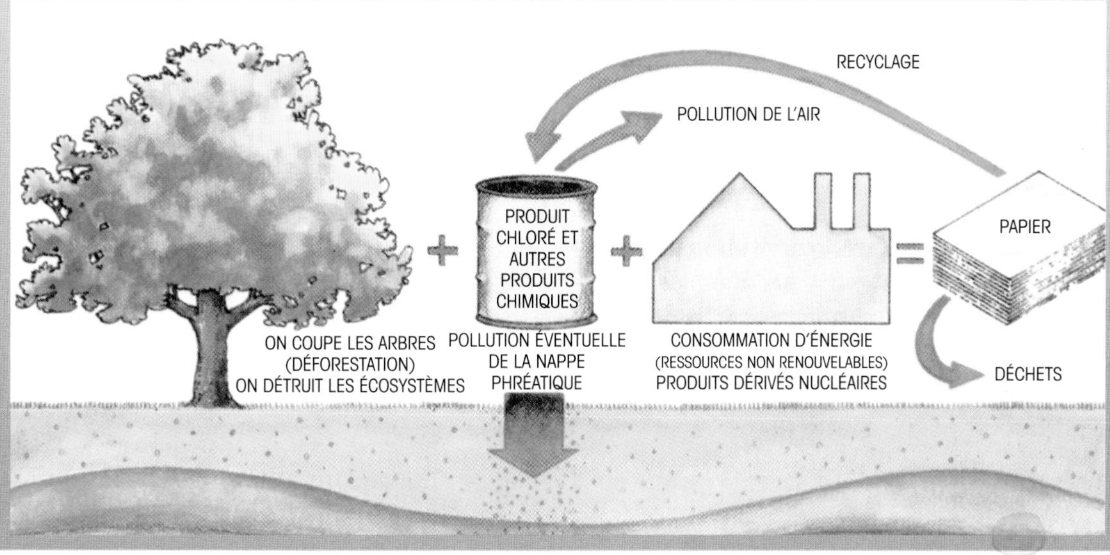

Toutefois, le vrai coupable est un autre dispositif de communication : le photocopieur. C'est si facile de faire un très grand nombre de copies en un rien de temps qu'on le fait à l'excès. Autrement dit, on utilise le papier comme s'il poussait dans les arbres !

Et il nous vient des arbres, d'une certaine façon. Mais la production de papier a de grandes répercussions sur l'environnement : on coupe des arbres ; on consomme de grandes quantités d'énergie ; on utilise des produits chlorés et autres produits chimiques qui se retrouvent ensuite dans l'eau et dans l'air (figure 3.8). Chaque fois qu'on jette du papier, on contribue au problème des sites d'enfouissement remplis au-delà de leur capacité.

Les ordinateurs désuets

La mise au rebut des ordinateurs désuets est un autre problème. Entre 1990 et 2000, la technologie informatique a évolué si vite qu'il a fallu remplacer des centaines de milliers d'ordinateurs. Cela a posé de graves problèmes, car certains métaux et produits présentent un danger pour l'écosystème si on les enfouit. Par conséquent, de nouvelles réglementations sur les métaux lourds et la technologie de fabrication des transformateurs ont vu le jour. Aujourd'hui, la plupart des municipalités ont des sites de recyclage où on peut déposer ces produits.

Les répercussions culturelles

Il y a 500 ans, la culture d'une société reposait sur la parole, c'était la tradition orale. Si les gens voulaient entendre une histoire, ils écoutaient les poètes, les conteuses et les conteurs. Vers le XVe siècle, l'invention de l'imprimerie a répandu le livre. Les gens ont commencé à lire les histoires. De nouvelles formes d'art, comme le roman, sont apparues. Comment la télévision et les autres nouvelles technologies ont-elles changé notre culture ?

La révolution de la vidéo

Beaucoup de personnes disent que notre société est moins cultivée qu'il y a une ou deux générations, et ce, à cause de la télévision. (Les personnes cultivées savent bien lire et bien écrire.) On s'aperçoit que les résultats scolaires ont baissé. Est-ce parce que nous lisons moins et que nous regardons plus la télévision ? Récemment, le courrier électronique est devenu populaire et bien des jeunes s'en servent pour écrire chaque jour. L'avenir dira s'ils amélioreront leur orthographe ou s'ils créeront une nouvelle grammaire…

Figure 3.9 *Les Canadiennes et les Canadiens aiment beaucoup magasiner. Selon toi, quelle est l'influence de la publicité sur nos habitudes de consommation ?*

Plusieurs émissions de télévision changent de scènes ou d'images toutes les deux secondes. Il semble toujours se produire quelque chose. On s'habitue à cette action et on en vient même à la rechercher pour ne pas s'ennuyer. Beaucoup d'enseignantes et d'enseignants disent que leurs élèves manquent d'attention en classe. Peut-on blâmer la télévision ?

Peut-on dire que notre attitude par rapport à la violence a changé à cause de la télévision ? Le fait de voir des images de guerre et de violence dans tous les bulletins de nouvelles influe-t-il sur notre perception de la guerre ?

Magasiner est un passe-temps de plus en plus répandu (figure 3.9). Au lieu d'aller au musée ou de se promener, beaucoup de familles flânent dans les centres commerciaux. Selon toi, les publicités dont nous inonde la télévision ont-elles un rôle à jouer dans ce choix ?

Les répercussions éthiques

L'éthique se rapporte à ce qui est bon ou mauvais sur le plan moral. Ce qui est immoral est reconnu comme mauvais par une majorité de personnes, mais la loi ne le réglemente pas toujours. Les nouvelles technologies des communications soulèvent certains problèmes éthiques qui n'existaient pas auparavant.

L'édition numérique

Tu as lu au chapitre 2 que les ordinateurs jouent un rôle de plus en plus important dans chacune des principales technologies des communications. Les mots, les images et les sons se stockent ou se transmettent de façon numérique.

Ce qu'il y a de merveilleux avec les fichiers numériques, c'est qu'on peut les modifier très facilement. Ce processus est l'**édition numérique**. D'un autre côté, toutefois, l'édition numérique soulève certains problèmes éthiques.

Par exemple, les photographes publicitaires qui travaillent pour des magazines sont payés pour leurs photos. La plupart du temps, leur nom apparaît sur la photo. On peut protéger des photos par des droits d'auteur, comme les œuvres littéraires.

Cependant, avec l'édition numérique, une personne autre que la ou le photographe peut retoucher des photos (figure 3.10). Elle peut modifier la couleur des yeux du mannequin. Elle peut remplacer l'édifice à l'arrière-plan d'une photo par une plage. En quelques opérations, elle peut si bien transformer une image qu'on ne peut pas deviner qu'elle provient d'une photo.

Alors, quels sont les droits des photographes à l'égard de leurs photos ? Est-ce qu'il suffit de les payer ? Les photographes ont l'habitude de voir leur nom sur leurs photos. Que se passe-t-il si un imprimeur modifie une photo et que la ou le photographe n'est pas d'accord ? L'imprimeur a-t-il le droit de faire ce changement malgré tout ? Qui détient les droits d'auteur si une photo est modifiée plusieurs fois ?

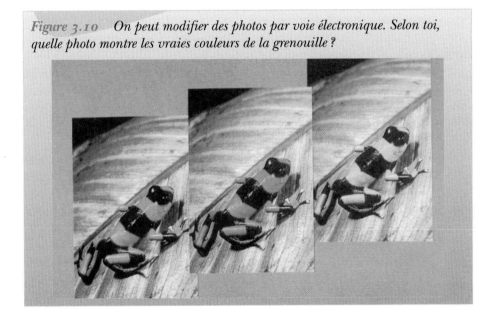

Figure 3.10 *On peut modifier des photos par voie électronique. Selon toi, quelle photo montre les vraies couleurs de la grenouille ?*

Le domaine de la musique est également touché par les procédés numériques. Grâce à l'édition numérique, on peut enregistrer une pièce de musique par voie électronique. Ce procédé s'appelle l'**échantillonnage**. L'échantillonnage est si simple que même les jouets sont maintenant munis de fonctions d'échantillonnage. Par la suite, on peut modifier les notes et les sons enregistrés pour les insérer de façon électronique dans une autre œuvre musicale. Dans ce cas, à qui revient le crédit de la nouvelle pièce ? Qui doit recevoir des droits : l'artiste qui a composé la pièce ? l'artiste qui a utilisé l'échantillonnage dans sa pièce ? la technicienne ou le technicien du son ?

La « colorisation » d'un film connaît le même genre de problème. Les premiers films étaient tous en noir et blanc. Or, même si les amatrices et amateurs de cinéma apprécient toujours ces classiques, de plus en plus de personnes préfèrent les films en couleurs. Certains studios ont donc commencé à ajouter de la couleur aux films en noir et blanc à l'aide d'ordinateurs. Ont-ils le droit d'agir ainsi ? Certaines personnes pensent que oui, d'autres pensent que non.

La sécurité des données

La programmation informatique se spécialise dans le développement de logiciels et le stockage des données informatiques. Il arrive souvent qu'on modifie des programmes ou des données afin de personnaliser un logiciel pour une application donnée.

Cette capacité de modifier un logiciel pose un nouveau problème, celui de la sécurité des données (figure 3.12). Dans quelle mesure doit-on permettre à une programmeuse ou à un programmeur de modifier un logiciel développé par une autre personne ? Qui devrait avoir accès aux données conservées par ordinateur ? Dans quels cas doit-on protéger un logiciel contre la duplication ? Les entreprises qui achètent des logiciels devraient-elles permettre à leur personnel de copier ces logiciels pour leur usage personnel ? Ces questions sont si importantes que chaque année de nouvelles lois permettent de mieux protéger la propriété intellectuelle.

Depuis la fin des années 1980, les **virus informatiques** représentent une grande menace pour la sécurité des données. Un virus informatique est un programme nuisible caché à l'intérieur d'un autre programme. Lors du chargement du programme, le virus se copie lui-même sur la disquette ou le disque dur de l'ordinateur.

Parfois, ces virus sont inoffensifs. Par exemple, des virus occupent de l'espace-mémoire de l'ordinateur et le ralentissent. D'autres affichent une illustration ou un message à l'écran. On ne sait généralement pas d'où vient le virus. Même la personne qui conçoit le virus ne sait pas quels ordinateurs seront atteints.

Par contre, certains virus ont comme objectif de détruire les données des ordinateurs qu'ils contaminent. Ils peuvent effacer d'énormes bases de données et anéantir des années de travail ! Le danger est de plus en plus grave. Le 4 mai 2000, sur toute la surface du globe, un virus du nom de *I Love You* s'est propagé à une vitesse fulgurante. Ce virus a infecté des millions d'ordinateurs. Il se présentait sous la forme d'un document joint à un courrier électronique. À l'ouverture du dossier, le virus infectait l'ordinateur. Les dommages causés par le virus *I Love You* ont été estimés à près d'un milliard de dollars.

Selon certaines personnes, un virus pourrait anéantir le pays s'il contaminait certaines bases de données clés. D'autres pensent qu'il est devenu facile d'« arranger » une élection, car un très petit nombre d'ordinateurs traite les résultats des votes. Il faut absolument se pencher sur ces questions d'ordre éthique et juridique.

Pour te renseigner sur les nouvelles lois sur la propriété intellectuelle, rends-toi à l'adresse suivante :

▶ www.dlcmcgrawhill.ca

Figure 3.11 La sécurité des données est un enjeu majeur dans le domaine informatique. Jusqu'à maintenant, la plupart des tentatives pour « verrouiller » un logiciel contre les reproductions illégales ou les modifications n'ont pas fonctionné.

Santé et sécurité

Les nouveaux « rayons de la mort »

Dans les premiers films et dessins animés de science-fiction, l'arme ultime était le fusil à rayons. Tous les Martiens en avaient un et pouvaient se débarrasser de l'humanité en un déclic. Aujourd'hui, nous savons bien que les « rayons de la mort » ne sont qu'un truc de fiction, n'est-ce pas ? Eh bien, ce n'est pas si certain.

Les ondes (« radio ») électromagnétiques de l'atmosphère ne sont pas si inoffensives qu'on l'a déjà cru. On rapporte plusieurs cas de problèmes dus au rayonnement électromagnétique. En fait, nous serions aux prises avec une « pollution électronique ».

Au départ, on a observé que les ondes électromagnétiques interféraient seulement avec des dispositifs électroniques. Par exemple, avec les premières télécommandes d'ouvre-porte de garage, il arrivait que les ondes émises ouvrent également la porte de garage de la maison d'à côté.

Pour résoudre la plupart de ces problèmes, le gouvernement fédéral a réglementé l'utilisation des ondes radio. Par exemple, les stations de radio doivent diffuser leurs émissions sur une longueur d'onde précise préétablie. Cette longueur d'onde correspond à un numéro sur ton poste de radio. La *Loi sur la radiocommunication* régit l'utilisation du spectre des radiofréquences au Canada.

Cependant, il n'est pas possible de contrôler toutes les interférences électromagnétiques. Vers la fin des années 1970, les fabricants d'automobiles ont intégré des dispositifs électroniques complexes à leurs véhicules. Ils ont découvert que certains d'entre eux pouvaient subir des interférences électromagnétiques. Un cas qui le démontre bien est cet autobus à Chicago qui freinait brusquement chaque fois qu'il traversait un certain pont. On a fini par découvrir la cause du problème : un signal provenant d'un émetteur de radio situé dans un édifice non loin du pont était réfléchi sur le pont jusqu'à l'autobus, verrouillant ainsi les freins électroniques du véhicule.

Aujourd'hui, avant de mettre de nouveaux véhicules sur le marché, on les bombarde d'une multitude de fréquences radio. Si les systèmes électroniques réagissent bien durant les essais, on considère que l'automobile est sécuritaire. Cependant, des problèmes peuvent survenir si des propriétaires utilisent leurs propres émetteurs-récepteurs à bande publique ou des téléphones cellulaires.

Les ordinateurs sont une autre source de pollution électronique. Les microcircuits et d'autres composantes électroniques émettent des signaux qui peuvent interférer avec d'autres dispositifs. Le gouvernement fédéral réglemente les radiocommunications et établit des normes et des directives pour les entreprises. Aujourd'hui, par exemple, la construction des boîtiers d'ordinateur permet d'emprisonner les signaux indésirables.

Pour te renseigner sur les normes gouvernementales, rends-toi à l'adresse suivante :

 www.dlcmcgrawhill.ca

Pour te renseigner sur la *Loi sur la santé et sécurité au travail,* rends-toi à l'adresse suivante :

 www.dlcmcgrawhill.ca

Malgré tout, les ondes électromagnétiques peuvent causer de très graves problèmes. Au Japon, des robots industriels ont mutilé des ouvrières et des ouvriers d'usine, ou provoqué leur mort à cause d'interférences électromagnétiques. Paradoxalement, les effets négatifs des ondes électromagnétiques incitent certains pays développés à concevoir pour leur armée des armes non meurtrières qui mettraient leurs adversaires dans l'incapacité de combattre pour une durée variable. Des personnes se sont plaintes de maux de tête et de sensation de vertige à la suite d'une utilisation prolongée de leur téléphone cellulaire. Depuis, l'industrie a apporté des modifications à ces appareils. Le rayonnement électromagnétique peut présenter des risques pour la santé humaine. On le classe d'ailleurs comme substance dangereuse dans les règlements sur la sécurité et la santé au travail.

La recherche sur les conséquences du rayonnement électromagnétique se poursuit. Notre société ne peut pas fonctionner sans tous ces dispositifs électriques et électroniques. Il sera peut-être nécessaire de développer des blindages pour ces dispositifs afin de nous protéger.

Révision du chapitre **3**

Questions de révision

1. À quoi sert l'évaluation technologique ?

2. Nomme les six types de répercussions technologiques.

3. Quel rôle jouent les conseillères et les conseillers en communication dans les campagnes électorales ?

4. De quelles façons un gouvernement peut-il utiliser les ordinateurs pour contrôler la population ?

5. Décris au moins deux changements sociaux qu'ont entraînés les technologies des communications.

6. Quelle est la différence entre une économie fondée sur les services et une économie fondée sur la production ?

7. Indique trois façons dont la télévision a modifié notre culture.

8. Définis le terme *éthique*.

9. Pourquoi l'édition numérique soulève-t-elle des problèmes éthiques ?

10. Qu'est-ce qu'un virus informatique ?

Activités

1. Le « téléphone à images » est un téléphone qui permet l'affichage d'une image vidéo de la personne à qui l'on parle. Fais une évaluation technologique de cet appareil. Selon toi, quelles seront ses répercussions sur nos vies ? Assure-toi d'examiner les six types de répercussions (page 48).

2. Pose la question suivante à 10 personnes : « Quel est le dispositif de communication le plus important à l'heure actuelle et pourquoi ? » Présente tes résultats dans un court compte rendu.

3. Lis un article sur les répercussions ou les enjeux associés à un dispositif de communication. Fais part de cet article à la classe. Donne ton avis sur cet article.

4. Lis le livre *Le meilleur des mondes* (*Brave New World*) d'Aldous Huxley. Dresse une liste des ressemblances et des différences entre notre monde et celui décrit dans le livre. Présente ta liste au reste de la classe.

5. Construis un tableau comme celui de la figure 3.13. Dans chaque colonne, inscris le nom d'un dispositif associé à chacun des domaines mentionnés. Indique pour chacun une répercussion de chaque type.

Figure 3.12   *Répercussions de différents dispositifs*

	PRODUCTION GRAPHIQUE	CONCEPTION TECHNIQUE	OPTIQUE
DISPOSITIF			
Répercussions politiques			
Répercussions sociales			
Répercussions économiques			
Répercussions environnementales			
Répercussions culturelles			
Répercussions éthiques			

Profil de carrière

Profil de carrière

MATTHIEU TURMEL,
un ingénieur créatif

Depuis mai 1999, Matthieu Turmel est ingénieur satellite principal pour Télésat Canada.

Cette compagnie, située à Ottawa, fournit des services de radiodiffusion et de télécommunications par satellite. Télésat Canada a pour mandat de rapprocher les gens, d'un bout à l'autre du Canada, peu importe les barrières géographiques et climatiques. Elle veut mettre ses satellites au service de l'Amérique du Nord et de l'Amérique du Sud.

Dès son adolescence, Matthieu Turmel s'est intéressé à l'espace et aux communications. Lorsqu'il faisait partie des cadets de la marine, son modèle était Marc Garneau, le premier astronaute canadien à être allé dans l'espace (1984). À l'école secondaire, monsieur Turmel aimait les sciences. Les émissions comme «Star Trek» le faisaient rêver.

Monsieur Turmel a obtenu un DEC (diplôme d'études collégiales) en sciences au Collège militaire royal de Saint-Jean. Il a également fait un baccalauréat en sciences spatiales au Collège militaire royal de Kingston. Ensuite, il a poursuivi des études de maîtrise en génie aérospatial et s'est spécialisé en technologies spatiales (qui touchent à la fois le génie et la physique) à l'École polytechnique de Montréal.

Pour son projet de fin d'études, monsieur Turmel a conçu un petit véhicule spatial à mettre en orbite et destiné à la réparation des satellites en orbite. Grâce à ce projet, il a participé à l'ensemble des étapes nécessaires à la construction d'un satellite, travaillé en équipe et mis ses connaissances en pratique. Surtout, il a compris qu'il avait fait le bon choix de carrière.

Monsieur Turmel adore son métier. «C'est un travail plus accaparant que je ne le pensais, dit-il, mais c'est ce qui le rend si intéressant!» Il n'a pas un horaire traditionnel. «Pas question de penser 8 h à 16 h!», s'exclame-t-il en riant. «Ici ça bouge continuellement.»

La tâche d'ingénieur satellite comporte deux parties: le contrôle des satellites en orbite et la préparation des satellites en construction.

«Le contrôle des satellites actuellement en orbite représente ma responsabilité première», précise monsieur Turmel. «C'est une opération quotidienne indispensable afin de s'assurer du bon fonctionnement des satellites. Mon bureau se trouve à deux pas de la salle de contrôle. C'est là que j'effectue d'abord un survol de la télémétrie des satellites. Je m'occupe principalement de la plate-forme (*Bus*) et des antennes de communications (*Payload*) du satellite. Je vérifie les signes vitaux du satellite en surveillant, entre autres, les réacteurs (qui servent à maintenir le satellite en orbite) et en testant l'efficacité des panneaux solaires (alimentation des batteries). Je travaille principalement sur le satellite Anik F1 et sur les satellites radio XM1 et XM2. Anik F1 est en orbite géostationnaire depuis le 21 novembre 2000 et sert principalement de relais de diffusion pour Star Choice et les chaînes française et anglaise de la Société Radio-Canada.»

La seconde partie du travail concerne les satellites en construction. «En effet, à cause de la vie du satellite (une quinzaine d'années) et des délais de construction (de deux à quatre ans), on travaille par cycle de remplacement. Actuellement, je travaille sur Anik2», dit monsieur Turmel.

Ce poste demande des qualités bien précises: amour des sciences, disponibilité (travail sur appel), perfectionnement continu (cours) et ouverture d'esprit. Grâce à ces aptitudes, l'ingénieur satellite peut assurer sa clientèle d'un service impeccable. «Aucune erreur n'est permise», insiste monsieur Turmel. «Savoir que le service rendu est indispensable au développement de la société, établir un lien entre les gens et échanger des données d'un bout à l'autre du pays prouvent l'importance économique et sociale de mon travail, ajoute-t-il, et cela est très valorisant!»

Corrélations

Français

Construis une grille de mots croisés ayant pour thème la technologie des communications. Utilise les mots des rubriques « Vocabulaire ».

Sciences

Choisis un dispositif de communication, par exemple le téléphone, la télévision, Internet ou un magnétophone. Fais une étude sur ses répercussions environnementales. Base ton étude sur la recherche et l'observation scientifiques. Recueille le plus de données possible. Entre autres, renseigne-toi sur les matériaux de fabrication du dispositif et de leurs effets possibles, comme la pollution par le bruit. Rédige un rapport pour présenter tes découvertes. Ton rapport doit inclure les parties suivantes :

a) un historique,

b) la définition du problème,

c) la liste des conséquences possibles,

d) les données recueillies,

e) tes découvertes et tes résultats.

Si possible, consulte ton enseignante ou ton enseignant de sciences.

Mathématiques

Tu as vu dans le chapitre 2 que la capacité de mémoire des ordinateurs augmente sans arrêt. Un caractère (un chiffre ou une lettre) correspond à huit bits (un octet) dans la mémoire de l'ordinateur. Un kilo-octet (ko) correspond à 1024 octets. Un méga-octet (Mo) correspond à 1024 ko. Un giga-octet (Go) correspond à 1024 Mo.

Une disquette de 13 cm (5 1/4 po) peut contenir 360 ko d'information. Une disquette de 9 cm (3 1/2 po) peut contenir 1,4 Mo de données. Un disque optique peut contenir 750 Mo d'information.

Si une page de texte tapé à la machine à écrire (ou au traitement de texte) contient 1500 caractères, combien de pages de texte une disquette peut-elle contenir ?

Sciences humaines

Le Canada est un pays démocratique. La démocratie repose sur la transmission de l'information à la population. Comment le gouvernement transmet-il de l'information sur des questions et des sujets importants ?

Visite au moins trois services de l'hôtel de ville de ta communauté. Rencontre une personne qui y travaille. Demande-lui quels sont les systèmes de communication utilisés à l'hôtel de ville pour informer la population. Comment la population peut-elle communiquer ses opinions aux membres du gouvernement ? Fais part de tes découvertes à la classe.

Activités

Activités

Les activités de base

Activité de base n° 1

Les relations entre les technologies

Au début de cette section, tu as vu que la technologie comprend trois grandes catégories : la communication, la production, ainsi que l'énergie, la puissance et le transport. Cependant, ces catégories ont des liens entre elles, car un aspect d'une catégorie peut influer sur les autres catégories. Une catégorie ne peut pas exister sans les autres. L'activité suivante va te montrer les liens entre les technologies.

Matériel

un ordinateur
un logiciel de présentation
un projecteur LCD
un écran
un numériseur
un tableau d'affichage
des marqueurs
des photos ou des illustrations découpées dans des
  magazines

Marche à suivre

1. Choisis un dispositif de communication que tu utilises souvent, disons un poste de radio. Comment les autres technologies contribuent-elles à l'utilisation de ton dispositif ? Donne des exemples.
2. À l'aide d'un logiciel de présentation, illustre les relations entre ces technologies. Insère des photos et des illustrations que tu as trouvées sur Internet ou dans des magazines.

Activité de base n° 2

Une base de données sur les emplois

Comme tu l'as vu, la technologie des communications est à l'origine de beaucoup d'emplois. Ces emplois exigent toutes sortes de compétences et divers intérêts. Dans ce manuel, à la fin des sections I à VI, tu trouveras des portraits qui te donneront un aperçu des carrières possibles. Tu peux également te renseigner au sujet de ces carrières dans les journaux, les magazines, sur Internet ou au service d'orientation de ton école. Dans cette activité, tu vas dresser ta propre base de données sur les emplois en communication. Quand tu termines une section du manuel, consigne les renseignements que tu trouves dans ta base de données. À la fin du cours, tu auras en main une excellente base de données sur les emplois associés à la technologie des communications.

Matériel et équipement
des journaux
des revues spécialisées
Internet
des fiches vierges de 7,5 cm sur 12,5 cm
  (3 po sur 5 po)
un ordinateur

Marche à suivre

1. Pour constituer ta base de données, lis les offres d'emplois dans les petites annonces d'un journal. Tu peux aussi te rendre à la bibliothèque, consulter les journaux de grandes villes et les sites Internet gouvernementaux. Regarde également dans les revues spécialisées de divers secteurs d'activité (l'impression, le matériel informatique ou les logiciels, la photographie, le dessin, etc.).
2. Pour chaque emploi, remplis une fiche ou une page-écran à conserver dans un dossier. Inclus les renseignements suivants : le type d'emploi, le nom de l'entreprise qui affiche le poste, son emplacement (ville ou province), les études ou l'expérience demandées et le salaire offert.
3. À mesure que ta base de données se développe, essaie de trouver des tendances. Par exemple, dans quelles régions du pays retrouve-t-on la plupart des emplois affichés ? Combien d'emplois exigent un diplôme d'études collégiales ?

Activités

Activité de base n° 3

Le Salon de l'emploi

Dans un Salon de l'emploi, des personnes de différentes entreprises donnent des renseignements sur les postes disponibles. Tu peux simuler un Salon de l'emploi avec tes camarades de classe. Chaque élève peut faire part aux autres de renseignements sur différents emplois en communication. Peut-être découvriras-tu de nouveaux champs d'intérêt professionnels!

Matériel et équipement

un ordinateur
un projecteur LCD
un écran
des revues spécialisées
un tableau d'affichage, de la peinture et d'autres
  accessoires semblables pour fabriquer une affiche

Marche à suivre

1. Choisis une carrière qui t'intéresse: annonceuse ou annonceur, présentatrice ou présentateur, graphiste, photographe, programmeuse ou programmeur. Fais une recherche sur cette carrière. Trouve les tâches, les outils et les équipements utilisés, le niveau de scolarité demandé, etc.

2. Fabrique une affiche ou toute autre forme de présentation visuelle pour parler de cette carrière à tes camarades de classe. Par exemple, imagine que tu recrutes du personnel pour une station de télévision et que tu recherches une annonceuse ou un annonceur. Que ferais-tu pour intéresser les personnes à cet emploi?

Activité de base n° 4

Le curriculum vitæ

Le curriculum vitæ (ou C.V.) d'une personne comprend une brève description de ses études, de ses expériences de travail et de ses intérêts. Lorsqu'on cherche un emploi, on peut faire parvenir son C.V. à plusieurs entreprises. Certaines offres d'emploi exigent qu'on fournisse un C.V.

Dans cette activité, tu vas t'exercer à rédiger un C.V. Retiens bien les points suivants:

- Sois honnête. Si tu écris de faux renseignements dans ton C.V., tu risques de perdre ton emploi.
- Exprime-toi de façon brève, claire et concise. Vérifie bien l'orthographe et la grammaire.
- Renseigne-toi sur les exigences de l'emploi. Dans ton C.V., fais ressortir tes compétences et ton expérience en fonction de l'emploi.

Matériel et équipement

un logiciel de traitement de texte
des feuilles de papier
un dictionnaire
un logiciel de correction de la langue française

Marche à suivre

1. Imagine que tu proposes ta candidature pour suivre le cours de technologie des communications. Rédige un C.V. qui contient les renseignements suivants:
   - tes études – les écoles fréquentées, le nombre d'années d'études, les cours suivis en communication, s'il y a lieu.
   - ton expérience de travail – surtout de travail en communication, par exemple la rédaction d'un travail scolaire, ton expérience en radio étudiante, ton expertise en création de pages Web, ta connaissance de différents logiciels.
   - tes objectifs – qu'espères-tu apprendre en suivant ce cours?

2. Lorsque tu as terminé, échange ton C.V. contre celui d'une ou d'un autre élève. Fais part de tes commentaires et écoute les réactions de ta ou ton camarade. Que penses-tu des C.V.? Comment pourrais-tu les améliorer?

Activités

Les activités intermédiaires

Activité intermédiaire n° 1
L'entrevue d'emploi

L'entrevue d'emploi permet à l'employeuse ou à l'employeur et à la personne qui recherche un emploi de mieux se connaître. La plupart des personnes sont nerveuses lorsqu'elles se présentent à ce type d'entrevue. Cette activité consiste à te préparer à une telle entrevue. Tu joueras le rôle de l'employeuse ou de l'employeur et celui de la personne qui recherche un emploi.

Matériel et équipement
Pour évaluer plus facilement l'entrevue, tu peux l'enregistrer sur bande audio ou sur bande vidéo.

Marche à suivre
1. Travaille avec une ou un camarade de classe. (Ton enseignante ou ton enseignant peut former les équipes.)
2. Avec ta ou ton partenaire, crée une entreprise fictive où se déroulera l'entrevue. Il peut s'agir d'une agence de publicité, d'un magasin d'impression minute, d'une station de télévision, d'une boutique d'informatique ou d'une compagnie de téléphone. Fais ta propre recherche sur le fonctionnement et l'organisation de cette entreprise.
3. Une ou un membre de l'équipe joue le rôle de la directrice ou du directeur du personnel. L'autre joue le rôle de la personne qui cherche un emploi. La directrice ou le directeur du personnel fait passer une entrevue à la personne pour un poste de débutante ou de débutant. Avant le début de l'entrevue, prépare une liste de questions que ton personnage pourra poser.
4. Commence l'entrevue.
5. Après l'entrevue, discutez de tes impressions avec ta ou ton partenaire. Selon toi, quels sont les aspects les plus importants d'une entrevue d'emploi pour l'employeuse ou l'employeur ? pour la personne qui cherche un emploi ?

Activité intermédiaire n° 2
La création d'une entreprise

Ton enseignante ou ton enseignant peut proposer à la classe d'être une entreprise étudiante qui produit des biens ou offre des services en communication. En participant à ce projet, tu comprendras comment fonctionne une entreprise. Tu apprendras comment utiliser des outils et de l'équipement et comment travailler en équipe pour atteindre un objectif.

Marche à suivre
1. La première étape est d'incorporer l'entreprise. L'incorporation est un procédé juridique qui permet à un groupe de personnes de former une corporation. Dans une

---

Figure I.1

Qui choisirais-tu ?

Une personne qui…	Une personne qui…
• est propre et bien soignée ;	• est sale et négligée ;
• s'assoit correctement et a le regard vif ;	• s'assoit mal ;
• s'exprime clairement et distinctement ;	• mâche ses mots ;
• montre un intérêt pour l'entreprise et pour le poste à combler ;	• ne semble pas connaître l'entreprise, ni s'y intéresser ;
• montre un vif désir d'apprendre et de travailler.	• agit comme si le poste lui était dû.

Activités

Figure I.2

Selon la loi, personne n'est obligé de répondre à des questions personnelles qui ne sont pas directement liées au poste à combler.

On peut te poser des questions sur…	On ne doit pas te poser de questions sur…
• ta formation scolaire ; • ton expérience sur le marché du travail ; • tes objectifs de carrière.	• ton état civil ; • tes enfants (si tu en as ou pas) ; • ton âge ; • ton poids ou ta taille ; • ta religion ; • ta situation financière.

corporation, les personnes investissent des sommes d'argent dans une compagnie et détiennent en retour des parts dans la compagnie. Elles se répartissent les profits de la compagnie et participent aux décisions liées à l'exploitation de la compagnie. Suis bien les consignes que donnera ton enseignante ou ton enseignant.

2. La deuxième étape est le financement de la compagnie. Il faut de l'argent pour faire fonctionner l'entreprise. À partir du budget fictif que ton enseignante ou ton enseignant va déterminer, l'entreprise devra acheter des matériaux, louer ou acheter des articles dont l'école ne dispose pas. De plus, certaines entreprises étudiantes versent un salaire au personnel. Il faut encore plus d'argent dans ce cas. Prévois les autres coûts additionnels, comme la publicité.

   L'incorporation est une façon de financer une compagnie. Des personnes peuvent acheter des actions de la compagnie, par exemple au prix de 1 $ l'action. Plus tard, lors de la vente des produits et à la dissolution de la compagnie, vous devez partager les profits avec les actionnaires. Ces actionnaires peuvent être les élèves de la classe, ou d'autres personnes à l'extérieur de la classe. Ton enseignante ou ton enseignant te guidera dans la recherche de financement.

3. La troisième étape consiste à former un conseil d'administration. Les actionnaires élisent un conseil d'administration pour diriger la compagnie. Dans une entreprise étudiante, toute la classe peut siéger au conseil d'administration. Une ou un membre du conseil est élu à la présidence du conseil d'administration. On nomme également une présidente ou un président de la compagnie, une ou un secrétaire qui rédige les procès-verbaux du conseil d'administration et qui maintient à jour la liste des actionnaires, ainsi qu'une trésorière ou un trésorier qui gère les finances de la compagnie. La présidente ou le président de la compagnie peut choisir des directrices ou des directeurs pour les différents services de sa compagnie. Par exemple, la compagnie de ta classe peut avoir une directrice ou un directeur en recherche et développement, une directrice ou un directeur de production et une directrice ou un directeur de marketing.

4. La quatrième étape est la répartition de la main-d'œuvre. La compagnie a besoin de personnel pour travailler dans les différents services. Prévois les services suivants :
   • La recherche et le développement. Ce service définit ce qui doit être fait, développe les plans et les modèles pour la production. Il produit également les dessins d'exécution.
   • Le marketing. Dans les étapes de planification, ce service effectue une étude de

marché pour un produit donné. Il développe également des stratégies publicitaires et aide au conditionnement du produit. Une fois la production terminée, le département de marketing est responsable de la distribution des produits finis à la clientèle.

- La gestion du personnel. Ce service est responsable de la sélection et de la formation du personnel. L'une de ses tâches principales est de s'assurer que le personnel travaille dans des conditions sécuritaires et qu'il se conforme aux règlements sur la sécurité.

5. La dernière étape consiste à trouver un nom pour la compagnie. Toute la classe peut faire des suggestions. Tu peux aussi confier cette tâche au service de marketing. Toute la classe participe ensuite au vote pour déterminer le nom retenu.

Activité intermédiaire n° 3
La recherche et le développement

Une des premières décisions de la compagnie concerne le produit à fabriquer. Il doit être assez simple et peu coûteux à fabriquer. Il doit également relever de la technologie des communications. Voici quelques suggestions :

- Publier un bulletin d'information sur le département d'enseignement en technologie de l'école. Le bulletin pourrait décrire les cours, publier des entrevues avec certaines personnes et valoriser les activités et les réalisations de ce département.
- Produire un documentaire vidéo sur l'une des équipes sportives de l'école.
- Développer et construire un dispositif de communication. Par exemple, un dispositif qui informe les personnes lorsqu'elles ont du courrier dans leur boîte aux lettres.

Souvent, une entreprise en communication ne fabrique aucun produit. Elle fournit plutôt des services. Ainsi, la publicité fait partie de l'industrie des services. La compagnie de la classe pourrait offrir des services, de publicité par exemple, au lieu de fabriquer un produit.

Une fois la vocation de l'entreprise choisie, suis les étapes de la marche à suivre.

Marche à suivre

1. Participe à une séance de remue-méninges avec toute la classe. Il faut retenir les trois ou quatre meilleures idées.
2. Soumets ces idées aux services du marketing et de la recherche et du développement afin qu'ils répondent aux questions suivantes :
   - Y a-t-il un marché pour ce type de produit ou de service ?
   - Combien coûtera la production ?
   - Quels seront les matériaux et l'équipement nécessaires ?
   - Quelles sont les compétences recherchées ?
   - Combien de temps faut-il prévoir ?

Le service du marketing peut effectuer une étude de marché pour cibler la clientèle potentielle. Le conseil d'administration décidera par un vote du produit à offrir.

Le service de la recherche et du développement doit préparer les dessins d'exécution, ou les scénarios-maquettes et les spécifications conformes.

Les activités avancées

Activité avancée n° 1
Le documentaire

Dans cette activité, tu dois produire un documentaire vidéo d'une durée de 10 à 15 minutes.

Matériel et équipement
une caméra vidéo

un micro

un trépied

un ordinateur avec un logiciel de montage ou un magnétoscope

un moniteur

une vidéocassette vierge ou un vidéodisque à graver

Activités

Marche à suivre

1. Dans le chapitre 3, tu as vu des répercussions de la technologie sur la vie de tous les jours. Il y a différents types de répercussions :
   - les répercussions politiques,
   - les répercussions sociales,
   - les répercussions économiques,
   - les répercussions environnementales,
   - les répercussions culturelles,
   - les répercussions éthiques.

   Choisis un dispositif de communication, comme la télévision. Prépare un documentaire qui explique les répercussions de ce dispositif sur la vie des personnes de ton entourage.

2. Si tu n'as pas accès à du matériel de montage, pense à filmer les séquences de ton documentaire dans le bon ordre. Par conséquent, il te faudra bien planifier tes activités. Inclus des parties narratives et des entrevues. Il te faudra te déplacer pour la plupart des parties de ton documentaire.

3. Prépare tes entrevues et planifie les questions que tu poseras. Il est bon de remettre tes questions aux personnes que tu interviewras avant l'entrevue. De cette façon, elles pourront penser à leurs réponses avant de parler devant la caméra.

4. Assure-toi de savoir utiliser la caméra vidéo. Exerce-toi à filmer de petites scènes et à les visionner. Les angles sont-ils bons ? La caméra bouge-t-elle trop ?

5. Enregistre ton documentaire. Si tu as un problème, rappelle-toi de rembobiner la bande et de filmer la scène de nouveau.

6. Montre ton documentaire à la classe.

Activité avancée n° 2

Et si… ?

Laisse libre cours à ton imagination ! Dans les chapitres 1 à 3, tu as étudié les développements d'autrefois et les tendances actuelles en communication. Que nous réserve l'avenir ? Imagine une invention qui va transformer le monde des communications. Quelles seront ses répercussions, bonnes ou mauvaises, sur notre société ? Quelles autres inventions pourront découler de cette nouvelle invention ?

Tu peux faire une séance de remue-méninges avec tes camarades de classe ou encore réfléchir individuellement. Voici une liste de sujets possibles, mais tu peux choisir une idée à toi.

- Qu'arriverait-il si tous les procédés de conception et de fabrication étaient entièrement automatisés ? Par exemple, suppose qu'une conceptrice ou un concepteur entre quelques idées à l'ordinateur pour la fabrication d'une automobile. Quelques heures plus tard, elle ou il voit l'automobile sortir de la chaîne de montage automatisée !

- Qu'arriverait-il si quelqu'un inventait un minuscule ordinateur que l'on peut implanter dans un cerveau ?

- Qu'arriverait-il si on pouvait améliorer la communication avec les animaux en leur donnant la possibilité de nous dire ce qu'ils pensent et ce qu'ils ressentent ?

- Qu'arriverait-il si un hologramme avait l'air aussi vrai que l'objet lui-même ? À quoi pourrait servir une telle technologie ?

partie 2

Les systèmes d'information

De nos jours, les systèmes d'information jouent un rôle essentiel. En effet, nous nous en servons pour communiquer. Pour ce faire, nous avons recours à du matériel, à des procédures de traitement de données, à des réseaux et à des données en mémoire.

Les systèmes d'information dépendent étroitement des technologies de l'information. Comme les directions d'entreprise et les spécialistes en technologie de l'information, tu pourras te familiariser avec Internet et lire ses effets sur les communications entre les entreprises (vidéoconférence en ligne) et entre les individus dans les entreprises (intranet). Tu pourras aussi comprendre les effets d'Internet sur la globalisation des échanges entre des partenaires commerciaux de différents pays. De plus, tu liras au sujet des outils informatiques pour communiquer, par exemple les pages Web, le courrier électronique, les messageries instantanées et les groupes de discussion en ligne.

La mondialisation découle de la nouvelle facilité à communiquer partout sur la planète. Ce phénomène fait de toi une citoyenne ou un citoyen du monde. Tu as reçu jusqu'à aujourd'hui plus d'information que tes grands-parents durant toute leur vie. Les progrès en technologie de l'information contribuent largement à cette situation. Ils ouvrent des perspectives de développement très intéressantes.

La technologie de l'information

À ta naissance, les ordinateurs étaient déjà répandus dans les centres d'affaires, les banques et les industries. De plus, beaucoup de ménages possédaient déjà leur propre micro-ordinateur. Peux-tu t'imaginer une époque où un ordinateur remplissait une pièce entière? Pire encore, une époque où l'ordinateur n'existait même pas?

La technologie de l'information a fait un bond prodigieux depuis le premier ordinateur jusqu'à Internet. Ce faisant, elle a transformé le monde des communications. Dans ce chapitre, tu découvriras l'évolution de la technologie de l'information. Tu verras aussi comment cette technologie est utile dans les communications et avoir un aperçu de ce qu'elle propose dans l'avenir.

Vocabulaire

- éditeur HTML
- hyperlien
- intelligence artificielle
- Internet
- langage de programmation
- logiciel d'exploitation
- microcircuit
- microprocesseur
- modem
- navigateur
- ordinateur
- protocole HTTP
- puce
- technologie de l'information (TI)
- traitement parallèle
- transistor
- URL
- Web

Au fil de ce chapitre, tu vas trouver les réponses à ces questions :

- Comment la technologie de l'information a-t-elle évolué?
- Quel rôle la technologie de l'information joue-t-elle dans les communications?
- Comment Internet est-il apparu?
- Quelle est la différence entre Internet et le Web?

chapitre 4

La technologie de l'information

Le terme **technologie de l'information** désigne les systèmes électroniques et informatiques qui servent à gérer, à traiter et à transmettre l'information. Le principal outil de cette technologie est sans contredit l'ordinateur.

Gérer l'information nécessite la subdivision en données. Les données sont des éléments d'information bruts, non traités, comme des chiffres, des caractères ou des symboles. Prises seules, les données n'ont pas de signification particulière. Toutefois, une fois ordonnées selon un code préétabli, elles deviennent de l'information qu'on peut transmettre, comprendre et utiliser. Par exemple, suppose que tu entres des chiffres (des données) dans un ordinateur. L'ordinateur va les traiter selon les instructions du programme qu'il exécute. Il peut s'agir de construire un tableau ou un diagramme. Les caractères que tu tapes avec un traitement de texte sont un autre type de données. Les fonctions d'un logiciel de traitement de texte permettent d'attribuer aux caractères entrés des spécifications. Par exemple, on peut organiser ces caractères en paragraphes ou en une liste à puces.

Les incidences de la technologie de l'information

Au cours des 100 dernières années, et de façon plus pointue dans les 30 dernières années, la technologie de l'information a connu des progrès remarquables. Ces progrès ont changé en profondeur notre mode de vie. Et ce n'est pas fini, car la technologie de l'information est en constante évolution.

Tu rencontreras au cours de tes recherches ou de tes lectures l'abréviation TIC. Il s'agit d'une nouvelle façon de nommer la technologie de l'information : Technologies de l'information et des communications (TIC). On utilisera cette expression dans certains milieux que tu fréquenteras plus tard.

Figure 4.1 Dans les bibliothèques, l'ordinateur a simplifié et accéléré la recherche de documents. Des bases de données informatisées ont remplacé les systèmes de fiches.

Figure 4.2 De nos jours, il n'est plus nécessaire d'aller à la banque pendant les heures d'ouverture pour déposer ou retirer de l'argent dans ton compte en banque. Le guichet électronique bancaire peut te servir en tout temps.

Sur le plan des communications, la radio a permis de diffuser de l'information à des auditoires éloignés. Avec le téléphone, des personnes pouvaient se parler directement même si elles se trouvaient à des endroits différents. Aujourd'hui, un grand nombre d'outils facilitent la communication humaine, entre autres les boîtes vocales, les téléavertisseurs, le courrier électronique et Internet.

La communication machine a évolué grâce aux ordinateurs, aux modems et aux dispositifs de communication toujours plus puissants et performants.

La technologie de l'information a changé la manière de faire des affaires. On peut stocker des données dans des ordinateurs ou sur supports informatiques et y accéder très rapidement. Avec le téléphone, le télécopieur, le courrier électronique et Internet, on a accès au monde entier, peu importe le lieu ou l'heure. Les communications sont rapides, qu'il s'agisse de transmettre du texte, des nombres ou des images.

La technologie prend sans doute une grande place dans ta vie. As-tu une carte bancaire? Vas-tu au guichet électronique de ta banque? Règles-tu tes achats par débit automatique? Utilises-tu le courrier électronique? un téléavertisseur? un téléphone cellulaire? une boîte vocale? Navigues-tu sur Internet? Utilises-tu un traitement de texte pour rédiger tes travaux scolaires?

L'évolution des ordinateurs

Les changements apportés par la technologie de l'information découlent tous de l'invention d'un outil fantastique : l'ordinateur. Qu'est-ce qu'un ordinateur? À la base, un **ordinateur** est une machine qui fait des calculs dans un certain ordre et qui traite l'information très rapidement. Les ordinateurs modernes ne ressemblent plus à leurs ancêtres. Au départ, ils étaient principalement de gigantesques machines à calculer. Aujourd'hui, ils font beaucoup plus, et plus rapidement : ils gèrent et traitent l'information, exécutent des tâches et servent d'outils de communication.

Faits scientifiques

Modem

L'avènement du **modem** (*modulateur-démodulateur*) a causé une révolution dans la technologie de l'information et les communications. Ce dispositif est un périphérique qui permet à plusieurs ordinateurs de se transmettre des données par un réseau téléphonique, un réseau câblé ou un satellite. Il convertit les données numériques provenant d'un ordinateur en signaux analogiques, et vice versa. Une fois des ordinateurs connectés en réseaux, on peut transmettre des documents de l'un à l'autre ou intervenir simultanément dans le même document.

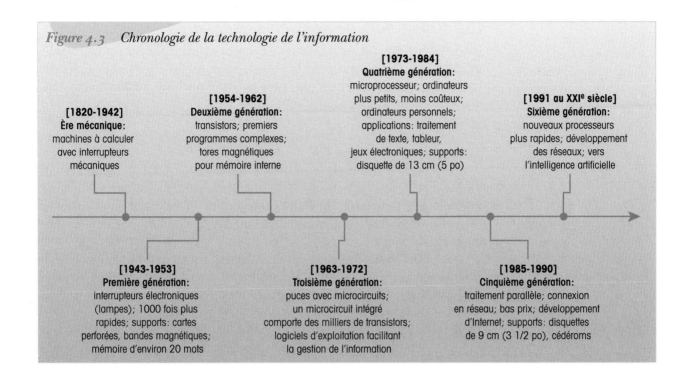

Figure 4.3   *Chronologie de la technologie de l'information*

[1820-1942]
Ère mécanique:
machines à calculer
avec interrupteurs
mécaniques

[1954-1962]
Deuxième génération:
transistors; premiers
programmes complexes;
tores magnétiques
pour mémoire interne

[1973-1984]
Quatrième génération:
microprocesseur; ordinateurs
plus petits, moins coûteux;
ordinateurs personnels;
applications: traitement
de texte, tableur,
jeux électroniques; supports:
disquette de 13 cm (5 po)

[1991 au XXIe siècle]
Sixième génération:
nouveaux processeurs
plus rapides; développement
des réseaux; vers
l'intelligence artificielle

[1943-1953]
Première génération:
interrupteurs électroniques
(lampes); 1000 fois plus
rapides; supports: cartes
perforées, bandes magnétiques;
mémoire d'environ 20 mots

[1963-1972]
Troisième génération:
puces avec microcircuits;
un microcircuit intégré
comporte des milliers de transistors;
logiciels d'exploitation facilitant
la gestion de l'information

[1985-1990]
Cinquième génération:
traitement parallèle; connexion
en réseau; bas prix; développement
d'Internet; supports: disquettes
de 9 cm (3 1/2 po), cédéroms

On divise l'évolution des ordinateurs en générations, qui correspondent à des périodes définies. Il y a:

- l'ère mécanique;
- six générations couvrant la période de 1943 au XXIe siècle.

L'ère mécanique

L'ère mécanique s'étend de 1820 à 1942. Pendant cette période, on fabriquait des machines afin de résoudre des problèmes mathématiques. À l'aide d'interrupteurs mécaniques, on faisait des opérations arithmétiques de base: additionner, soustraire, multiplier et diviser. Ces machines à calculer ne conservaient rien en mémoire.

Les ordinateurs de première génération

De 1943 à 1953, on observe une amélioration des ordinateurs. On remplace les interrupteurs mécaniques par des interrupteurs électroniques semblables à des lampes. Ces interrupteurs étaient 1000 fois plus rapides que les autres, mais avaient le défaut d'occuper beaucoup d'espace. Le plus simple ordinateur pouvait remplir une pièce (figure 4.5)!

Les ordinateurs de première génération ne faisaient que des calculs numériques. Fait nouveau cependant, ils pouvaient mémoriser des données, soit l'équivalent d'environ 20 mots. On entrait les données à l'aide de cartes perforées (figure 4.4) et on pouvait les conserver sur des bandes magnétiques.

Figure 4.4   *Des cartes perforées pour entrer des données dans un ordinateur*

Les ordinateurs de deuxième génération

De 1954 à 1962, les ordinateurs deviennent plus petits et plus rapides grâce à trois améliorations. D'abord, on remplace les lampes par des **transistors**. Les transistors sont plus petits et ont une meilleure capacité de traitement. Ensuite, on met au point les premiers **langages de programmation** de haut niveau. Ces outils, à base de mots anglais simples, simplifient les tâches de programmation, donc permettent d'élaborer des programmes complexes.

Enfin, grâce aux tores magnétiques, il devient possible de stocker de l'information dans la mémoire interne d'un ordinateur. Les tores magnétiques sont des noyaux qu'on magnétise par un courant électrique. La capacité de mémoire accrue va permettre à l'ordinateur de se développer davantage.

Les ordinateurs de première et de deuxième générations portaient le nom d'ordinateurs centraux. Un ordinateur central est capable de gérer des centaines et même des milliers d'utilisations en même temps.

Figure 4.5   *Un des premiers modèles d'ordinateur central.*

Les ordinateurs de troisième génération

Les ordinateurs de troisième génération (1963 à 1972) se caractérisent par une vitesse et une puissance beaucoup plus grandes. C'est possible grâce à une **puce** à peine plus grosse qu'une pièce de 25 ¢.

La puce présente plusieurs avantages. Elle peut réaliser plusieurs tâches parce qu'elle se compose de **microcircuits**. Ces microcircuits eux-mêmes peuvent contenir des milliers de transistors et de fils de connexion. De plus, la puce augmente la capacité de mémoire des ordinateurs. Elle a aussi une grande vitesse d'exécution.

La structure des ordinateurs de troisième génération contient aussi la mise au point de **logiciels d'exploitation** pour gérer l'information et exécuter d'autres logiciels.

Les ordinateurs de quatrième génération

De 1973 à 1984, l'avènement du **microprocesseur** vient bouleverser le monde de l'informatique. Un microprocesseur est une puce qui, à elle seule, traite des données, les stocke, gère l'entrée et la sortie de l'information.

Les ordinateurs de quatrième génération sont non seulement plus petits, mais aussi moins coûteux. Grâce aux nouveaux langages de programmation, les logiciels permettent d'utiliser facilement différentes applications comme le traitement de texte, le tableur et les jeux électroniques. C'est l'ère de l'ordinateur personnel. De plus en plus de gens découvrent ses possibilités et veulent en posséder un.

Cependant, l'ordinateur personnel est encore plutôt lent. On stocke l'information sur des cassettes à bande magnétique ou sur des disquettes souples de 13 cm (5 po).

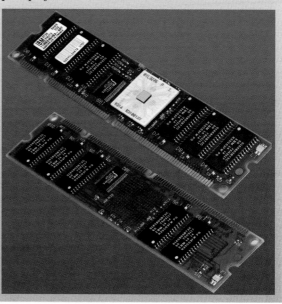

Figure 4.6   Les microcircuits et les puces de mémoire, de plus en plus petits, permettent de produire des composants informatiques à la fois plus performants et moins coûteux.

Les ordinateurs de cinquième génération

Une découverte marque les années 1985 à 1990 : le **traitement parallèle**. Il s'agit de la capacité pour un ordinateur d'exécuter plusieurs programmes ou de traiter des quantités d'information en même temps. Les processeurs accomplissent de façon simultanée différentes parties d'une même tâche. Par conséquent, la vitesse d'exécution augmente.

Les ordinateurs trouvent de plus en plus d'usages, dans les entreprises et dans les ménages, grâce aux nombreux logiciels sur le marché. Les prix des ordinateurs baissent constamment et il est de plus en plus facile de s'en procurer un.

Parallèlement, on assiste à l'apparition d'Internet. On peut mettre en réseau des ordinateurs de plus en plus éloignés les uns des autres.

Les ordinateurs de sixième génération (de 1991 au XXIe siècle)

Encore une fois, des processeurs améliorés viennent accroître la vitesse de traitement de l'unité centrale de traitement (UCT).

De plus, le développement de réseaux longue distance plus efficaces facilite et accélère les communications de toutes sortes.

Tu as vu qu'à chaque génération, les ordinateurs deviennent plus puissants et plus rapides. Pourtant, ils sont toujours plus petits et moins énergivores. Si cette tendance se maintient, un ordinateur tiendra un jour dans une montre... ou sur plus petit encore ! Les ordinateurs interviendront dans tous les aspects de notre vie, pour nous rendre service et nous libérer de certaines tâches. Il est certain que cette évolution jouera un rôle sur le développement des communications.

Figure 4.7   On peut dorénavant transporter son ordinateur avec soi.

Internet et le Web

Internet

De nos jours, **Internet** est pratiquement partout : dans les entreprises, les écoles, les ménages. Il fait partie intégrante de la vie de notre société. Il permet de relier des millions d'internautes les uns aux autres grâce aux lignes téléphoniques, aux câbles et aux satellites.

Au départ, Internet était un projet du département de la Défense des États-Unis. L'objectif était de mettre sur pied un réseau de télécommunication (ou communication à distance) qui résisterait à une attaque nucléaire ou à une catastrophe naturelle.

Sa première version portait le nom d'ARPANet. Dans les années 1960, on a relié des ordinateurs centraux entre eux. On a ainsi formé un réseau à l'aide de câbles à grande vitesse de transmission et de stations de commutation (des intersections). Au début, le personnel de la Défense américaine s'en servait pour se transmettre des données. Avec le temps, le réseau est devenu accessible au domaine de l'enseignement et de la recherche.

Dans les années 1980, l'ARPANet ne suffisait plus à la demande. On se rendait compte que le réseau pouvait faire beaucoup plus que le partage de renseignements scientifiques. Un nouveau réseau plus rapide est alors apparu : le NSFNet.

À ce moment-là, les entreprises et les particuliers n'y avaient pas accès. Toutefois, étant donné que de plus en plus de gens possédaient des ordinateurs personnels, l'intérêt a grandi. Des entreprises de télécommunication ont élaboré des réseaux qui respectaient les protocoles (langage et règles) du NSFNet, et ont offert le service à leur clientèle. Cette interconnexion de réseaux a donné Internet. Ce nom vient du terme anglais *internetworking*. Au début des années 1990, les fonctions les plus appréciées d'Internet étaient surtout le courrier électronique et le partage de fichiers.

La société Canarie inc. est une entreprise sans but lucratif ayant pour mandat d'offrir un accès à haute vitesse à tous les ménages canadiens et à tous les établissements scolaires en 2005.

Pour te renseigner sur les réseaux canadiens, rends-toi à l'adresse suivante :

 www.dlcmcgrawhill.ca

Tu y trouveras des liens pour guider ta recherche.

Le Web

Le **Web** (*World Wide Web*) date du début des années 1980. C'est le Suisse Tim Berners-Lee qui l'a développé. On appelle ainsi l'ensemble des millions de documents hypertextes qu'on peut consulter au moyen du réseau Internet. On peut dire que le Web contient l'information, et qu'Internet est l'outil qui permet d'y avoir accès, à l'aide des navigateurs de réseaux. Sur le Web, on peut dorénavant trouver de l'information multimédia : du texte, du son, des animations et de la vidéo.

Le Web contient des millions de documents hypertextes. Un document hypertexte peut contenir des applications intégrées et des liens qui renvoient à des bases de données, du texte, du son, des graphiques et de l'animation. Pour produire un tel document, on se sert d'un **éditeur HTML** (*HyperText Markup Language*, langage de balisage hypertexte).

Une caractéristique des documents hypertextes est la présence d'**hyperliens**. Il s'agit la plupart du temps d'un ensemble de mots, soulignés ou d'une couleur différente du reste du texte, ou d'une image

Pour en savoir plus sur la société Canarie inc., rends-toi à l'adresse suivante :

 www.dlcmcgrawhill.ca

Tu y trouveras des liens pour guider ta recherche.

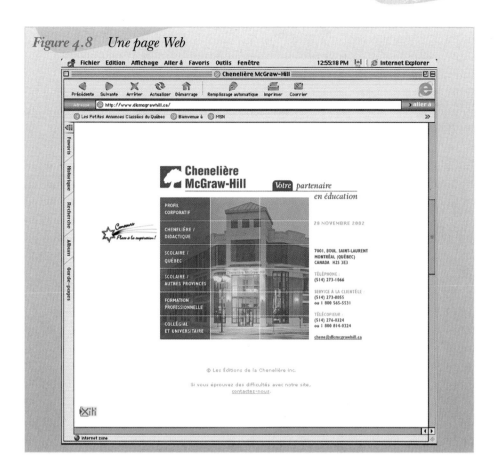

Figure 4.8 *Une page Web*

graphique. Par un simple clic, ces liens t'amènent directement dans un autre site Web ou dans d'autres parties d'un document.

Le protocole HTTP

Le **protocole HTTP** (*HyperText Transfer Protocol*, protocole de transfert hypertexte) est un ensemble de règles qui gèrent l'interprétation des documents HTML accessibles à l'aide d'un navigateur. Un **navigateur** est un programme qui interprète les documents hypertextes du Web et les affiche sur ton écran.

L'adresse URL

Toute page Web a une adresse **URL** (*Universal Resource Locator*) qui permet au navigateur de repérer un site Web. L'adresse d'un site Web commence toujours par les lettres « http ». L'adresse indique au navigateur comment interpréter et afficher la page à l'écran. Examine l'adresse Web à la figure 4.9 et discernes-en les diverses parties.

L'avenir

Tu as vu que la technologie de l'information a beaucoup évolué, surtout au cours du xxᵉ siècle. L'humanité est passée des dessins des peuples des cavernes à la fabrication de l'encre et du papier, à l'imprimerie… Avec l'invention de l'ordinateur, le développement des nouvelles technologies s'est accéléré. C'est non seulement la façon de gérer l'information qui a été transformée, mais les moyens de la transmettre. On prévoit que les

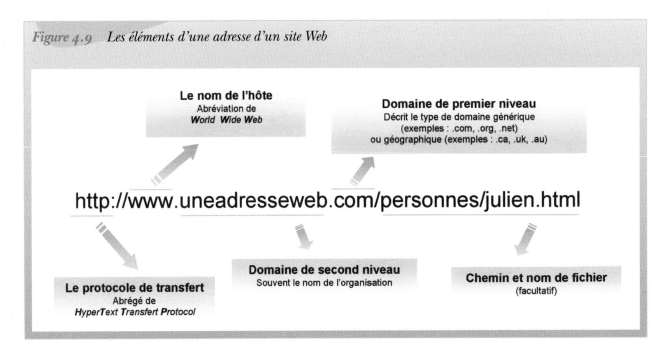

Figure 4.9   *Les éléments d'une adresse d'un site Web*

découvertes dans ce domaine augmenteront de façon exponentielle, puisqu'on dispose d'équipements toujours plus performants.

Les réseaux de câbles, les réseaux de radiodiffusion et de télédiffusion, les satellites de télécommunications, la fibre optique, l'Internet et le Web témoignent du développement rapide des nouvelles technologies.

Une tendance se maintient : les composants d'ordinateur sont à la fois toujours plus puissants et plus petits. Cela permet d'envisager leur utilisation dans des applications auparavant insoupçonnées ! L'ordinateur portable tel qu'on le connaît aujourd'hui est encore gros par rapport à la capacité de miniaturisation des pièces. On peut s'attendre à des logiciels plus performants, à des modems portables plus rapides et à des périphériques de stockage compacts (par exemple, les minidisques).

De plus en plus de personnes utilisent les nouvelles technologies, et c'est ce qui stimule le développement de nouvelles capacités et utilisations. À l'heure actuelle, beaucoup de recherches portent sur l'**intelligence artificielle**. L'objectif est de créer des ordinateurs ayant une forme de raisonnement, d'apprentissage et d'intelligence semblable à celle de l'être humain. On analyse donc le fonctionnement du cerveau humain pour reproduire ses processus de la pensée, de l'apprentissage, des émotions et de la prise de décisions dans des systèmes et des circuits. Bien que la tâche semble énorme, on note déjà des réalisations qui pavent la voie à l'intelligence artificielle, comme les ordinateurs à reconnaissance vocale, les jeux de réalité virtuelle et le non moindre chien AIBO.

Faits scientifiques

La nanotechnologie

En 1992, M. Eric Drexler a entrepris des recherches pour concevoir des objets pas plus gros qu'une molécule. La nanotechnologie concerne la fabrication de ces objets. En imitant le fonctionnement des cellules humaines, les objets pourraient s'assembler et former des machines miniatures.

Selon M. Drexler, de telles machines pourraient être très utiles pour l'humanité. Par exemple, elles pourraient agir à l'échelle moléculaire pour guérir quelqu'un d'une maladie. Ou encore, elles pourraient fabriquer des matériaux en provoquant des réactions chimiques dans l'environnement.

Révision du chapitre 4

Questions de révision

1. Indique trois applications de la technologie de l'information qui nous rendent la vie plus facile.

2. Décris les fonctions des ordinateurs de première et de deuxième générations. Comment y entrait-on des données?

3. En quoi les ordinateurs de troisième génération étaient-ils différents des précédents?

4. Qu'est-ce qui caractérise les ordinateurs de sixième génération?

5. Quel réseau est l'ancêtre d'Internet? Dans quel but voulait-on le développer?

6. Quelle est la différence entre Internet et le Web?

7. En quoi les microprocesseurs ont-ils révolutionné les ordinateurs personnels?

8. Pour chaque site Web ci-dessous, détermine:
   a) le protocole de transfert;
   b) le nom de l'hôte;
   c) le domaine de second niveau;
   d) le domaine de premier niveau;
   e) le chemin et le nom de fichier.
   - <http://www.web.Macarrière.fr/communication/niveau2/intro.html>
   - <http://yahoo.ca>
   - <http://www3.maferme.org/principale/defaut.html>
   - <http://www.dlcmcgrawhill.ca>
   - <http://www.musique.org/eleves/projetsde12>
   - <http://www.passioncom/telechargement/liste.html>

9. Donne un exemple d'une situation où les technologies de l'information nous ont rendu la vie plus difficile. Explique.

10. En quoi consiste l'intelligence artificielle?

Activités

1. La technologie de l'information fait partie de nos vies. Réfléchis à une de tes journées, du moment où tu te réveilles jusqu'au moment de te coucher. Dresse une liste de tes activités qui utilisent la technologie de l'information. Quand tu auras terminé ta liste, choisis deux points et indique en quoi ta vie serait différente sans l'apport de la technologie. Compare ta liste et tes exemples avec ceux d'autres élèves.

2. La technologie de l'information présente de grands avantages. Toutefois, mal utilisée, elle peut nuire à la société. En petit groupe, fais un remue-méninges au sujet des bienfaits de la technologie de l'information sur le plan social. Par exemple, selon des spécialistes, le courrier électronique favorise les communications personnelles parce qu'il est moins coûteux à utiliser que le téléphone.

3. En petit groupe, fais un remue-méninges à propos des dangers de la technologie de l'information pour la société. Exemple: des personnes pensent que l'informatisation du marketing téléphonique nuit à la qualité de vie des personnes.

4. En petit groupe, discute de quelques enjeux d'ordre éthique liés à la technologie de l'information (par exemple, l'ingérence dans la vie privée, les nouveaux types d'emplois). Reproduis le tableau suivant dans ton cahier et inscris-y les idées du groupe.

Aspects	Pour	Contre	Enjeux d'ordre éthique
Vie privée			
Éducation			
Santé			
Vie familiale			
Temps consacré aux loisirs			

5. Fais une recherche sur l'histoire des ordinateurs. Présente tes découvertes au reste de la classe.

Internet : un outil de communication moderne

Dans les chapitres précédents, tu as vu l'évolution de la technologie de l'information. Tu as aussi étudié divers aspects des systèmes de technologie des communications. Entre autres, tu as appris ce qu'est Internet et comment il a vu le jour. À présent, tu vas examiner de plus près comment fonctionne Internet, le « réseau des réseaux ».

Comment l'information voyage-t-elle dans Internet ? Comment peut-on se brancher à Internet ? De quel matériel a-t-on besoin ? Comment fonctionne le courrier électronique ? Ce chapitre va t'aider à comprendre les systèmes de communication électronique et Internet.

Vocabulaire

- courrier électronique
- fureteur
- modem analogique
- nétiquette
- passerelle
- périphérique de liaison
- routeur
- TCP/IP

Au fil de ce chapitre, tu vas trouver les réponses à ces questions :

- Comment fonctionnent les systèmes de communication électronique et Internet ?
- Quelles sont les normes en matière de communication électronique ?
- En quoi consiste le courrier électronique ?

chapitre

5

Internet

Tu as vu dans le chapitre 4 qu'Internet est un réseau de télécommunication qui permet de relier des millions d'internautes les uns aux autres grâce aux lignes téléphoniques, aux câbles et aux satellites. Internet donne accès au Web, c'est-à-dire à un ensemble de millions de documents hypertextes. Internet et le Web sont des sources de renseignement, de communication et de divertissement de plus en plus appréciées, avec de l'information multimédia : du texte, du son, des animations et de la vidéo.

Toutefois, avant de découvrir comment Internet fonctionne, voyons le matériel et les différentes composantes électroniques qui lui donnent vie.

Le matériel

Pour accéder à Internet, tu as besoin de matériel informatique de base. Même si les produits informatiques évoluent rapidement, certains éléments demeurent les mêmes. Il te faut un ordinateur, un périphérique de liaison entre l'ordinateur et Internet (par exemple un modem), un logiciel de communication et des protocoles souvent inclus dans les systèmes d'exploitation, une connexion par ligne téléphonique ou par câble. Il te reste à ouvrir un compte auprès d'un fournisseur de services Internet... et le tour est joué !

L'ordinateur

Il faut un ordinateur performant et doté d'une bonne capacité de mémoire pour naviguer sur Internet. La rapidité et la puissance du processeur sont des critères importants à observer, surtout si tu as l'intention de travailler en mode multitâche. Le mode multitâche est la possibilité d'effectuer plusieurs tâches en même temps. La plupart des ordinateurs comportent des périphériques, comme une carte vidéo, un moniteur, une carte son et des haut-parleurs, ainsi qu'un disque dur. Selon les applications que tu veux exécuter, tu voudras peut-être te procurer des périphériques plus évolués ou plus spécialisés, comme un microphone, une webcaméra ou une carte vidéo qui supporte les animations et les jeux.

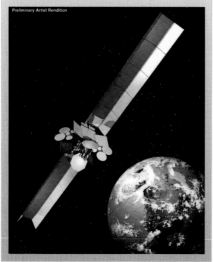

Figure 5.1   Un satellite de communication

Preliminary Artist Rendition

Le périphérique de liaison

Le plus souvent, on utilise un **modem analogique** pour faire la liaison entre un ordinateur et le réseau Internet. Tu as déjà vu la distinction entre les données analogiques et les données numériques. Pour parvenir à ton ordinateur, les données doivent subir des transformations en fonction du lien que tu utilises. Si tu es branché sur le réseau téléphonique, il faut convertir les signaux numériques de l'ordinateur en signaux analogiques que la ligne téléphonique peut transmettre, et vice versa. C'est la tâche que remplit le modem analogique.

Il existe maintenant des types de **périphériques de liaison** qui n'ont plus recours à la conversion en signaux analogiques. Ces périphériques peuvent transmettre les données dans leur format numérique d'origine, le long des fils téléphoniques ou de câblodistribution. Cette façon de transporter les données rend possible la transmission des signaux comme la voix, des images de télévision et d'autres types de signaux numériques.

Le type de connexion

Il y a différents types de connexions Internet. Il est bon de les connaître quand vient le temps de choisir un fournisseur de services Internet.

La première connexion utilise un modem commuté traditionnel, autrement dit une ligne téléphonique. Un modem a pour fonction de convertir les signaux numériques en signaux analogiques pour les faire voyager par ligne téléphonique, et vice versa. La transmission peut atteindre 56 Kbps (kilobits par seconde). Souvent peu coûteux, ce service demeure assez lent pour les applications multimédias.

La connexion par modem câble gagne en popularité. Le câble à large bande ou câble coaxial permet de télécharger à des vitesses élevées, de l'ordre de 1,5 Mbps (mégabits par seconde) vers l'ordinateur, et de l'ordre de 300 Kbps vers le serveur. Toutefois, seules les entreprises de câblo-distribution peuvent fournir cette connexion. De plus, les abonnées et les abonnés n'ont pas toujours accès à un serveur Web personnel.

La connexion la plus populaire à domicile, de type DSL, emploie un modem LNPA et un câble téléphonique en cuivre. Son principal avantage est qu'il n'y a plus lieu de convertir les signaux numériques en signaux analogiques. La connexion directe atteint une vitesse de 640 Kbps. La ligne téléphonique reste libre même pendant la navigation. Pour l'instant, ce service est disponible seulement dans certaines régions.

Le fournisseur de services Internet

Pour choisir ton fournisseur de services Internet, tu dois prendre le temps d'examiner les options possibles. D'abord, tu dois déterminer ton type de connexion. Te brancheras-tu à un réseau téléphonique, par le câble, à l'aide d'une antenne parabolique ? De plus, on peut maintenant accéder à Internet au moyen d'ordinateurs portables et de téléphones cellulaires.

Une fois que tu as déterminé tes critères, informe-toi auprès de différents fournisseurs pour connaître les services offerts. La plupart du temps, ils offrent des forfaits comprenant plusieurs services : l'accès à Internet pour un nombre d'heures donné, une vitesse de connexion donnée, le courrier électronique, un portail Web et du soutien technique. Étant donné qu'il s'agit de services payants, essaie d'obtenir le meilleur service possible pour le montant déboursé.

Le fonctionnement d'Internet

Tu as compris qu'Internet permet d'accéder à de l'information stockée dans des documents hypertextes, du texte, du son ou des images. Tu peux également télécharger cette information, c'est-à-dire la faire venir dans ton ordinateur, et transmettre de l'information vers d'autres ordinateurs. Des logiciels et des protocoles de transmission rendent ces opérations possibles. Ils ont pour fonction de transformer l'information sous une forme qui peut voyager dans Internet.

Dans la vie de tous les jours, si tu veux expédier un colis, tu dois l'emballer correctement, le sceller et l'adresser. C'est la même chose pour l'information dans Internet, sauf que c'est un protocole, le protocole de contrôle de transmission/protocole Internet (TCP/IP – *Transmission Control Protocol/Internet Protocol*), qui traite de l'emballage. Le

TCP/IP est un ensemble de règles et de procédures complexes qui détermine la structure que doivent prendre les données pour voyager dans Internet. On utilise la formule des « petits paquets ». Le TCP a comme tâche de regrouper les données en petites quantités. C'est ainsi qu'elles voyageront. Le IP attribue une adresse de destination aux paquets de données. À la réception, le TCP redonne leur forme d'origine aux données.

Voici un exemple de la façon dont Internet transmet des données. Cet exemple utilise le Web, puisque Internet sert surtout à naviguer sur le Web. Suppose que tu tapes l'adresse d'un site Web dans la barre d'adresse du fureteur. Dès que tu appuies sur la touche <Entrée>, la page correspondante commence à apparaître (voir la figure 5.2). La vitesse d'affichage dépend de la quantité d'information dans la page (la complexité) et de la rapidité de ta connexion Internet.

Techno liens

Le bus

Un bus est un conducteur commun à plusieurs circuits permettant de distribuer des informations ou des courants d'alimentation. Le bus USB (*Universal Serial Bus*) est une composante de la plupart des nouveaux ordinateurs. Grâce à lui, tu peux brancher facilement et rapidement des périphériques externes à ton ordinateur, comme une imprimante, un modem ou un scanneur.

Figure 5.2 *Quand tu saisis une adresse et que tu appuies sur la touche <Entrée>, la page s'affiche.*

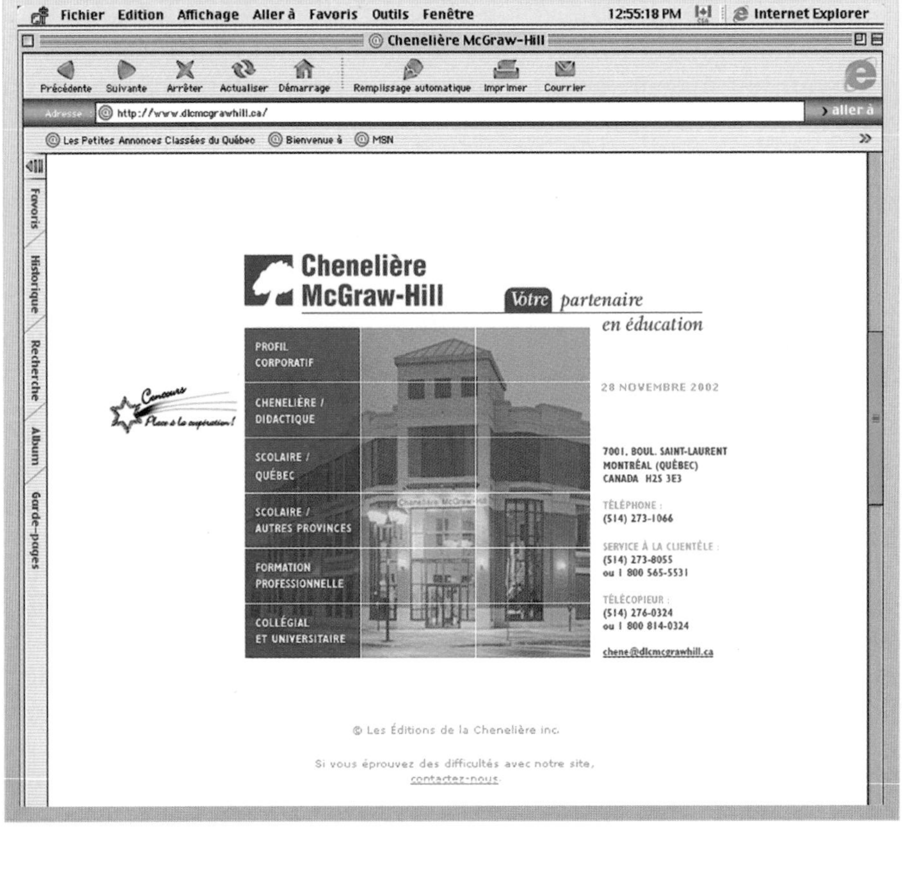

Figure 5.4 *Des routeurs (nos « agents de circulation ») dirigeant la circulation de l'information (les « paquets ») dans Internet.*

Figure 5.3 *Le chemin parcouru par les données*

Qu'est-ce qui s'est produit ? Tu as saisi l'adresse Web. Le système l'a ensuite convertie en une séquence de chiffres appelée « IP ». C'est un langage qu'Internet peut reconnaître. Pour le site principal de Chenelière/McGraw-Hill, par exemple, l'adresse IP est 206.186. 150.1. Ensuite, il a envoyé l'adresse au serveur de nom de domaine (DNS – *Domain Name System*) de ton fournisseur de services Internet. Ce serveur contient une liste d'adresses URL avec leur protocole Internet correspondant, à la façon d'un annuaire téléphonique. Si le serveur DNS ne trouve pas l'adresse, il interroge un autre serveur DNS jusqu'à ce qu'il la trouve. Si ce dernier ne trouve toujours rien, un message d'erreur apparaîtra à l'écran.

Quand il a repéré l'adresse, le serveur a appelé la page Web à sa source. Les fichiers qui composent la page ont voyagé jusqu'à ton ordinateur à travers une série de réseaux, de routeurs et de passerelles. Tu as vu plus tôt que les données sont transmises en paquets dans Internet. L'information qui compose une page Web arrive ainsi dans ton ordinateur, et le protocole recolle les morceaux à leur arrivée.

Les paquets de données doivent se rendre au même point, mais ils ne suivent pas forcément les mêmes trajets. Au long de ces trajets, il y a des **routeurs** qui règlent la circulation. Si un réseau est trop achalandé, le routeur peut faire passer un paquet par un autre trajet plus rapide.

Les paquets croisent également des **passerelles**. Il s'agit de points dans le réseau où l'information doit prendre une autre forme pour pouvoir circuler. Les passerelles reçoivent les paquets, les réunissent, puis les séparent de nouveau. En principe, tous les paquets arrivent ensemble à leur point de destination, soit ton ordinateur. Le protocole peut les remettre ensemble et afficher la page.

Pour te renseigner sur le fonctionnement d'un modem DSL, rends-toi à l'adresse suivante :

 www.dlcmcgrawhill.ca

Tu y trouveras des liens pour guider ta recherche.

Techno liens

Qu'est-ce qu'un portail Web ?

Quand tu ouvres une séance sur Internet, une page d'ouverture apparaît. Cette page comporte une barre d'adresse et te permet d'accéder au Web. De plus en plus de fournisseurs de services Internet proposent des portails avec des renseignements sur l'actualité et la météo, des forums, un courrier électronique, des bavardoirs, des répertoires par sujets et des liens vers des sites d'intérêt. AOL Canada, Magma et Vidéotron sont des exemples bien connus de portails.

La navigation sur Internet

Internet donne accès à un grand nombre d'applications. Pense au courrier électronique, à la messagerie instantanée et au téléchargement de fichiers. Cependant, l'activité principale dans Internet est la navigation.

Le fureteur

Tu peux accéder à Internet si tu n'as pas de fureteur. Cependant, sans fureteur, tu ne pourras pas consulter les millions de documents hypertextes (texte, images, vidéo et son) qui composent le Web. Les deux fureteurs Web les plus utilisés pour naviguer sur le Web sont Internet Explorer et Netscape Navigator.

Les **fureteurs** sont en quelque sorte des instruments de navigation qui t'aident à te rendre là où tu veux et à trouver l'information recherchée. Voici leurs principales caractéristiques. Repère-les dans l'illustration de la figure 5.5.

Les fureteurs affichent une barre d'adresse, où tu peux taper l'adresse Web que tu veux atteindre.

Ils ont des boutons qui t'amènent automatiquement soit à la page précédente, soit à la page suivante et te permettent d'interrompre un téléchargement à tout moment.

Grâce à une fonction de mémorisation et de classement des adresses de tes pages Web préférées, tu peux te rendre directement sur ces sites

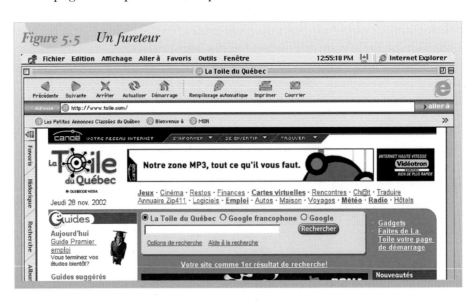

Figure 5.5   Un fureteur

en un clic. Il est possible de mettre à jour la page Web en cours de téléchargement.

Bien sûr, ce sont là des fonctions de base. Les fureteurs offrent d'autres fonctions plus avancées, comme la configuration des préférences ou les options Internet.

Le courrier électronique

Le **courrier électronique** est l'une des applications les plus populaires d'Internet. L'ingénieur Ray Tomlinson l'a conçu en 1971 alors qu'il travaillait au réseau ARPANet, l'ancêtre d'Internet. Aujourd'hui, il se transmet des millions de courriels personnels ou d'affaires chaque jour dans le monde.

Pour envoyer et recevoir des courriels, tu dois avoir un compte de courrier électronique. Quand tu t'inscris à des services Internet, on t'ouvre un compte et on t'attribue une adresse électronique. (L'adresse électronique comporte habituellement le nom du fournisseur.) Les messages ne parviennent pas directement à ton ordinateur. Ton courrier s'accumule plutôt sur un serveur de ton fournisseur jusqu'à ce que tu exécutes ton programme de courrier électronique pour récupérer les messages ou que tu décides de les supprimer.

Si tu as accès à Internet, tu peux ouvrir gratuitement un compte de courrier électronique. C'est le courriel Web, par exemple CANOEMail, Hotmail et Yahoo!Mail. Ce qui le rend pratique est qu'on peut prendre ses courriels de n'importe quel ordinateur branché à Internet, partout dans le monde! En général, le courriel Web fonctionne plus lentement et a des fonctions limitées, mais il peut être une option intéressante selon ta situation.

Si tu veux plus et si tu peux te le permettre, tu peux t'abonner à un accès Internet auprès d'un fournisseur de services Internet. Le fournisseur de services Internet te permet d'ouvrir des comptes de courrier électronique. Il te fournit un programme qui activera certains programmes déjà installés sur ton ordinateur, par exemple Outlook Express, Netscape Messenger, FirstClass et Lotus Notes. On appelle ce genre de courrier électronique POP, ou protocole POP (*Post Office Protocol*).

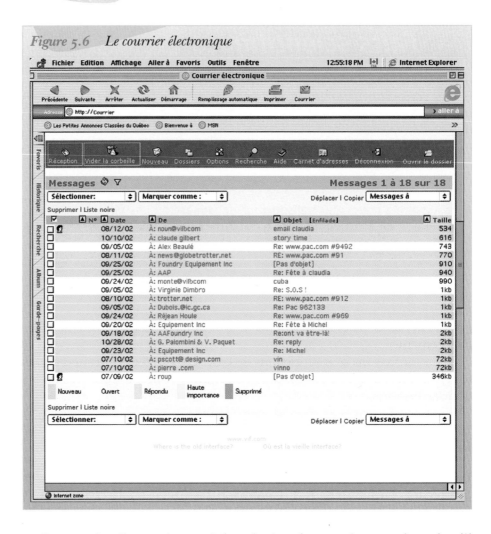

Figure 5.6 Le courrier électronique

Le courrier électronique suit le principe du courrier postal, sauf qu'il se transmet au moyen de signaux numériques. Selon la méthode traditionnelle, on doit écrire le message à la main ou à la machine, l'adresser et l'envoyer. Parfois, on y joint un document. On dépose la lettre dans une boîte aux lettres. Le service de la poste cueille le courrier, le trie, l'expédie à sa destination et le distribue à l'adresse indiquée.

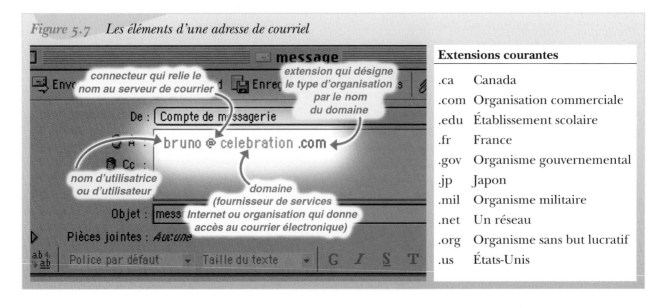

Figure 5.7 Les éléments d'une adresse de courriel

Il y a plusieurs programmes de courrier électronique qui s'occupent d'accomplir toutes ces étapes. Cependant, tous ont des fonctions de base qui se ressemblent. Tous ces programmes te permettent d'écrire des messages, d'en recevoir et de les afficher.

Comme pour le courrier traditionnel, tu dois indiquer l'adresse de la ou du destinataire, saisir ton message et l'envoyer. Tu peux choisir parmi plusieurs options, qui correspondent à des actions que tu poses avec le courrier traditionnel. Tu peux envoyer le message tel quel, envoyer une copie à des destinataires supplémentaires, envoyer une copie en transmission confidentielle ou joindre un fichier. Tu peux également récupérer les courriels reçus au moment qui te convient. Quand tu ouvres le programme de courrier électronique, la liste des messages reçus s'affiche. Pour chacun d'eux, tu as le choix :

- de répondre ;
- de transférer le message à d'autres personnes ;
- de télécharger un fichier joint, s'il y a lieu.

Ce sont là les fonctions de base du courrier électronique. Selon les programmes, tu peux avoir d'autres fonctions plus avancées : un fichier signature, un carnet d'adresses, une liste de diffusion personnelle, une fonction de transfert automatique, un accusé de réception et une fonction de tri.

La nétiquette

Tout le monde s'entend pour dire qu'Internet et le courrier électronique ont transformé les communications. Cependant, les communications électroniques comportent certains inconvénients. As-tu déjà reçu des courriels indésirables ? Des publicités que tu n'avais pas demandées ?

Un inconvénient majeur du courrier électronique est le manque de confidentialité. Garde à l'esprit qu'en tout temps d'autres personnes que tes destinataires peuvent lire tes courriels. C'est le cas en particulier si tu utilises le service de courrier d'une organisation, ton école par exemple. Les propriétaires du service sont aussi propriétaires des courriels. Évite donc de communiquer de l'information de nature privée par courrier électronique.

Dans les entreprises, on se préoccupe aussi du fait que des membres du personnel peuvent naviguer sur Internet et envoyer des courriels personnels pendant leurs heures de travail. C'est un autre inconvénient relié au courrier électronique.

L'étiquette est l'ensemble des règles du bon comportement en société. On a inventé le mot **nétiquette** pour désigner les règles d'étiquette qui s'appliquent en particulier aux communications électroniques. Voici quelques règles communes, que tu peux appliquer dans toutes tes communications électroniques, courriels et groupes de discussion.

- Rédige des messages courts et précis. Inclus toujours l'objet du message.
- Évite l'emploi des lettres majuscules. Elles donnent l'impression qu'on veut s'imposer.
- Quand tu réponds à un message, il est bon d'en reprendre certaines parties pour que la ou le destinataire comprenne de quoi tu parles.
- Utilise les binettes pour bien faire comprendre le ton de ton message (figure 5.8).

- N'expédie jamais de chaînes de lettres.
- Si tu corresponds avec des gens d'ailleurs, rappelle-toi que le français n'est pas la langue première de tout le monde. Évite les expressions locales et les sujets connus seulement dans ta communauté.
- Le courriel ne convient pas pour envoyer une note de remerciement, une invitation formelle, un document officiel ou un document juridique.
- Évite les messages grossiers, racistes et sexistes.
- Ne donne pas d'informations personnelles (nom, adresse, numéro de téléphone) à moins de très bien connaître la ou le destinataire.
- Il est interdit de faire de la pollution (avalanche de messages, de majuscules ou de lettres, etc.).

Pour te renseigner sur les binettes, rends-toi à l'adresse suivante :

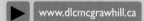 www.dlcmcgrawhill.ca

Tu y trouveras des liens pour guider ta recherche.

Pour te renseigner sur le courrier électronique, rends-toi à l'adresse suivante :

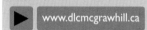 www.dlcmcgrawhill.ca

Tu y trouveras des liens pour guider ta recherche.

Figure 5.8 *Les binettes*

Émotion ou expression	Binette
Un cri	:-@
La surprise	:-o
La colère	>:-<
La déception	:-e
Un clin d'œil	;-)
Le bonheur	:-D
Le rire	:-)
La tristesse	:-(
L'indifférence	:-I

Révision du chapitre 5

Questions de révision

1. Comment l'information voyage-t-elle dans Internet?

2. Que fait un modem analogique?

3. Que signifient les lettres TCP/IP? À quoi servent-elles?

4. Donne deux raisons qui expliqueraient pourquoi un message d'erreur peut s'afficher quand on essaie de visiter un site Web.

5. Que fait un routeur?

6. Quelle est la différence entre un accès par ligne commutée et une connexion directe?

7. À quoi sert un portail Web?

8. En quoi le courrier électronique ressemble-t-il au courrier postal?

9. Énumère au moins cinq règles de la nétiquette.

10. Explore un programme de courrier électronique (consulte le menu Aide, au besoin) et réponds ensuite aux questions suivantes:

   a) Quel est le nom du programme de courrier électronique?

   b) Ce courrier électronique a-t-il un serveur POP ou un serveur Web? Comment le sais-tu?

   c) Fais imprimer une copie de l'écran principal de ton programme de courrier électronique. Nomme ses différents éléments.

   d) Quelle est l'adresse de courriel? Nomme ses différents éléments.

Activités

1. Choisis l'une des options de connexions décrites dans le chapitre. Fais une recherche sur cette connexion. Tu peux consulter des journaux, tes parents, Internet ou des fournisseurs de services Internet. Remplis un tableau pour présenter tes renseignements. Inclus une colonne pour le coût!

2. Avec une ou un camarade, sélectionne trois fournisseurs de services Internet de ta région. Choisis un forfait semblable de chacun des trois fournisseurs et fais des comparaisons. Dans Internet et dans les journaux, trouve des renseignements sur ce forfait:
   nom du fournisseur,
   coût mensuel,
   accès limité ou illimité,
   frais d'installation,
   nombre de comptes de courrier électronique,
   espace page Web,
   vitesse de connexion,
   logiciel gratuit,
   soutien technique.
   À l'aide d'un traitement de texte ou d'un tableur, construis un tableau pour consigner tes découvertes.

3. Lance un programme de navigation et fais les étapes suivantes:

   a) Rends-toi à l'adresse <www.dlcmcgrawhill.ca>.

   b) Visite les liens mentionnés dans ce chapitre.

   c) Chaque fois que tu visites un nouveau lien, ajoute-le aux signets.

   Tu accéderas plus rapidement à ces liens si tu les classes dans des répertoires. À l'aide du menu Aide, d'une ou d'un camarade, de ton enseignante ou de ton enseignant, apprends à créer des répertoires et des sous-répertoires. Ouvre un répertoire et un sous-répertoire pour chaque chapitre étudié jusqu'ici. Conserve tes liens dans les répertoires appropriés. Fais part de tes découvertes aux membres de ta classe.

4. Avec une ou un camarade, découvre si ton école a une politique au sujet d'Internet et du courrier électronique. Si oui, réponds aux questions suivantes:

   a) En quoi consiste la politique de ton école?

   b) Pour chacune des règles, donne un exemple d'application.

c) Aimerais-tu ajouter des règles à cette politique ? Si oui, lesquelles ?

Si ton école n'a pas de politique au sujet d'Internet et du courrier électronique, dresse une liste de règles appropriées. Saisis ton texte à l'aide d'un traitement de texte. Avec l'accord de ton enseignante ou de ton enseignant, soumets ta proposition à la direction de ton école.

5. Renseigne-toi auprès de personnes-ressources (par exemple ton enseignante ou ton enseignant, la technicienne ou le technicien informatique de ton conseil scolaire ou encore l'administratrice ou l'administrateur du réseau) pour savoir comment les ordinateurs de ton école sont branchés sur Internet. À l'aide d'un logiciel de dessin, fais un diagramme du matériel informatique de ta classe ou du réseau local de ton école ainsi que de la technologie de pointe (modems, routeurs, passerelles, etc.).

Les outils informatiques exploités en communication

Nous vivons à l'ère des communications. Aujourd'hui, si une personne le désire, on peut la joindre en tout temps. L'ordinateur et le téléphone deviennent portables. Grâce à la technologie sans fil, on peut se brancher sur Internet peu importe où l'on se trouve.

Dans ce chapitre, tu vas continuer d'explorer Internet et les outils de communications électroniques comme les groupes de discussion en ligne, les listes de diffusion, le bavardage-clavier, la messagerie instantanée et la vidéoconférence. Tu verras aussi comment on conçoit une page Web. Enfin, tu vas découvrir divers outils informatiques utilisés en communication, comme la conception assistée par ordinateur et les logiciels de gestion de projet.

Vocabulaire

- afficher
- asynchrone
- balise HTML
- bavardage-clavier
- canal
- conception assistée par ordinateur (CAO)
- dépendant de la résolution
- éditeur de pages Web
- fil de discussion
- fureteur
- groupe de discussion en ligne ou forum
- indépendant de la résolution
- liste de contacts
- liste de diffusion
- logiciel de conception
- logiciel de gestion de projet
- messagerie instantanée
- schéma de PERT
- service IRC
- synchrone
- vidéoconférence

Au fil de ce chapitre, tu vas trouver les réponses à ces questions :

- Comment conçoit-on une page Web ?
- Quels logiciels utilise-t-on en gestion de projet ?
- Qu'est-ce que la vidéoconférence ?
- Quels logiciels permettent de faire du dessin assisté par ordinateur ?
- Quels moyens de communiquer offre Internet, outre le courrier électronique ?

chapitre

6

Tu connais déjà les possibilités d'Internet et du courrier électronique. C'est un outil de communication très utile, qui te permet d'écrire à une ou à plusieurs personnes à la fois, et même de joindre des fichiers électroniques à tes messages. Contrairement à un appel téléphonique, le courrier électronique te permet d'envoyer un message, de le lire ou d'y répondre au moment qui te convient, sans déranger personne. Il y a d'autres moyens de communiquer de façon électronique : tu peux te joindre à des groupes de discussion en ligne, consulter une liste de diffusion, participer à une séance de bavardage-clavier, utiliser la messagerie instantanée et la vidéoconférence. D'autres moyens de communication se basent sur la téléphonie sans fil : le téléphone cellulaire, le téléavertisseur et les ordinateurs de poche.

Le groupe de discussion en ligne

Un des avantages d'Internet et du Web est qu'ils ouvrent des fenêtres sur le monde. Tu t'aperçois que d'autres personnes s'intéressent aux mêmes sujets que toi. Le **groupe de discussion en ligne**, ou **forum**, est un outil intéressant pour communiquer avec des personnes qui partagent un intérêt commun. En ligne signifie dans Internet.

Comme le courrier électronique, le groupe de discussion en ligne établit une communication **asynchrone**, c'est-à-dire en temps différé. Autrement dit, il y a un délai entre l'envoi du message et sa réception.

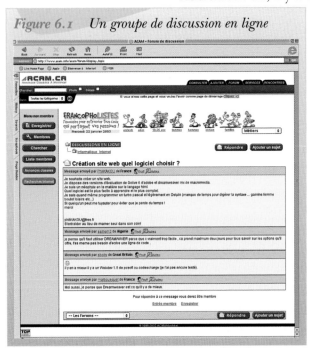

Figure 6.1   Un groupe de discussion en ligne

Tu peux comparer le groupe de discussion en ligne à un babillard spécialisé. On retrouve tous les messages affichés dans une même page. Les membres se rendent dans la page Web qui héberge le groupe de discussion. Là, elles ou ils peuvent **afficher** un message portant sur le sujet qui intéresse le groupe. Il peut s'agir d'une question, d'un commentaire, d'une réponse à un message d'une ou d'un autre membre. On s'y rend pour lire les messages et pour participer à la discussion. La figure 6.1 présente une page Web d'un groupe de discussion en ligne.

Beaucoup de personnes aiment le principe du groupe de discussion en ligne, car elles ne reçoivent pas de messages dans leur boîte aux lettres électronique. Au contraire, la personne se rend elle-même dans la page du groupe pour consulter les messages selon ses intérêts. Les messages apparaissent toujours au même endroit et sont faciles à consulter.

Le fil de discussion

Pour permettre aux personnes de s'y retrouver facilement, on donne une structure aux groupes de discussion. Le plus souvent, on utilise un classement par **fil de discussion**, ou thème. Par exemple, suppose que tu te joins à un groupe de discussion en ligne sur la guitare. Tu affiches un message sur un thème nouveau, disons comment faire l'accord de do, sur la page du groupe de discussion. Ton message est le début d'un fil de discussion. Si une ou un membre affiche un message pour te répondre ou faire un commentaire sur ton message, elle ou il classe son message à la suite du tien, c'est-à-dire dans le même fil. Le fil de discussion s'étire aussi longtemps que des personnes affichent des messages en rapport avec le thème, ici l'accord de do. Quand une ou un membre veut discuter d'un nouveau thème, elle ou il commence un nouveau fil de discussion. La figure 6.2 donne un exemple d'une discussion structurée en fils de discussion.

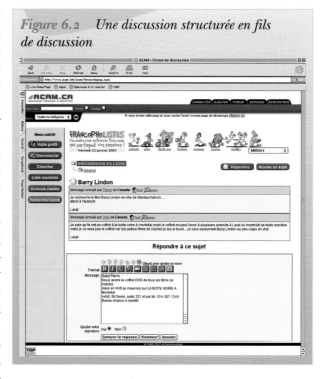

Figure 6.2   Une discussion structurée en fils de discussion

Le groupe de discussion en ligne a beaucoup d'utilisations. Par exemple, une entreprise peut ouvrir un groupe de discussion en ligne pour répondre aux questions de sa clientèle, présenter ses nouveaux produits ou connaître l'opinion du public. Un établissement d'enseignement peut avoir son propre groupe de discussion en ligne. Les élèves et le personnel peuvent y discuter des sujets qui les préoccupent. Toutefois, la plupart des groupes de discussion sur le Web appartiennent à des personnes ordinaires qui souhaitent partager leur intérêt pour un sujet, par exemple les échecs, la guitare, le soccer, etc. Peu importe le sujet qui t'intéresse, tu as de bonnes chances de trouver un groupe de discussion en ligne. Sinon, tu pourrais le lancer toi-même !

Si tu décides de participer à un groupe de discussion en ligne, assure-toi de respecter les règles de la nétiquette que tu as étudiées au chapitre 5. Entre autres, évite les messages d'insultes et reste dans les limites du sujet.

La liste de diffusion

La **liste de diffusion** est un autre outil qui permet à plusieurs personnes de communiquer sur un sujet commun. À la différence du groupe de discussion en ligne, la liste de diffusion utilise le courrier électronique. Pour cette raison, elle fonctionne en mode asynchrone.

Pour utiliser une liste de diffusion, il faut s'y inscrire. Suppose que tu es membre de la liste : tennis@listediffusion.com. Dès qu'une ou un membre envoie un message à cette liste, tu reçois le message par courrier électronique en même temps que tous les autres membres de la liste. Tous les membres peuvent répondre au message. Si tu réponds, la réponse est envoyée par courrier électronique à tous les autres membres.

La liste de diffusion est populaire auprès des gens d'affaires. Ces personnes s'en servent pour discuter d'un sujet particulier pendant quelques jours, même quelques semaines. Malgré la distance, on a l'assurance que tout le monde peut suivre la discussion, car les messages parviennent à chaque membre par courrier électronique. Il y a des listes de diffusion sur à peu près tous les sujets.

La plupart des listes de diffusion ont une modératrice ou un modérateur. Cette personne gère la liste. Sa tâche consiste à lire les messages,

Pour en savoir plus sur les listes de diffusion, rends-toi à l'adresse suivante :

▶ www.dlcmcgrawhill.ca

Tu y trouveras des liens pour guider ta recherche.

Figure 6.3 *Un répertoire de listes de diffusion*

à effacer les messages inappropriés ou répétitifs puis à envoyer les messages adéquats. Assure-toi donc d'envoyer des messages qui respectent le sujet de la liste et les règles de la nétiquette.

Le bavardage-clavier

Internet a transformé le monde des communications avec le courrier électronique. Les groupes de discussion en ligne et les listes de diffusion permettent aussi de communiquer avec des personnes qui ont des intérêts communs. Le **bavardage-clavier** est une autre possibilité de communication dans Internet.

Contrairement aux moyens précédents, avec le bavardage-clavier la communication se fait en direct. Elle est en mode **synchrone**, donc en temps réel. C'est comme si les personnes se trouvaient face à face dans le même salon. Sauf que le salon est grand comme le monde ! Dès qu'une participante ou un participant tape son texte, son intervention apparaît sur les écrans des autres personnes branchées sur ce bavardoir (une page de discussion). Chaque personne dans le bavardoir est libre de répondre ou non.

Le bavardage-clavier est possible grâce au **service IRC** (*Internet Relay Chat*). Suivant cette technologie, chaque sujet de conversation dispose d'un **canal**. Il suffit de se brancher à ce canal pour avoir accès à un bavardoir, voir les noms des personnes en ligne et communiquer en direct avec elles.

Le service de bavardage IRC est du type client-serveur. Pour communiquer avec le serveur IRC, un ordinateur doit comporter un logiciel IRC. Des serveurs de partout dans le monde hébergent des bavardoirs.

Certains sites Web ont leur propre logiciel de bavardage intégré. Tu n'as pas besoin d'installer un logiciel particulier sur ton ordinateur pour bavarder sur ces sites.

Les listes de contacts

Le bavardage-clavier est une activité très populaire sur Internet. Toutefois, tout le monde ne veut pas forcément communiquer avec des personnes inconnues. Tu peux restreindre le nombre de personnes avec qui tu veux bavarder grâce à une **liste de contacts**.

Une liste de contacts est une liste d'amies et d'amis, de membres de ta famille ou de collègues que tu dresses toi-même. Internet t'avise lorsque ces personnes sont en ligne en même temps que toi. Tu sais alors qu'elles sont disponibles pour une séance de bavardage-clavier. Si une personne en ligne ne désire pas bavarder, elle peut activer l'alerte « Ne pas déranger ».

Le programme ICQ permet de dresser une liste de contacts, de joindre des fichiers et de personnaliser les messages. Certains navigateurs, entre autres Netscape Communicator et Microsoft Internet Explorer, intègrent un logiciel de bavardage-clavier qui te permet de dresser des listes de contacts.

Pour en savoir plus sur les listes de contacts, rends-toi à l'adresse suivante :

 www.dlcmcgrawhill.ca

Tu y trouveras des liens pour guider ta recherche.

La messagerie instantanée

La **messagerie instantanée** est un service de messagerie en mode synchrone. Tu dois t'inscrire à ce service pour en bénéficier. La messagerie instantanée permet à une personne branchée sur Internet de consulter la liste de ses correspondantes et correspondants qui sont en ligne en même temps qu'elle. Elle peut alors communiquer immédiatement avec eux.

En général, lors d'une communication, les messages apparaissent directement à l'écran de la personne qui les reçoit. On n'a pas besoin de « retirer les messages » comme dans le cas du courrier électronique.

La messagerie instantanée offre d'autres applications, par exemple le transfert de fichiers et des séances de bavardage-clavier.

La vidéoconférence

La **vidéoconférence** met en commun des outils technologiques afin de tenir des réunions à distance. En effet, des personnes situées à différents endroits peuvent travailler en direct, c'est-à-dire se voir, s'entendre, bavarder, se transmettre et modifier des fichiers, tout ça en temps réel.

La vidéoconférence en ligne est maintenant possible : cependant, il faut disposer du matériel et des logiciels appropriés. Ces éléments doivent permettre de mettre en commun des documents et de collaborer, de transférer des fichiers, de bavarder et d'utiliser un tableau blanc virtuel. Pense aux webcaméras, aux micros omnidirectionnels, aux cartes graphiques, aux écrans, aux tableaux virtuels, etc.

Les vidéoconférences prennent différentes formes. Dans tous les cas, les participantes et participants communiquent à l'aide d'un micro-ordinateur multimédia installé sur leur bureau. La vidéoconférence peut réunir des membres du personnel d'une même entreprise. Elle utilise alors le réseau local de l'entreprise. La vidéoconférence peut aussi mettre en présence des personnes situées à des endroits différents. On se servira dans ce cas du réseau Internet.

On appelle vidéoconférence point à point une séance qui ne réunit que des personnes à deux endroits différents. Si les personnes sont à plus de deux endroits, on dit qu'il s'agit d'une vidéoconférence multipoint. Dans ce cas, on doit prévoir une unité de contrôle qui achemine les communications au bon endroit et dans la bonne direction.

Les appareils sans fil

Internet a bouleversé le monde des communications. Les appareils sans fil ont aussi produit une certaine révolution. Ils permettent à des personnes de communiquer pendant leur déplacement. Actuellement, la tendance est la conception d'outils de communication sans fil, comme les téléavertisseurs, les téléphones cellulaires et les ordinateurs de poche, qui peuvent se brancher sur Internet.

Les téléavertisseurs

Un téléavertisseur est un appareil portable qui avise une personne que l'on cherche à la joindre. Il fonctionne à l'aide de signaux radio. Le téléavertisseur ne transfère pas l'appel, mais laisse un message à la personne. La plupart du temps, il s'agit du numéro de téléphone où on peut joindre l'appelante ou l'appelant. Ce message s'affiche sur un petit écran. Une sonnerie ou une vibration avertit de la réception d'un message.

Certains téléavertisseurs offrent maintenant plus de fonctionnalités, par exemple le courrier électronique, un calendrier, un répertoire d'adresses, et plus encore. La possibilité de se brancher sur Internet sans fil accélère le développement de la technologie des communications.

Les téléphones cellulaires

Un téléphone cellulaire est un téléphone sans fil. Il fonctionne grâce à des signaux radio. On l'utilise, comme le téléphone traditionnel, pour établir et recevoir des appels. Lorsqu'on fait un appel avec un téléphone cellulaire, l'antenne ou la station de base radio de la zone d'appel accepte l'appel. Ensuite, elle envoie l'appel vers une autre zone, s'il doit aller à un téléphone cellulaire, ou vers le réseau téléphonique local, s'il doit aller à un numéro de téléphone traditionnel. Une zone d'appel porte le nom de « cellule », d'où le nom téléphone « cellulaire ».

Les premiers téléphones cellulaires étaient analogiques et fonctionnaient à peu près comme les radios. On peut encore utiliser ces appareils aujourd'hui, sauf lorsqu'il y a trop d'interférences.

Au début des années 1990, on a conçu des téléphones cellulaires qui fonctionnent en mode numérique. Ils transmettent la voix codée numériquement, par les airs, sur le réseau SCP numérique et mobile (services de communications personnelles). Ce mode de transmission évite les interférences. Les téléphones cellulaires fonctionnent donc très bien même dans les zones très congestionnées.

Ces téléphones ont la capacité de transporter d'autres données numériques, comme des courriers électroniques et des fichiers Web. Toutefois, la vitesse de transmission représente un obstacle à ces applications. En effet, une vitesse approximative de 13 ko/s convient à la transmission de la voix, mais elle est nettement insuffisante pour des données Internet.

La génération actuelle de téléphones cellulaires utilise une technologie capable de transmettre des données par paquets, comme dans Internet. Même si elle en est à ses débuts, cette technologie pourrait métamorphoser l'utilisation des téléphones cellulaires.

Faits scientifiques

Le téléphone cellulaire

Quand Guglielmo Marconi a conçu le premier transmetteur d'ondes radio en 1895, il ne se doutait pas qu'il traçait la voie à l'invention du téléphone cellulaire. Pendant la Seconde Guerre mondiale, les armées se servaient d'émetteurs-récepteurs portables. Après la guerre, des entreprises ont voulu exploiter cette technologie. En 1981, en Suède, on a obtenu les premiers résultats applicables de ces recherches avec le Nordic Mobile Telephone, soit le premier réseau de téléphonie cellulaire. En octobre 1983, Chicago (Illinois) a offert le premier service de téléphonie cellulaire en Amérique du Nord.

Pour en savoir plus sur l'histoire du téléphone cellulaire, rends-toi à l'adresse suivante :

 www.dlcmcgrawhill.ca

Tu y trouveras des liens pour guider ta recherche.

La technologie sans fil combinée au branchement sur Internet nous permet de rêver à des applications qui semblaient impossibles il n'y a pas si longtemps. Il sera possible de transmettre des données textuelles, sonores et visuelles, et ce, de n'importe quel endroit. Il y a de multiples possibilités. Parmi les applications intéressantes, mentionnons l'intervention à distance de spécialistes du domaine médical auprès du personnel ambulancier en service, la transmission de documents quasi instantanée pour une prise de décision urgente et la transmission de signaux en provenance de dispositifs de sécurité pour signaler des situations dangereuses.

La voie de l'avenir réside dans l'intégration des outils de communication électroniques. C'est en faisant travailler ensemble tous ces outils qu'on pourra en tirer le meilleur parti.

L'édition de pages Web

Un **éditeur de pages Web** permet de créer des documents multimédias pour un site Web. Une fois sur le Web, ces documents sont disponibles dans le monde entier. Un site Web se trouve dans un dossier de serveur Web, c'est-à-dire le dossier d'un ordinateur relié au réseau Internet. Un site Web comporte plusieurs pages indépendantes. Chaque page constitue un document qui contient des ressources multimédias et des liens hypermédias ; il s'agit d'un document semblable à ceux que tu as vus précédemment et on peut y accéder par le réseau Internet. L'une de ces

La technologie et toi

La téléphonie Internet

À mesure qu'on met au point de nouveaux outils de communication, on tend à les intégrer dans des systèmes multifonctionnels. Cela offre de nouvelles possibilités.

Par exemple, avec un ordinateur et un branchement sur Internet, tu pourrais téléphoner en Australie, sans frais interurbains! La téléphonie Internet, ou voix sur IP (VoIP), transporte la voix dans Internet, grâce au protocole Internet (IP), jusqu'au téléphone ou à l'ordinateur appelé. Il te faut un ordinateur, un branchement sur Internet, une carte de son émettrice/réceptrice, un microphone, des haut-parleurs et un logiciel de téléphonie Internet. Un nouveau système IP permet de multiplier les possibilités offertes par Internet. Grâce à cette nouvelle technologie, il sera possible de contrôler les appareils électroménagers de l'extérieur de sa résidence. Ainsi, tu pourrais, depuis ton bureau, commander le démarrage de ton système d'air climatisé ou de ton système de chauffage. Toutes ces opérations seront possibles grâce au fureteur branché sur Internet.

---

pages, la page principale, se nomme «page d'accueil»; c'est l'entrée naturelle du site.

Avant de créer les pages qui constitueront le site, il faut bien planifier les liens qui conduiront les internautes aux différents documents. La plupart du temps, la page d'accueil agit comme une table des matières ou comme un menu. À partir de cette page, les internautes ont accès aux autres pages, donc aux documents multimédias reliés entre eux.

Les documents HTML

Une page Web est en fait un document HTML (*HyperText Markup Language*). Un document HTML contient du texte avec des codes de programmation. Ces codes donnent les directives d'affichage du texte: type et taille des caractères utilisés, couleur du fond, image utilisée, adresse des autres documents, etc. Jusqu'à récemment, il fallait connaître le langage HTML pour créer une page Web.

Les éditeurs de pages Web

Heureusement, il y a aujourd'hui sur le marché des logiciels qui permettent de créer et de gérer des pages Web. Il n'est donc plus nécessaire de savoir programmer les codes HTML. Le logiciel place les codes appropriés selon les directives de l'utilisatrice ou de l'utilisateur. Avec certains logiciels d'application de base (Word®, WordPerfect®, Excel®, etc.), on peut produire assez facilement des textes simples en format HTML. Pour un travail plus raffiné, on peut compter sur les logiciels WebExpert® de Visicom®, FrontPage® de Microsoft®, Composer® de Netscape® et Page-Mill® d'Adobe®. D'ailleurs, plusieurs offrent une version de base gratuite.

La conversion de documents en pages Web

Des milliers d'entreprises affichent des documents électroniques sur le Web. Ce sont des pages Web. Pour concevoir une page Web, tu dois inscrire sur cette page des codes spéciaux; ces codes définissent l'affichage lors de la consultation à l'aide d'un fureteur Web, par exemple Netscape Communicator®. Ces codes spéciaux font partie du langage HTML.

Les versions les plus récentes de traitements de texte comme Microsoft Word®, WordPerfect®, WordPro® et d'autres peuvent convertir des documents texte en format HTML. On obtient une page Web qui contient le texte original et des balises HTML (ou *étiquettes*) ; les titres, le corps du texte, les listes et d'autres éléments du document peuvent alors s'afficher en format Web standard. La figure 6.5 montre un document codé en format HTML.

En plus des traitements de texte, presque toutes les nouvelles versions de tableurs, de logiciels de présentation ou de bases de données peuvent convertir des fichiers en format HTML.

Aujourd'hui, plusieurs logiciels proposent des modèles de documents HTML. Ces modèles ont des outils de navigation prédéterminés, c'est-à-dire qu'il y a des endroits dans le document où tu peux insérer des hyperliens, des bordures et d'autres attributs courants dans les pages Web.

Les fureteurs et les balises HTML

Le fureteur est un logiciel d'application conçu pour retrouver des documents hypertextes dans le Web et pour ouvrir ces documents à l'aide d'un ordinateur personnel. Le fureteur intègre une interface utilisateur graphique. Elle lui permet de pointer-cliquer sur les objets graphiques et sur les hyperliens. Le navigateur textuel, de son côté, ne gère pas l'affichage d'éléments graphiques. On l'utilise pour les systèmes d'exploitation sans interface utilisateur graphique, par exemple pour certaines versions de UNIX. Les fureteurs ont transformé la façon dont les internautes exploitent les ressources du réseau Internet. Internet Explorer® et Netscape Communicator® sont les fureteurs les plus populaires.

Le fureteur affiche la page Web selon les directives du code HTML sous-jacent. Ce code fournit les renseignements suivants :
- la police et la taille des caractères de la page à afficher ;
- l'emplacement des images et la façon d'afficher ces images ;
- l'affichage requis pour les sons, les animations et tout autre type de contenu particulier ;
- l'emplacement des liens hypertextes et la destination à atteindre lorsque l'internaute clique sur un lien ;
- les codes de programmation particuliers que le fureteur doit interpréter.

Les **balises HTML** servent à mettre en forme un document HTML. Elles apparaissent entre chevrons (<>) et elles indiquent au fureteur comment afficher chaque élément de la page. (Les codes HTML sont invisibles, à moins qu'on les affiche à l'aide de la fenêtre du fureteur ou dans une autre application.)

Les balises HTML encadrent les portions de document touchées par les directives contenues dans les balises. En général, il y a une directive de début, par exemple <H1>, et une directive de fin presque identique, comme </H1>. La barre oblique marque la fin de la balise. La présence de balises permet une mise en forme précise des documents. On peut regrouper les balises ; dans ce cas, on insère plusieurs balises de début et de fin autour de la même portion de document.

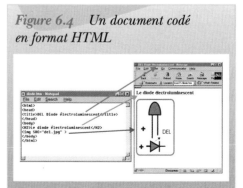

Figure 6.4   Un document codé en format HTML

Les balises sont souvent des abréviations des mots anglais qu'elles désignent. Par exemple, tu peux voir à la figure 6.6 que <b> représente « bold », le mot pour caractères gras en anglais. La balise <I> représente la fonction « italique ». La balise <h> signifie « head », c'est-à-dire en-tête ; les chiffres qui suivent la lettre « h » dans la balise indiquent la taille des lettres. La balise <h1> désigne la plus grande taille et <h5>, la plus petite.

Des codes déterminent non seulement la taille et la couleur des caractères, mais aussi l'emplacement des images dans le texte, la façon de relier les images à la page, ou même de relier la page à un autre site Web : ce sont les liens dont la balise commence par <A HREF= ...>. D'autres codes permettent de tracer des lignes de différentes épaisseurs, de créer des arrière-plans ou d'utiliser des images.

La figure 6.6 présente la liste des balises les plus courantes dans la création de pages Web.

Pour en savoir plus sur la création de pages Web, rends-toi à l'adresse suivante :

 www.dlcmcgrawhill.ca

Tu y trouveras des liens pour guider ta recherche.

Figure 6.5 *Des balises du format HTML*

Texte
<b> lettres en gras </b> [Bold]
<h1>plus grande lettre</h1> [Heading 1]
<h2>2ᵉ plus grande lettre</h2> [Heading 2]
<h3>3ᵉ plus grande lettre</h3> [Heading 3]
<h4>4ᵉ plus grande lettre</h4> [Heading 4]
<h5>plus petit caractère</h5> [Heading 5]
<i>italique</i> [italic]
_{texte plus bas} [subscript}
^{texte élevé} [superscript]
<u>texte souligné</u> [underline]

 nouvelle ligne [break, carriage return]
<p>paragraphe tout texte comme tapé</p> [paragraph]
<font color="red"> texte de couleur rouge </font>
<font color="yellow">texte de couleur jaune</font>
<font color="blue"> texte de couleur bleue</font>
<blink>fait clignoter le texte</blink>

Ligne horizontale
<hr> [horizontal bar]
<hr size=4> largeur de la ligne
<hr width=40 %> pas toute la largeur de l'écran, seulement 40 % !

Arrière-plan
<body background="nom_du_fichier">
<body bgcolor="#code">
 le code est un chiffre de base hexadécimale des trois couleurs principales,
 rouge, vert, bleu ; alors FF0000 est tout rouge. (FF0000 est un code hexadécimal.)

Liens
<A HREF="http://adresse">lien à une adresse du Web</A>
<A HREF="page2.html">lien à une 2ᵉ page d'information</A>

Image
<img src="nom_dimage"> [une image]
<img src="nom" width="250" height="230"> [la grandeur en pixels]

Les éléments essentiels à la création d'une page Web

La page d'accueil d'un site Web doit contenir les éléments suivants : un titre, une table des matières et des liens vers les autres pages du site. Au besoin, on peut inclure des images pour illustrer le contenu. Les images plus petites limitent le temps de téléchargement. Les formats .gif ou .jpg sont les plus appropriés.

Dans la page Web de la figure 6.7, on a utilisé des couleurs plutôt sobres. Le choix des couleurs est une question de goût. Par défaut, l'arrière-plan est blanc et l'écriture est noire.

La conception assistée par ordinateur

La **conception assistée par ordinateur** (**CAO**), aussi appelée dessin assisté par ordinateur, est la version informatisée du dessin traditionnel, c'est-à-dire le dessin réalisé avec un crayon et une règle sur une planche à dessin. Depuis une quinzaine d'années, on a informatisé à peu près toutes les méthodes de dessin, car les logiciels de CAO sont de plus en plus faciles à utiliser. De plus, ces logiciels offrent beaucoup d'options. La figure 6.8 montre un dessin produit avec le logiciel Autocad®.

Les logiciels d'illustration technique comme CorelDraw®, Corel Xara®, MacDraw® et Adobe Illustrator® servent essentiellement à produire des images de grande qualité et à réaliser une bonne séparation des couleurs pour l'édition et la composition optique. Ils proposent une grande gamme de couleurs, d'effets, de textures et de polices. Ils offrent la même précision que le dessin technique. Toutefois, ces outils conviennent davantage aux personnes qui effectuent un travail artistique.

Les **logiciels de conception** comportent des programmes graphiques vectoriels, c'est-à-dire qui traitent chaque ligne comme une équation mathématique ou comme un vecteur. Ces logiciels permettent de réaliser des travaux avec précision, souplesse, couleurs et effets spéciaux. Ils sont différents des logiciels de peinture, qui agissent sur chacun des pixels de l'image. On peut tout de même s'en servir pour faire des dessins « d'art ».

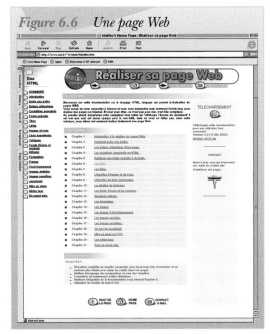

Figure 6.6   *Une page Web*

Figure 6.7   *Dessin produit avec Autocad®*

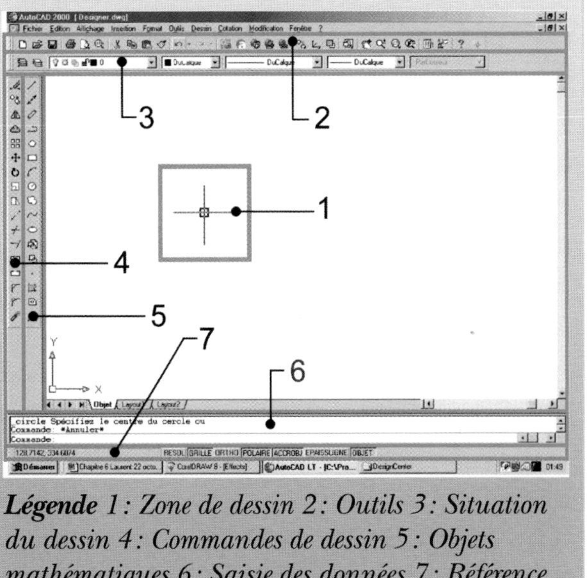

***Légende** 1 : Zone de dessin 2 : Outils 3 : Situation du dessin 4 : Commandes de dessin 5 : Objets mathématiques 6 : Saisie des données 7 : Référence*

Beaucoup de spécialistes de la conception choisissent les logiciels de conception pour travailler. Les logiciels les plus populaires sont Corel-XARA®, CorelDraw® et Illustrator® de Adobe®. Il y a beaucoup d'exemples de productions réalisées à l'aide de logiciels de conception, entre autres le design de boîtes de céréales et le générique d'émissions de télévision.

Tu as vu que les logiciels de dessin traitent chaque ligne comme une équation mathématique ou comme un vecteur. Certains logiciels sont orientés objets. Autrement dit, ils traitent chaque élément du dessin, par

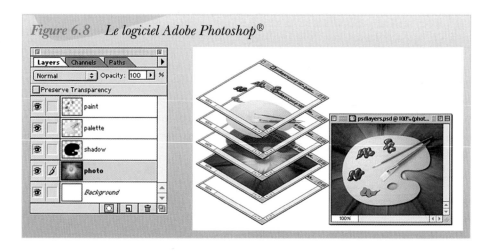

Figure 6.8 *Le logiciel Adobe Photoshop®*

exemple une ligne, un carré, un rectangle ou un cercle, comme un objet indépendant ou distinct des autres. On emploie souvent le mot *entité* au lieu du mot *objet* pour désigner ce même concept. Tous les objets créés à l'aide d'un logiciel de conception se composent d'un contour et d'un motif de remplissage. Pour le remplissage, on peut choisir une couleur unie ou une trame vectorielle.

Figure 6.9 *Une bibliothèque de symboles techniques de Autosketch®*

Les bibliothèques de symboles

Chaque logiciel de conception propose une bibliothèque de symboles. Ces symboles se présentent comme des figures géométriques. Avant de dessiner, tu peux parcourir la bibliothèque de symboles. Tu pourrais y trouver des gabarits ou des symboles à insérer directement dans ton dessin. Les bibliothèques offrent un grand nombre de symboles.

Les logiciels de dessin ont deux avantages importants par rapport aux logiciels de peinture. D'abord, l'ordinateur traite toujours les objets créés comme des objets distincts. Suppose que tu dessines un cercle. Tu peux y revenir plus tard ; tu peux déplacer le cercle en entier, le faire glisser avec ta souris, et ce même si tu as inséré d'autres formes ou d'autres lignes depuis la création du cercle. Tu peux donner une forme ovale au cercle, et modifier sa taille et sa couleur ; tu peux aussi remplir le cercle d'un mélange de couleurs ou d'un motif. Tu peux apporter tous ces changements sans affecter les autres éléments du dessin.

Le deuxième grand avantage des logiciels de conception est la possibilité de redéfinir les dimensions d'une image sans nuire à sa netteté ou à son foyer. Par exemple, tu peux adapter les dimensions de l'image à la taille du papier utilisé pour l'impression. Pour faire paraître des objets plus petits ou plus gros, le logiciel apporte des changements aux formules mathématiques. De la même manière, plusieurs logiciels de conception dessinent des objets à l'échelle, augmentent ou réduisent leur taille selon un facteur déterminé ou selon les proportions des autres éléments du dessin. Dans ces cas, la résolution reste intacte et l'image ne perd pas de sa qualité. Les logiciels de conception sont donc **indépendants de la résolution**, car les images ont la même apparence, peu importe la taille.

Les logiciels de peinture composent les images en mode point, soit à l'aide d'une série de points. Il est donc difficile de modifier les dimensions de ces images avec précision tout en préservant leur netteté. C'est pourquoi on dit que les logiciels de peinture sont **dépendants de la résolution**, c'est-à-dire que l'apparence de l'image peut varier en fonction de sa taille.

Les logiciels de dessin manient plus habilement le texte que les logiciels de peinture. Cependant, il y a de moins en moins de différences entre les logiciels de dessin et les logiciels de peinture. Avec le temps, on applique certaines caractéristiques des logiciels de peinture aux logiciels de conception, et vice versa. On dispose donc aujourd'hui de progiciels capables de relever à peu près n'importe quel défi graphique. Par exemple, la plupart des logiciels de conception peuvent maintenant importer des photos ou des dessins conçus dans un logiciel de peinture; par contre, ils sont incapables d'agir sur les pixels pour apporter des modifications aux images.

Les logiciels de conception et d'affichage tridimensionnels comme Amapi®, 3D Studio Max® et MacCad3D® permettent d'aller encore plus loin dans la présentation des objets. Non seulement ils possèdent les mêmes couleurs et textures que les logiciels d'illustration, mais en plus ils permettent de bouger l'objet et de l'observer sous plusieurs angles avec une caméra virtuelle. Les logiciels de CAO s'adressent à différentes plates-formes. Certains outils CAO très puissants, par exemple Pro/ENGINEER® de Parametric Technology®, AutoCAD® de Autodesk® et MicroStation® de Bentley Systems, conviennent aux ordinateurs personnels, aux stations de travail et à d'autres plates-formes encore plus puissantes.

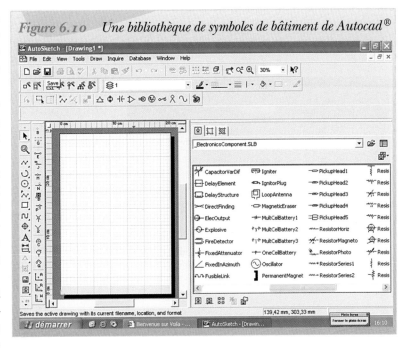

Figure 6.10   *Une bibliothèque de symboles de bâtiment de Autocad®*

Pour en savoir plus sur les logiciels de conception et les produits CAO, rends-toi à l'adresse suivante :

▶ www.dlcmcgrawhill.ca

Tu y trouveras des liens pour guider ta recherche.

Figure 6.11   *Pour ajouter des couleurs et de la texture à un dessin technique, il faut remplir chaque objet avec une couleur, voire une texture. Voici des exemples de palettes de couleurs proposées par différents logiciels.*

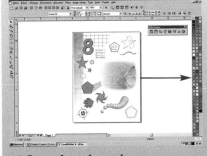

a) La palette de couleurs avec Corel Draw 10®

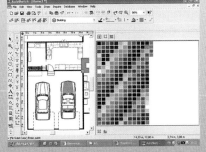

b) La palette de couleurs avec Autosketch®

c) La palette de textures avec Autosketch®

Figure 6.12 Les dessins techniques peuvent se représenter en trois dimensions et être très réalistes (exemple de dessin réalisé avec Autocad 3D®).

L'interprétation d'un dessin technique

Grâce aux normes internationales établies, toute personne ayant la formation appropriée peut lire un dessin technique. Les normes sont des règles qui déterminent les symboles et les autres indications à utiliser pour chaque type de dessin. Ces normes sont très importantes. En effet, elles constituent le langage commun qui permet d'interpréter un dessin technique de la même façon dans le monde entier. Par exemple, le Canada a adopté le code ISO 25 pour le dessin technique ainsi que le système métrique. Chaque dessin comporte les renseignements suivants : les dimensions, les distances, les mesures, les symboles et les autres notes pertinentes pour les personnes appelées à travailler avec le dessin. Ces notes doivent apparaître dans un ordre facile à suivre.

Les logiciels de gestion de projet

Les **logiciels de gestion de projet** permettent aux gestionnaires de planifier les échéanciers et de contrôler les coûts d'un projet. MS Project® de Microsoft®, Project Scheduler® de Scitor®, SuperProject® de Computer Associates® et Timeline® de Symantec® sont les principaux logiciels de gestion de projet exploités. À l'aide de ces logiciels, les gestionnaires enregistrent les dates du début des travaux et leur durée respective à chacune des étapes du projet. L'ordinateur estime la date de fin des travaux. En édition, en production télévisuelle et radiophonique, ainsi qu'en conception de sites Web et de systèmes, les responsables de projet doivent maîtriser quelques notions de gestion.

La gestion de projet

Une bonne gestion de projet exige une bonne planification. Pour planifier un projet simple ou complexe, la méthode de travail demeure la même. Il faut prendre en compte les ressources humaines, matérielles et financières. Il faut résoudre les problèmes et respecter l'échéancier de travail.

Pour bien planifier le travail, il faut définir en détail les tâches à effectuer à chaque étape du projet. Par la suite, on définit les besoins matériels et les ressources humaines nécessaires à la réalisation du projet.

Par exemple, imagine que tu dois constituer une équipe pour réaliser un reportage sur un spectacle. Tu dresses d'abord une liste du matériel technique dont tu auras besoin : une caméra numérique, un trépied, des piles, des réflecteurs, un tabouret, un ordinateur, un logiciel de photo et un logiciel de présentation. Ensuite, pour établir le nombre de personnes qui t'accompagneront, tu dois connaître en quoi consistent les tâches à accomplir. Ton équipe devra comporter des personnes possédant des compétences en photographie, en graphisme et en rédaction. Puis, tu répartiras les tâches parmi ces personnes. S'il y a des équipes, il faut nommer une ou un responsable par équipe.

Pour optimiser les ressources humaines et financières, tu peux déterminer les tâches qu'on peut effectuer en même temps. Il faut s'assurer que tout le monde est toujours occupé. C'est important pour maximiser le travail de ton équipe. Pour affronter les imprévus, il est préférable d'allouer un peu plus de temps pour la réalisation de chacune des étapes du projet.

Une fois les besoins de ressources humaines et matérielles définis, tu détermines l'ordre chronologique de réalisation des tâches. La production d'un reportage sur un spectacle comporte plusieurs étapes de production : la prise de photos, le transfert des photos sur ordinateur, la recherche et l'écriture des textes, la révision des textes, la sélection des photos et des textes, et la mise en page.

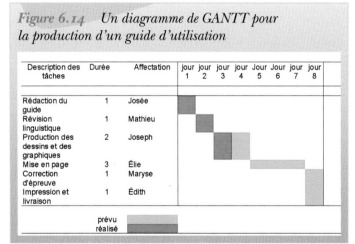

Figure 6.13   Une liste des tâches pour un projet

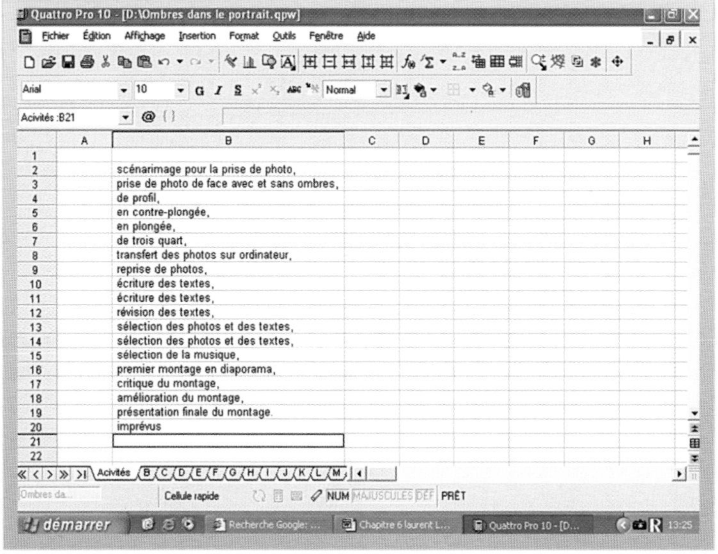

L'échéancier de travail

Un projet réussi respecte les coûts prévus et les délais de réalisation. Pour bien respecter ces délais de production, les gestionnaires produisent des échéanciers de travail. Sur ces échéanciers, on indique toutes les étapes du projet. Les diagrammes de Gantt et les schémas de PERT constituent les deux principaux types d'échéanciers intégrés aux logiciels de gestion de projet. Ces outils de gestion permettent aux gestionnaires d'anticiper les problèmes qui peuvent survenir.

Le diagramme de Gantt

Le diagramme de Gantt se présente comme un graphique comportant des lignes horizontales. Chaque ligne horizontale représente une étape du projet reportée sur une échelle de temps (figure 6.15). On voit en un coup d'œil si la réalisation des tâches associées à chacune des étapes respecte l'échéancier. L'échelle de temps peut représenter des jours, des semaines ou des mois.

Dans un diagramme de GANTT, on indique les étapes dans leur ordre logique de réalisation. Ensuite, on estime le temps nécessaire à la réalisation de chacune des tâches de ces étapes. Lorsqu'on termine une étape, on peut comparer sa durée réelle avec sa durée prévue. On confie chaque tâche à une personne. Bien entendu, certaines tâches peuvent se faire simultanément.

Figure 6.14   Un diagramme de GANTT pour la production d'un guide d'utilisation

Tout au long du projet, on prend soin de mettre le diagramme à jour. Pour ce faire, on colorie la case d'une tâche terminée d'une couleur appropriée. Il est bon de toujours indiquer la date de la dernière mise à jour. Le diagramme de GANTT donne une vue globale de la progression du projet.

La manière la plus simple de construire un diagramme de Gantt est d'utiliser Microsoft Project® au lieu de Microsoft Excel®. Project® est un logiciel de gestion des tâches qui reproduit des diagrammes. Excel® ne

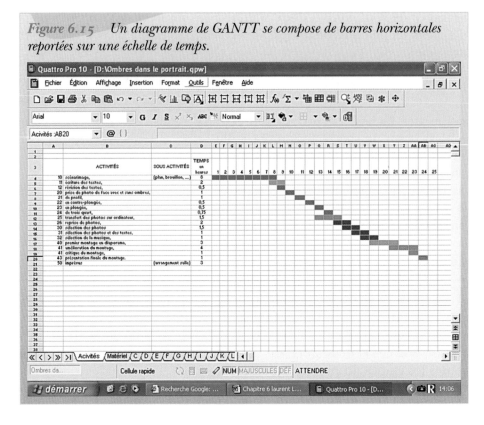

Figure 6.15   *Un diagramme de GANTT se compose de barres horizontales reportées sur une échelle de temps.*

contient pas de format de diagramme de Gantt prédéfini ; cependant, on peut construire un diagramme de Gantt dans Excel® en personnalisant un type de graphique en barres empilées.

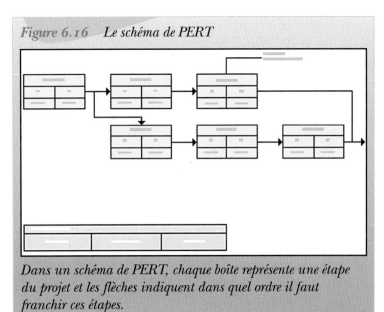

Figure 6.16   *Le schéma de PERT*

Dans un schéma de PERT, chaque boîte représente une étape du projet et les flèches indiquent dans quel ordre il faut franchir ces étapes.

Le schéma de PERT

Le schéma de PERT convient bien au suivi de projets complexes. En plus d'illustrer la coordination des tâches d'un projet, le **schéma de PERT** (*Program Evaluation Review Technique*) montre les relations entre elles. Ce type de schéma permet de dégager les étapes à terminer avant de pouvoir entreprendre les autres.

Dans un schéma de PERT, on représente chaque étape du projet par une boîte. On divise cette boîte en sections afin d'y consigner les données associées à chaque étape : les tâches, leur durée et leur date de réalisation. Des flèches montrent les relations entre les boîtes (figure 6.17). On détermine souvent au préalable les étapes du projet et leur ordre de réalisation.

Le chemin critique

On appelle chemin critique les étapes essentielles pour garantir le respect de l'échéancier de travail. Le chemin critique détermine la dernière date possible pour terminer une tâche donnée et ne pas menacer l'échéancier du projet.

Pour en savoir plus sur les associations professionnelles, rends-toi à l'adresse suivante:

www.dlcmcgrawhill.ca

Tu y trouveras des liens pour guider ta recherche.

L'évaluation des coûts

La planification financière consiste à évaluer le coût du matériel et des ressources humaines nécessaires à la réalisation du projet pour produire des prévisions budgétaires. Il y a des coûts liés à l'achat ou à la location des ressources matérielles. Lorsqu'une entreprise achète son matériel, les comptables amortissent le coût du matériel sur plusieurs exercices financiers et plusieurs projets. Les prévisions budgétaires comportent des postes budgétaires. Parmi ces postes, on compte un poste pour les primes destinées aux compagnies d'assurances qui couvriront les frais des dommages encourus, le cas échéant.

Pour évaluer le coût des ressources humaines, il faut estimer le temps de travail et le multiplier par le salaire des employées et employés. Chaque corps professionnel travaille à un tarif différent. En communication, on peut calculer le salaire selon un tarif à la journée, à la semaine ou à l'heure. Les ordres professionnels et les associations syndicales disposent d'échelles salariales pour leurs membres. Ces échelles correspondent à des compétences, au nombre d'années d'expérience et à la formation des personnes.

La réussite d'un projet dépend du respect des coûts et de l'échéancier de travail. La personne responsable du projet doit donc suivre l'évolution du projet pour en garantir la réussite.

Figure 6.17 Des prévisions budgétaires (exemple)

Pour ce faire, il faut mettre régulièrement à jour l'échéancier de travail et rapporter les dépenses dans le budget.

La personne responsable du projet doit également comparer souvent les prévisions budgétaires avec les dépenses encourues. Elle note les différences entre les dépenses projetées et les dépenses encourues pour s'assurer de respecter les prévisions budgétaires. Si une dépense excède le montant prévu, il faut réduire les dépenses affectées aux autres postes budgétaires.

La clé d'une bonne gestion est la capacité d'anticiper les problèmes. La façon la plus simple d'anticiper les problèmes est de suivre l'échéancier de travail. Si une étape prend du retard par rapport à l'échéancier, il est possible d'évaluer les conséquences de ce retard sur l'ensemble du projet. La personne responsable du projet doit alors trouver des solutions pour reprendre le temps perdu.

La personne responsable du projet doit aussi comparer régulièrement le temps nécessaire à la réalisation des étapes du projet au temps

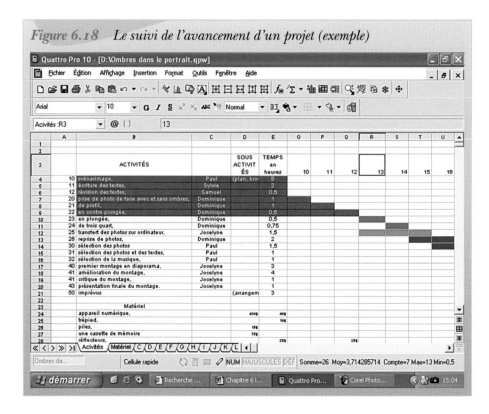

Figure 6.18   Le suivi de l'avancement d'un projet (exemple)

estimé. En cas de différence, elle doit déterminer les causes et apporter les changements qui s'imposent.

Pour analyser la performance du projet, la personne responsable du projet rédige un rapport de fin d'activité. Ce rapport comporte un bilan financier et justifie l'emploi des ressources humaines et financières. Dans ce rapport, la personne responsable du projet fait quelques recommandations pour améliorer le déroulement des prochains projets.

Méthode de résolution de problèmes

En général, les méthodes de résolution de problèmes comportent les étapes suivantes :

1. Définir le problème en déterminant ses conséquences.
2. Cerner les causes possibles du problème (la connexion est défectueuse, le logiciel n'accepte pas la caméra, le format est incompatible, etc.).
3. Dégager les solutions possibles, de la plus simple à la plus complexe.
4. Appliquer les solutions l'une après l'autre.

Révision du chapitre **6**

Questions de révision

1. Quelle est la différence entre les outils de communication en « mode asynchrone » et en « mode synchrone » ?

2. Explique comment fonctionne une liste de diffusion.

3. Quelle est l'origine du téléphone cellulaire ?

4. Dans quelles circonstances les téléphones cellulaires analogiques sont-ils sensibles aux interférences ?

5. Décris ce qu'est la vidéoconférence en ligne. Explique pourquoi elle permet de réaliser des projets complexes.

6. À quoi servent les balises HTML ?

7. Indique les avantages liés à divers modes de communication électronique (pages Web, groupes de discussion en ligne, vidéoconférence en ligne, etc.) et donne des exemples.

8. Tu as des ennuis avec le courrier électronique. Tu dois absolument communiquer avec des collègues pour tenir une réunion importante. De quelle solution de remplacement disposes-tu ?

9. Tu dois dessiner une caricature en couleurs pour le journal de l'école. Quel logiciel utiliseras-tu ? Pourquoi ?

10. Tu dois superviser la création d'un site Web. Cinq personnes travaillent avec toi : un collaborateur, une créatrice, un directeur, une productrice et un programmeur. Quel logiciel de projet privilégieras-tu pour planifier la gestion de ton projet ?

Activités

1. Fais une recherche sur Internet. Trouve des sites utiles pour créer une page Web. Note des conseils pour l'utilisation du langage HTML et des banques d'images ou d'animations gratuites à télécharger. Trouve aussi des sites qui hébergent des pages Web gratuitement. Présente tes résultats à ta classe.

2. Fais un plan de ta première page Web personnelle. Écris ton nom dans la partie en-tête. En dessous, écris « Bienvenue sur mon site ». Choisis des couleurs vivantes et contrastantes. Inclus une photo de toi et trois liens (par exemple, vers tes sports et activités préférés, vers les membres de ta famille, vers tes camarades). Présente ta page au reste de la classe.

3. a) Choisis une image d'une banque d'images et modifie-la :
   - ouvre un logiciel qui permet de dissocier une image ;
   - dissocie l'image ;
   - sélectionne les points d'ancrage qui permettent de modifier l'image.

   b) Vectorise et modifie une photo numérisée :
   - choisis un sujet simple : un fruit, une lampe, un ordinateur, etc. ;
   - prends une photo de ton sujet avec un appareil photo numérique ou numérise une photo ;
   - vectorise l'image à l'aide d'un logiciel ;
   - modifie l'image en changeant les points d'ancrage.

4. Remplis un échéancier de Gantt pour un projet afin de respecter les délais des étapes de production. Par exemple : planifie la réalisation d'un reportage vidéo sur un sujet de ton choix ou la production du journal de l'école. Intègre cet échéancier à ta page Web.

5. Évalue les avantages et les inconvénients de différents logiciels de conception pour reproduire le dessin de la figure 6.20.

Figure 6.19   Un schéma de connexion

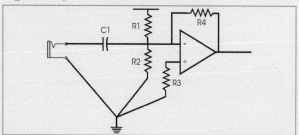

Profil de carrière

MARC BERNIER, *un homme d'action*

Chef de projet, Marc Bernier développe tous les sites Web du ministère des Services à la collectivité, à la famille et à l'enfance du gouvernement de l'Ontario. Il gère aussi les sites intranet, Internet et tout ce qui concerne les communications qui émanent du bureau du premier ministre de l'Ontario.

Avant d'exercer son métier actuel, Marc Bernier a étudié dans le domaine des communications et du graphisme à l'Université de Toronto et à l'Université Laval. Après l'obtention de son baccalauréat, il a travaillé comme graphiste pendant huit ans. Il voulait relever plus de défis dans sa carrière. Il a donc décidé de reprendre ses études et de suivre des cours en programmation à l'Université polytechnique Ryerson, où il a obtenu un certificat en programmation.

À cette époque, Internet en était à ses premiers pas et Marc Bernier savait qu'il arrivait au bon moment. Avec une formation en communication, en graphisme et en programmation, en plus de ses études en administration de sites Internet et en commerce électronique, il est rapidement devenu gestionnaire de projets.

« Ce qui me plaît dans mon travail, c'est de pouvoir marier l'aspect créatif aux nombreux défis à relever », affirme Marc Bernier. « Cela m'incite à me tenir régulièrement au courant, car les technologies changent très rapidement et il faut être capable de s'adapter à ce monde en perpétuelle évolution », poursuit-il.

Ses tâches sont tellement variées qu'il n'y a pas de journée « type ».

« La plupart du temps, je mène trois ou quatre projets de front avec des échéances qui s'étendent sur une période pouvant aller de deux à six mois », explique monsieur Bernier. « Ajoutez à cela deux ou trois crises par semaine reliées aux communications du bureau du premier ministre, et vous aurez une petite idée de mon emploi du temps quotidien ! On ne peut donc pas parler d'horaire fixe ! En effet, bien souvent, je suis au bureau de 7 h 30 jusqu'à 19 h, parfois même le samedi, le dimanche et tard le soir », précise-t-il.

La conception de sites Internet est plutôt exigeante. Selon monsieur Bernier, pour faire ce métier, il ne faut pas avoir peur de relever les défis, il faut aimer le travail d'équipe, s'adapter aux demandes de la clientèle, être habile en communication, et garder en tête le but à atteindre. Par-dessus tout, il faut travailler avec soin et avoir de l'organisation.

« Je dois reconnaître que grâce à un bon esprit de synthèse, à de la patience, à la faculté d'apprendre rapidement, à un esprit logique, méthodique et créatif, j'arrive plus facilement à relever les défis inhérents à mon travail. »

« Pour exercer ce métier et devenir chef de projet, une personne doit absolument avoir une bonne connaissance générale », reconnaît monsieur Bernier. « C'est une profession qui a un avenir certain et les spécialistes en design et en programmation ont de bonnes perspectives professionnelles », conclut-il.

Stephanie Pelot, une Franco-ontarienne de Clarence Creek, conçoit et produit des animations pour les sites Internet depuis quatre ans. « C'est l'aboutissement normal de l'évolution et de l'adaptation des technologies à mon métier des arts graphiques », explique madame Pelot, qui œuvre dans ce domaine depuis plusieurs années.

Stephanie Pelot agit également comme vice-présidente de la compagnie *Pentafolio*, qu'elle a fondée avec son conjoint et deux associés. « J'aime travailler à mon compte, être libre, ne pas avoir de limites, même sans sécurité financière. La passion pour mon métier me permet de foncer et de suivre mon cœur ! »

Au sein de son équipe, madame Pelot élabore les recommandations sur la structure du contenu à sa clientèle. « C'est une étape très importante, affirme-t-elle, qui permet de passer alors aux étapes suivantes : la conception graphique, la réalisation des éléments graphiques et la mise en pages "esthétique". »

La conceptrice utilise l'ordinateur et ses périphériques habituels, ainsi que des logiciels adaptés à son type de travail : Microsoft Word®, Adobe Photoshop®, Macromedia Fireworks®, Macromedia Dreamweaver®, Adobe Illustrator® et Flash®.

« Le défi de communiquer un contenu représente ce que j'aime le plus dans mon travail », explique-t-elle avec enthousiasme. « Je dois donner une forme à une communication grâce à des idées et des outils graphiques. C'est stimulant ! »

Madame Pelot s'en tient à des conseils simples : essayer de rester « à cheval » entre esthétisme et technique, aimer travailler en équipe et suivre l'évolution des technologies et des logiciels. Ouverture d'esprit, souplesse, humilité et respect des échéanciers constituent les clés qui permettent, selon elle, d'exercer ce métier avec bonheur et succès.

STEPHANIE PELOT, *une femme passionnée*

Corrélations

Français

Selon toi, quels types d'emplois les technologies ne pourront-elles jamais remplacer ? Pourquoi ? Rédige un texte d'environ 300 mots sur le sujet. Au besoin, consulte ton enseignante ou ton enseignant d'orientation ou de français.

Sciences

1. Comment la technologie de l'information évoluera-t-elle ? Que pourrait-il arriver ? Fais trois hypothèses. Pour chacune, donne des exemples. Présente tes hypothèses à ta classe.
2. Discute avec tes camarades des avantages et des inconvénients de la technologie de l'information.
3. Représente les six générations d'ordinateurs dans un tableau chronologique. Décris l'évolution de l'informatique au cours des 20 dernières années.

Mathématiques

1. À l'aide d'un tableur, planifie une tâche simple d'après les étapes suggérées au chapitre 6. (Par exemple : planifie la production d'un reportage vidéo sur un match d'une équipe sportive de l'école ou sur une danse d'Halloween.)

2. Comment pourrais-tu vérifier s'il est efficace ou non de planifier une tâche à l'aide de trois équipes de deux élèves ? (Par exemple, la tâche peut être de rédiger des consignes pour la numérisation d'un texte à l'aide de la suite Corel® ou de Powerpoint®.)

Sciences humaines

1. Les technologies de l'information posent des problèmes qui affectent les personnes et les ordinateurs. Donne quelques exemples de ces problèmes.
2. Lis les situations décrites ci-dessous. À l'aide de ce que tu as appris dans le chapitre 5, détermine le périphérique de liaison le plus approprié dans chaque cas.
   a) Je ne passerai pas beaucoup de temps sur Internet. J'ai besoin d'une connexion peu coûteuse qui me permettra d'envoyer et de recevoir des fichiers. Je ne désire ni utiliser de jeux ni naviguer dans le Web.
   b) J'ai besoin d'une connexion à haute vitesse, car je veux exploiter les sites de jeux d'Internet. J'habite trop loin du central téléphonique (plus de 4,8 km) pour pouvoir profiter d'un forfait haute vitesse.
3. Fais une recherche sur Internet afin d'en apprendre davantage sur la controverse et le débat juridique autour des sites Internet qui diffusaient des chansons à télécharger sans payer les droits d'auteur. Où en est ce débat ? Quelle est ton opinion à ce sujet ?

Activités

Les activités de base

Activité de base n° 1

Trouve trois métiers du domaine des communications que tu aimerais exercer.

Fais une recherche sur Internet pour connaître les programmes de formation reliés à ces métiers. Rédige un compte rendu. Tu dois inclure :

- les titres des programmes ;
- les titres et les aperçus des cours développés dans ces programmes ;
- les cours préalables auxquels tu devras t'inscrire ;
- les compétences que tu pourras développer.

Activité de base n° 2

Tu veux offrir des cours sur l'utilisation d'Internet. Comment t'y prendras-tu ? Pour promouvoir tes cours, tu décides de créer ton propre site Web. La réalisation de ce site comprend trois méthodes de publicité :

a) une affiche pour celles et ceux qui ne connaissent pas du tout Internet (elle sera intégrée au site Web) ;
b) un diapo de présentation pour petits groupes ;
c) un site pour tous.

Matériel
logiciel de ton choix
ordinateur
photographie
illustration

Marche à suivre
1. Définis d'abord les renseignements que tu veux donner sur ton site. Par exemple, tu pourrais mentionner les avantages de savoir naviguer dans le Web. Rappelle-toi de mentionner ta formation et tes compétences.
2. Détermine le contenu de ta page d'accueil. Il s'agit souvent d'une table des matières ou d'un menu qui propose des liens vers d'autres pages.
3. Planifie l'organisation des liens qui conduiront les internautes vers les différents documents.

4. Définis le contenu de ton atelier et son objectif. Quelles opérations pourront réaliser les personnes inscrites à ton atelier ? Pour comprendre le Web, ces personnes devront apprendre le vocabulaire qui suit. Prépare des définitions de ces mots et de ces expressions. Inclus des illustrations et donne des exemples. Utilise tes habiletés en informatique pour produire un document que l'on pourra consulter sur ton site.

a) Adresse IP
b) Adresse URL
c) Boîte de réception
d) Fichier joint
e) Fournisseur de services Internet
f) Fureteur Web
g) Lien hypertexte
h) Modem
i) Paquet, TCP/IP
j) Protocole
k) Télécharger

Activité intermédiaire n° 1

Tu dois réaliser les décors d'un studio de télévision. Indique quel logiciel tu utiliseras pour produire ton dessin. Justifie ton choix. Dessine un élément de ton décor à l'aide d'un logiciel de conception de ton choix. Utilise la bibliothèque de symboles.

Matériel
ordinateur
crayon
papier
logiciel de ton choix

Marche à suivre
1. Dessine d'abord un croquis de l'objet.
2. Donne des dimensions réalistes aux différentes parties de l'objet.
3. Pour simplifier ton dessin, décompose-le en formes et en icônes simples : lignes, courbes et polygones. Tu peux trouver ces formes dans les bibliothèques de symboles.

Activités

4. Ouvre le logiciel et configure-le pour ton dessin.
5. Ajuste l'écran pour un affichage à 100 %.
6. Ajoute les couleurs et les textures.
7. Ajoute les cotes et les textes.
8. Exporte ton dessin vers un document HTML.

Activité avancée

Le conseil des élèves t'a demandé de trouver un nouveau nom pour la radio étudiante et de préparer une campagne publicitaire. Cette campagne prévoit la création d'affiches, de publicités dans le journal de l'école et d'une bande-annonce diffusée tous les matins.

Matériel
logiciels de conception
caméra vidéo
édition vidéo par ordinateur
imprimante à grand format

Marche à suivre

1. En groupe de trois à cinq élèves, faites un remue-méninges pour la campagne publicitaire.

Décris en détail les activités retenues pour la campagne publicitaire. Dresse la liste des tâches et des personnes nécessaires à la réalisation de la campagne. Répartis les tâches entre les membres du groupe. Il faut nommer une ou un responsable de projet. Cette personne doit trouver le matériel technique dont l'équipe a besoin, évaluer les coûts, assurer le suivi du projet et soumettre un échéancier (diagramme de Gantt). Assure-toi de faire approuver la campagne et l'échéancier par ton enseignante ou ton enseignant.

Chaque membre du groupe accomplit ses tâches. Au long du travail, il faut maintenir l'échéancier à jour afin de comparer le temps prévu pour le projet avec le temps réel. En groupe, faites le bilan du projet.

Avec ton groupe, présente ta campagne publicitaire et ton bilan à la classe.

partie 3

Les systèmes optiques

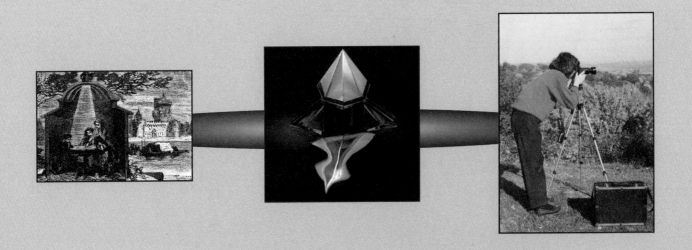

Ton œil est à la base de tous les systèmes optiques. Il est aussi le système optique le plus complexe. Il reconnaît la couleur et fait une mise au point instantanée sur les objets rapprochés et éloignés. Il a un grand champ de vision. Personne n'a encore réussi à mettre au point un système optique aussi performant. L'œil est autonettoyant et il s'ajuste très vite aux différentes conditions lumineuses. Il possède un « couvre-lentille » naturel (la paupière), change très vite de direction et peut percevoir des détails étonnants. Il peut aussi corriger des erreurs de perception. De plus, il fonctionne toute la vie. Connais-tu un appareil photo qui a ces caractéristiques ?

Comme l'œil humain, les systèmes optiques font la mise au point et enregistrent la lumière. L'être humain fabrique des systèmes optiques depuis des centaines d'années. Par exemple, la première chambre noire était une pièce obscure avec une ouverture pratiquée dans un mur (ou dans le toit). La chambre noire jouait le rôle d'une lentille.

Un objet placé à l'extérieur réfléchissait la lumière; cette lumière se concentrait en passant dans l'ouverture, puis se diffusait sur une surface plate dans la pièce. Dans les années 1500, les artistes de la Renaissance utilisaient de telles chambres noires pour peindre leurs tableaux. Par la suite, on a miniaturisé ce système. Il est maintenant portatif.

En 1727, Johann Schulze a découvert qu'une solution de nitrate d'argent noircissait si on l'exposait à la lumière. La combinaison de cette découverte avec le concept de la chambre noire a permis d'inventer la photographie. Depuis plus de 100 ans, l'appareil photo est un système optique utile et populaire.

Dans cette section, tu étudieras différents types de systèmes optiques. Tu verras en détail les principes de la photographie. C'est l'application optique la plus commune. Grâce à la photographie, tu comprendras davantage le fonctionnement général des systèmes optiques.

Les principes des systèmes optiques

Les **systèmes optiques** utilisent la lumière pour capter une image. Pour fabriquer un système optique, il faut une source lumineuse, un objectif pour concentrer les rayons lumineux et une façon d'enregistrer l'image. Par exemple, l'œil humain et l'appareil photo sont des systèmes optiques. Nos yeux captent la lumière et notre cerveau nous dit ce que nous voyons. De son côté, l'appareil photo capte la lumière et transfère ce qu'il a capté sur la pellicule de film.

Aujourd'hui, les systèmes optiques peuvent créer des images à trois dimensions. Ils peuvent transporter des signaux, par exemple la voix. Dans ce chapitre, tu vas étudier la lumière, les lentilles qui concentrent les rayons lumineux et plusieurs autres systèmes optiques.

Vocabulaire

- amplitude
- couleurs primaires additives
- couleurs primaires soustractives
- fibres optiques
- foyer
- fréquence
- holographie
- laser
- lentille
- lumière polarisée
- négatif
- photon
- réfraction
- spectre visible
- système optique

Au fil de ce chapitre, tu vas trouver les réponses à ces questions :

- En quoi consiste la lumière ?
- Quelles sont les propriétés de la lumière ?
- D'où viennent les couleurs que nous voyons ?
- Comment l'œil humain fonctionne-t-il ?
- Comment produit-on les rayons laser ?
- Comment produit-on les images holographiques ?
- Pourquoi les fibres optiques sont-elles si utiles ?

chapitre 7

La lumière

La lumière est une forme d'énergie. Elle nous entoure et se répand dans l'Univers. Savais-tu que la lumière peut changer de direction et qu'elle contient de la couleur ?

D'où vient la lumière ?

Les scientifiques étudient la lumière depuis des siècles. Cependant, ils ne s'entendent sur sa composition que depuis environ 75 ans. La lumière a encore bien des secrets pour nous.

Tu as probablement vu dans tes cours de sciences que tout est composé d'atomes. On croit que l'atome ressemble à un tout petit système solaire (figure 7.1). Au centre, il y a un noyau. Tout autour, des électrons gravitent sur des orbites différentes. Ces électrons ne restent pas toujours sur la même orbite. Ils peuvent sauter d'une orbite à l'autre. Lorsqu'un électron saute, son niveau d'énergie change. Lorsqu'il perd de l'énergie, cette énergie se dissipe sous la forme d'une particule très petite. C'est le **photon**. Ces photons qui s'échappent de l'atome constituent la lumière que nous voyons (figure 7.2).

Cependant, la lumière ne se comporte pas toujours comme des particules. Elle se comporte parfois comme des ondes. Par exemple, elle peut se courber comme une onde. Aucune de ces explications n'est vraiment complète. Cela montre que la lumière se comporte soit comme une particule, soit comme une onde, selon la situation.

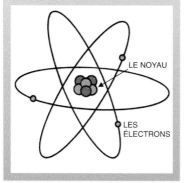

Figure 7.1   Un atome comprend un noyau entouré d'électrons. Les électrons gravitent autour du noyau.

Les propriétés de la lumière

La lumière possède plusieurs propriétés. On peut la mesurer de différentes façons et intervenir dans ses déplacements. Elle comporte plusieurs couleurs, et chaque couleur a une température différente.

La mesure de la lumière

Les ondes de lumière ont une fréquence, une amplitude, une longueur, une vitesse et une direction (figure 7.3).

- La **fréquence** est le nombre d'ondes qui traversent un point donné en une seconde (figure 7.3). Environ 600×10^{12} ondes lumineuses visibles frappent notre œil chaque seconde. Pour certaines fréquences très élevées, on ne peut pas voir la lumière produite, par exemple les ondes ultraviolettes.
- L'**amplitude** mesure l'intensité (la force) de la lumière. L'amplitude d'une onde correspond à sa hauteur. On la mesure du haut de l'onde jusqu'à son point milieu.
- Pour mesurer la longueur d'une onde, on mesure à partir d'un point sur l'onde jusqu'au même point sur l'onde suivante. La longueur d'onde de la lumière visible est d'environ 0,00005 cm.
- La vitesse de la lumière est constante, soit 300 000 km/s (kilomètres par seconde).
- Les ondes lumineuses irradient dans toutes les directions. (La lumière est une forme d'énergie radiante.) Ces ondes se propagent en ligne droite, sauf si elles rencontrent un obstacle.

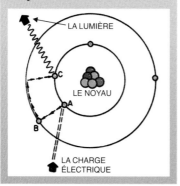

Figure 7.2   Lorsqu'une charge électrique excite l'électron au point A, cet électron saute sur une autre orbite (B). Quand il retourne à son orbite habituelle (C), il libère un photon.

Figure 7.3 *Les propriétés des ondes lumineuses sont la fréquence, l'amplitude, la longueur, la vitesse et la direction.*

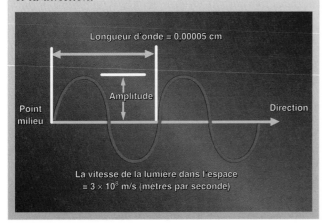

Figure 7.4 *Lorsque la lumière frappe la matière, il y a transmission, réflexion, absorption ou réfraction.*

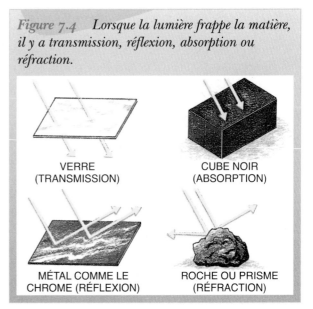

La propagation de la lumière

Quand les ondes lumineuses rebondissent sur un objet, on dit que la lumière est réfléchie (figure 7.4). Certains objets absorbent la lumière. C'est le cas des objets peints en noir.

Les ondes lumineuses peuvent subir de la **réfraction.** La figure 7.5 montre une illusion d'optique produite par la réfraction de la lumière. L'eau dans le verre fait dévier les rayons lumineux. Par conséquent, lorsque l'image atteint tes yeux, la paille te semble légèrement pliée.

La réfraction de la lumière peut produire un arc-en-ciel. La lumière blanche est une combinaison de plusieurs couleurs. Chaque couleur a une longueur d'onde différente. Lorsque la lumière traverse un prisme, chaque longueur d'onde est déviée selon un angle différent (figure 7.6). Cette déviation a pour effet de séparer les couleurs du prisme.

Figure 7.5 *La paille paraît pliée une fois dans l'eau à cause de la réfraction de la lumière.*

Figure 7.6 *Lorsqu'on fait passer de la lumière blanche à travers un prisme, il y a séparation des couleurs.*

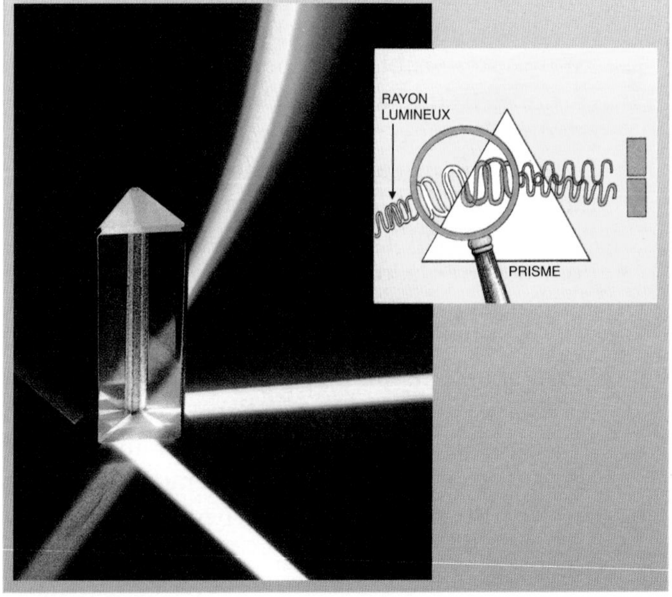

Techno liens

La mécanique quantique : pour une compréhension de la lumière

La mécanique quantique est le domaine de la physique qui décrit la nature de l'atome et de la lumière. Avant 1900, la mécanique quantique faisait partie de la physique. Son étude remonte à 1666. Le scientifique Sir Isaac Newton a été le premier à affirmer que la lumière se composait de petites particules. Presque au même moment, le physicien Christian Huygens a supposé que la lumière consistait en ondes. Qui avait raison ? Le débat a duré plus de 100 ans. Petit à petit, ce débat a établi le domaine de la mécanique quantique.

Entre 1800 et 1864, la théorie des ondes a gagné du terrain. Des scientifiques ont prouvé que deux faisceaux lumineux pouvaient s'annuler dans certaines conditions. Les ondes ont le même comportement dans l'eau. De plus, des scientifiques ont fait vibrer des charges électriques pour montrer de façon mathématique que des ondes d'énergie se propagent dans l'espace. Selon eux, si on suppose que les ondes lumineuses découlent de charges électriques dans l'atome, on peut dire que la lumière doit se propager sous forme d'ondes.

Cependant, le physicien Max Planck a rejeté ce raisonnement en 1900. Il préférait la théorie des particules. Selon lui, l'énergie consistait en petits paquets. Il les a appelés *quanta*. Plus tard, on a nommé les quanta des photons. Nous utilisons encore le mot photons aujourd'hui, mais le terme mécanique quantique vient du mot « quanta ». Planck a ainsi ranimé le débat sur la nature de la lumière.

En 1905, le physicien Albert Einstein a établi que la lumière se composait de particules ayant des propriétés ondulatoires. Ses travaux ont montré que les deux théories étaient justes. Par la suite, le domaine de la mécanique quantique a évolué rapidement. Les scientifiques ont développé de nouvelles idées.

En 1913, le physicien Niels Bohr a proposé une structure de l'atome. Il a aussi montré comment l'atome émet de la lumière. Louis de Broglie, Erwin Schrödinger et Werner Heisenberg ont tous développé certaines formes de mécaniques quantiques. L'ensemble de ces connaissances a favorisé l'évolution de la mécanique quantique moderne.

L'étude de la mécanique quantique a beaucoup contribué au développement de dispositifs importants, par exemple les circuits intégrés et les lasers. Ainsi, les lasers existent parce que les scientifiques ont compris comment la lumière se propage. La lumière ordinaire irradie dans toutes les directions. Les ondes de lumière laser se déplacent en parallèle. On dira alors qu'elles sont *en phase*. Autrement dit, une onde ne va pas plus vite qu'une autre. Toutes les ondes avancent au même rythme. Grâce à la mécanique quantique, les scientifiques ont pu élaborer des théories sur les lasers et même en fabriquer.

Faits scientifiques

À la vitesse de la lumière

La lumière est ce qu'il y a de plus rapide dans l'Univers. Elle se déplace à 300 000 km/s. Un faisceau de lumière va de la Terre à la Lune en *1,25 s*. En comparaison, la mission Apollo a mis *quatre jours* pour faire le même voyage en fusée.

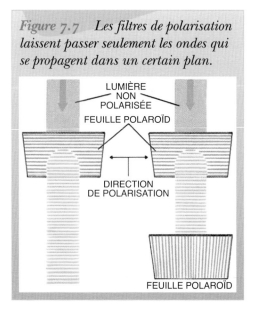

Figure 7.7   Les filtres de polarisation laissent passer seulement les ondes qui se propagent dans un certain plan.

Une **lumière polarisée** se propage dans un seul plan. Pour polariser la lumière, on la fait passer à travers un filtre (figure 7.7). Le filtre ne laisse passer que les ondes orientées dans un certain plan. Comme ce type de filtre élimine les effets d'éblouissement, on l'utilise pour fabriquer des appareils photo et des lunettes de soleil.

La couleur

Il y a plusieurs couleurs dans la lumière blanche. Nous voyons la lumière blanche quand toutes les couleurs de la lumière sont présentes. La lumière du Soleil est une lumière blanche. Si elle passe à travers un prisme ou une gouttelette d'eau, elle se décompose en plusieurs couleurs : rouge, orangé, jaune, vert, bleu, indigo et violet. Ces couleurs forment le **spectre visible.**

Chaque couleur qui compose la lumière blanche a sa propre fréquence (figure 7.8). La lumière rouge a une fréquence d'environ 460×10^{12} cycles par seconde. La lumière violette a une fréquence d'environ 710×10^{12} cycles par seconde. Les fréquences des autres couleurs se trouvent entre ces deux valeurs.

Figure 7.8   La lumière peut avoir plusieurs fréquences.
Nous ne voyons que certaines de ces fréquences (le spectre visible). À l'intérieur du spectre visible, nous percevons les différentes fréquences comme des couleurs.

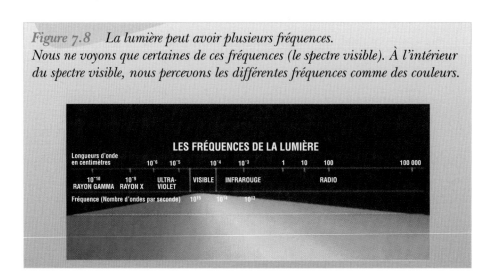

La lumière donne leur couleur aux objets. Si elle ne contenait pas autant de couleurs, le monde nous apparaîtrait gris. Tous les objets réfléchissent certaines couleurs et en absorbent d'autres (figure 7.9). Nous voyons les couleurs réfléchies. Par exemple, une feuille de laitue réfléchit les longueurs d'onde correspondant au vert. Par contre, elle absorbe toutes les autres longueurs d'onde. Elle paraît donc verte. Les objets qui réfléchissent toute la lumière paraissent blancs. Ceux qui absorbent toute la lumière sont noirs.

Les couleurs ont diverses teintes, intensités et valeurs. La teinte correspond au nom de la couleur, par exemple le rouge, le vert et le bleu. L'intensité désigne le degré de brillance de la teinte. Si un objet réfléchit seulement la lumière jaune, sa couleur sera très brillante parce que les teintes pures ont une plus grande intensité. La valeur a trait à la quantité de lumière réfléchie. Toutes les teintes n'ont pas la même valeur. Le rose est un rouge de faible valeur. Le bourgogne est un rouge de valeur plus élevée.

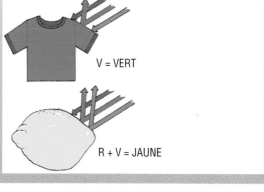

Figure 7.9 *Nous voyons les couleurs d'un objet, car sa surface réfléchit seulement quelques longueurs d'onde de la lumière.*

Le rouge, le vert et le bleu sont les **couleurs primaires additives** de la lumière (figure 7.10). Elles produisent les différentes couleurs que tu vois sur un téléviseur. Si tu regardes de très près l'écran d'un téléviseur couleur, tu verras de très petits points rouges, verts et bleus. Les combinaisons des couleurs primaires additives donnent trois nouvelles couleurs : les **couleurs primaires soustractives** (figure 7.11).

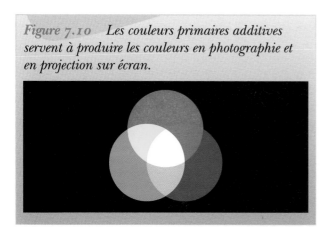

Figure 7.10 *Les couleurs primaires additives servent à produire les couleurs en photographie et en projection sur écran.*

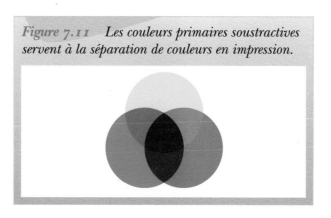

Figure 7.11 *Les couleurs primaires soustractives servent à la séparation de couleurs en impression.*

Figure 7.12 Le cube des couleurs

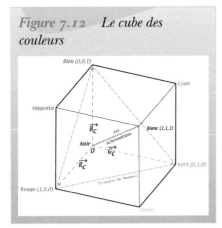

Figure 7.12 Le cube des couleurs

La figure 7.12 montre un cube de couleur. Il permet de comprendre la relation entre les couleurs primaires additives (rouge, vert et bleu) et soustractives (cyan, magenta et jaune). Si on marie les couleurs additives aux couleurs soustractives, on obtient toutes les couleurs. L'axe achromatique (sans couleur) correspond au blanc et au noir, qui permettent d'obtenir différents tons de gris.

On a défini un autre modèle fondé sur la perception de la tonalité, de la saturation et de la luminosité (ou de la clarté). C'est le modèle CMJN (figure 7.13). La tonalité constitue la dominance de la couleur (par exemple orange). La saturation (ou encore chroma) correspond à la pureté de la couleur. La pureté ou la saturation d'une couleur est relative à la quantité de gris qu'elle contient. La luminosité correspond à la quantité d'énergie lumineuse portée par la couleur. Ces trois notions s'expriment sous forme de pourcentage.

Figure 7.13 Le modèle CMJN pour le cyan, le magenta, le jaune et le noir

La température

L'équilibre des couleurs de la lumière peut varier selon la source de lumière. Par exemple, certaines sources de lumière « blanche » paraissent bleues, d'autres semblent jaunes. Les différences de température des sources lumineuses expliquent ce phénomène. L'unité de mesure de la température de la lumière est le kelvin (k). La figure 7.14 donne la température en kelvin de plusieurs sources lumineuses.

Certaines couleurs paraissent différentes sous des éclairages différents. En effet, les sources produisent des longueurs d'onde de fréquence différente, et ces longueurs d'onde sont absorbées à des degrés différents. Dans l'industrie de l'imprimerie, lorsqu'on vérifie les couleurs d'une reproduction par rapport à la copie originale, on utilise une lumière standard de 5000 K (figure 7.15).

Figure 7.14 Chaque source de lumière a une couleur et une température différentes.

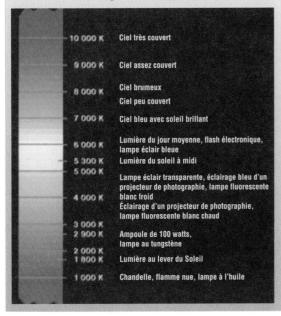

Figure 7.15 Pour comparer une copie imprimée avec la copie originale, on utilise un panneau de visualisation des couleurs muni d'une lampe de 5000 K.

Faits scientifiques

L'échelle Kelvin

L'échelle Kelvin est une échelle de température. Sur l'échelle Kelvin, un degré a la même « taille » qu'un degré sur l'échelle Celsius. La différence se trouve aux points de départ des échelles. Une température de 1 °C (Celsius) indique une température de 1 degré au-dessus du point de congélation de l'eau. Une température de 1 K (Kelvin) signifie 1 degré au-dessus du zéro absolu.

Le zéro absolu est la température la plus basse possible. Selon l'échelle choisie, il s'agit de -273,15 °C, -459,67 °F ou 0 K. En théorie, tous les atomes cessent de bouger au zéro absolu. En pratique, il est impossible de refroidir une substance à cette température. Pour y parvenir, il faudrait une source plus froide que le zéro absolu. Or, il n'en existe pas. Toutefois, on a atteint en laboratoire une température de 0,000022 K.

Les lentilles

Une **lentille** est un morceau d'un matériau transparent qui sert à concentrer les rayons lumineux. Une lentille a deux surfaces opposées qui sont parfois courbes. Dans d'autres cas, une surface est plate. La lumière et les lentilles sont à la base d'un système optique.

L'eau, le verre, le plastique et l'air peuvent réfracter la lumière et agir comme une lentille. Par la réfraction, la lentille aide à mieux voir et semble rapprocher des objets lointains. Elle sert à projeter des images sur un écran ou une pellicule de film.

Selon la forme de la lentille, les rayons lumineux se concentrent en un point ou bien ils se dispersent.

Faits scientifiques

Les animaux et la couleur

Les animaux voient-ils le monde en couleurs ? Dans la plupart des cas, non. En général, les animaux diurnes (actifs durant le jour) qui ont une bonne vision peuvent voir les couleurs. Par exemple, la plupart des singes et des singes anthropoïdes distinguent bien la couleur. Par contre, les chats ne perçoivent que le blanc, le noir et le gris. Ce sont des animaux nocturnes (actifs durant la nuit). Les chiens ont une mauvaise vision et ils ne voient pas les couleurs. Selon toi, quel rôle la perception de la couleur joue-t-elle dans la survie d'un animal sauvage ?

Figure 7.16 Les lentilles convexes concentrent les rayons lumineux vers l'intérieur. Les lentilles concaves font diverger les rayons lumineux.

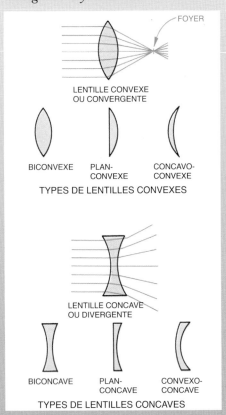

Une lentille convexe est plus épaisse au centre que sur les côtés. Cette lentille concentre les rayons lumineux. Le point de rencontre des rayons concentrés s'appelle le **foyer** (figure 7.16). Les rayons lumineux qui traversent les côtés de la lentille convexe dévient plus que les rayons qui traversent le centre de la lentille.

Une lentille concave est plus mince au centre que sur les côtés. Elle fait diverger les rayons lumineux. Les rayons qui traversent les côtés de la lentille concave dévient plus que ceux qui traversent le centre de la lentille.

Une lentille très courbée déforme les images. La figure 7.17 montre un exemple. Il s'agit d'une photographie prise à l'aide d'une lentille « fisheye » ou à très grand angle.

On peut combiner différentes lentilles en système qui entrent dans la fabrication d'appareils photo, d'agrandisseurs et d'autres appareils optiques (figure 7.18). Un objectif composé est une combinaison de lentilles concaves et convexes (figure 7.19). L'objectif composé produit des images de qualité supérieure.

Figure 7.17 Une lentille fisheye crée des distorsions dans une image. Les photographes l'utilisent pour obtenir des effets spéciaux.

Figure 7.18 Les lentilles permettent à plusieurs appareils de concentrer les images sur l'œil ou sur une pellicule de film.

Figure 7.19 Un objectif composé comporte des lentilles concaves et des lentilles convexes.

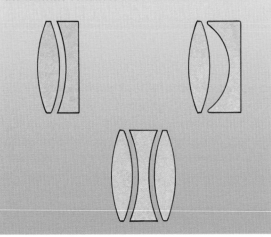

Les types de systèmes optiques

L'œil humain est un système optique, l'appareil photo aussi. Un système optique comporte une source lumineuse, une lentille pour concentrer les rayons lumineux et une façon d'enregistrer l'image.

L'œil humain

L'œil humain est notre système optique. Il reçoit la lumière et transmet l'information visuelle à notre cerveau.

Les parties de l'œil

L'œil consiste en sept éléments importants (figure 7.20). La cornée est un tissu transparent et courbé à l'avant de l'œil. Elle laisse les rayons lumineux entrer dans l'œil et les concentre sur la paroi du fond de l'œil. L'iris est la partie colorée de l'œil. Il ressemble à un beigne aplati. Son ouverture peut s'agrandir ou se refermer. Cette ouverture s'appelle la pupille. Elle contrôle la quantité de lumière qui pénètre dans l'œil. Tu as peut-être déjà remarqué un changement dans la taille de tes pupilles lorsque tu passes d'une pièce sombre à une pièce éclairée, et vice versa.

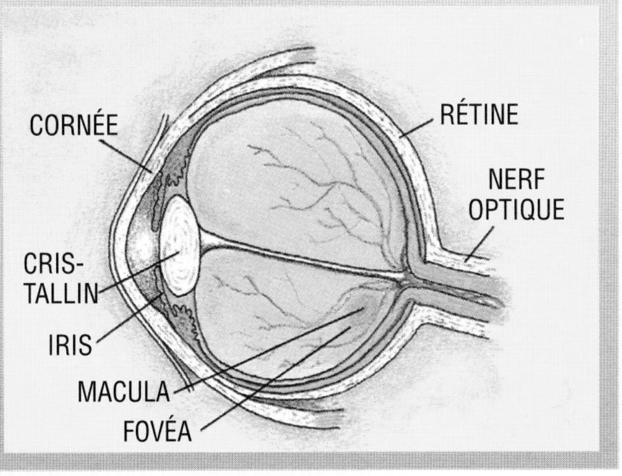

Le cristallin est formé d'un tissu transparent, en forme de haricot. Il devient plus mince ou plus épais selon que tu regardes de loin ou de près. De plus, le cristallin concentre les rayons lumineux sur la paroi du fond de l'œil. C'est là qu'on retrouve la rétine, qui est une pellicule sensible à la lumière. Elle contient la macula, qui est une région ovale permettant la vision des couleurs et des détails. Au centre de la macula, il y a la fovéa. À ce point, la vision est la plus nette possible. On appelle tache blanche l'endroit où le nerf optique part en direction du cerveau. La tache blanche ne comporte pas de cellules pour la vision. L'œil compense cette perte de vision d'après les informations qui l'entourent.

Figure 7.20 *Chaque partie de l'œil joue un rôle dans la réception des ondes lumineuses ou dans leur transmission au cerveau.*

Le fonctionnement de l'œil

La rétine reçoit les rayons lumineux concentrés par la cornée et le cristallin. Le nerf optique est juste derrière la rétine. Il convertit les rayons lumineux en impulsions électriques et les envoie au cerveau. Le cerveau convertit à son tour ces impulsions en images. L'œil et le cerveau peuvent « lire » toutes les longueurs d'onde du spectre visible en même temps.

La rétine contient deux types de cellules sensibles à la lumière : les bâtonnets et les cônes. Les bâtonnets enregistrent la quantité de lumière. Ils ne distinguent pas les couleurs. Si tu avais seulement des bâtonnets, tu verrais uniquement des tons de gris. Les cônes sont sensibles à la couleur. Certains cônes enregistrent les longueurs d'onde du rouge, d'autres enregistrent celles du vert et d'autres encore, celles du bleu. Il y a plus de six millions de cônes à la surface de la rétine. La fovéa contient 50 000 cônes dans une surface inférieure à un millimètre carré.

Figure 7.21 *Le daltonisme complet fait paraître les couleurs comme différents tons de gris.*

Certaines personnes ne distinguent pas les couleurs ou ont des troubles de perception de la couleur. On dit qu'elles souffrent de daltonisme (figure 7.21). Les troubles de perception de la couleur découlent de l'absence de cônes ou d'une malformation des cônes. En général, les gens atteints de daltonisme ne reconnaissent pas le rouge et le vert. Ils voient ces couleurs comme des tons de gris. Les bâtonnets fonctionnent bien, mais les cônes ne fonctionnent pas. Peux-tu lire les nombres dans la figure 7.22?

Toutefois, la perception visuelle humaine n'est pas parfaite. L'œil a parfois du mal à séparer le fond de la forme. Cela produit des illusions d'optique.

La persistance rétinienne

La persistance rétinienne est responsable de l'animation des objets. En effet, lorsque l'œil reçoit une image, cette image est projetée inversée sur la rétine et elle reste affichée 1/10 de seconde. Si on modifie une image avec une fréquence supérieure à 10 images par seconde, on peut donner l'illusion d'un mouvement. En pratique, il faut 24 images par seconde pour créer une illusion de mouvement.

De plus, lorsqu'il observe un objet animé, l'œil a tendance à modifier seulement les éléments qui changent. Par exemple, si une personne regarde un oiseau voler, son œil va modifier les éléments de l'oiseau, mais pas les informations sur le ciel ou les nuages.

Figure 7.22 *Les personnes ayant des troubles de perception de la couleur ne peuvent pas reconnaître les nombres cachés dans ces cercles.*

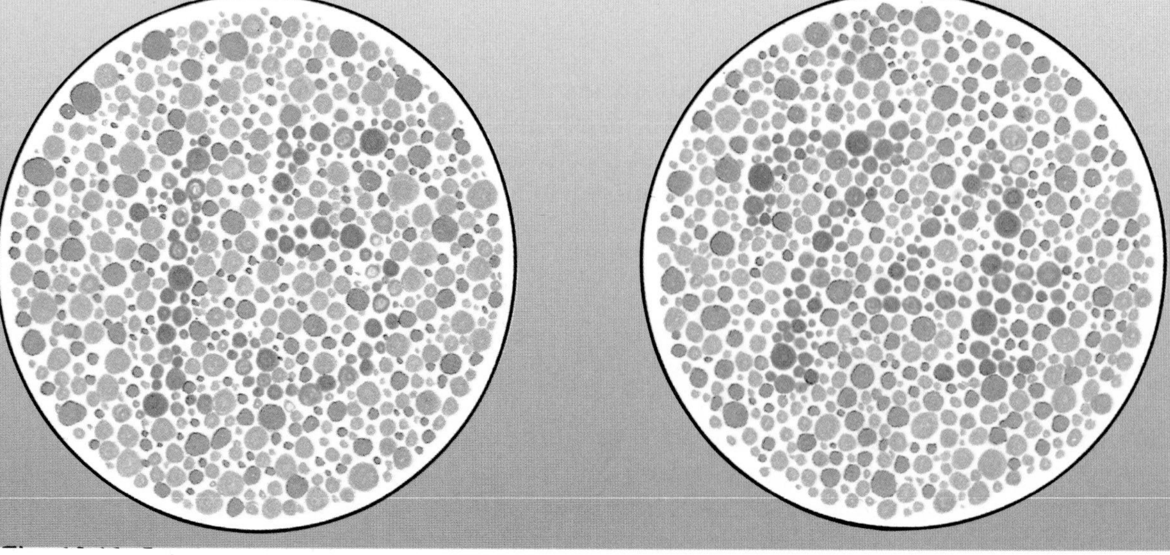

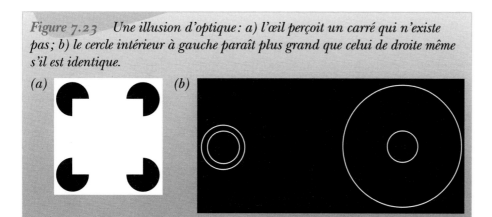

Figure 7.23 *Une illusion d'optique : a) l'œil perçoit un carré qui n'existe pas ; b) le cercle intérieur à gauche paraît plus grand que celui de droite même s'il est identique.*

(a)   (b)

Grâce à ce phénomène, on peut développer des logiciels vidéo utilisant moins de mémoire. En effet, on peut gérer uniquement les objets qui bougent dans les images.

L'appareil photo

L'appareil photo est un système optique simple. Dans la figure 7.24, la source lumineuse est la scène photographiée. La lumière réfléchie par cette scène entre par l'ouverture avant de l'appareil photo. L'objectif se trouve derrière cette ouverture. Il concentre les rayons lumineux sur la pellicule de film située sur la paroi arrière interne de l'appareil photo. Le film est un matériel sensible à la lumière et il enregistre l'image.

Le boîtier de l'appareil photo est étanche à la lumière. Il ne laisse entrer aucune lumière indésirable. On peut contrôler la grandeur de l'ouverture à l'avant de l'appareil. Cette ouverture permet de régler la quantité de lumière qui parvient jusqu'au film. L'appareil photo contient aussi un obturateur qui empêche la lumière de se rendre jusqu'au film lorsqu'on ne prend pas de photographie.

Lorsque la lumière atteint le film, une réaction chimique se produit sur la couche sensible de ce film. Une fois un film exposé, on le traite avec des produits chimiques pour obtenir des négatifs. Sur un **négatif**, les zones claires apparaissent sombres et les zones sombres apparaissent claires (figure 7.25). Pour obtenir une impression du film, on dépose le négatif sur une feuille de papier photosensible. On projette de la lumière à travers le négatif. Là où le négatif est clair, le papier reçoit une grande quantité de lumière. Ces zones deviennent donc très foncées. Là où le négatif est foncé, le papier reçoit peu de lumière. Ces zones demeurent donc pâles à l'impression. Puisque les objets réfléchissent la lumière de différentes façons, les photographies montrent une grande variété de gris et de nuances.

Nicéphore Niepce a pris la première photographie permanente en 1826. Soixante-trois ans plus tard, on a fabriqué le premier boîtier photographique simple. La photographie a vite gagné en popularité. C'est encore une activité très répandue aujourd'hui. Après la première

Figure 7.24 *Un appareil photo est un système optique. Dans cet exemple, peux-tu indiquer l'entrée, le processus et la sortie du système ?*

OBJECTIF

FILM

RAYONS LUMINEUX

OUVERTURE

Figure 7.25   Sur un négatif, les zones sombres apparaissent claires et les zones claires apparaissent sombres. Après l'impression, les zones claires et sombres sont inversées et le sujet apparaît comme il doit être.

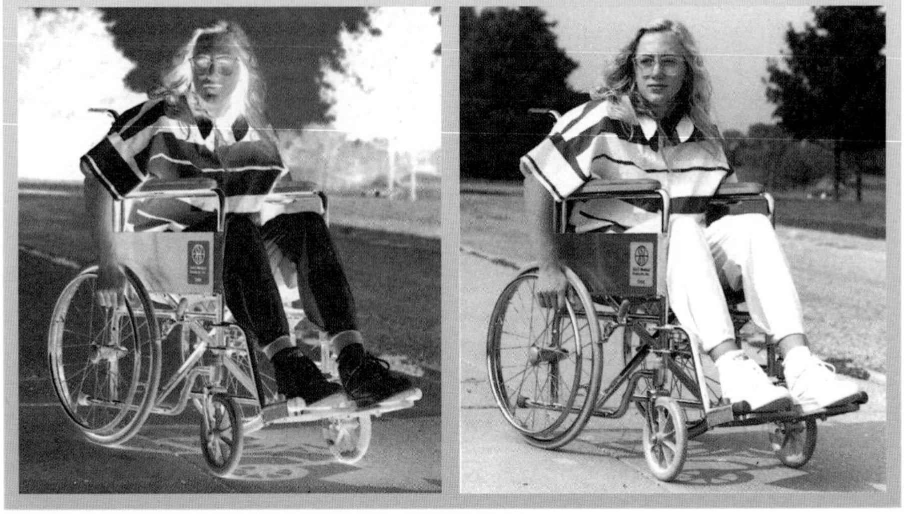

photographie, on a vu apparaître la photographie instantanée, le long métrage et les rayons X.

Les chapitres 8 et 9 traitent en détail des appareils photo et de la photographie en général.

Les lasers

Tu sais maintenant que la lumière irradie dans toutes les directions. Quand tu allumes une lampe placée au centre d'une pièce, la lumière éclaire toute la pièce. Plus tu t'éloignes de cette lampe, plus la lumière devient faible. Pourquoi ? Parce que les ondes lumineuses de différentes longueurs d'onde se diffusent en se frappant les unes aux autres.

Suppose que les ondes lumineuses ne se diffusent pas. Qu'arrive-t-il si elles se propagent toutes dans une même direction ? Elles deviennent très puissantes et peuvent parcourir de grandes distances sans s'affaiblir. Un **laser** (amplification de la lumière par émission de radiations stimulée) est un faisceau étroit d'ondes lumineuses parallèles. Les lasers ne produisent qu'une seule couleur ou longueur d'onde lumineuse. Ces ondes lumineuses se propagent en phases, comme des soldats qui marchent à l'unisson.

Le fonctionnement du laser

On produit le laser à l'aide de cristal, de gaz, de produits chimiques, de colorants ou de semi-conducteurs. Tous les lasers fonctionnent selon le même principe (figure 7.26). Prenons l'exemple du laser à rubis. La lumière issue d'une lampe éclair photographique atteint un cristal de rubis inséré dans un tube. (Le tube ressemble à une lampe fluorescente.) La lumière frappe les atomes du cristal, ce qui excite les électrons. Ces électrons libèrent alors une grande quantité de photons. Tous ces photons ont la même longueur d'onde. Les deux extrémités du cylindre de cristal forment une surface réfléchissante, comme celle d'un miroir. Une partie de la lumière s'y réfléchit. Les rayons lumineux se propagent plusieurs fois d'une extrémité à l'autre du cylindre. Cela augmente

Santé et sécurité

Les soins des yeux

Les yeux sont des parties très importantes du corps. Des spécialistes peuvent t'aider à en prendre soin. Connais-tu la différence entre les spécialistes suivants ?

L'ophtalmologiste. L'ophtalmologiste a un diplôme de doctorat en médecine et en chirurgie. Elle ou il traite les problèmes liés aux yeux. Elle ou il peut prescrire des médicaments ou des lunettes et opérer les yeux.

L'optométriste. L'optométriste peut faire passer des examens de la vue afin de détecter d'éventuels problèmes et prescrire des lunettes. Cependant, il ne s'agit pas d'une docteure ou d'un docteur en médecine.

L'opticienne ou l'opticien. Cette personne fabrique ou vend des lunettes selon l'ordonnance prescrite par une ou un ophtalmologiste ou une ou un optométriste.

Passe un examen de la vue de façon régulière. Si tu penses avoir l'un des symptômes suivants, parles-en à ta famille, à l'infirmière ou à l'infirmier de ton école, ou à ton enseignante ou à ton enseignant. Tu as peut-être besoin de l'aide de spécialistes de la vue.

- une vision floue que le port de lunettes n'améliore pas
- une vision double
- une vision réduite ou une perte soudaine de la vision
- un œil rouge ou une douleur à l'œil
- une perte de vision périphérique
- un halo autour d'un éclairage
- des yeux croisés
- un œil qui louche
- des yeux de grosseurs différentes
- une fibrillation dans l'œil
- des éclairs de lumière
- des points ou des ombres dans l'œil
- une décharge, un encroûtement ou des tendances chroniques ou très fortes à pleurer
- une enflure de l'œil
- un gonflement de l'œil
- du diabète

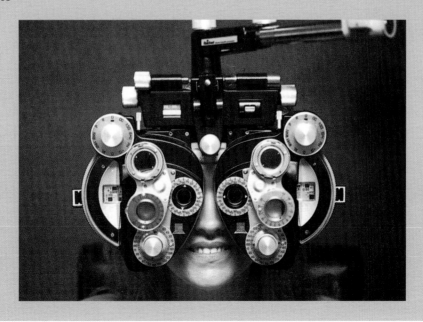

Figure 7.26   Les lasers produisent une lumière avec une seule longueur d'onde.

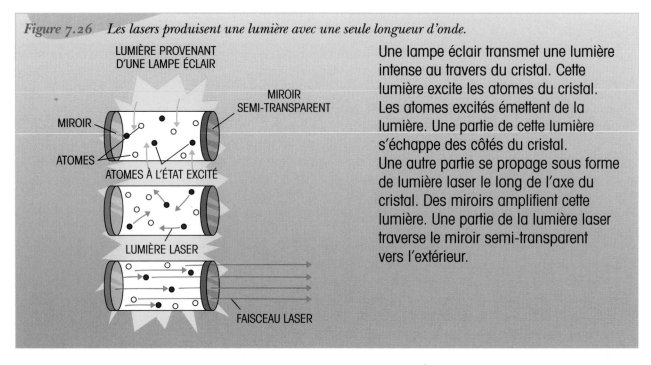

LUMIÈRE PROVENANT
D'UNE LAMPE ÉCLAIR

MIROIR
SEMI-TRANSPARENT

MIROIR

ATOMES

ATOMES À L'ÉTAT EXCITÉ

LUMIÈRE LASER

FAISCEAU LASER

Une lampe éclair transmet une lumière intense au travers du cristal. Cette lumière excite les atomes du cristal. Les atomes excités émettent de la lumière. Une partie de cette lumière s'échappe des côtés du cristal. Une autre partie se propage sous forme de lumière laser le long de l'axe du cristal. Des miroirs amplifient cette lumière. Une partie de la lumière laser traverse le miroir semi-transparent vers l'extérieur.

Figure 7.27   Le premier laser émettait des impulsions de lumière rouge rubis.

l'excitation des électrons du cristal. À la fin, un diaphragme s'ouvre à l'une des extrémités de l'appareil laser. Une impulsion de lumière parallèle peut alors s'échapper et former un rayon laser très puissant.

Les lasers faits de cristaux émettent des impulsions de lumière puissantes. Les lasers fabriqués à l'aide de gaz produisent un faisceau continu de lumière. On utilise chaque type de laser de plusieurs façons dans le domaine des technologies des communications. Par exemple, les faisceaux laser peuvent servir à transmettre de l'information, comme les ondes radio. Arthur L. Schalow et Charles H. Townes ont élaboré le principe du laser. Cependant, le premier laser à rubis, fabriqué par Theodore H. Maiman, date de 1960 (figure 7.27).

Le laser de Maiman émettait des impulsions de lumière rouge. Un an plus tard, on a développé un autre laser fonctionnant en continu avec des gaz néon et de l'hélium.

L'holographie

L'utilisation de lasers pour enregistrer des images réelles en trois dimensions s'appelle l'**holographie.** Denis Gabor a mis au point ce procédé. L'image produite est aussi en trois dimensions. On peut voir le devant, l'arrière et les côtés de l'image (figure 7.28).

Figure 7.28   Ces photographies montrent un hologramme vu du dessus, de face et de la gauche. Observe le changement des images selon l'angle de vue.

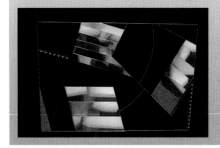
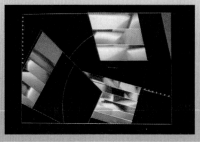
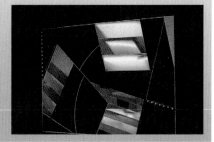

L'holographie emploie les lasers, car ils produisent des ondes lumineuses parallèles d'une longueur d'onde unique. Un certain type d'holographie divise la lumière du laser en deux faisceaux (figure 7.29) : le faisceau objet et le faisceau de référence. Le faisceau objet éclaire l'objet et la lumière réfléchie atteint une plaque photographique. Le faisceau de référence se réfléchit en oblique sur un miroir jusqu'à la même plaque photographique. La superposition des deux faisceaux forme un diagramme d'interférence qui s'imprime sur la plaque photographique.

L'image produite s'appelle un hologramme de transmission. Pour voir cet hologramme, on éclaire l'arrière de la plaque développée avec une lampe, dans le sens opposé à la personne qui regarde. Une partie de cette lumière crée une image couleur en trois dimensions de l'objet original. L'autre partie de la lumière forme une image qui ressemble à une photographie ordinaire en deux dimensions.

Une autre méthode holographique produit des hologrammes de réflexion. On dirige un faisceau laser sur un miroir avant de lui faire traverser une lentille concave (figure 7.30). Le faisceau traverse ensuite une plaque photographique avant d'atteindre l'objet. Quand la lumière frappe l'objet, elle est réfléchie sur la plaque. Un diagramme d'interférence se produit dans la couche d'émulsion (produits chimiques) de la plaque photographique. Pour voir l'image, on dirige une lumière blanche sur la plaque avec le même angle que celui du faisceau de référence. La source lumineuse se trouve du même côté de la plaque que la personne qui regarde. Il y a d'autres types d'hologrammes. Leurs techniques varient un peu des méthodes précédentes.

L'utilisation de l'infrarouge

On se sert de plus en plus de l'infrarouge en photographie. Les caméra de surveillance sont souvent infrarouges. La prise de photo en infrarouge permet d'obtenir des effets artistiques intéressants.

Les fibres optiques

On peut transmettre la lumière à travers les fibres de verre transparent (figure 7.31). Ces **fibres optiques** peuvent transmettre la lumière sur des distances variant de quelques centimètres à quelques centaines de kilomètres. Les fibres peuvent avoir des trajectoires courbes. Grâce aux fibres optiques, la lumière permet de transmettre des messages. Les câbles de fibres optiques de quelques centimètres de diamètre peuvent transmettre plus de 40 000 conversations téléphoniques en même temps. La grosseur d'une fibre optique est environ celle d'un cheveu. Il y a deux types de fibres optiques : la fibre monomode et la fibre multimode. Il faut des lasers spéciaux pour transmettre des signaux à travers les fibres monomodes. Le cœur d'une fibre monomode est très petit. La lumière y pénètre seulement si elle est transmise dans l'axe du cœur. Les fibres monomodes demandent un raccordement précis.

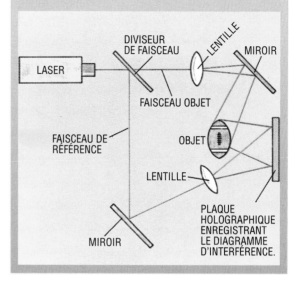

Figure 7.29 *Pour obtenir un hologramme de transmission, on enregistre sur la plaque photographique le diagramme d'interférence créé par la superposition de deux faisceaux de lumière.*

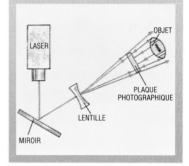

Figure 7.30 *Le faisceau laser réfléchi par l'objet crée un diagramme d'interférence sur la plaque photographique, ce qui produit un hologramme de réflexion.*

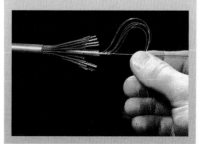

Figure 7.31 *Les fibres optiques sont de fins filaments de verre conçus pour transmettre la lumière.*

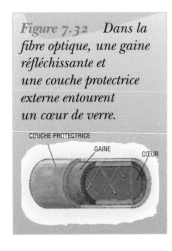

Figure 7.32 Dans la fibre optique, une gaine réfléchissante et une couche protectrice externe entourent un cœur de verre.

Le cœur d'une fibre multimode est plus gros et peut recevoir de la lumière provenant de plusieurs sources. La fibre multimode est plus économique que la fibre monomode. Par contre, on ne peut pas l'utiliser sur de longues distances.

Le fonctionnement de la fibre optique

La fibre optique consiste en un cœur de verre pur entouré d'un matériau formant une gaine (figure 7.32). Un signal électronique émet des impulsions qui activent une source lumineuse selon un code donné. Cet encodage contient l'information transmise. La lumière parvient à l'extrémité de la fibre optique. La gaine garde la lumière à l'intérieur du cœur pendant tout le trajet. À l'autre extrémité, une sorte de capteur reçoit la lumière. À ce moment, il convertit la lumière en un signal électronique. On peut reconvertir ce signal en son, en données informatiques, en images ou en tout autre type de données.

Comme tu l'as déjà vu, les ondes lumineuses ont différentes fréquences. Plus la fréquence est élevée, plus la lumière peut transmettre de l'information. La fréquence des ondes lumineuses est beaucoup plus élevée que les fréquences radio. (Les ondes lumineuses et les ondes radio font partie du spectre électromagnétique.) Les ondes lumineuses peuvent transmettre 200 000 fois plus d'information que les ondes radio. De plus, le signal optique nécessite moins d'amplification ou de régénération au cours de son trajet. Les signaux électriques habituels ont toujours besoin d'amplification. Par contre, l'amplification provoque du bruit ou d'autres interférences sur le signal. Les signaux optiques peuvent parcourir une distance quatre fois plus grande sans amplification. La fibre optique transmet donc un signal plus propre.

Malgré tous ces avantages, la fibre optique atteint un degré de saturation lorsque la demande est trop forte. Pour résoudre ce problème, on a développé la technologie haute vitesse et la transmission des données par satellites, qui utilise des micro-ondes. Ces technologies sont en plein essor.

Révision du chapitre 7

Questions de révision

1. Qu'est-ce qu'un système optique ? Donne deux exemples.

2. Que se passe-t-il lorsque la lumière du Soleil traverse un prisme ?

3. Décris de quelle façon la lumière se comporte et se propage.

4. Nomme les couleurs primaires additives. Comment obtient-on les couleurs soustractives ?

5. Qu'est-ce qui nous permet de percevoir la couleur bleue d'un objet bleu ?

6. Nomme les sept principales parties de l'œil humain.

7. Quels sont les deux principaux types de lentilles ? Que se passe-t-il lorsque la lumière traverse chacune de ces lentilles ?

8. Qu'est-ce qu'un laser ? Comment produit-on un faisceau laser ?

9. Qu'est-ce que l'holographie ?

10. Qu'est-ce qu'une fibre optique ?

Activités

1. Pendant une journée, dresse une liste de tous les systèmes optiques que tu observes autour de toi. Tu peux en trouver dans des magazines, chez toi, dans les magasins, etc.

2. Dirige un faisceau de lumière blanche à travers un prisme. Observe le spectre visible obtenu. Place un autre prisme à l'endroit où l'« arc-en-ciel » se forme. Décris ce qui se produit lorsque la lumière de l'arc-en-ciel traverse le second prisme.

3. Choisis trois types de sources lumineuses artificielles ayant des couleurs différentes (lumière fluorescente, lumière blanc-bleu, lumière jaune ou rose). Procure-toi quelques objets colorés. Observe chaque objet sous chacun de ces éclairages. (Assure-toi de fermer toutes les autres sources de lumière. Évite aussi de laisser pénétrer la lumière du jour dans la pièce.) Quels objets semblent changer de couleur lorsque tu les regardes sous ces éclairages ? Construis un tableau pour y inscrire tes observations.

4. En te servant d'une télécommande pour téléviseur, observe le faisceau lumineux avec une caméra vidéo. Quelle couleur vois-tu ? Sers-toi des principes de la lumière pour vérifier si l'appareil fonctionne en réflexion, réfraction et transmission. Présente les résultats de ton expérience à ta classe.

5. Travaille avec une ou un camarade. Sur Internet, trouve un site qui permet de contrôler les couleurs de l'arrière-plan d'une page. (Tu peux en trouver un à l'adresse www.dlcmcgrawhill.ca.) Modifie la valeur du rouge, du vert et du bleu. Sur un prisme, repère les valeurs correspondant aux couleurs séparées par la lumière blanche. Rédige un compte rendu des résultats de ton expérience.

6. À l'aide d'un logiciel de conception, dessine quatre carrés. Remplis chaque carré avec la même couleur, mais utilise différents systèmes de représentation des couleurs (RVB, CMJN, le système commercial et le nom d'une couleur). Les quatre carrés apparaissent-ils de la même couleur à l'écran ? Ont-ils la même apparence à l'impression ? Fais des expériences afin de trouver la meilleure façon d'obtenir la même couleur à l'impression qu'à l'écran. Présente tes résultats à la classe.

7. Fais une recherche sur une technique de pointe (par exemple, micro-ondes, fibres optiques, systèmes de communication sans fil, par radar et à infrarouge). Prépare une présentation par diaporama. Présente tes découvertes devant la classe.

8. Procure-toi plusieurs types de lentilles (des lunettes, une loupe, une lentille de projecteur, un objectif d'appareil photo, un télescope, un microscope, des jumelles, etc.).

Regarde le même objet à travers chacune de ces lentilles. Décris l'apparence de l'objet dans chaque cas. Qu'est-ce qui cause ces différences ? Dessine le parcours d'un faisceau lumineux qui traverse ces lentilles.

9. Renseigne-toi sur les illusions d'optique. Décris une illusion d'optique et explique comment elle se produit. Présente ton illusion à tes camarades.

10. Ouvre un logiciel de photographie et repère une image. Dans le logiciel, trouve le menu de la gestion des couleurs en RVB et en CMJN. Modifie les paramètres pour comprendre leur effet sur la gestion des couleurs.

La photographie :
l'équipement et les méthodes

L'outil le plus important en photographie est la lumière. C'est le cas pour tous les systèmes optiques. Tous les appareils photo contrôlent la lumière ou réagissent à la lumière. Le terme « photographie » vient des mots grecs *photos* et *graphe*. Ils signifient « sculpter à partir de la lumière ». Sans lumière, il n'y a pas de photographie.

Tu as vu la lumière et les systèmes optiques au chapitre 7. Le chapitre 8 traite plus en détail des appareils photo et de l'équipement photographique. Tu vas découvrir les parties d'un appareil photo. Tu vas aussi voir comment fonctionnent les objectifs et la pellicule.

Vocabulaire

- agent fixateur
- agrandisseur
- appareil photo numérique
- appareil photo reflex mono-objectif
- bain d'arrêt
- champ angulaire
- contraste
- développeur
- distance focale
- émulsion
- émulsion orthochromatique
- émulsion panchromatique
- filtre
- fisheye
- logiciel de peinture d'image
- logiciel de retouche photo
- objectif grand-angle
- obturateur
- posemètre
- téléobjectif
- zoom

Au fil du chapitre, tu vas trouver les réponses à ces questions :

- Qu'est-ce qui distingue les différents appareils photo ?
- Quels accessoires permettent d'obtenir des photos de qualité ?
- Comment fonctionne un appareil photo numérique ?
- Quels sont les avantages des appareils photo numériques ?

chapitre **8**

L'appareil photographique

L'appareil photographique, ou appareil photo, est l'exemple classique d'un système optique. Au chapitre 7, tu as vu qu'un système optique comporte une source lumineuse, un moyen pour contrôler la lumière et une façon d'enregistrer la lumière. L'appareil photo sert à contrôler et à enregistrer la lumière sur une pellicule.

Tous les appareils photo ont un boîtier, un objectif et un obturateur (figure 8.1). Le boîtier est imperméable à la lumière. On y place la pellicule. La lumière atteint la pellicule à travers l'objectif. Tu sais déjà qu'une lentille sert à concentrer les rayons lumineux. Dans un appareil photo, l'objectif sert à focaliser la lumière sur la pellicule. L'**obturateur** de l'appareil photo s'ouvre pour laisser passer la lumière, ou se ferme pour empêcher la lumière de pénétrer.

À la base, un appareil photo est une boîte. Il y a une ouverture à l'une de ses extrémités. La pellicule se trouve à l'autre extrémité. L'ouverture sert à diriger la lumière vers la pellicule. Elle sert d'objectif. Un morceau de carton collé sur l'ouverture permet de contrôler la durée d'exposition. La pièce de carton sert d'obturateur. La figure 8.2 montre un appareil à sténopé fabriqué selon ces principes. Même s'il est artisanal, il permet de prendre des photos intéressantes.

Aujourd'hui, il y a plusieurs types d'appareils photo sur le marché. Avec certains appareils, il suffit de « viser et de déclencher ». D'autres sont beaucoup plus complexes. Le texte qui suit te présente différents appareils : l'appareil photo à visée télémétrique, l'appareil photo reflex à deux objectifs, la chambre photographique et l'appareil photo reflex mono-objectif.

Figure 8.1 Les principales parties d'un appareil photo sont le boîtier imperméable à la lumière, l'objectif servant à concentrer les rayons lumineux sur la pellicule et l'obturateur qui s'ouvre et se ferme.

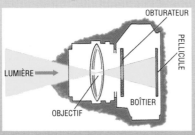

La pellicule

L'appareil photo à visée télémétrique

Les appareils photo à visée télémétrique ont deux objectifs (figure 8.3). Pour voir le sujet à photographier, on regarde à travers l'objectif simple du viseur. Un autre objectif plus complexe focalise l'image sur la pellicule. La visée et la prise de la photo ne se font pas avec le même objectif. Par conséquent, la photo obtenue ne représente pas toujours ce qu'on voyait dans le viseur (figure 8.4). Cela se produit souvent avec les photos qu'on prend de près.

Certains appareils photo à visée télémétrique peu coûteux donnent de bons résultats. Leurs objectifs simples sont fixés de façon permanente au boîtier. S'ils sont petits, ils ne reçoivent que de petites pellicules. On s'en sert

Figure 8.2 On a fabriqué cet appareil photo artisanal à l'aide d'un contenant imperméable à la lumière. On a percé une des extrémités à l'aide d'une aiguille. L'autre extrémité est amovible et permet d'insérer une pellicule à l'intérieur.

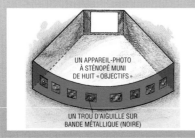

Figure 8.3 Un appareil photo à visée télémétrique a deux objectifs. Un objectif sert à voir le sujet à photographier et l'autre objectif sert à prendre la photo.

surtout pour les photos instantanées, car ils sont faciles à utiliser et très légers.

D'autres appareils plus coûteux peuvent comporter des objectifs interchangeables, une mise au point et une commande d'exposition automatiques, un flash intégré et un enroulement motorisé de la pellicule (figure 8.5). Ces appareils sont des merveilles de l'électronique. Grâce aux pellicules de 35 mm, ils produisent des photographies de grande qualité dans toutes sortes de situations. Beaucoup de personnes choisissent ces appareils en raison de leur facilité d'utilisation.

L'appareil photo reflex deux objectifs

L'appareil photo reflex deux objectifs, comme son nom l'indique, possède deux objectifs (figure 8.6). Un objectif sert à viser. L'autre focalise la lumière sur la pellicule. Sur cet appareil, le viseur se trouve sur le dessus du boîtier. La personne doit donc regarder vers le bas. Le terme « reflex » signifie qu'il y a un miroir à l'intérieur de l'appareil photo. Ce miroir *réfléchit* la lumière provenant du sujet vers l'œil de la ou du photographe (figure 8.7).

Ce type d'appareil photo est plus gros qu'un appareil photo à visée télémétrique. Il nécessite des pellicules de plus grandes dimensions et produit des photos d'excellente qualité. Par contre, il est plus lourd et plus cher. En général, les photographes professionnels et les amatrices et amateurs sérieux utilisent de tels appareils.

Figure 8.4 Ce qui apparaît sur la photo peut être différent de ce que tu vois à travers l'objectif du viseur.

Figure 8.5 Un appareil photo à visée télémétrique moderne offre plusieurs fonctions, comme la mise au point automatique.

La chambre photographique

La chambre photographique est le plus gros des appareils photo (figure 8.8). Cet appareil ressemble à un accordéon. Un soufflet pliant relie l'objectif au boîtier. En raison de sa taille, il repose sur une plate-forme à trois pieds appelée trépied.

Figure 8.6 Les appareils photo reflex deux objectifs ont deux objectifs. L'objectif au-dessus de l'appareil photo sert à viser. L'objectif inférieur sert à prendre les photos.

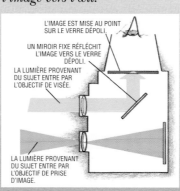

Figure 8.7 Un miroir fixe à l'intérieur d'un appareil reflex deux objectifs réfléchit l'image vers l'œil.

Figure 8.8 Avec la chambre photographique, on utilise de grandes feuilles de papier photographique pour obtenir des photos de qualité supérieure. On peut incliner l'objectif et le boîtier pour changer la perspective de l'image.

La chambre photographique a une particularité. On doit utiliser du papier photographique en feuilles individuelles. Ces feuilles mesurent 10 cm sur 12,5 cm, 20 cm sur 25 cm, parfois plus. Elles permettent d'obtenir des images très détaillées. Quand on agrandit un négatif, on agrandit le grain de la pellicule en même temps. En conséquence, la photo peut sembler floue.

Cependant, avec la chambre photographique, les négatifs ont déjà de grandes dimensions. Il n'est pas nécessaire de les agrandir beaucoup pour obtenir des photos. Cela permet de produire de grandes photos nettes et montrant même de très petits détails. C'est l'un des avantages de la chambre photographique.

Un autre avantage de cet appareil est qu'il permet d'obtenir une mise au point parfaite et une plus grande profondeur de champ. C'est possible parce qu'on peut incliner l'objectif et le boîtier. On peut manipuler l'appareil pour obtenir les résultats souhaités.

L'appareil photo reflex mono-objectif

Figure 8.9 L'appareil photo reflex mono-objectif 35 mm permet de photographier exactement ce qu'on voit dans le viseur. Le même objectif sert à la visée et à la prise de photos.

L'**appareil photo reflex mono-objectif** 35 mm est l'appareil photo privilégié des photographes professionnels et des amatrices et amateurs sérieux (figure 8.9). Ces appareils se transportent facilement et ils donnent d'excellentes photos. De plus, il y a toutes sortes de modèles et un très grand choix d'accessoires.

Le terme mono-objectif signifie que la visée et la prise de photos se font à l'aide d'un même objectif. Un miroir à l'intérieur de l'appareil photo réfléchit l'image sur un prisme à cinq côtés. Le prisme réfléchit l'image vers le viseur. Lorsque l'obturateur s'ouvre, le miroir se retire de la ligne de visée (figure 8.10). Cet appareil a un avantage : on voit dans le viseur ce qui apparaîtra sur la photo.

En général, l'appareil photo reflex mono-objectif 35 mm permet d'utiliser plusieurs objectifs. Ainsi, on peut rapidement retirer l'objectif du boîtier et le remplacer par un autre type d'objectif. Avec différents objectifs, on peut prendre des photos de sujets très rapprochés ou très éloignés.

L'appareil photo reflex mono-objectif 35 mm a un mode d'opération manuel, automatique, ou les deux. Avec le mode manuel, la ou le photographe doit régler le temps d'exposition pour chaque photo. Dans le cas d'un appareil automatique, le temps d'exposition se règle de façon automatique. Certains appareils photo 35 mm automatiques ont aussi des fonctions de réglage manuel pour le temps d'exposition. La figure 8.11 montre les différentes parties d'un appareil photo reflex mono-objectif. Tu trouveras des définitions à la page 144.

Les appareils photo reflex mono-objectif 2 1/4 po (57 mm) ressemblent aux appareils photo 35 mm, mais ils sont plus gros (figure 8.12). Étant donné qu'ils produisent des négatifs plus grands, ils fournissent des photos plus détaillées. On les utilise très souvent en photographie professionnelle. Par contre, ils coûtent plus cher. Ces appareils ne conviennent pas aux photographes amateurs.

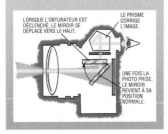

Figure 8.10 Le miroir se retire de la ligne de visée lorsque l'obturateur s'ouvre.

LORSQUE L'OBTURATEUR EST DÉCLENCHÉ, LE MIROIR SE DÉPLACE VERS LE HAUT.

LE PRISME CORRIGE L'IMAGE.

UNE FOIS LA PHOTO PRISE, LE MIROIR REVIENT À SA POSITION NORMALE.

Les appareils photo numériques

Les **appareils photo numériques** stockent des images numérisées (figure 8.13). Ils les stockent dans une mémoire flash intégrée ou sur un support amovible comme une carte PC, une disquette ou une cartouche

Figure 8.11   *Les parties d'un appareil photo reflex mono-objectif*

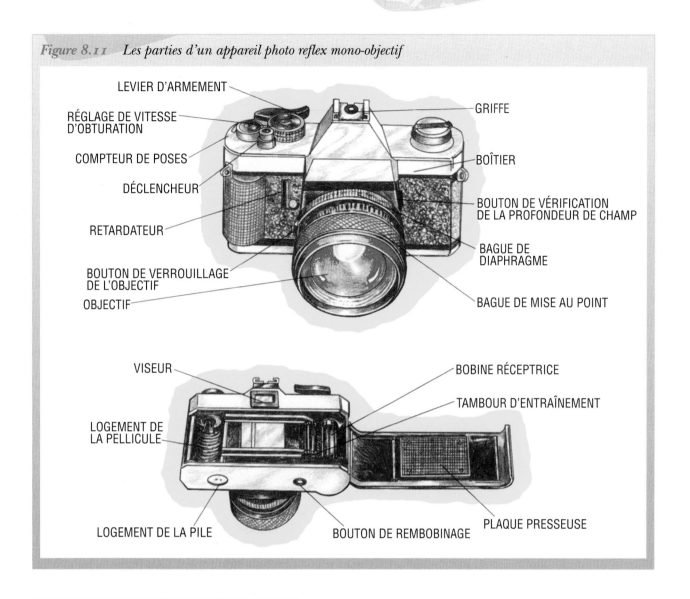

LEVIER D'ARMEMENT

RÉGLAGE DE VITESSE D'OBTURATION

COMPTEUR DE POSES

DÉCLENCHEUR

RETARDATEUR

BOUTON DE VERROUILLAGE DE L'OBJECTIF

OBJECTIF

GRIFFE

BOÎTIER

BOUTON DE VÉRIFICATION DE LA PROFONDEUR DE CHAMP

BAGUE DE DIAPHRAGME

BAGUE DE MISE AU POINT

VISEUR

LOGEMENT DE LA PELLICULE

LOGEMENT DE LA PILE

BOBINE RÉCEPTRICE

TAMBOUR D'ENTRAÎNEMENT

BOUTON DE REMBOBINAGE

PLAQUE PRESSEUSE

Figure 8.12   *En photographie professionnelle, on a souvent recours à l'appareil reflex mono-objectif 2 ¼ po.*

Figure 8.13   *Un appareil photo numérique*

Les parties d'un appareil photo reflex mono-objectif 35 mm

Boîtier : Le boîtier peut être fait de métal ou de plastique. Il s'ouvre à l'arrière pour l'insertion de la pellicule.

Objectif : L'objectif illustré est un objectif classique. On peut le remplacer par d'autres types d'objectifs.

Bague de diaphragme : Si on tourne la bague de diaphragme, on fait varier l'ouverture du diaphragme. Cela laisse entrer plus ou moins de lumière, selon les besoins.

Bague de mise au point : Cette bague sert à faire la mise au point sur le sujet. Il faut faire tourner la bague dans un mouvement de va-et-vient. Les inscriptions sur la bague indiquent les zones du sujet qui seront nettes.

Réglage de vitesse d'obturation : Il sert à modifier la vitesse d'obturation. On peut aussi le soulever tout en le tournant pour régler le posemètre intégré en fonction de la rapidité de la pellicule insérée dans l'appareil.

Levier d'armement : Ce levier permet de faire avancer la pellicule pour effectuer la prise de photo suivante.

Compteur de poses : Le compteur de poses indique le nombre de photos prises jusqu'à maintenant.

Déclencheur : Ce bouton contrôle l'ouverture et la fermeture de l'obturateur.

Bouton de rembobinage : Ce bouton sert à rembobiner la pellicule exposée.

Retardateur : Lorsqu'on active le retardateur, l'appareil déclenche l'obturateur de façon automatique après un bref moment. C'est une fonction pratique pour prendre une photo de soi-même. On peut activer le retardateur et venir se placer devant l'appareil.

Bouton de verrouillage de l'objectif : En appuyant sur ce bouton, on libère l'objectif et on peut alors le remplacer par un autre.

Bouton de vérification de la profondeur de champ : En appuyant sur ce bouton, on peut voir quelle partie de l'image sera nette.

Griffe : C'est l'emplacement où on installe le flash électronique.

Viseur : C'est l'objectif par lequel on peut voir le sujet à photographier.

Logement de la pile : La pile se trouve sous ce couvercle. Elle alimente le posemètre.

Logement de la pellicule : C'est l'emplacement où on installe la pellicule.

Tambour d'entraînement : Les dents de ce tambour s'emboîtent dans les trous de la pellicule. Lorsqu'on actionne le levier d'armement, ce tambour tourne et fait avancer la pellicule.

Bobine réceptrice : À mesure que la pellicule avance, elle s'enroule sur cette bobine.

Plaque presseuse : Cette plaque retient la pellicule en position durant le temps d'exposition.

de disque. Les appareils photo numériques sont faciles à manipuler et à utiliser. La plupart de ces appareils possèdent un logiciel et des connexions par fils ou par infrarouge pour le transfert des photos à un ordinateur. Le transfert produit des fichiers en mode point. Une fois les images numériques dans l'ordinateur, on peut les copier, les modifier, les imprimer ou les utiliser dans des pages Web ou dans d'autres documents.

Les appareils photo numériques sont de plus en plus populaires. Beaucoup de photographes les utilisent pour leur travail. De plus en plus de personnes s'en procurent, car les prix baissent alors que le nombre de modèles disponibles augmente. Tu peux te procurer un appareil photo numérique à partir de 100 $. Cependant, plus tu veux de fonctions, plus le prix augmente. Certains appareils professionnels peuvent coûter jusqu'à des dizaines de milliers de dollars.

Jusqu'à récemment, la photographie reposait sur l'exposition d'une pellicule à la lumière pendant un temps déterminé. Ce mode de photographie a un grand avantage : dans les conditions appropriées, on peut augmenter la résolution presque à l'infini. Autrement dit, il n'y a pas un nombre de « points » qui limite la qualité de la photo. Cependant, la photographie traditionnelle comporte quelques inconvénients. Il faut développer le film avant de voir les résultats et bien protéger les négatifs. De plus, il peut être difficile de modifier une photo. Enfin, le traitement et l'impression de films consomment du temps et de l'argent.

La révolution de l'appareil photo numérique réside dans l'absence de pellicule. Pour capter la lumière, la plupart de ces appareils utilisent un capteur à dispositif à couplage de charge (CCD) [figure 8.14]. Ce dispositif convertit la lumière en images numériques. L'appareil photo numérique stocke ensuite ces images dans sa mémoire spéciale ou sur un support amovible.

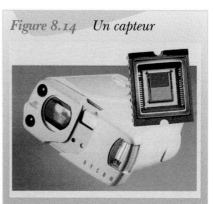

Figure 8.14   Un capteur

Les appareils photo numériques peuvent stocker des photos sous différents formats. Chaque format a sa propre capacité de stockage et donne sa propre résolution. La plupart des appareils photo numériques peuvent stocker des images en formats haute résolution JPEG ou TIFF. Cependant, ces formats consomment beaucoup d'espace de stockage.

La photographie numérique offre plusieurs avantages. D'abord, plusieurs appareils possèdent un écran ACL ; cet écran te permet de voir ta photo sur-le-champ. Tu peux ainsi décider de la conserver ou de l'éliminer.

De plus, tu peux transférer toi-même tes photos dans un ordinateur et les imprimer. Même si les photos imprimées à la maison ont une résolution limitée, tu évites les coûts associés au développement de photos traditionnelles. Mais si tu préfères, tu peux toujours confier cette tâche au laboratoire de développement.

L'impression maison de photos demande toutefois un équipement adéquat. Les appareils photo numériques stockent les images à de très hautes résolutions (des millions de pixels par image). Rappelle-toi qu'une imprimante ne peut pas imprimer à une résolution plus grande que celle pour laquelle elle est conçue. Par exemple, une imprimante d'une résolution de 300 sur 600 points par pouce ne peut imprimer avec une résolution supérieure, même si la photo à imprimer a une résolution beaucoup plus grande. Il y a des imprimantes photo numériques sur le marché ; elles sont plutôt abordables et ont une résolution presque idéale. Par contre, elles sont lentes et la plupart impriment seulement les photos en petits formats. Le papier peut faire une différence dans la qualité de l'impression. Choisis un papier qualité photo haut de gamme.

Les photos numériques s'intègrent facilement dans les pages Web et dans d'autres documents. De plus, tu peux stocker des centaines de photos sur un seul disque compact photo ou sur un seul disque compact inscriptible.

Techno liens

La retouche photo

La possibilité de faire des modifications représente un grand avantage des photos numériques. Une fois les photos sur le disque dur de l'ordinateur, des logiciels permettent de manipuler les images à l'écran. Il s'agit des **logiciels de retouche photo**, comme Photoshop® de Adobe®, Photo Paint® de Corel® et PhotoImpact® de Ulead®. Ces logiciels ressemblent aux programmes de peinture d'image. En quelque sorte, ils remplacent la chambre noire de la photo traditionnelle. On s'en sert pour faire des opérations simples comme ajuster la mise au point ou le contraste. D'autres fonctions dépassent largement les possibilités de la chambre noire traditionnelle.

Une photo numérique est une image en mode point. La retouche photo consiste à modifier un pixel donné de l'image, au besoin. Cela permet de contrôler avec précision l'apparence de la photo. Par exemple, suppose qu'un sujet a les yeux rouges à cause du flash. Avec le logiciel, on peut agir directement sur les pixels correspondants et leur attribuer la bonne couleur. En plus de corriger la couleur et les niveaux de luminosité, on peut appliquer des effets spéciaux et fondre différentes parties d'une image pour obtenir une image complète.

Les modifications peuvent être plus importantes. On peut aller jusqu'à faire disparaître quelqu'un d'une photo ! Il suffit d'effacer les pixels constituant l'image de cette personne et de les remplacer par des pixels tirés du fond de l'image.

Les logiciels de peinture d'image

Les **logiciels de peinture d'image** sont des logiciels graphiques en mode point, par exemple Paint® de Windows®. Les logiciels de peinture d'image peuvent être très simples, avec seulement quelques outils. Ils peuvent aussi être très complexes et comprendre un grand nombre d'outils : pinceau, plume, pastel, aquarelle, aérographe, crayon et gomme à effacer. Puisque ces logiciels peuvent intervenir sur chaque pixel à l'écran, ils permettent d'accomplir des tâches qui seraient impossibles à réaliser avec des outils traditionnels. Par exemple, on peut effacer un seul pixel ou faire une copie d'image de façon instantanée.

On peut comparer une image en mode point à une mosaïque de minuscules carreaux de céramique. Pour modifier une image, il faut retirer quelques carreaux et les remplacer par d'autres. C'est ce que font les logiciels de peinture d'image. Ces logiciels ont une grande souplesse, mais aussi quelques inconvénients. Par exemple, si tu as dessiné un cercle, tu peux facilement effacer ou manipuler chacun des pixels qui forment le cercle et ajuster l'image. Par contre, tu ne peux pas modifier le cercle en entier, surtout si tu as peint par-dessus. En effet, le logiciel ne reconnaît pas les points comme formant un cercle ; pour lui, il s'agit simplement d'une collection de pixels.

Malgré ces inconvénients, les logiciels de peinture d'image fournissent des outils pour créer des effets spectaculaires. Par exemple, tu peux jouer avec une image d'une multitude de façons : tu peux déformer les traits d'une personne, morceler une statue en une centaine de carreaux et donner une forme de tourbillon à une image. Il y a plusieurs logiciels de peinture d'image sur le marché, par exemple Photoshop® de Adobe®, PaintShop Pro® de Jasc Software® et Painter® de MetaCreations®.

L'image ci-dessus illustre comment un logiciel de retouche photo peut ajouter des effets graphiques informatisés à une photo traditionnelle.

Pour en savoir plus sur les logiciels de retouche photo, rends-toi à l'adresse suivante :

 www.dlcmcgrawhill.ca

Tu y trouveras des liens pour guider ta recherche.

Les objectifs

L'objectif est peut-être l'élément le plus important d'un appareil photo. Meilleur est l'objectif, meilleur est l'appareil photo. Même s'il y a des objectifs en plastique, les appareils photo haut de gamme ont la plupart du temps un objectif en verre.

Avec beaucoup d'appareils photo, on peut changer d'objectif très facilement. Certains modèles ont des objectifs vissés sur le boîtier. Dans d'autres cas, on installe ou on enlève un objectif par un mouvement rotatif.

Les objectifs diffèrent par leur distance focale (figure 8.15). La **distance focale** d'un objectif correspond à la distance entre le centre de l'objectif et la pellicule lorsque la mise au point est à l'infini. Plus la distance focale est grande, plus l'objectif agrandit l'image qu'il reçoit. Cependant, une partie de l'image reçue, appelée le **champ angulaire**, devient alors plus petite. À l'inverse, plus la distance focale est courte, plus le sujet apparaît petit, mais plus le champ angulaire s'élargit.

Figure 8.15   On exprime la distance focale d'un objectif en millimètres. Cette mesure apparaît sur le boîtier de l'objectif.

Les types d'objectifs

Plusieurs objectifs ont des distances focales fixes. Ce sont des objectifs normaux, courts ou longs (figure 8.16). Un objectif normal a un champ angulaire semblable à celui de l'œil humain. Sa distance focale est environ égale à la longueur de la diagonale tracée sur le négatif provenant du même appareil photo. Par exemple, un appareil photo 35 mm a une distance focale de 50 mm.

L'objectif court a une distance focale plus courte que l'objectif normal. Son champ angulaire est souvent plus large. On l'appelle aussi **objectif grand-angle**. On s'en sert lorsqu'on ne peut se reculer assez loin pour photographier un sujet entier avec un objectif normal. Le « **fisheye** » est un type particulier d'objectif court. Il couvre un champ angulaire de 180 degrés. C'est plus grand que ce que l'œil humain peut voir. Par contre, il donne une image déformée (figure 8.17).

Figure 8.16   Quelques objectifs utilisés en photographie professionnelle ou de haut niveau. (ci-dessous) Un objectif normal a une distance focale à peu près égale à la longueur de la diagonale d'un négatif 35 mm.

OBJECTIFS LONGS (TÉLÉOBJECTIFS)

ZOOM

OBJECTIF FISHEYE   OBJECTIF NORMAL   OBJECTIF MACRO   OBJECTIF COURT (GRAND-ANGLE)

35 mm

KODAK PX 5062

50 mm

NÉGATIF 35 mm

Figure 8.17 *Voici quatre photographies prises du même endroit : a) avec un objectif grand-angle ; b) avec un objectif normal ; c) avec un téléobjectif ; d) avec un objectif fisheye.*

Les objectifs longs, ou **téléobjectifs**, rapprochent les objets éloignés. Ils agrandissent le sujet éloigné comme des jumelles. Par contre, ils limitent le champ angulaire. Les téléobjectifs sont très utiles pour photographier des sujets éloignés. Par exemple, si tu veux photographier certains jeux d'une partie de football, le téléobjectif peut s'avérer un bon choix.

Les **zooms** permettent de modifier la distance focale, au besoin. On tourne la bague externe de l'objectif pour augmenter ou diminuer la distance focale. On ajuste le zoom quand on vise un sujet éloigné jusqu'à ce que la mise au point soit nette.

Des objectifs spéciaux rendent possible la photographie de très petits objets très rapprochés. Ces objectifs à gros plans, ou objectifs macros, permettent de photographier des objets aussi petits qu'une fourmi et de les faire apparaître aussi gros qu'un ballon de football.

Un tube-allonge est un tube vide qui s'insère entre l'appareil photo et l'objectif. Il convient aussi à la photographie rapprochée et il coûte beaucoup moins cher qu'un objectif macro.

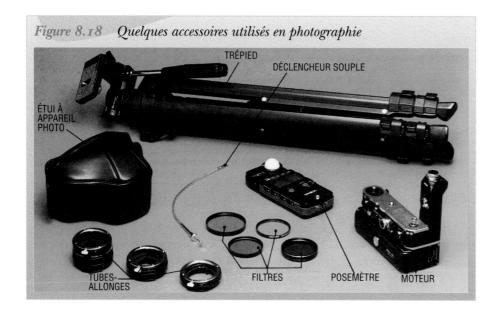

Figure 8.18 *Quelques accessoires utilisés en photographie*

TRÉPIED
DÉCLENCHEUR SOUPLE
ÉTUI À APPAREIL PHOTO
TUBES-ALLONGES
FILTRES
POSEMÈTRE
MOTEUR

Les accessoires

En plus des objectifs, divers accessoires permettent de prendre de bonnes photos (figure 8.18).

Les posemètres

Sans lumière, il n'y a pas de photo possible. Peu importe qu'il s'agisse de lumière naturelle ou de lumière artificielle, il faut absolument de la lumière.

Plusieurs appareils photo possèdent un **posemètre** intégré. Ce dispositif sert à mesurer la quantité de lumière présente. Par conséquent, on peut choisir l'ouverture de l'objectif (l'ouverture du diaphragme) et le temps d'exposition appropriés. Pour des résultats plus précis, les photographes utilisent des posemètres portatifs. Le posemètre à lumière incidente mesure la quantité de lumière qui atteint le sujet. Le posemètre à lumière réfléchie mesure la quantité de lumière réfléchie par le sujet.

Les accessoires d'éclairage

La figure 8.19 montre quelques accessoires d'éclairage courants. Il y a deux types d'accessoires d'éclairage artificiel : l'éclairage continu et le flash. L'éclairage continu se rapproche du type d'éclairage qu'on retrouve dans une maison. Si tu allumes une lampe dans une pièce, la pièce demeure éclairée. Dans ce cas, tu peux utiliser un posemètre pour déterminer le meilleur réglage pour ton appareil photo.

Les projecteurs pour illumination et les projecteurs à lumière dirigée fournissent un éclairage continu. Les projecteurs pour illumination projettent de la lumière sur une grande surface. Les projecteurs à lumière dirigée dirigent un mince faisceau de lumière sur une petite surface.

Le flash électronique, ou la lampe éclair, éclaire le sujet au moment précis de la prise de photo. Le modèle

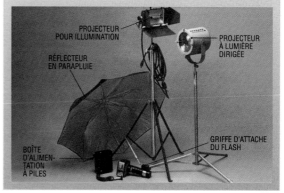

Figure 8.19 *À l'intérieur, il faut souvent utiliser des accessoires d'éclairage. L'éclairage de la pièce elle-même ne suffit pas.*

PROJECTEUR POUR ILLUMINATION
PROJECTEUR À LUMIÈRE DIRIGÉE
RÉFLECTEUR EN PARAPLUIE
BOÎTE D'ALIMENTATION À PILES
GRIFFE D'ATTACHE DU FLASH

le plus simple s'installe sur la griffe de l'appareil photo. Il projette un bref éclair de lumière au moment précis où l'obturateur s'ouvre. Il y a aussi des modèles plus coûteux à installer sur des trépieds.

Selon les endroits, il n'y a pas toujours de source de courant disponible. Les boîtes d'alimentation à piles permettent d'éviter ce problème.

Parfois, les lampes ne suffisent pas à produire l'éclairage désiré. Dans ce cas, les photographes utilisent des réflecteurs spéciaux. Le réflecteur en parapluie permet de diffuser la lumière sur une grande surface. L'éclairage est mieux distribué et plus doux.

Les équipements pour les appareils photo

Les filtres

Les photographes ajoutent quelquefois des filtres à leurs objectifs. Les **filtres** éliminent certaines longueurs d'onde de la lumière. Il y a trois filtres de base : les filtres à contraste, les lentilles de trucage et les filtres correcteurs de couleurs. Dans la photographie en noir et blanc, les filtres à contraste mettent en évidence certaines parties de la photo. Ainsi, l'utilisation d'un filtre jaune permet de rendre les nuages blancs plus visibles sur un fond de ciel bleu.

Les lentilles de trucage génèrent des images intéressantes, par exemple des formes en éventail ou des images retournées. On utilise les filtres correcteurs de couleurs avec une pellicule en couleurs pour corriger les couleurs selon le type d'éclairage utilisé. Par exemple, si on prend des photos à l'intérieur avec une pellicule conçue pour l'extérieur (la lumière du jour), le filtre correcteur de couleurs permettra d'obtenir de meilleurs résultats.

Le filtre *skylight* est un type de filtre qu'on peut laisser en permanence sur l'objectif. Il est transparent, mais il filtre les rayons ultraviolets qui peuvent voiler l'image. En même temps, il protège l'objectif de la poussière et des rayures.

Le réarmeur

Le réarmeur avance la pellicule de façon automatique après chaque pose. Il est très populaire en photographie professionnelle. L'appareil est toujours prêt pour la photo suivante. Le réarmeur est très pratique pour prendre des photos d'action, comme c'est le cas lors d'activités sportives. Il permet de prendre plusieurs photos par seconde.

Le déclencheur souple

Le déclencheur souple est un accessoire utile qui se branche sur le bouton déclencheur de l'obturateur. Si l'appareil est sur un trépied, tu peux prendre la photo sans même toucher à l'appareil. Le déclencheur permet de prendre des photos de longue durée sans faire bouger l'appareil. C'est très important que l'appareil photo soit stable si on ne veut pas obtenir des photos floues.

Les supports pour appareils photo

Le trépied est une plateforme qui repose sur trois pieds et sur laquelle on installe l'appareil photo. C'est un accessoire qui se plie pour faciliter son transport. On peut se procurer des plateformes à un seul pied, appelées pieds monobranches.

Guide d'utilisation *en technologie*

L'achat d'un appareil photo

Le prix d'un appareil photo varie de quelques dollars à quelques milliers de dollars. Comment choisir? En plus du prix de l'appareil, il y a beaucoup d'autres éléments à prendre en compte.

Tu dois d'abord te demander pour quoi tu utiliseras l'appareil. Veux-tu prendre des photos de voyage? devenir photographe artistique de film en noir et blanc? produire un album de jolies photos?

Si tu prévois prendre des photos seulement de temps à autre, choisis un appareil photo deux objectifs. (Rappelle-toi que cet appareil possède un viseur séparé de l'objectif principal.) En général, plus la pellicule est petite, moins la qualité de la photo est bonne. Par exemple, un appareil 35 mm donnera de meilleurs résultats qu'un appareil 110. L'avantage d'un appareil 110 est qu'il est peu coûteux et très compact. Par contre, il ne donne pas des images de grande qualité.

Il y a un grand nombre d'appareils photo deux objectifs 35 mm sur le marché. Les modèles peu coûteux conviennent très bien pour prendre des photos de voyage. En d'autres circonstances, ils ne produisent pas toujours des photos de qualité. Les appareils photo deux objectifs 35 mm plus coûteux possèdent des caractéristiques intéressantes pour quelqu'un qui veut découvrir la photographie. Ils offrent la mise au point et la prise de photo automatiques, l'objectif zoom, le retardateur, le réarmeur et la possibilité de changer d'objectifs.

La mise au point et la prise de photo automatiques favorisent la prise de bonnes photos. Tu n'as qu'à «viser et à déclencher». L'objectif zoom permet de photographier des sujets éloignés. Le retardateur retarde le déclenchement de l'appareil. Cela te donne le temps de te placer devant l'objectif si tu souhaites faire partie de la photo. Le réarmeur avance le film après chaque pose. Tu peux donc prendre plus de photos qu'en mode manuel. Le fait de pouvoir changer d'objectif te donne la possibilité de prendre différents types de photos… à condition de pouvoir t'offrir ces autres objectifs!

Si tu envisages de faire beaucoup de photographie, l'appareil photo reflex mono-objectif 35 mm est un bon choix pour apprendre.

La plupart des photographes professionnels utilisent ce type d'appareil. Habituellement, cet appareil permet de changer d'objectif et accepte des douzaines d'accessoires. En fait, tu pourras plus tard ajouter des éléments à ton appareil si tu décides de poursuivre la photographie. Ainsi, plus tu ajoutes de fonctions et d'accessoires à ton appareil, plus tu élargis tes possibilités (mais plus l'appareil devient coûteux).

Enfin, tu peux dorénavant te procurer un appareil photo numérique. Cet appareil élimine l'utilisation de pellicules. Il utilise plutôt un capteur. Le capteur transforme les rayons lumineux en une image fixe, reconnaissable par l'œil humain. L'appareil convertit ensuite l'image en un ensemble de données binaires. Tu peux télécharger directement tes photos dans un ordinateur et les modifier au besoin. Le format numérique des photos se prête bien à des applications multimédias et Internet.

Peu importe le type d'appareil que tu choisis, assure-toi qu'il est facile à tenir. Tout le monde a des mains différentes. Il est donc important de se sentir à l'aise lorsqu'on utilise un appareil photo avec toutes ses commandes. Avant d'acheter un appareil, prends le temps d'essayer plusieurs marques dans différents magasins.

De plus, il est important d'avoir une bonne garantie. Tu dois aussi te renseigner au sujet des réparations possibles. En cas de défectuosité, est-il possible de faire réparer l'appareil sur place ou faut-il l'envoyer au fabricant?

Tu dois aussi comparer les prix des appareils. On vend rarement les appareils photo au «prix de détail suggéré» par le fabricant, mais presque toujours à un prix inférieur. Il est avantageux de comparer ce prix avec ceux de plusieurs magasins.

L'étui à appareil photo

L'étui à appareil photo protège l'appareil de l'usure et de la poussière. Il y a des étuis en plastique ou en cuir. Certains ressemblent à une mallette. Habituellement, les photographes aiment avoir un sac souple qui contient tout leur équipement. Plus il y a d'accessoires, plus le contenant grandit lui aussi.

La pellicule et le papier photographique

Au tout début de la photographie, les photographes fabriquaient eux-mêmes leurs pellicules et leurs papiers photographiques. Ils couvraient des plaques de verre ou des feuilles de papier d'une couche de solutions chimiques sensibles à la lumière. Aujourd'hui, on peut se procurer les papiers photographiques, les pellicules et les produits photographiques nécessaires au développement des photos. La combinaison de ces produits permet de créer toutes sortes d'effets sensationnels.

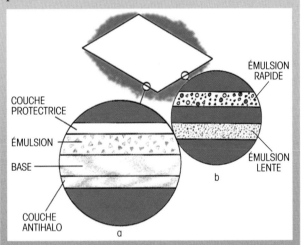

Figure 8.20 *Coupes transversales d'une pellicule en noir et blanc : a) les quatre couches d'une pellicule en noir et blanc ; b) en général, plus les cristaux d'argent de l'émulsion sont gros, plus la pellicule est sensible.*

Comment fonctionne la pellicule

La pellicule en noir et blanc comporte quatre couches (figure 8.20a). La couche d'**émulsion** contient de très petits cristaux d'haloïde d'argent sensibles à la lumière dans une gélatine. Pense à des fruits dans une gelée. Le côté émulsion d'une pellicule est toujours le côté le plus pâle.

Le type et la grosseur des cristaux d'argent déterminent les caractéristiques de la pellicule. Lorsque la lumière frappe les cristaux, elle vient modifier leur état chimique. Au cours du processus de développement, les cristaux exposés à la lumière se transforment en argent métallique noir. Les autres cristaux s'éliminent. Les cristaux (noirs) qui restent forment l'image sur le négatif.

Durant le processus de fabrication, on pose une couche d'un revêtement durable sur l'émulsion. Cette couche sert à protéger l'émulsion des rayures.

Sous l'émulsion, on retrouve une mince feuille de plastique transparent appelée la couche de base. Ce plastique de polyester ou de polystyrène est très stable. Cette stabilité est importante. Elle empêche l'étirement ou le rétrécissement lorsque la température varie ou que le taux d'humidité change.

La face arrière de la pellicule est enduite d'une couche antihalo noire. Cette couche absorbe la lumière et empêche sa réflexion à travers la couche d'émulsion. Cela pourrait créer une image fantôme sur la pellicule.

Les différents types d'émulsions ont des propriétés distinctes. Les caractéristiques d'une pellicule en noir et blanc sont la sensibilité à la lumière, la sensibilité chromatique, le contraste et le grain.

La sensibilité à la lumière

La sensibilité à la lumière représente la vitesse à laquelle l'émulsion réagit à la lumière. Une émulsion rapide exige peu de lumière pour une exposition convenable parce que les cristaux d'argent d'une telle émulsion sont gros (figure 8.20b). On se sert des émulsions rapides lorsqu'il y a peu de lumière.

On exprime la sensibilité à la lumière, appelée aussi « rapidité de la pellicule », par un nombre ISO. (« ISO » signifie Fédération internationale des associations nationales de normalisation. Les nombres ISO courants pour la pellicule en noir et blanc sont 1000, 400, 125 et 32. On utilise parfois l'autre désignation plus ancienne, ASA.) Plus le nombre ISO est élevé, plus la pellicule est sensible. Par exemple, une pellicule ISO 32 nécessite plus de lumière qu'une pellicule ISO 1000 pour une exposition réussie.

La sensibilité chromatique

La sensibilité chromatique indique que certaines émulsions n'ont pas la même sensibilité aux couleurs (figure 8.21). Ainsi, les **émulsions panchromatiques** sont sensibles à presque tout le spectre visible, et surtout au bleu. La plupart de ces émulsions produisent une large palette de tons de gris. On s'en sert souvent pour les photos en noir et blanc.

Les **émulsions orthochromatiques** sont sensibles à toutes les longueurs d'onde visibles, sauf le rouge. Elles ne courent aucun danger dans une pièce éclairée à la lumière rouge.

Les émulsions infrarouges sont sensibles à tout le spectre visible et à la bande de fréquences infrarouges. Les émulsions sensibles au bleu ne répondent qu'à la couleur bleue.

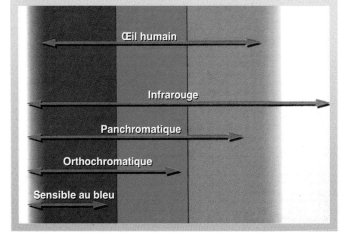

Figure 8.21 Voici une comparaison entre la sensibilité chromatique de différentes émulsions et la sensibilité chromatique de l'œil humain.

Le contraste

Le **contraste** est la différence de luminosité entre les zones ombrées et les zones claires d'une photographie. Un « contraste élevé » signifie qu'il y a une grande différence entre les zones claires et les zones ombrées. Cela signifie qu'il y a peu de tons de gris entre ces deux zones. Le niveau de contraste varie en fonction du type de pellicule et de la méthode de développement (figure 8.22).

Figure 8.22 Compare la photo de gauche, à contraste élevé, avec la photo de droite, qui est normale. Quelles différences remarques-tu ?

Le grain

Au cours du développement d'une pellicule, un motif à grain apparaît dans les cristaux d'argent. Lorsque le grain est fin, on le perçoit à peine sur la photographie. Par contre, certaines pellicules ont un gros grain. Le gros grain devient visible lors de l'agrandissement de la photo (figure 8.23).

En général, plus la sensibilité est grande (nombre ISO plus élevé), plus le grain est visible. C'est parce que les cristaux d'argent de ces émulsions rapides sont plus gros.

Faits scientifiques

L'émulsion infrarouge

Dans le spectre électromagnétique, les radiations infrarouges se situent entre la lumière visible et les micro-ondes. On ne peut pas voir les radiations infrarouges, mais on peut sentir la chaleur qu'elles émettent. Soixante pour cent de l'énergie irradiée par le Soleil nous parvient sous forme de rayons infrarouges.

Les radiations infrarouges peuvent mieux traverser l'atmosphère brumeuse ou la bruine que la lumière visible. Il est donc possible de prendre des photos par temps brumeux avec une émulsion infrarouge. Les objets chauds émettent des rayons infrarouges. Les émulsions infrarouges peuvent photographier ces objets, même dans l'obscurité la plus totale.

Tu as peut-être vu des photographies de la Terre prises d'un satellite. La végétation et les forêts apparaissent en rouge, au lieu du vert habituel. On a utilisé une émulsion infrarouge pour prendre ces photos et on les a reproduites à l'aide de «fausses couleurs». Avec ce type de photos, un objet qui émet des radiations infrarouges apparaît en rouge. Les scientifiques utilisent ces photos pour étudier la croissance des plantes.

Figure 8.23 Dans une photo agrandie, on perçoit davantage le grain de la photo.

Les photographes font habituellement des photos avec peu de grain, ou sans grain. Toutefois, on peut jouer avec le grain pour créer des effets spéciaux.

Le format et la grandeur des pellicules

Les pellicules à émulsion panchromatique prennent plusieurs formes. Tu peux t'en procurer sous forme de cartouches, de rouleaux ou de feuilles. Les cartouches sont conçues pour permettre un chargement rapide.

Les rouleaux de pellicule coûtent moins cher que les cartouches, mais ils demandent un peu plus de travail au moment du chargement. On peut fabriquer ses propres rouleaux de pellicule si on en utilise beaucoup. On achète des rouleaux de 30 m de pellicule en vrac. Ensuite, on enroule la pellicule sur de petites bobines individuelles. On fait ainsi des économies.

Il y a aussi de la pellicule en feuilles. On s'en sert surtout pour la chambre photographique.

On trouve autant de formats de pellicules que de formats d'appareils photo. Chaque format porte un numéro, par exemple 110, 116, 120, 126, 127, 135, 220, 616, 620 et 828. La méthode la plus sûre consiste à consulter le manuel d'utilisation de l'appareil photo pour connaître le format de pellicule approprié.

Le papier photographique

Le papier photographique sert à produire les épreuves. Différents types de papiers permettent d'obtenir différents types d'effets et de textures. On classe le papier pour photos en noir et blanc selon le poids, la texture, le degré de contraste, le revêtement de surface et le ton (figure 8.24).

Le poids du papier est proportionnel à son épaisseur. Le papier photographique peut être mince, moyen ou épais.

Il y a plusieurs textures de papier. Le papier brillant a une surface lisse et brillante. On s'en sert le plus souvent pour les photographies destinées aux magazines et aux livres. Les surfaces brillantes permettent une meilleure reproduction que les autres surfaces. Le papier mat a une surface non lustrée. C'est ce qu'on utilise en principe pour une exposition de photos. Les papiers aux surfaces rugueuses ou semblables à de l'étoffe peuvent donner des résultats intéressants.

Comme une pellicule, le papier photographique permet d'obtenir différents contrastes. Un système de numérotation indique le degré de contraste d'un papier. Ainsi, un papier n° 1 offre peu de contraste. Les photographies développées sur un tel papier produisent un effet de « douceur ». Par contre, un papier n° 5 offre un degré de contraste élevé, avec peu de tons de gris.

Certains papiers permettent de faire varier les contrastes, selon les besoins. Dans ce cas, il faut utiliser des filtres à contraste durant le développement. Plus le numéro du filtre est élevé, plus on accentue les contrastes.

Les papiers enduits de résine sont recouverts d'une couche de plastique. Cette couche de plastique empêche les produits photographiques de pénétrer dans le papier au cours du développement. Toutefois, ce type de papier ne révèle pas autant de tons que les autres papiers.

Figure 8.24 *Le papier photographique est disponible en différents formats. Les photographes professionnels en gardent souvent plusieurs types en réserve.*

La pellicule en couleurs

Tu peux appliquer ce que tu viens de voir dans ce chapitre à la pellicule en couleurs. Cependant, il y a quelques différences fondamentales. Il y a deux types de pellicules en couleurs : la pellicule négative et la pellicule positive. La pellicule négative en couleurs produit des épreuves photographiques en couleurs. La pellicule positive permet d'obtenir des diapositives en couleurs.

Les pellicules négatives en couleurs comportent une base de plastique transparente enduite de trois couches d'émulsions (figure 8.25). Chaque couche est sensible à l'une des couleurs primaires additives (chapitre 7), soit le rouge, le vert et le bleu. Lorsque tu photographies une voiture rouge, la couche d'émulsion rouge est exposée à la lumière réfléchie par la voiture. Au cours du développement de la pellicule, une teinture transforme la couleur rouge originale en une couleur complémentaire soustractive : le cyan (couleur bleu-vert). De la même façon, le vert devient magenta sur la pellicule négative, et le bleu devient jaune.

Les papiers photographiques en couleurs

Les papiers photographiques en couleurs fonctionnent selon le même principe que la pellicule en couleurs. Ils se composent de trois couches d'émulsions sensibles à la lumière rouge, verte ou bleue.

Figure 8.25   La pellicule photographique en couleurs comporte trois couches d'émulsions qui sont teintes en jaune, en magenta et en cyan au cours du processus de développement.

PELLICULE EN COULEURS

COUCHE DE PROTECTION
ÉMULSION SENSIBLE AU BLEU
ÉMULSION SENSIBLE AU VERT
ÉMULSION SENSIBLE AU ROUGE
SUPPORT DE LA PELLICULE
COUCHE ANTIHALO

AVANT LE DÉVELOPPEMENT   APRÈS LE DÉVELOPPEMENT

Tu as vu qu'une voiture rouge produit une couleur cyan sur la pellicule négative. La lumière qui passe à travers cette couleur cyan frappe les couches bleues et vertes du papier photographique (le cyan est une combinaison de bleu et de vert). Au cours du développement du papier, la couche bleue se transforme en une couleur complémentaire soustractive : le jaune. En même temps, les parties exposées de la couche verte deviennent magenta, qui est la couleur complémentaire soustractive du vert. Lorsque la lumière blanche traverse les couches jaune et magenta et qu'elle est réfléchie par le papier, elle apparaît rouge.

Les diapositives en couleurs

Les diapositives fonctionnent selon le même principe que les pellicules négatives en couleurs. Seul le développement est différent. Au cours du développement, on obtient d'abord un négatif en noir et blanc. Les teintures faites des couleurs complémentaires soustractives produisent une image positive. Lorsqu'on regarde à travers la diapositive, on regarde en réalité à travers trois filtres soustractifs. Comme ces couleurs n'ont pas la

Faits scientifiques

La lumière au tungstène

La lumière au tungstène provient d'une ampoule ordinaire. Tu as probablement des lampes de ce type chez toi. Les photographes appellent cette lumière la lumière au tungstène, car le filament situé à l'intérieur de l'ampoule est fait d'un métal appelé tungstène.

La lumière produite par une ampoule au tungstène contient plus de jaune et de rouge que de bleu. En photographie, il faut utiliser avec cette lumière des pellicules plus sensibles au bleu. Sinon, la pellicule n'enregistrera pas assez de bleu et la photo paraîtra trop jaune ou trop orange.

même densité sur la diapositive, elles se combinent pour donner toutes les couleurs du spectre visible.

L'équilibre des couleurs

Le Soleil produit une lumière blanche différente de la lumière des lampes au tungstène ou fluorescentes. Par conséquent, la pellicule en couleurs utilisée en extérieur doit correspondre à ce type de lumière. On peut se procurer des pellicules équilibrées pour la lumière du jour (le Soleil) ou pour la lumière au tungstène. Si on utilise une pellicule conçue pour la lumière du jour à l'intérieur d'une pièce éclairée au tungstène, la photographie apparaîtra trop jaune ou trop orange. Si on utilise ces deux types de pellicules ave une source fluorescente, les couleurs de la photo seront décalées. Pour éviter ce décalage, on doit utiliser des filtres lorsqu'on prend la photo.

Le développement et les épreuves photographiques

Pour obtenir une épreuve d'une pellicule, il faut effectuer plusieurs étapes. La première est le développement de la pellicule. Ensuite, on doit transférer le négatif obtenu sur du papier sensible à la lumière. On développe ensuite le papier. Tu vas découvrir ici les équipements et les matériaux nécessaires au développement d'une photo. Dans le chapitre 9, tu étudieras la procédure étape par étape.

Les produits photographiques

On utilise les mêmes produits photographiques pour développer de la pellicule ou du papier photographique. Il y a le développeur, le bain d'arrêt, l'agent fixateur et l'eau de rinçage. Le **développeur** fait noircir les cristaux d'argent exposés (figure 8.26). Le **bain d'arrêt** consiste en une solution à 18 % d'acide acétique. Il arrête le processus de développement en neutralisant le développeur. L'**agent fixateur** fixe l'image de façon permanente et enlève les cristaux d'argent non exposés. Enfin, l'eau de rinçage enlève le surplus d'agent fixateur et de produits photographiques qui peuvent abîmer la photo une fois qu'elle est sèche.

Au cours du processus, on fait tremper la pellicule dans les différents bains selon l'ordre suivant : dans le développeur, dans le bain d'arrêt, dans l'agent fixateur et dans l'eau de rinçage. On ne peut pas modifier cet ordre. De plus, il faut bien chronométrer chaque bain. On doit aussi contrôler la température et agiter les liquides.

La plupart des produits photographiques prennent un certain temps pour réagir. Tout dépend du produit photographique et de la pellicule. Le temps de développement a des conséquences sur la densité et le degré de contraste d'une photographie. Si la pellicule est surdéveloppée (on la laisse trop longtemps dans le bain de développeur), les parties exposées deviennent trop foncées. L'épreuve

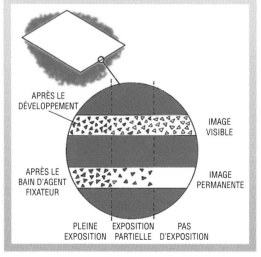

Figure 8.26 *Les particules d'argent exposées deviennent noires au cours du développement. L'agent fixateur retire les particules non exposées.*

APRÈS LE DÉVELOPPEMENT

IMAGE VISIBLE

APRÈS LE BAIN D'AGENT FIXATEUR

IMAGE PERMANENTE

PLEINE EXPOSITION   EXPOSITION PARTIELLE   PAS D'EXPOSITION

obtenue de cette pellicule semblera « délavée ». Une pellicule sous-développée donnera des épreuves trop foncées.

Il est préférable de conserver tous les produits photographiques utilisés pour le développement à la même température. Il est surtout important que le développeur soit à la bonne température. S'il est trop chaud, la pellicule se développera trop vite. S'il est trop froid, le développement sera trop lent. Vérifie les instructions pour connaître la température idéale.

L'agitation permet aux produits photographiques de réagir sur toute la surface de la pellicule. Ainsi, la pellicule demeure toujours en contact avec des produits photographiques frais. Cela évite aussi la formation de bulles d'air. L'agitation consiste à faire bouger le liquide en secouant légèrement la cuve ou en effectuant un mouvement circulaire.

Les développeurs pour pellicule ou pour papier permettent d'obtenir différents grains et divers degrés de contraste. Une pellicule et un développeur à grain fin donneront des épreuves à très faible grain. De la même façon, une pellicule à contraste élevé donnera une photographie à fort contraste. Quelquefois, on utilise un développeur pour pellicule à faible contraste pour atténuer les effets d'un négatif à contraste élevé. Le produit à utiliser dépend des effets recherchés.

Les négatifs sous-exposés ou sous-développés sont très pâles. Ils ne produisent pas de bonnes photos à cause d'un manque de contraste. On peut utiliser un renforçateur pour augmenter la densité globale du négatif. Ce procédé permet d'améliorer n'importe quelle photo. À l'inverse, on peut éclaircir des négatifs trop foncés à l'aide d'un affaiblisseur.

Le vireur est un produit photographique utilisé pour changer la couleur d'un papier photographique. Le vireur le plus courant est le sépia. Il donne un teint brun pâle au papier et un aspect ancien à des photographies récentes. Il y a des vireurs de plusieurs couleurs.

Figure 8.27   On enroule la pellicule sur une bobine et on la dépose dans une cuve de développement.

L'équipement

On développe les pellicules photographiques dans des cuves de développement (figure 8.27). Une cuve de développement doit être opaque à la lumière. Elle contient une ou plusieurs bobines de développement. Dans une chambre noire, on place la pellicule sur la bobine, puis on dépose la bobine dans la cuve de développement. Une fois la pellicule installée dans la cuve, le développement peut avoir lieu dans une pièce éclairée normalement.

Les cuves de développement sont soit en plastique, soit en acier inoxydable. Les cuves de plastique sont plus simples à utiliser, mais les cuves d'acier durent plus longtemps si on en prend bien soin. L'un des avantages du métal est qu'il conduit bien la chaleur. On peut refroidir ou chauffer facilement les produits photographiques versés dans les cuves en métal.

Une cuve de développement normale contient seulement une bobine. Cependant, certaines cuves plus grosses peuvent contenir jusqu'à deux ou même trois bobines à la fois. La plupart des bobines de plastique s'ajustent afin de recevoir différentes tailles de pellicules. C'est pratique si on a plusieurs rouleaux de films à développer en même temps. Par contre, les bobines de métal ne sont pas ajustables.

Les négatifs sont en général beaucoup plus petits que les photographies qu'ils produisent. On utilise un **agrandisseur** pour agrandir ces négatifs. Dans l'agrandisseur, le négatif se trouve à une certaine distance du papier photographique. On projette la lumière à travers le négatif et on obtient une photo plus grande que l'original.

Les principales parties d'un agrandisseur sont la tête, le porte-négatif, l'objectif, la base et le support (figure 8.28). À l'intérieur de la tête, une ampoule spéciale et une lentille répartissent la lumière de façon uniforme sur tout le négatif. Le porte-négatif retient le négatif en place.

Un objectif pour agrandissement se trouve au bas de la tête. Il sert à la mise au point de l'image sur le papier photographique. Il y a différentes grandeurs de porte-négatif et d'objectifs pour les différentes grandeurs de négatifs.

La tête peut bouger de bas en haut sur le support. Plus on éloigne la tête du papier photographique, plus on obtient une image grande.

En général, on se sert d'un margeur pour retenir le papier photographique en place. Certains margeurs sont ajustables. D'autres possèdent des ouvertures différentes afin de produire des photographies de différentes grandeurs. C'est le cadre du margeur qui produit la bordure blanche que l'on voit sur certaines photographies. Il sert à bloquer la lumière et empêche l'exposition du papier photographique. La plupart du temps, on développe le papier photographique dans des plateaux de développement (figure 8.29). Pour éviter de gaspiller les produits photographiques, on choisit des plateaux à peine plus grands que la grandeur du papier à développer. Il faut au moins quatre plateaux pour développer des photos en noir et blanc : un plateau pour le développeur, un autre pour le bain d'arrêt, un troisième pour l'agent fixateur, et le dernier pour l'eau de rinçage.

Tu verras les étapes de la création d'épreuves photographiques au chapitre 9.

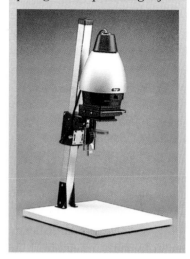

Figure 8.28 *On utilise un agrandisseur pour obtenir des reproductions plus grandes que le négatif.*

Figure 8.29 *On utilise des plateaux de plastique ou d'acier inoxydable pour développer du papier photographique.*

Révision du chapitre 8

Questions de révision

1. Définis un mécanisme de visée ; un objectif ; un obturateur. À quoi servent-ils ?

2. Quel inconvénient associes-tu au viseur d'un appareil photo à visée télémétrique lorsqu'on photographie un sujet de très près ?

3. À quoi sert le miroir à l'intérieur d'un appareil photo reflex mono-objectif ?

4. Qu'est-ce que la distance focale ? Quel est son rôle par rapport à l'objectif ?

5. À quoi sert un posemètre ?

6. Quelle est la différence entre un flash électronique et la lumière continue ?

7. Décris la structure d'une pellicule en noir et blanc. Quelles sont les différences entre une pellicule en noir et blanc et une pellicule en couleurs ?

8. Donne une définition de la rapidité d'une pellicule, du contraste et du grain.

9. À quoi sert un développeur ? un bain d'arrêt ? un agent fixateur ?

10. Pourquoi le temps, la température et l'agitation sont-ils des éléments importants du processus de développement ?

Activités

1. Avec le guide d'utilisation, observe un appareil photo reflex 35 mm, puis repère les principales parties. Sans insérer de pellicule dans l'appareil, effectue tous les ajustements et les réglages appropriés.

2. À la bibliothèque de ton école, fais une recherche sur un aspect de l'histoire de la photographie. Rédige un compte rendu de tes découvertes.

3. Fais des expériences d'éclairage sur un sujet à photographier. Utilise différentes sources de lumière et place-les à différents endroits. Observe les résultats et consigne-les.

4. Apprends à placer le rouleau d'une pellicule déjà exposée sur une bobine de développement. Lorsque tu te sentiras assez habile, refais l'expérience avec les mains dans un sac en tissu. Cela te préparera à travailler dans une chambre noire.

5. Trouve des photographies (ou des reproductions dans des magazines) qui présentent

   a) un contraste élevé,

   b) un contraste faible,

   c) un gros grain.

   Étiquette-les et prépare un montage de ces photos à exposer en classe.

Les applications de la photographie

On utilise la photographie pour toutes sortes d'applications. Les photographes publicitaires font des photographies pour les publicités. Les scientifiques incluent des photos dans leurs rapports d'expériences et pour communiquer leurs idées à d'autres scientifiques. Les journaux illustrent leurs articles à l'aide de photos. Les artistes choisissent la photo comme forme d'expression personnelle.

Pour la plupart des personnes, appliquer les principes de la photographie signifie prendre soi-même des photos. Il peut s'agir de simples photos instantanées ou de photos de qualité supérieure prises à l'aide d'équipement complexe. Certaines personnes préfèrent développer elles-mêmes leurs pellicules et créer leurs propres épreuves. Pour ce qui est de l'impression des photos numériques, consulte le chapitre 8.

La photographie peut sembler simple, mais elle demeure une science et un art. On peut mettre plusieurs années à maîtriser ses principes. Chaque photo est une occasion d'apprendre quelque chose de nouveau.

Vocabulaire

- commande d'exposition
- composition
- épreuve par contact
- lampes inactiniques
- loi de l'inverse des carrés
- maquillage
- nombre d'ouverture
- ouverture
- profondeur de champ
- règle des tiers
- repiquage
- surexposition sélective
- test de lumination
- tirage par projection

Au fil du chapitre, tu vas trouver les réponses à ces questions :

- Comment doit-on se représenter les sujets à photographier avant de les prendre en photo ?
- Quelles sont les étapes du développement d'une pellicule ?
- Comment répare-t-on les imperfections d'un négatif ?
- Comment obtient-on des épreuves ?
- Quel rôle la photographie joue-t-elle en tant que technologie de la communication dans la production, la promotion et le maintien de divers produits ?

chapitre 9

La prise de photos

Prendre une photo, c'est plus qu'appuyer sur le déclencheur. Il faut aussi comprendre ce qu'est la composition, savoir manier l'appareil photo et savoir effectuer les réglages appropriés.

La composition

As-tu déjà vu une ou un photographe former une petite « fenêtre » avec ses mains, les bras tendus vers l'avant ? Cette fenêtre permet parfois de mieux se représenter une scène. La **composition** consiste à agencer tous les éléments d'une photo. Chaque fois qu'on prend une photo, il faut penser à la composition. Il est rare d'obtenir de bonnes photos par hasard. La plupart du temps, une bonne photo est le résultat d'une bonne préparation.

Le sujet

Toutes les photographies intéressantes ont un point en commun : on en reconnaît tout de suite le sujet. Lorsque tu regardes une photo, ton regard se dirige vers ce que la ou le photographe a voulu montrer. Il peut s'agir d'une personne, d'un animal ou d'un objet. Peu importe le sujet, on l'a choisi *avant* de prendre la photo.

On fait la mise au point sur le sujet, sauf en de rares exceptions. On doit voir le sujet clairement.

Pour placer le sujet dans l'image, on suit la **règle des tiers.** Selon cette méthode, on divise l'image en trois tiers horizontaux et verticaux (figure 9.1). On tend en général à placer le sujet au centre de l'image. Toutefois, on obtient une composition plus agréable si le sujet se trouve à l'intersection de deux lignes divisant les tiers.

La photographie est un art. Le chapitre 10 traitera de divers éléments artistiques et des principes de la conception de photos. Par exemple, les diagonales ont plus d'intérêt que les lignes verticales ou horizontales.

Figure 9.1 *Imagine une image divisée en trois à l'horizontale, et en trois à la verticale. On a une composition plus intéressante si le sujet se trouve à l'intersection de deux lignes de division (à droite) plutôt qu'au centre de l'image (à gauche).*

Elles amènent le regard vers l'image (figure 9.2) et peuvent donc servir à attirer directement le regard sur le sujet.

En général, plus le sujet est grand par rapport au champ angulaire, meilleure sera la photo. Sur des photos agrandies, on remarque beaucoup plus le grain de la photo. Par contre, certains détails ont tendance à disparaître. Si le sujet occupe tout le champ angulaire, on a moins besoin d'agrandir la photographie, car le résultat sera plus net (figure 9.3).

Figure 9.2   L'angle inhabituel de cette prise de vue rend la photo plus intéressante.

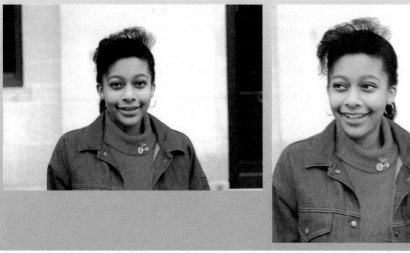

Figure 9.3   Un gros plan du sujet rend la photographie plus intéressante.

Si on fait un gros plan du sujet, on doit veiller à ne pas éliminer certains éléments importants de la photo. Il est rare qu'on élimine une partie de la tête d'un sujet! On coupe plutôt les bras ou les jambes, car ce sont des éléments moins importants que la tête sur une photo.

Parfois, on utilise d'autres éléments de la photo pour obtenir un cadre naturel autour du sujet. Par exemple, le tronc et les branches d'un arbre peuvent servir de cadre à un sujet se tenant sous ce même arbre (figure 9.4a).

L'arrière-plan

Il arrive qu'on se concentre trop sur un sujet et qu'on oublie l'arrière-plan, notamment chez les débutantes et les débutants. Pourtant, l'arrière-plan peut détourner l'attention du sujet. Par exemple, lorsqu'on photographie une personne devant un arrière-plan surchargé, on a l'impression que les objets lui «poussent» sur la tête (figure 9.4b). Une solution simple consiste à utiliser un arrière-plan uni ou à texture uniforme. Les photographes de studios suspendent souvent des rouleaux de papier derrière le sujet.

De plus, les ombres à l'arrière-plan peuvent aussi être une cause de distraction. On peut y remédier à l'aide d'un éclairage (nous traiterons de l'éclairage un peu plus loin dans ce chapitre).

Figure 9.4a   On peut exploiter les objets à l'arrière-plan pour former un cadre autour du sujet.

Le choix du moment

Les photographes doivent parfois choisir leur moment à la seconde près. Ainsi, un bébé change d'expression plusieurs fois

Figure 9.4b Un arrière-plan trop chargé détourne l'attention du sujet. Il est préférable d'utiliser un arrière-plan simple pour garder l'attention sur le sujet.

Figure 9.4b Un arrière-plan trop chargé détourne l'attention du sujet. Il est préférable d'utiliser un arrière-plan simple pour garder l'attention sur le sujet.

en une minute. Les événements sportifs offrent des moments excitants qui ne durent parfois qu'une ou deux secondes. Pour capturer ces images, il faut être en mesure de réagir très rapidement. Pour ce faire, on détermine autant que possible à l'avance la composition de l'image et les réglages de l'appareil.

L'utilisation de l'appareil photo

La photographie instantanée demande très peu de talent. La méthode « viser et déclencher » produit des photos instantanées acceptables pour la plupart des personnes. Pour obtenir des résultats de qualité supérieure, on doit connaître et appliquer d'autres techniques.

Figure 9.5 Voici la bonne façon de tenir un appareil photo.

Tenir l'appareil photo

Un appareil qui bouge pendant la prise de photo donnera une image floue. Pour éviter cela, il faut tenir l'appareil photo de la bonne façon.

On tient un appareil photo reflex mono-objectif 35 mm dans la paume de la main gauche. Le pouce, l'index et le majeur de la main gauche servent à régler l'ouverture (le nombre d'ouverture) et la bague de mise au point (figure 9.5). On utilise la main droite pour régler la vitesse de l'obturateur et appuyer sur le déclencheur. Avec un peu de pratique, cette technique devient vite naturelle.

Pour les temps d'exposition supérieurs à $\frac{1}{60}$ de seconde, on doit utiliser un trépied. La plupart des personnes ne peuvent pas tenir l'appareil sans bouger lorsqu'elles prennent des photos à des vitesses très lentes ce qui donne des images floues. Si on n'a pas de trépied, on peut appuyer l'appareil photo sur un support (par exemple un meuble) ou stabiliser son corps, par exemple contre un mur.

Un déclencheur souple facilite aussi la prise de photo à des vitesses lentes sans faire bouger l'appareil (chapitre 8).

L'éclairage

Tu as vu au chapitre 8 que l'éclairage est l'aspect le plus important en photographie. Les photographies prises sous un éclairage naturel ou artificiel sont souvent de qualité moyenne. On obtient de bien meilleurs résultats en planifiant un peu l'éclairage. Par exemple, la lumière provenant d'une fenêtre peut servir d'éclairage latéral ou en contre-jour.

Pour une prise de photo à l'extérieur, on recommande de se tenir de dos ou de côté par rapport au soleil. On évite ainsi l'apparition de reflets qui peuvent abîmer la photo. D'autre part, on peut obtenir des effets spéciaux quand on prend une photo à contre-jour, c'est-à-dire face à la source de lumière. Le sujet apparaîtra tout noir et sans détails visibles, avec un arrière-plan brillant. Pour obtenir cet effet, on place le sujet entre le soleil et l'appareil photo, au lever ou au coucher du soleil (figure 9.6). Pour réussir cet effet, on doit s'assurer de cacher le soleil au complet ou en partie afin d'éviter la surexposition. Attention : on peut aussi s'abîmer la vue si on regarde directement le soleil.

Le meilleur moyen de garantir un bon éclairage consiste à utiliser un studio photographique. Dans un studio, la ou le photographe dispose d'un vaste choix d'équipements : des projecteurs à faisceau large, des projecteurs à faisceau dirigé, des réflecteurs en parapluie, des sources d'alimentation, des toiles de fond, etc. Ces appareils permettent d'obtenir différents effets selon leur disposition dans le studio (figure 9.7).

À l'extérieur du studio, les photographes emportent souvent leurs appareils d'éclairage. Parmi les appareils les plus courants, il y a les lampes stroboscopiques et les flashs. Ils sont faciles à transporter. On peut installer ces lampes directement sur l'appareil photo, les tenir dans la main ou les fixer sur un support. Avec la pratique, on peut créer toutes sortes d'éclairages différents seulement avec le flash. On peut installer certains modèles sous différents angles pour réfléchir la lumière sur un mur ou sur un plafond. Cela permet d'adoucir l'effet de la lumière. On peut aussi adoucir un éclairage vif en couvrant une lampe à l'aide d'un mouchoir.

À 3 m d'une source de lumière, l'intensité de la lumière correspond au quart de sa valeur à 1,50 m. À 6 m de la source, l'intensité sera 16 fois plus faible. En physique, il s'agit de la **loi de l'inverse des carrés.** Il faut prendre en compte la réduction de l'intensité de la lumière lorsqu'on utilise un flash. À 1 m du sujet, le flash éblouit le sujet. Par contre, il ne sert à rien depuis la dernière rangée d'une salle de concert. Plusieurs appareils de type flash possèdent un senseur qui mesure la distance entre l'appareil et

Figure 9.6 Prendre des photos à contre-jour permet d'obtenir des effets spéciaux.

Figure 9.7 On a utilisé différents éclairages pour obtenir les résultats suivants : a) éclairage de face ; b) éclairage de côté ; c) éclairage principal et d'appoint ; d) éclairage principal, d'appoint et d'accentuation.

le sujet, et qui émet plus ou moins de lumière, selon les besoins. Toutefois, la photographie au flash demeure un processus difficile qui requiert beaucoup de pratique avant d'obtenir des résultats constants.

Peu importe le type d'éclairage, on doit toujours faire attention aux ombres. Elles peuvent produire des effets spectaculaires, mais peuvent aussi cacher des détails importants ou créer de grandes zones foncées non souhaitées.

Les réglages de l'appareil photo

Il faut tout de même plus que la lumière pour réussir de bonnes photos. Il faut aussi une quantité adéquate de lumière. En langage photographique, on parle de **commande d'exposition.**

Certains appareils photo disposent d'une commande d'exposition automatique. Pour d'autres appareils photo, on a réglé la commande en usine. On ne peut pas la modifier. Toutefois, plusieurs appareils photo permettent de régler la commande d'exposition, par exemple l'appareil photo reflex mono-objectif 35 mm. On doit régler la vitesse de l'obturateur et l'**ouverture** de l'objectif. Une bonne combinaison de ces réglages peut donner des effets intéressants.

Un appareil 35 mm type offre des vitesses d'obturateur allant de une seconde à $1/1000$ de seconde. Il offre aussi un réglage « B » qui permet de tenir l'obturateur en position ouverte de façon manuelle, pour une période indéterminée.

Chaque vitesse de l'obturateur représente la moitié de la vitesse précédente, à partir de 1 seconde : 1, $1/2$, $1/4$, $1/8$, $1/16$, $1/30$, $1/60$, $1/125$, $1/250$, $1/500$ et $1/1000$ de seconde. Si on règle la vitesse à deux crans plus rapides, seul le quart de la quantité de lumière précédente atteint la pellicule. Trois crans plus rapides ne laisseront pénétrer que $1/8$ de la lumière, et ainsi de suite.

Le diaphragme de l'appareil photo contrôle l'ouverture. On règle l'ouverture du diaphragme à l'aide de la bague de diaphragme de l'objectif. On se sert de **nombres d'ouverture** pour désigner les différentes grandeurs d'ouverture. Ces nombres sont le résultat de la division de la distance focale de l'objectif par le diamètre de l'ouverture ($f = F/D$). Comme pour la vitesse de l'obturateur, chaque valeur laisse pénétrer la moitié de la lumière par rapport à la valeur précédente. Les nombres d'ouverture types d'un appareil 35 mm sont : f/22, f/16, f/11, f/8, f/5.6, f/4, f/2.8 et f/1.8. Plus le nombre est grand, plus l'ouverture est petite.

Puisque le nombre d'ouverture et la vitesse de l'obturateur permettent de laisser entrer la moitié ou le double de lumière d'une valeur à l'autre, il est possible d'obtenir la même exposition avec différents réglages. Par exemple, les réglages suivants correspondent à la même exposition.

Vitesse de l'obturateur	Nombre d'ouverture
$1/30$	f/11
$1/60$	f/8
$1/125$	f/5.6
$1/250$	f/4
$1/500$	f/2.8

Si l'obturateur reste ouvert plus longtemps, l'ouverture doit être plus petite, et vice versa. (Rappelle-toi que plus le nombre d'ouverture est grand, moins l'ouverture est grande.)

Même si différents réglages produisent la même exposition, on n'obtient pas forcément des photos identiques. En effet, des réglages d'exposition différents donnent des profondeurs de champ différentes. Ils enregistrent aussi les mouvements d'une façon différente. La **profondeur de champ** détermine la profondeur du champ angulaire (de l'avant vers l'arrière de la photo) au foyer. Avec une petite ouverture, comme f/22, on obtient une grande profondeur de champ. Cela signifie que tous les éléments de l'image sont nets, qu'ils se trouvent tout près ou très loin de l'appareil photo (figure 9.8). Par contre, on a une profondeur de champ très courte avec une grande ouverture. Si on photographie un sujet avec une grande ouverture, l'arrière-plan sera flou. On utilise parfois cette méthode pour attirer l'attention sur le sujet. Si on prend des photos avec une grande ouverture, il faut s'assurer de bien faire la mise au point.

Figure 9.8   On a pris la photo de droite avec une grande profondeur de champ. Tous les éléments de l'image paraissent clairs.

La vitesse de l'obturateur prend de l'importance pour photographier des sujets en mouvement. Une vitesse d'obturateur rapide peut faire paraître les objets en mouvement immobiles. Ainsi, si on photographie une athlète à une vitesse de $^1/_{1000}$ de seconde, elle semble «gelée» sur la photographie. Par contre, à une vitesse de $^1/_2$ seconde, son image est floue (figure 9.9).

Figure 9.9   (À gauche) Une vitesse d'obturateur rapide gèle le mouvement. (À droite) Une vitesse d'obturateur lente produit une image floue.

Par conséquent, on peut se servir de la commande d'exposition pour contrôler l'apparence de la photographie. Il ne s'agit pas simplement d'avoir la quantité adéquate de lumière sur la pellicule. Il faut choisir la bonne combinaison de vitesse et d'ouverture pour obtenir l'effet souhaité. On y arrive avec beaucoup de pratique et d'observation.

La réaction de la pellicule à la lumière est une autre composante dont il faut tenir compte. Il est possible de régler le nombre ISO (ASA) de l'appareil photo. Ce réglage indique au posemètre intégré comment réagir en fonction de la pellicule utilisée. Le nombre ISO (ASA) apparaît sur l'appareil photo sous forme de nombres comme 400, 125 et 32. Lorsqu'on installe la pellicule, on doit aussi effectuer ce réglage par rapport à la pellicule utilisée. Certains appareils photo comportent un mécanisme de réglage automatique pour cette fonction.

Figure 9.10   Selon l'indication du posemètre, on devrait régler l'ouverture à la position f/4 pour obtenir une exposition adéquate.

La lecture du posemètre

La plupart des appareils photo reflex mono-objectif contiennent un posemètre intégré. On peut lire la valeur du posemètre à travers le viseur (figure 9.10). Certains posemètres affichent seulement les signes « + » ou « - » selon qu'il faut plus ou moins de lumière. D'autres modèles affichent un nombre d'ouverture qui suggère le réglage à utiliser pour obtenir une exposition adéquate.

De temps à autre, la valeur du posemètre peut nous induire en erreur. Par exemple, si on photographie un sujet foncé devant un arrière-plan brillant, le posemètre va enregistrer la lumière de l'arrière-plan. On obtiendra un effet de contre-jour sur la photographie. Pour éviter cela, il faut effectuer la lecture de la lumière et les réglages de l'appareil photo très près du sujet. Ainsi, lorsqu'on se replace à la distance voulue pour photographier, les résultats sont bien meilleurs.

Le développement de la pellicule

La pellicule panchromatique est sensible à presque toute la lumière du spectre visible. Par conséquent, on doit la développer dans l'obscurité totale. Le développement d'une pellicule comporte sept étapes (figure 9.11).

Étape 1 : L'insertion de la pellicule dans la cuve. L'insertion de la pellicule dans la cuve de développement doit se faire dans l'obscurité totale. On peut s'installer dans une chambre entièrement noire ou faire l'opération dans un manchon de chargement. L'objectif consiste à enrouler la pellicule sur la bobine de développement dans une parfaite obscurité. Pour réussir, il faut s'exercer d'abord à la clarté avec une bobine et un vieux morceau de pellicule. Une fois qu'on est assez habile pour le faire sans regarder, on peut essayer de le faire dans l'obscurité.

Étape 2 : Le développement de la pellicule. Le révélateur transforme les cristaux d'argent exposés en argent métallique noir destiné à former l'image. Cela s'appelle une réaction chimique. Il est important de bien

Figure 9.11 *Les sept étapes qui transforment une pellicule exposée en négatifs prêts pour les épreuves.*

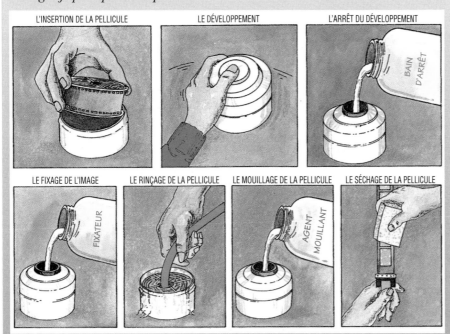

 ## Santé et sécurité

La sécurité dans une chambre noire

Le développement photographique n'est pas une activité dangereuse. Il faut cependant respecter certaines règles de sécurité.

- Certaines personnes peuvent avoir des réactions si leur peau entre en contact avec des produits photographiques. Il est donc préférable que tu portes des gants par mesure de sécurité. Utilise aussi de longues pinces pour soulever les négatifs ou les photos dans les plateaux de développement.
- Porte des lunettes de sécurité lorsque tu mélanges les produits photographiques afin de protéger tes yeux contre les éclaboussures. En cas d'éclaboussures, rince tes yeux à l'eau froide.
- Les produits photographiques sont toxiques. Évite tout contact avec des boissons ou de la nourriture.
- Assure-toi que la chambre noire est bien ventilée pour éviter que les vapeurs s'accumulent.
- Lis attentivement les instructions avant de mélanger et d'utiliser les produits photographiques.
- Range le matériel dans un endroit sûr afin de prévenir les risques d'incendie.
- Assure-toi que les allées sont dégagées afin d'éviter de trébucher ou de te faire mal.

surveiller le temps d'exposition, la température et l'agitation du liquide pour obtenir de bons négatifs. En général, les instructions fournissent un tableau qui indique le type de révélateur à utiliser ainsi que la température et le temps d'exposition à respecter. Il faut utiliser des ustensiles propres et mesurer avec soin la quantité de révélateur nécessaire. La température doit se situer entre 20 °C (68 °F) et 22,2 °C (72 °F).

Chaque fois, on note le temps d'exposition réel et on verse le révélateur (d'un seul trait) dans la cuve de développement. Il faut frapper plusieurs fois la cuve de développement sur le comptoir pour éliminer la formation de bulles d'air. On doit ensuite agiter le révélateur dans la cuve de développement en la retournant plusieurs fois ou en effectuant des mouvements circulaires. Il faut agiter le révélateur toutes les 30 secondes au cours de l'étape de développement. Il est important d'agiter le révélateur avec soin et de façon uniforme pour obtenir des négatifs de qualité.

Étape 3 : L'arrêt du développement. À la fin du développement, on doit retirer le révélateur de la cuve de développement et le remplacer par un bain d'arrêt à la température de la pièce. Le bain d'arrêt est une solution d'acide douce qui neutralise le révélateur. Il sert à arrêter le développement. La réaction dure environ 10 secondes. On doit sans cesse agiter le bain d'arrêt durant toute cette étape.

Étape 4 : Le fixage de l'image. Au cours de cette étape, il faut remplir la cuve d'un agent fixateur à la température de la pièce et l'agiter de façon continuelle durant quelques minutes. Le rôle de l'agent fixateur consiste à retirer tous les halogénures d'argent non exposés de la pellicule. Les cristaux d'argent non exposés ont une apparence blanche et laiteuse. Après ces quelques minutes, on ouvre la cuve pour s'assurer qu'il n'y a plus de cristaux d'argent non exposés. Si la pellicule n'est pas assez claire, il suffit de remettre le couvercle sur la cuve et de continuer à agiter l'agent fixateur pendant une ou deux minutes supplémentaires. On peut réutiliser l'agent fixateur jusqu'à ce qu'il ne soit plus efficace après quelques minutes.

Étape 5 : Le rinçage de la pellicule. À cette étape, l'image est déjà fixée de façon permanente. Cependant, il reste des produits photographiques sur la pellicule. Si on ne retire pas ces produits, ils peuvent décolorer la pellicule à mesure qu'elle sèche. Pour les retirer, on place la cuve avec la bobine à l'intérieur sous l'eau froide du robinet entre 5 et 10 minutes.

Étape 6 : Le mouillage de la pellicule. L'agent mouillant permet à l'eau de couler de façon uniforme sans laisser de taches. On laisse la pellicule sur la bobine. On trempe la bobine dans un agent mouillant. Puis, on secoue la bobine pour enlever le surplus d'agent mouillant.

Étape 7 : Le séchage de la pellicule. Il est important de suspendre les négatifs avec soin et de les faire sécher dans un endroit à l'abri de la poussière, car les particules de poussière abîment les négatifs. Une fois la pellicule séchée, on peut la découper en bandes individuelles de cinq négatifs. On range ensuite ces bandes dans un classeur pour pellicules.

Les épreuves

Le **tirage par projection** consiste à préparer des épreuves en projetant de la lumière à travers un négatif sur une feuille de papier photographique. Plus le négatif est loin du papier, plus l'épreuve est grande. On s'installe dans une chambre noire, sous des **lampes inactiniques.** Les lampes inactiniques possèdent un enduit qui filtre certaines couleurs de la lumière. Elles empêchent les autres rayons lumineux de passer à travers les surfaces sensibles d'un papier photographique.

Pour produire une impression photographique par projection, il faut suivre les étapes suivantes (figure 9.12).

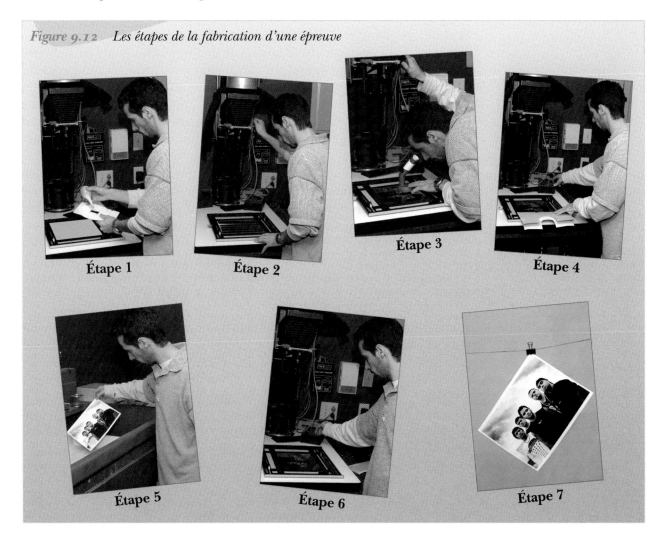

Figure 9.12 *Les étapes de la fabrication d'une épreuve*

Étape 1   Étape 2   Étape 3   Étape 4

Étape 5   Étape 6   Étape 7

Étape 1 : Le nettoyage du négatif. Avant d'agrandir un négatif, on doit s'assurer de sa propreté. La plus petite particule de poussière apparaîtra agrandie sur l'épreuve. On doit utiliser une brosse souple ou de l'air comprimé en aérosol pour enlever la poussière.

Étape 2 : Le réglage de l'agrandisseur. Il faut éteindre la lumière de la pièce et allumer les lampes inactiniques. On place le négatif avec soin sur le porte-négatif de l'agrandisseur, le côté émulsion (côté recourbé) face au papier photographique. On allume l'ampoule de l'agrandisseur. On déplace ensuite la tête de l'agrandisseur de haut en bas afin de trouver la grandeur désirée de l'épreuve sur le margeur. Les margeurs ajustables permettent aux photographes d'éliminer les parties non souhaitées de l'image. Le margeur se déplace vers les côtés ou d'avant en arrière.

Étape 3 : La mise au point. Pour terminer, on met l'image au point à l'œil nu ou à l'aide d'un viseur.

Pour faire la mise au point, on utilise l'objectif pleine ouverture de l'agrandisseur. Une bonne quantité de lumière facilite cette opération.

Étape 4 : Le test de lumination. Il faut effectuer un test pour déterminer la quantité de lumière nécessaire ou le temps d'exposition approprié. Tous les négatifs sont différents. Par conséquent, chacun requiert un temps d'exposition différent. De plus, lorsqu'on modifie la grandeur de la photo, la quantité de lumière nécessaire change aussi.

On règle l'ouverture du diaphragme de l'objectif à l'aide de la bague du diaphragme. Cette ouverture varie selon la densité (la noirceur) du négatif. On utilise une ouverture plus petite avec les négatifs clairs ; on agrandit l'ouverture avec les négatifs foncés. Pour déterminer l'ouverture du diaphragme, on peut procéder par tâtonnements si on s'y connaît peu. Par contre, les photographes d'expérience déterminent d'instinct la quantité de lumière nécessaire.

Le **test de lumination** permet de gagner du temps. Il évite le gaspillage du papier photographique. Pour effectuer ce test, on place une bande de papier photographique non exposé sur le margeur. On masque toute la bande, à l'exception de la bordure. Aucune lumière ne doit passer à travers le négatif. On expose la bande pendant un temps très court (environ trois secondes). Puis, on découvre une petite partie de la bande de papier. On l'expose de nouveau à la lumière. On recommence quatre fois ou plus, à des temps d'exposition de 3, 6, 9, 12 et 15 secondes.

Étape 5 : Le développement de l'épreuve du test de lumination. On doit toujours respecter le temps d'exposition et la température recommandés pour *tous* les papiers photographiques. C'est important pour obtenir des photos de qualité.

Le développement comporte quatre étapes : le révélateur, le bain d'arrêt, l'agent fixateur et l'eau de rinçage. Il ressemble au développement d'une pellicule. Cependant, il y a deux exceptions. D'abord, le révélateur est un révélateur pour épreuve (et non pour pellicule). Ensuite, on utilise l'éclairage d'une lampe inactinique. De cette façon, on peut voir ce qui se passe.

Encore une fois, il faut s'assurer de la propreté du papier photographique. Il faut éviter de toucher le papier photographique avec les mains, car on pourrait voir des empreintes digitales sur la photo. De plus, il faut sans cesse agiter le révélateur. Enfin, il faut bien fixer l'image avec l'agent fixateur et la rincer correctement à l'eau pour éviter une décoloration.

Étape 6 : L'impression de la photo. Après le développement du test de lumination, on devrait obtenir cinq densités d'exposition différentes. Sous une lumière blanche, on choisit le temps d'exposition qui produit la meilleure densité globale. Si les densités sont toutes trop claires ou trop foncées, il faut changer l'ouverture de l'objectif de l'agrandisseur et faire un autre test de lumination. Pour la photo finale, on choisit le meilleur temps d'exposition obtenu lors du test de lumination. On développe la photo exactement de la même façon.

Étape 7: Le séchage de l'épreuve photographique. La méthode la plus simple pour faire sécher des épreuves photographiques consiste à les suspendre dans un endroit à l'abri de la poussière. On peut accélérer le séchage en retirant le surplus d'humidité avec une raclette en caoutchouc ou en séchant l'épreuve avec un buvard spécial. On peut déposer l'épreuve sur la surface chauffée d'un séchoir d'épreuves photographiques.

Faits scientifiques

La photographie à développement instantané

Nous devons la photographie à développement instantané à une enfant. Vers la fin des années 1940, le chercheur Edwin H. Land travaillait pour Polaroid Corporation. Après des vacances en famille, sa fille lui a demandé pourquoi il fallait attendre pour voir les photos de vacances. Land a alors cherché un moyen d'accélérer le processus de développement. Il a réussi en 1947.

La photographie à développement instantané fonctionne selon le même principe que la photo régulière. Cependant, le révélateur, l'agent fixateur et le matériel de développement se trouvent déjà dans la boîte de la pellicule. Tout de suite après l'exposition, le mécanisme de développement se déclenche. On n'a pas besoin de cuve, de plateau, d'agrandisseur ni de chambre noire.

Les épreuves par contact

On a souvent de la difficulté à imaginer une photo à partir de son négatif. Le problème s'accentue avec les négatifs 35 mm, car ils sont très petits. Pour avoir une idée de l'apparence des photos d'une pellicule, on a recours aux **épreuves par contact** (figure 9.13). L'épreuve par contact donne un aperçu des photos qu'une personne a prises. De cette façon, on peut choisir les meilleures photos pour fabriquer des épreuves plus grandes.

Pour obtenir des épreuves par contact, on doit mettre une feuille de papier photographique en contact avec les négatifs, puis l'exposer à la lumière. On peut utiliser la lumière de l'agrandisseur ou une lumière pour épreuve par contact. Une plaque de verre propre sert à tenir les négatifs en place. On recommande de laisser les négatifs dans les enveloppes de rangement du classeur pour pellicules afin de ne pas abîmer les négatifs durant l'exposition. On développe ensuite l'épreuve par contact comme n'importe quelle autre photo.

Figure 9.13 Les épreuves par contact donnent un aperçu des photos qu'on obtiendra. Cela permet de sélectionner les meilleures épreuves par contact pour la fabrication d'épreuves plus grandes.

La correction des imperfections

Lorsque les négatifs comportent quelques défauts, on peut faire certaines corrections pour améliorer l'épreuve.

Les filtres à contraste

Les photographes ayant peu d'expérience se retrouvent souvent avec des négatifs à faible contraste. Autrement dit, il n'y a pas de différence marquée entre les zones claires et les zones foncées. On a mal déterminé le temps d'exposition soit à la prise de la photo, soit pendant le développement.

On peut améliorer les contrastes si on utilise du papier à contraste variable et un filtre à contraste élevé pendant l'agrandissement. On maintient le filtre en place sous l'objectif de l'agrandisseur pendant le test de lumination et la fabrication de l'épreuve. Inversement, s'il y a trop de contraste, on utilisera un filtre à faible contraste (figure 9.14).

Figure 9.14   *Si un négatif a un faible contraste, on peut utiliser du papier à contraste variable et un filtre à contraste élevé pour améliorer l'épreuve.*

La surexposition sélective et le maquillage

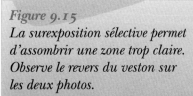

Figure 9.15
La surexposition sélective permet d'assombrir une zone trop claire. Observe le revers du veston sur les deux photos.

Un autre problème courant consiste dans l'apparition d'une zone trop claire ou trop foncée. Le reste du négatif est acceptable. On corrige une zone trop claire à l'aide d'une **surexposition sélective,** c'est-à-dire qu'on expose cette zone à la lumière au cours du processus d'agrandissement. Cette nouvelle exposition assombrit la zone claire sur l'épreuve et améliore les détails de l'image.

En premier, on expose l'épreuve au complet à la lumière, selon le temps d'exposition requis. Puis, on masque la zone réussie avec les mains ou avec du papier. On effectue une deuxième exposition à la lumière (figure 9.15). Il faut veiller à déplacer le masque légèrement au cours de l'exposition. Cela évite de reproduire l'ombrage du contour de la main ou du papier sur la zone trop claire. Cette deuxième exposition à la lumière permet d'assombrir la zone trop claire.

À l'inverse, on peut éclaircir une zone foncée à l'aide du **maquillage.** Pour ce faire, on colle un petit morceau de papier ayant la forme de la zone foncée sur un morceau de fil mince. On garde le papier en place sous l'objectif d'agrandissement durant une partie de l'exposition normale (figure 9.16). Il faut secouer légèrement le papier pour ne pas produire un ombrage du contour du papier sur la photo. On obtient ainsi une zone plus claire.

Le repiquage

Même dans les meilleures conditions, des marques de poussière peuvent apparaître sur la photo. On peut parfois peindre ces parties avec une solution de repiquage grise (figure 9.17). Le **repiquage** exige une grande dextérité qu'on acquiert par l'expérience.

Figure 9.16   *Le maquillage permet d'éclaircir une zone foncée. Il a permis de faire ressortir les détails de la tête du canard.*

Figure 9.17   *Un repiquage soigné permet d'améliorer l'apparence d'une photo.*

Guide d'utilisation *en technologie*

La mise en valeur d'une photographie

Il y a différentes façons de présenter une photo. Une option simple, rapide et peu coûteuse consiste à monter la photo sur un simple morceau de carton.

Le plus souvent, on fixe une photo sur un carton de montage. Il s'agit d'un carton qu'on utilise pour les encadrements. Il y en a de toutes sortes de couleurs. On se le procure dans les boutiques de fournitures d'art. On dépose ensuite un passe-partout par-dessus la photo. Ce passe-partout est un carton muni d'une fenêtre qui laisse paraître la photo. On installe cet assemblage dans un cadre, avec ou sans vitre.

Peu importe l'encadrement que tu choisis, plusieurs astuces peuvent t'aider à mettre tes photos en valeur.

Utilise surtout des couleurs neutres, comme le gris, le noir ou le blanc, pour encadrer ou monter des photos en noir et blanc. Les autres couleurs pourraient faire trop ressortir les tons de gris de la photo. Pour une photo en couleurs, choisis des matériaux qui s'harmonisent avec les couleurs de la photo. Rappelle-toi que tu veux attirer les regards sur la photo et non sur l'encadrement.

Tu peux fixer une photo sur un carton de montage à l'aide d'un montage à sec ou avec de la colle en aérosol. Le montage à sec consiste en une mince feuille de papier enduite d'une laque adhésive sur les deux côtés. Tu insères cette feuille entre la photo et le cadre de montage, puis tu chauffes l'assemblage. La chaleur permet de coller la photo sur le carton de façon permanente. La colle en aérosol est plus facile à utiliser, mais elle ne fixe pas la photo de façon permanente.

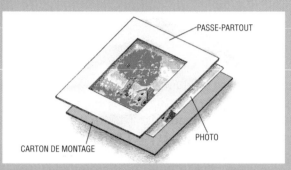

PASSE-PARTOUT

CARTON DE MONTAGE

PHOTO

Prévois une bordure assez large autour de la photo. Par exemple, pour une photo de 20 cm sur 25 cm, utilise un passe-partout avec une bordure d'au moins 3,75 cm tout autour de la photo. Laisse une bordure plus large dans le bas de la photo que sur les autres côtés.

Il y a un grand choix de types d'encadrements. Il y a, entre autres, le nouveau type d'encadrement « sans cadre ». Des supports ou des pinces retiennent la photo. Les encadrements tout simples en or ou en argent donnent aussi de bons résultats.

Agencer plusieurs photos sur un mur représente un défi. On peut se retrouver avec un mur rempli de trous avant d'avoir trouvé l'agencement qui convient ! Un truc consiste à disposer d'abord tes photos sur une feuille de papier d'emballage ou sur des journaux collés ensemble. La grandeur du papier doit correspondre à l'espace disponible sur le mur. Déplace les photos sur le papier jusqu'à ce que leur disposition te plaise. Dessine le contour des photos avec un marqueur sur le papier. Retire les photos et fixe légèrement le papier sur le mur avec du ruban adhésif. Insère un clou dans le mur à travers le papier, aux endroits appropriés. Retire doucement le papier. Suspends les photos.

D'autres applications

Les photos ne servent pas seulement à garder des souvenirs personnels. On prend des photos pour toutes sortes de raisons. On trouve sans cesse de nouvelles applications à la photographie, par exemple dans le domaine du divertissement.

Les films cinématographiques

On obtient un film cinématographique en photographiant des objets en mouvement à l'aide d'une pellicule qui se déplace à raison de 24 images par seconde. Chaque image enregistre une position différente de l'objet ou de la personne en mouvement. Lorsqu'on projette ces images à la même vitesse, soit 24 images par seconde, on recrée le mouvement original. Même s'il y a des «sauts» dans le mouvement, l'œil humain ne peut pas les percevoir à cette vitesse.

L'animation

L'animation suit le même principe que le film cinématographique. Cependant, on remplace les actrices, les acteurs et les décors par des dessins. Walt Disney est célèbre comme animateur. Il a produit des images en couleurs sur une pellicule de cellulose transparente. Chacune des «cellules» montrait un personnage dans une position légèrement différente. Il fallait 24 cellules pour chaque seconde d'animation. On a ensuite photographié une à une les milliers de cellules. Lorsqu'on a projeté la pellicule à 24 images par seconde, le personnage semblait bouger.

De nos jours, il est rare qu'on dessine des cellules une par une pour faire un film d'animation. Cela coûte trop cher et prend trop de temps. On utilise plutôt des modèles d'animation et des ordinateurs. On peut faire prendre toutes les positions à ces modèles. On les dispose sur une scène, puis on les photographie. On les déplace ensuite légèrement et on les photographie de nouveau, encore et encore, jusqu'à l'obtention du produit final.

Avec les ordinateurs, on a pu mettre au point un nouveau type d'animation (figure 9.18). La première étape consiste à produire des images graphiques informatisées à l'aide d'un numériseur ou d'un outil d'illustration informatique standard. En général, on produit d'abord la position de départ et la position d'arrivée d'un personnage, ou le début et la fin d'un mouvement particulier. Cela informe l'ordinateur sur ce qu'il doit faire. Le logiciel crée ensuite de façon automatique les différentes images qui relient logiquement ces deux positions. Cette façon de procéder s'appelle l'«interpolation».

Figure 9.18 **Le court métrage** Tin Toy **combine diverses techniques d'animation informatiques. C'est l'histoire d'un jouet qui rencontre un bébé pour la première fois. Ce film a remporté l'oscar du meilleur court métrage en 1988.**

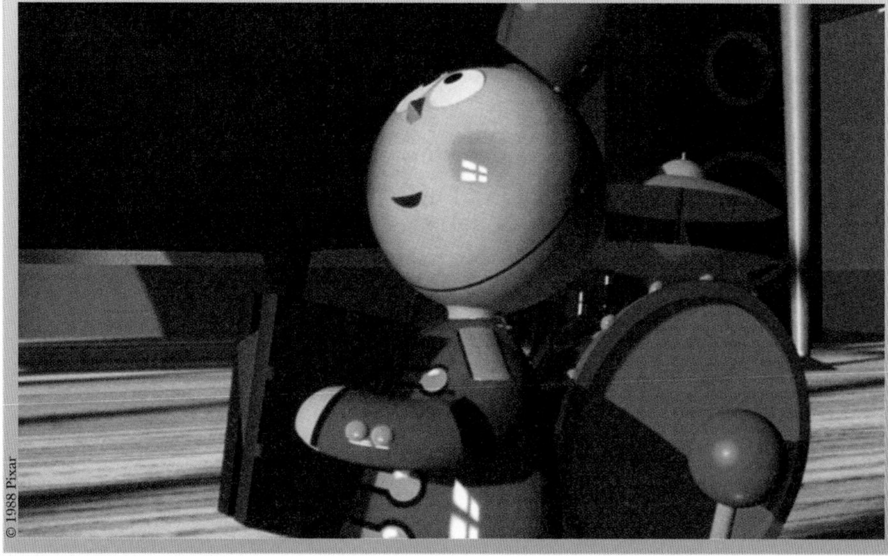

La technologie et toi

Les nombreuses utilisations de la photographie

Pour la plupart d'entre nous, les photos représentent des souvenirs. Elles nous rappellent nos vacances ou les personnes qui nous sont chères. Parfois, elles servent à conserver certains souvenirs personnels. Pendant ton enfance, tes parents ont sans doute pris des photos de tes exploits : premiers sourires, premiers pas, premier costume d'Halloween… Toutefois, la photographie a bien d'autres applications parfois méconnues.

Une photo peut t'amener là où tu n'as jamais mis les pieds. Combien de personnes auront la chance de visiter les montagnes du Tibet ? Presque tout le monde a déjà vu ces images ou celles d'autres pays lointains. Les photos permettent aussi de voyager dans des endroits inaccessibles. Ainsi, les appareils photo peuvent aller sous la mer à des profondeurs que les êtres humains ne peuvent pas atteindre. La plupart d'entre nous n'irons jamais sur la Lune, mais nous avons déjà vu des images de sa surface.

Les photos donnent l'occasion d'observer des éléments minuscules et invisibles à l'œil nu, comme les filaments d'ADN. Ces filaments sont les molécules qui déterminent notre code génétique. On a réussi à prendre des photos de traînées produites par les particules subatomiques lorsqu'elles traversent certaines substances.

Certaines utilisations de la photographie sont si courantes que nous les oublions presque. Pense à la publicité. On photographie presque tous les produits fabriqués pour les montrer à la clientèle. Les journaux incluent des photos pour montrer les événements décrits. Ces photos donnent souvent plus d'information que le texte lui-même.

Dans notre monde actif, les photos nous donnent accès à des choses que nous ne pourrions voir ou connaître autrement. Par exemple, pense au mouvement d'une aile d'abeille en vol ou à l'arc tracé par un bâton de baseball qui vient frapper une balle. La photographie nous révèle ces détails.

Les permis de conduire et autres pièces d'identification affichent presque tous la photo des personnes concernées. Une photo identifie une personne mieux que n'importe quel nom ou n'importe quelle autre méthode d'identification.

En médecine, la photo fournit des images utiles. Par exemple, les radiographies permettent de voir l'intérieur du corps. Certains films spéciaux sensibles à la chaleur permettent de détecter un cancer ou une autre maladie.

Pour des artistes, la photo est un moyen d'expression. Par exemple, Ansel Adams a pris des photographies du parc national Yosemite qui l'ont rendu célèbre. D'autres artistes, comme Edward Steichen, ont bâti leur réputation grâce à leurs photographies de personnages célèbres.

Depuis l'invention de l'appareil photo, les photos ont aussi servi à capturer des moments historiques, et parfois à les influencer. Avec le temps, certaines photos ont acquis le statut de symboles. Presque tout le monde a vu une photo de Neil Armstrong marchant sur la Lune. Les générations futures pourront s'imaginer nos vies en regardant les photos du « bon vieux temps » !

Révision du chapitre 9

Questions de révision

1. Qu'est-ce que la composition? Comment peut-elle améliorer une photo?

2. Quand doit-on utiliser un trépied pour éviter d'obtenir des photos floues?

3. Décris trois façons de modifier l'éclairage pour améliorer une photo.

4. Qu'est-ce que la profondeur de champ? Comment l'obtient-on?

5. Quand doit-on utiliser une vitesse d'obturateur de $1/1000$ de seconde?

6. De quelle façon un posemètre peut-il induire en erreur?

7. Énumère les sept étapes de développement d'une pellicule.

8. Qu'est-ce qu'une épreuve par contact et à quoi sert-elle?

9. Qu'est-ce qu'une «surexposition sélective»? En quoi est-elle différente du «maquillage»?

10. Comment produit-on un dessin animé aujourd'hui?

Activités

1. On obtient un «photogramme» lorsque des objets reposent sur du papier photographique exposé à la lumière. Après le développement, les formes des objets apparaissent sur le papier. Fais tes propres photogrammes. Utilise des objets transparents et opaques. Explique à la classe comment tu as obtenu ces résultats.

2. Trouve des photos instantanées ou des photos tirées de magazines qui respectent les principes suivants:
   a) la règle des tiers;
   b) l'utilisation de diagonales ou d'autres éléments artistiques;
   c) le cadrage;
   d) le plan figé;
   e) un fond uni.

3. Pense à un portrait que tu peux photographier sur place. Choisis un endroit qui convient à la personne choisie. Par exemple, si cette personne aime beaucoup les sports, tu peux choisir un stade. Dessine un plan d'éclairage à l'aide d'un éclairage existant.

4. Sous la supervision de ton enseignante ou de ton enseignant, essaie de fabriquer ta propre émulsion photographique. Fais une recherche sur le matériel qu'il te faut. Applique une émulsion sur du papier ou sur tout autre matériel approprié. À l'aide de ton émulsion, essaie de créer un photogramme (consulte l'activité 1).

5. Conçois ton propre dessin animé. Dessine un objet ou une scène sur la moitié droite d'une carte de 7,5 cm sur 12,5 cm. Sur une deuxième carte, redessine l'objet ou la scène avec de très légères modifications. Continue ainsi et dessine une douzaine de cartes ou plus. Tiens les cartes dans une main, puis fais-les défiler très vite avec ton pouce. Décris ton travail à la classe.

Profil de carrière

NICOL SIMARD

Nicol Simard est technicien photographe. Il a co-fondé le journal *Métropolitain* et y travaille depuis 10 ans. Le *Métropolitain* dessert la grande région de Toronto et a un tirage de 8000 copies par semaine (ou 48 numéros par année).

«Cinq personnes seulement travaillent au *Métropolitain*. Par conséquent, mes collègues et moi devons faire preuve d'une grande polyvalence», explique Nicol Simard. Il reprend: «Cette situation m'amène à participer aux différentes étapes précédant habituellement la sortie d'un journal. Je couvre les événements, je prends les photos, j'en fais le traitement électronique, je rédige les articles, je reçois et je gère les petites annonces, je sélectionne les polices de caractères, j'effectue la mise en page, je fais les dernières corrections avant l'impression et je m'assure de l'allure esthétique générale du journal. Voilà un aperçu des aspects généraux de ma tâche hebdomadaire et de mon rôle au sein de l'équipe.»

Monsieur Simard aime beaucoup la grande diversité de ses tâches. Il s'intéresse à l'évolution des nouvelles technologies et aime apprendre à les utiliser. Ce défi ne lui fait pas peur. Au contraire, il le stimule. «Je suis passé de l'informatique des gros ordinateurs à l'ère des ordinateurs personnels et de la micro-informatique avec passion. Je me suis également adapté à l'appareil photo numérique», précise Nicol Simard avec enthousiasme.

Au secondaire, il a choisi toutes les options possibles. Il a étudié les sciences humaines au cégep.

Au Collège universitaire Glendon de l'Université York (Toronto), il a reçu une formation en traduction et en linguistique. Ses études et sa participation au journal étudiant de l'université l'ont amené au journalisme. Il a d'ailleurs agi en tant que rédacteur en chef de ce journal étudiant.

«Mon amour du journalisme, ma fascination pour tout ce qui concerne le domaine de l'informatique (programmation, logiciels de toutes sortes, etc.) et ma polyvalence m'ont ouvert de nombreuses portes», affirme le photographe. En fait, Nicol Simard se définit comme un autodidacte.

Son métier l'amène à effectuer toutes sortes de tâches. Il n'y a donc rien de monotone dans son travail. Monsieur Simard doit savoir faire face à l'imprévu, travailler avec efficacité, rapidement, et s'adapter aux circonstances du moment. Parfois, il doit couvrir un événement à la dernière minute. «Chaque jour, il faut que je fasse preuve d'autonomie et que je sois capable de résoudre les problèmes moi-même», explique-t-il.

«L'informatique prédomine dans mon travail, c'est un élément clé de ma profession. C'est pourquoi je dois absolument connaître le plus de logiciels possible et m'adapter à leur fonctionnement», poursuit-il.

Cette profession demande des qualités personnelles indispensables, telles que la débrouillardise, le perfectionnisme (attention aux détails!), une facilité à travailler en équipe (clientèle et collègues) et, bien entendu, de la créativité.

«Il est primordial, pour réussir dans ce domaine, de "ne pas avoir froid aux yeux", de foncer, de ne surtout pas compter ses heures et d'avoir la capacité et la volonté d'étudier afin de suivre l'évolution des nouvelles technologies. C'est un métier passionnant qui vaut la peine qu'on s'y donne au maximum.»

Corrélations

Français

Tu as peut-être déjà entendu l'expression « Une image vaut mille mots ». Dans un journal ou un magazine, choisis une photographie qui parle par elle-même. En un paragraphe, indique ce qu'elle représente pour toi.

Sciences

1. Tes yeux peuvent te jouer des tours. Cela vient de la façon dont tu perçois les couleurs. Parfois, tu peux même percevoir de la couleur lorsqu'il n'y en a pas. Par exemple, si tu regardes longtemps des lignes noires et étroites placées très près les unes des autres, elles te paraîtront colorées. Fais l'expérience suivante. Charles E. Benham (1860-1929) l'a conçue. Dessine un disque (figure A) à l'encre noire sur un carton blanc. Découpe le disque. Insère une aiguille ou un cure-dents au centre du disque. Tiens l'aiguille ou le cure-dents d'une main et fais tourner le disque avec l'autre main. Regarde bien le disque. Fais-le tourner dans une direction, puis dans l'autre. Que remarques-tu ? Est-ce que les couleurs changent selon le sens de rotation du disque ?

2. Fais une autre expérience. Trouve deux objets : un objet rouge et un objet vert. Procure-toi une lampe de bureau ordinaire ou une lampe de table et dirige le faisceau lumineux sur les objets. Recouvre la lumière de papier cellophane bleu, puis de papier rouge et enfin de papier vert. Observe l'objet rouge et l'objet vert chaque fois. De quelles façons changent-ils de couleur ?

3. Voici un autre fait intéressant. Une même couleur peut paraître différente sur des fonds colorés différents. Observe les carrés de la figure B. Les triangles situés côte à côte sont colorés de façon identique. De quelle façon le fond coloré des carrés de chacun de ces triangles modifie-t-il la couleur des triangles ?

Mathématiques

Pour déterminer le nombre d'ouverture d'un objectif, on doit diviser la distance focale de l'objectif par le diamètre du diaphragme ($f = F/D$). F est la distance focale de l'objectif et D est le diamètre du diaphragme (l'ouverture de l'objectif).

Détermine le nombre d'ouverture à l'aide des données suivantes (arrondis au dixième) :

a) F =   50 mm et D = 28 mm
b) F =   50 mm et D =   9 mm
c) F =   80 mm et D =   5 mm
d) F = 200 mm et D = 25 mm

Études sociales

Les photographies sont un excellent moyen de documenter l'histoire. Elles sont parfois la meilleure façon de conserver des souvenirs d'un événement particulier.

Consulte la section des collections spéciales de ta bibliothèque municipale. Trouve de vieilles photos de ton quartier. Si tu n'en trouves pas, renseigne-toi auprès d'un organisme historique. Choisis plusieurs photos d'une époque donnée et examine-les. Que t'apprennent-elles au sujet de cet endroit et de cette époque ? Présente tes découvertes à la classe.

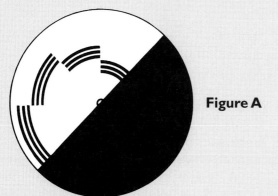

Figure A

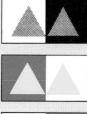

Figure B

Activités

Les activités de base

Activité de base n° 1
Le photogramme

Le photogramme est le moyen le plus simple de produire des images photographiques. Il ressemble à un dessin blanc sur fond noir. Pour obtenir un photogramme, on place des objets directement sur un papier sensible à la lumière et on les expose à une source lumineuse. Une fois l'exposition terminée, le papier devient noir là où les objets se trouvaient (la lumière ne passe pas à travers le papier). On peut faire des photogrammes intéressants si on planifie bien l'emplacement des objets.

Matériel
du papier photographique
un révélateur
un bain d'arrêt
un agent fixateur
des plateaux
des pinces pour le séchage

Marche à suivre

1. Pense à l'image que tu aimerais obtenir. Rappelle-toi que certains objets laissent passer des rayons lumineux et permettent de créer des effets intéressants, par exemple certains types de plastique. Les objets opaques produisent seulement des formes pleines.
2. Dans une chambre noire ou avec un éclairage inactinique, dispose les objets sur une feuille de papier photographique.
3. Éclaire la pièce durant quelques secondes.
4. Dépose le papier photographique dans le plateau de révélateur pendant une minute.
5. Pour arrêter le développement, transfère le papier photographique dans le plateau de bain d'arrêt.
6. Pour fixer l'image, transfère le papier photographique dans le plateau d'agent fixateur. Laisse-le dans le plateau pendant plusieurs minutes.

7. Si le photogramme est trop pâle ou trop foncé, règle le temps d'exposition à la lumière blanche. Refais les étapes précédentes.
8. Rince bien le photogramme à l'eau froide du robinet pendant plusieurs minutes.
9. Fais sécher le photogramme.

Activité de base n° 2 :
La photographie par sténopé

L'appareil à sténopé est l'appareil photo le plus simple. Il s'agit d'une boîte. À une extrémité, on perce un petit trou. À l'autre extrémité, on place la pellicule. Les rayons lumineux passent à travers le trou jusqu'à la pellicule.

Matériel
une petite boîte (cylindrique)
du ruban adhésif transparent
du ruban adhésif noir
une petite feuille de pellicule orthochromatique

Marche à suivre

1. Fabrique un appareil à sténopé comme dans la figure III.1.
2. Dans une pièce à éclairage inactinique, ouvre l'arrière de l'appareil. Fixe une pellicule orthochromatique, côté émulsion vers le haut, à l'intérieur de l'appareil photo. Utilise du ruban adhésif transparent. Évite d'en mettre sur la partie qui recevra des rayons lumineux.
3. Ferme l'appareil photo. Assure-toi qu'aucune ouverture ne laisse passer la lumière à l'arrière de l'appareil photo. Tu peux utiliser du ruban adhésif noir pour sceller l'arrière.
4. Recouvre le trou d'un morceau de ruban adhésif noir.
5. Sous un éclairage ordinaire, installe le sujet à photographier. Assure-toi de garder ton appareil immobile durant le temps d'exposition. Par exemple, tu peux l'appuyer sur une table.
6. Ouvre l'« objectif » du sténopé, c'est-à-dire retire le ruban adhésif. Évite de secouer l'appareil. Le temps d'exposition dépend de

Activités

Activités

la luminosité de la lumière, de la grosseur de l'ouverture de l'objectif et du type de pellicule utilisé. Si le sujet à photographier se trouve sous une lumière éclatante et que tu utilises une pellicule rapide, expose la pellicule moins d'une seconde.

7. Replace le ruban adhésif sur l'objectif.

8. Éteins les lumières. Retire la pellicule dans l'obscurité complète. Range-la dans un sac imperméable à la lumière ou dans un contenant. Colle un nouveau morceau de pellicule dans ton appareil.

9. Expose cette nouvelle pellicule deux fois plus longtemps que la précédente.

10. Refais les étapes 7 à 9 afin d'obtenir plusieurs poses de ton sujet.

Figure III.1

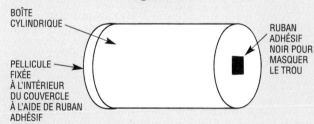

BOÎTE CYLINDRIQUE

PELLICULE FIXÉE À L'INTÉRIEUR DU COUVERCLE À L'AIDE DE RUBAN ADHÉSIF

RUBAN ADHÉSIF NOIR POUR MASQUER LE TROU

Activité de base n° 3
Le développement

Développe les photos prises avec ton appareil à sténopé. Tu obtiendras des négatifs qui serviront à produire des épreuves.

Matériel
du révélateur de pellicule en tons continus
un bain d'arrêt
un agent fixateur
des plateaux pour le développement
des pinces pour le séchage

Marche à suivre

1. Dispose les plateaux de développement, de bain d'arrêt et d'agent fixateur dans une chambre noire, imperméable à la lumière.

2. Retire la pellicule de l'appareil à sténopé et dépose-la dans le plateau de développement.

3. Agite le révélateur pendant le processus de développement. Le temps de développement dépend du type de pellicule et du révélateur utilisés. Consulte les instructions. Fais plusieurs essais pour déterminer le temps approprié.

4. Une fois l'image bien développée, note le temps requis pour son développement. Dépose la pellicule dans le bain d'arrêt pendant 10 secondes. Retire-la du bain d'arrêt.

5. Dépose la pellicule dans l'agent fixateur et agite le liquide de façon continue. Compte le double du temps noté précédemment.

6. Rince la pellicule à l'eau froide du robinet pendant cinq minutes.

7. Fais sécher le négatif.

Activité de base n° 4
La documentation numérique

Les photos numériques ont de plus en plus tendance à remplacer les photos traditionnelles. Elles ont un avantage : on peut les importer rapidement pour des applications d'éditique ou de multimédia. Planifie et prends des photos numériques qui pourraient servir à documenter un compte rendu pour ton cours de technologie des communications.

Matériel
un appareil photo numérique
un ordinateur
un logiciel d'édition numérique

Marche à suivre

1. Décide à l'avance des photos que tu veux prendre. Pense aux prises de vue les plus appropriées. Prévois aussi l'éclairage, les supports, les modèles, etc. Si tu souhaites prendre des photos d'équipement, assure-toi de photographier une ou plusieurs personnes en train d'utiliser l'équipement. Il est plus simple d'employer des modèles (des camarades de classe) pour ces photos que d'essayer de prendre des photos sur le vif.

2. Relis attentivement le mode d'emploi de l'appareil photo numérique. Exerce-toi avec

des sujets inertes (objets) avant de prendre des photos de personnes qui travaillent au laboratoire. Fais des essais avec l'éclairage d'une pièce, un flash, etc.

3. Effectue les réglages nécessaires avant chaque pose. Regarde à travers l'objectif pour t'assurer de la netteté de l'avant-plan et de l'arrière-plan avant de prendre une photo. Prends des photos avec l'appareil photo numérique selon ton plan.

4. Télécharge les images dans un ordinateur.

5. Modifie tes photos à l'aide d'un logiciel d'édition d'image numérique afin d'obtenir les meilleures photos possibles.

6. Imprime de petites images à l'aide d'une imprimante en couleurs ou utilise une imprimante laser en noir et blanc.

7. Pense à une façon d'utiliser ces photos : une présentation avec diapositives numériques, une page Web ou un compte rendu qui met en valeur ton travail au laboratoire de technologie des communications.

Les activités intermédiaires

Activité intermédiaire n° 1
L'épreuve par contact

Le négatif obtenu à l'activité de base n° 3 devrait avoir les dimensions appropriées pour en tirer une épreuve par contact.

Matériel
le négatif de l'activité de base n° 3
un morceau de verre propre
un révélateur
un bain d'arrêt
un agent fixateur
des plateaux
des pinces pour le séchage

Marche à suivre

1. Dans une chambre noire, sans lumière, dépose le côté émulsion (côté terne) du négatif sur une feuille de papier photographique.

2. Recouvre le négatif d'un morceau de verre propre.

3. Éclaire le négatif avec une lumière blanche. (Tu devras peut-être effectuer un premier essai pour connaître le temps d'exposition requis.)

4. Développe le papier photographique. Respecte le temps d'exposition et la température recommandés.

5. Fais sécher la photo par sténopé.

Activité intermédiaire n° 2
La composition

Tu peux apprendre les principes de base de la composition avec n'importe quel appareil photo. Avec de la planification et un peu d'attention, tu peux prendre des photos instantanées qui montrent que tu comprends les principes de la composition.

Matériel
un appareil photo
de la pellicule

Marche à suivre

1. Suis le mode d'emploi de l'appareil photo. Installe la pellicule.

2. Prends trois photos qui appliquent la « règle des tiers » vue au chapitre 9.

3. Prends trois photos qui montrent l'utilisation des diagonales. Prends d'autres photos qui montrent les règles d'une bonne composition.

4. Fais développer la pellicule dans un commerce.

5. À partir de tes photos, fais un montage avec des légendes pour présenter les différentes techniques de composition.

Activité intermédiaire n° 3
Un statif de reproduction 35 mm

Pour le travail ou pour les loisirs, on emploie très souvent l'appareil photo 35 mm. Dans cette activité, tu vas avoir la possibilité d'en essayer un. Un statif de reproduction est un support qui sert à

Activités

reproduire des photos à partir d'un document imprimé ou d'autres photos.

Matériel

un appareil photo reflex mono-objectif 35 mm
un statif de reproduction
une pellicule de 24 poses en noir et blanc
8 photos de magazines

Marche à suivre

1. Insère la pellicule dans l'appareil photo. Installe l'appareil photo sur le statif de reproduction. Assure-toi que le réglage de l'appareil photo correspond à la rapidité de la pellicule utilisée.
2. Dispose une photo de magazine sur le statif de reproduction.
3. Déplace l'appareil photo vers le haut et le bas du statif pour que la photo occupe à peu près tout le champ angulaire. Effectue la mise au point de ton appareil photo.
4. Règle la vitesse de l'obturateur et le nombre d'ouverture pour un temps d'exposition normal, selon l'indication du posemètre.
5. Prends une photo. Consigne le numéro de la photo, le nombre d'ouverture et la vitesse de l'obturateur sur une feuille de papier. Cette liste constitue ton journal de prises de vue.
6. Règle le diaphragme à un nombre d'ouverture entier. Par exemple, l'ouverture peut varier entre f/11 et f/8. Prends une deuxième photo. Consigne ces données dans ton journal de prises de vue.
7. Prends une troisième photo à un nombre d'ouverture inférieur à celui de la deuxième photo (f/16 dans notre exemple). Consigne les données dans ton journal de prises de vue.
8. Refais les étapes 2 à 7 avec chaque photo de magazine.
9. Rembobine la pellicule et retire-la de l'appareil photo.

Activité intermédiaire n° 4
Le développement d'une pellicule en noir et blanc

Dans cette activité, tu vas produire des négatifs à partir de la pellicule exposée dans l'activité intermédiaire n° 3.

Matériel

plusieurs mètres de pellicule 35 mm inutile
le rouleau de pellicule de 35 mm de l'activité intermédiaire n° 3
un ouvre-bouteille
une cuve de développement et une bobine
un révélateur de pellicule en noir et blanc
un bain d'arrêt
un agent fixateur
un agent mouillant
des plateaux
des pinces pour le séchage

Marche à suivre

1. Avec la pellicule inutile, exerce-toi à charger la pellicule sur la bobine de développement. Tu dois pouvoir le faire les yeux fermés.
2. Dans l'obscurité complète, retire la pellicule à développer de son contenant en métal à l'aide d'un ouvre-bouteille. Installe-la sur la bobine de développement.
3. Place la bobine dans la cuve de développement et fixe bien le couvercle opaque.
4. Mesure la quantité de révélateur nécessaire et vérifie sa température.
5. Consulte le mode d'emploi pour déterminer le temps de développement et la température.
6. À l'aide d'une minuterie qui mesure les secondes, verse le révélateur dans la cuve. Frappe immédiatement la cuve sur le dessus du comptoir. Agite le liquide avec des mouvements circulaires pendant cinq secondes. Toutes les 30 secondes, refais ces mouvements pendant cinq secondes. Une fois le temps de développement expiré, retire le révélateur de la cuve.

7. Verse immédiatement le bain d'arrêt dans la cuve de développement et agite le liquide pendant 10 secondes. Remets ensuite le bain d'arrêt dans son contenant.

8. Verse l'agent fixateur dans la cuve de développement. Agite le liquide pendant plusieurs minutes. Retire le couvercle de la cuve et vérifie si la pellicule a perdu son apparence blanche et laiteuse. Si elle est toujours blanche, referme la cuve avec le couvercle et laisse agir l'agent fixateur jusqu'à ce que les zones non imagées deviennent claires.

9. Rince la pellicule à l'eau froide du robinet pendant 10 minutes.

10. Trempe la bobine de pellicule dans une cuve remplie d'agent mouillant. Retire le surplus d'eau de la pellicule avec ton index et ton majeur.

11. Suspends la pellicule à l'abri de la poussière pour la faire sécher. Fixe un poids (par exemple des épingles à linge) à la base de la pellicule. Ainsi, la pellicule ne roulera pas sur elle-même.

12. Range les négatifs dans un classeur pour pellicules en plastique transparent afin de les protéger des rayures et de la poussière.

Activité intermédiaire n° 5
L'impression photographique par projection

Dans cette activité, tu dois choisir et agrandir un ou plusieurs des négatifs obtenus à l'activité intermédiaire n° 4.

Matériel
les négatifs 35 mm de l'activité intermédiaire n° 4
du papier photographique
un révélateur
un bain d'arrêt
un agent fixateur
un agrandisseur
un margeur
des plateaux
des pinces pour le séchage

Marche à suivre

1. Prends les négatifs et fais des épreuves par contact. Procède comme à l'activité intermédiaire n° 1.

2. Observe les épreuves par contact. Choisis un négatif avec de bons contrastes pour faire une impression photographique par projection.

3. À l'aide d'une brosse douce ou avec de l'air comprimé, enlève la poussière sur le négatif.

4. Place l'émulsion négative (le côté terne) sur le porte-négatif de l'agrandisseur.

5. Règle la hauteur de la tête de l'agrandisseur pour obtenir la grandeur de l'agrandissement désiré. Effectue la mise au point de l'image avec une pleine ouverture.

6. Diminue le nombre d'ouverture de deux ou trois positions. Recouvre tout le papier photographique à l'exception d'une bande dans le margeur. Expose cette bande à la lumière entre trois et cinq secondes. Découvre de 2,5 cm à 5 cm de plus de papier photographique et expose-le aussi à la lumière environ de trois à cinq secondes. Refais cette étape cinq ou six fois.

7. Développe cette bande d'essai selon le temps de développement et la température recommandés dans le mode d'emploi.

8. Choisis le meilleur temps d'exposition. Refais autant de fois qu'il le faut les étapes 6 et 7 avec des nombres d'ouverture différents. Ton objectif est d'obtenir une zone bien exposée sur la bande d'essai.

9. Fais une impression photographique par projection selon le temps d'exposition requis et développe-la.

10. Fais sécher la photo au complet.

Activités

Activités

Les activités avancées

Activité avancée n° 1
Les diapositives en couleurs

Les diapositives en couleurs produisent d'excellentes couleurs. On les obtient de la même façon que les négatifs en noir et blanc. Cependant, on utilise des produits photographiques différents.

Matériel

un appareil photo 35 mm
une pellicule pour diapositives E-6
une cuve de développement
un ensemble pour développement E-6
un ouvre-bouteille
des montures de diapositives

Marche à suivre

1. Choisis un thème ou un modèle pour une séance de photos, par exemple un événement à l'école. À l'aide de l'appareil photo 35 mm, prends toutes les photos que tu peux avec ta pellicule pour diapositives E-6. Assure-toi de prendre seulement des photos qui portent sur le thème ou le sujet choisi.

2. Lis attentivement les instructions de l'ensemble pour développement E-6. Prépare tous les produits photographiques comme indiqué.

3. Dans l'obscurité complète, installe la pellicule pour diapositives dans la cuve de développement.

4. Développe les diapositives selon les instructions de l'ensemble pour développement.

5. Lorsque la pellicule pour diapositives est sèche, coupe la pellicule en diapositives individuelles. Insère les diapositives dans les montures de diapositives.

6. Choisis les meilleures diapositives parmi toutes celles que tu as développées et présente-les à la classe.

partie 4

Les systèmes de production graphique

Il y a un grand nombre de méthodes de production graphique. Cependant, elles suivent toutes les procédés habituels de création, de développement et de reproduction de contenus graphiques. Ces procédés constituent le système de production graphique, qui comprend les étapes suivantes :

La conception de l'imprimé. Un texte dactylographié n'attire pas l'attention. Le travail des graphistes consiste à ajouter de la « vitalité » à un message. Pour ce faire, on utilise des illustrations et des polices de caractères intéressantes.

La composition du texte. Une fois l'imprimé conçu, il faut préparer la mise en forme finale du texte et des illustrations. Ce processus s'appelle la composition. Au cours de ce processus, on agence les mots à l'aide de caractères d'imprimerie et on prépare les illustrations pour l'impression.

L'assemblage de l'imprimé. Les typographes, les photographes et les artistes réunissent toutes les composantes de l'imprimé : le texte en caractères d'imprimerie, les photographies et les illustrations.

La conversion en film. Après l'assemblage, on convertit les éléments graphiques en films, négatifs ou positifs, à l'aide de techniques photographiques. De nos jours, certains systèmes informatiques permettent d'omettre cette étape.

L'assemblage du film. Il faut souvent réunir différents négatifs. L'étape de l'assemblage du film permet de réunir tous ces négatifs et de préparer le film pour l'impression.

Le transfert du film. À cette étape, on imprime le message sur un support : du papier, du plastique, du métal ou un autre matériau. Il y a différentes méthodes de transfert selon le type de travail à effectuer. Par exemple, tu n'utiliseras pas la même méthode si ton support est un t-shirt ou un magazine.

La conversion du produit. Une fois le message imprimé, il y a souvent des tâches supplémentaires à effectuer, par exemple couper une feuille imprimée selon le format souhaité.

Dans cette section, tu vas étudier les sept étapes de la production graphique. L'impression est l'une des plus anciennes formes de communication. Tu vas apprendre ici comment elle a évolué avec la technologie.

La conception d'imprimés, la composition et l'assemblage

Lorsque tu lis un livre, la pochette d'un disque ou l'emballage d'une friandise, tu reçois aussi un message graphique. Ta compréhension dépend de la conception de l'imprimé. Parfois, tu n'as même pas envie de lire le message. D'autres fois, tu préfères acheter un produit plutôt qu'un autre en raison du message qu'il véhicule.

Le contenu (les mots et les illustrations) de l'imprimé joue un rôle important dans la conception. De même, la conception influe sur le choix des mots et des illustrations. Dans ce chapitre, tu vas étudier comment on agence les mots et les illustrations de façon à produire un imprimé.

Vocabulaire

- composition
- dessin au trait
- éléments de conception
- estimation de copie
- graphiste
- images en tons continus
- maquette
- pica
- point
- police de caractères
- principes de conception
- substrat
- système de sélection des couleurs
- systèmes d'éditique
- type de caractères

Au fil du chapitre, tu vas trouver les réponses à ces questions :

- Quelles règles doit-on suivre pour concevoir un imprimé ?
- Quel matériel et quelles techniques aident les graphistes à faire leur travail ?
- Quels types d'illustrations utilise-t-on dans les imprimés ?
- Comment convertit-on un texte dactylographié en un format de livres ou de magazines ?
- Comment agence-t-on les mots et les illustrations dans une page ?
- Qu'est-ce que l'informatique a changé dans la conception et la production d'un imprimé ?

chapitre 10

La conception d'un imprimé

Pourquoi la page d'un livre ou d'un magazine a-t-elle cette apparence ? Observe les mots : certains mots ont une police de caractère plus grosse que d'autres. Ils peuvent avoir une couleur différente. Certaines pages peuvent contenir beaucoup d'éléments. En revanche, d'autres pages peuvent contenir plus d'espaces vides. Un livre ou tout autre document imprimé doit son apparence à une ou à un **graphiste,** c'est-à-dire à une personne qui a prévu tous les détails, jusqu'à l'emplacement du numéro de la page !

Les graphistes travaillent au sein d'une équipe. Ils collaborent avec les gens de la rédaction, des artistes et des photographes. Très souvent, on procède à la rédaction et à la préparation d'illustrations avant de commencer la conception. Les responsables de l'édition coordonnent le travail des graphistes, de la rédactrice ou du rédacteur, des artistes et des photographes pour s'assurer d'obtenir un résultat satisfaisant.

Les principes de conception

Pour mieux faire leur travail, les graphistes suivent des règles qui les guident dans la façon de concevoir correctement un imprimé. Parmi ces règles ou **principes de conception,** certaines touchent le rythme, l'équilibre, la proportion, la variété, la mise en évidence et l'harmonie.

Le rythme

Le rythme correspond à la répétition. En musique, on établit un rythme en répétant une mesure. En conception graphique, le rythme vient de la répétition d'un même élément. Observe la figure 10.1. Quel est l'élément qui se répète dans cette illustration ? Le rythme peut donner une impression de mouvement à la conception. On dirait que quelque chose est en train de se produire !

Figure 10.1 Le rythme vient de la répétition d'un élément. En quoi le rythme contribue-t-il à rendre cette illustration efficace ?

L'équilibre

Lorsque des acrobates se déplacent sur une corde raide, ils doivent placer leur corps de façon à rester stables. On observe le même phénomène en conception graphique. La disposition des éléments doit donner une impression de stabilité.

Il y a deux types d'équilibres : l'équilibre rigoureux et l'équilibre informel. On obtient un équilibre rigoureux lorsqu'une ligne imaginaire coupe un dessin en deux moitiés identiques ou symétriques. La figure 10.2a donne un exemple d'équilibre rigoureux.

L'équilibre informel est plus subtil. Pour l'obtenir, on agence des éléments de formes différentes, mais qui semblent équivalents à l'œil nu. Par exemple, en photographie, il faut contrebalancer un gros immeuble par plusieurs petits bâtiments. Dans la figure 10.2b, quels sont les éléments qui se contrebalancent ?

La proportion

« J'aimerais que ces chaussures soient moins étroites ! »

« Ce mets est beaucoup trop salé ! »

Figure 10.2 *On peut produire un équilibre rigoureux ou un équilibre informel. Quel type d'équilibre choisirais-tu pour un faire-part de mariage ?*

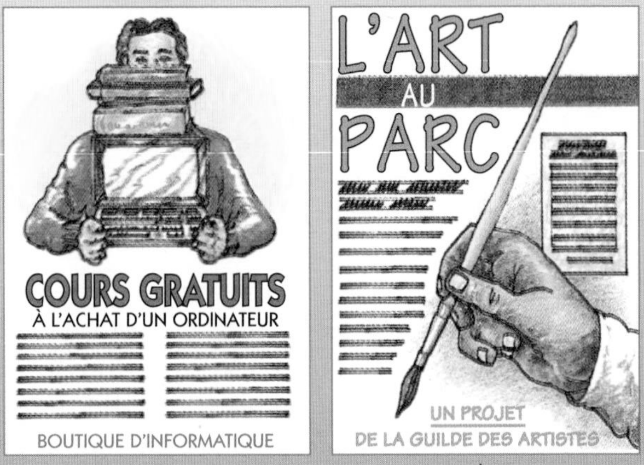

Figure 10.3 *Il y a un problème de proportion dans la conception de gauche. On a l'impression qu'il manque un élément. Dans la conception de droite, on respecte davantage la proportion des éléments.*

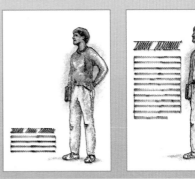

Ces deux commentaires ont trait à des problèmes de proportion. La proportion a trait au rapport de taille ou de grandeur entre deux éléments. La grandeur en soi ne signifie pas grand-chose. Par contre, si on compare une grandeur avec une autre grandeur, on peut déterminer si un élément est trop grand ou trop petit. En graphisme, il importe de respecter les proportions d'un élément par rapport à un autre élément. Bien sûr, les éléments peuvent prendre des tailles différentes. Cependant, l'effet global doit être agréable (figure 10.3).

La variété

La variété suppose la différence. Sans variété, la vie nous ennuierait, car tout se ressemblerait. En graphisme, la variété ajoute de l'intérêt et de l'excitation grâce à un élément de surprise. Peux-tu décrire ce qui apporte de la variété à la conception de la figure 10.4 ?

Figure 10.4 *Combien de polices de caractères vois-tu dans cette conception graphique ?*

La mise en évidence

Le but des graphistes est toujours d'attirer l'attention sur l'objet du message. On peut employer la mise en évidence pour faire ressortir un élément en particulier.

Il y a différents moyens de mettre un élément en évidence, par exemple par la taille ou la couleur (figure 10.5). Dans ce manuel, les graphistes ont fait ressortir certains termes grâce à des caractères gras. Repères-tu ces termes plus facilement que les autres dans le texte ?

Figure 10.5 *Que remarques-tu en premier dans cette conception ?*

L'harmonie

Il importe que les éléments d'un imprimé s'agencent bien entre eux. On parle alors d'harmonie. Des caractères fantaisistes ont l'air étranges à côté de caractères très sobres. L'imprimé manque d'harmonie. Par contre, quand on a l'impression que tout a sa place dans un imprimé, on a créé une harmonie. Observe les figures 10.4 et 10.5. Les trouves-tu harmonieuses ?

Les éléments de conception

Les principes de conception donnent des règles générales pour la conception d'un imprimé. Pour obtenir un effet particulier, les graphistes utilisent des **éléments de conception**. Il y a la ligne, la forme, le format, l'espace, la couleur, la texture et les trames claire ou foncée. Par exemple, une illustration composée de points diffère d'une illustration formée de lignes ou de figures pleines (figure 10.6). Pour varier les résultats, on peut modifier la texture, la couleur ou l'espace dans une illustration. On utilise très souvent la couleur comme élément de conception.

Figure 10.6   On a modifié l'apparence de cette illustration grâce à divers éléments de conception : a) l'image en demi-teintes se compose de points ; b) des lignes ajoutent des effets d'ombre ; c) la forme apparaît en contre-jour ; d) on a ajouté une texture ; e) un fond tramé permet d'obtenir une teinte ; f) la couleur donne une apparence plus réelle ; g) il y a moins d'espace dans la version de gauche et il y en a plus dans la version de droite.

Le matériel et les techniques

Les graphistes doivent connaître les principes et les éléments de conception. De plus, ils doivent savoir utiliser le matériel et les techniques disponibles dans leur domaine. Nous allons décrire les polices de caractères, les systèmes de sélection des couleurs, les substrats, les mesures, les esquisses et la conception par ordinateur.

Faits scientifiques

Les illusions d'optique

Nous ne percevons pas toujours les choses comme elles sont. On appelle ce phénomène des illusions d'optique. Observe les dessins ci-dessous.

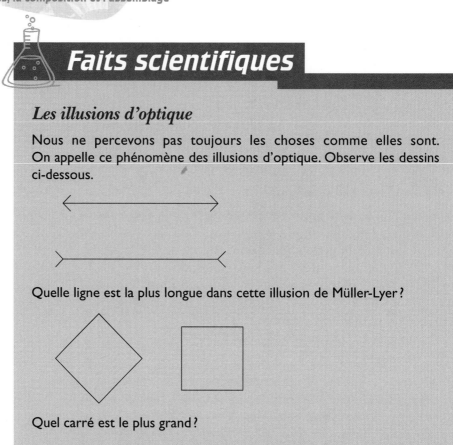

Quelle ligne est la plus longue dans cette illusion de Müller-Lyer ?

Quel carré est le plus grand ?

En réalité, les deux lignes ont la même longueur et les deux carrés ont la même taille. Il s'agit de deux illusions d'optique courantes. L'emplacement d'un objet ou des éléments qui l'entourent a une influence sur la perception de la taille de l'objet. Les graphistes utilisent souvent ce phénomène pour créer certains effets.

La typographie

Dans cette page, tu peux voir différents styles et différentes tailles de caractères. Ils ajoutent de la variété. Cependant, il faut s'assurer que différents styles s'agencent de façon harmonieuse.

Il y a plusieurs conceptions typographiques que l'on appelle des **types de caractères**. On produit des types de caractères différents lorsqu'on modifie des éléments d'un caractère (figure 10.7).

Chaque type de caractères peut avoir différentes tailles, épaisseurs et autres variations. On nomme **police de caractères** l'ensemble des

Figure 10.7   La variété des éléments typographiques multiplie les options des graphistes.

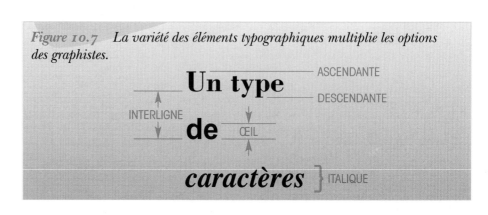

Techno liens

De Gutenberg au rayon laser : 550 ans de typographie

Pendant des siècles, on a fait le travail typographique à la main. On pense qu'on a inventé l'impression au bloc en Chine. On sculptait les caractères dans des blocs de bois, puis on appliquait de l'encre sur les blocs.

Johannes Gutenberg travaillait comme forgeron à Mayence, en Allemagne. Vers 1450 apr. J.-C., il a fabriqué les premiers caractères mobiles. Il versait à la main un alliage de plomb, d'étain et d'antimoine en fusion dans des moules. Il pouvait ensuite agencer les lettres obtenues dans un dispositif pour former les mots. Après l'impression, il rangeait chaque lettre jusqu'à la prochaine utilisation.

En 1886, Ottmar Mergenthaler a inventé une machine qui a révolutionné l'industrie de l'impression : la linotype. Cette machine faisait l'opération de typographie de façon automatique. Lorsqu'une personne enfonçait une touche sur un clavier, un petit moule en cuivre correspondant à la lettre souhaitée se plaçait à l'endroit approprié. Une fois l'assemblage d'une ligne terminé, la machine déversait le plomb fondu dans les moules. On laissait le plomb refroidir, puis on retirait la ligne de caractères de la machine. On pouvait ranger les moules jusqu'à la prochaine impression.

On a utilisé la linotype dans la première moitié du XXᵉ siècle. Puis, la composeuse a fait son apparition. Cette machine permet de produire des caractères par photographie plutôt qu'avec du métal chaud.

La première composeuse remonte à 1946. Elle fonctionnait comme la linotype, à quelques exceptions près. Cependant, au lieu d'un moule, on utilisait un négatif de la lettre à reproduire. On projetait ensuite des rayons lumineux à travers ce négatif sur une feuille de papier photographique.

Les composeuses développées par la suite conservaient les négatifs de chaque caractère ou de chaque lettre sur un morceau continu de pellicule. La pellicule tournait en même temps qu'on exposait le papier photographique à une lumière stroboscopique activée à partir du clavier.

La génération suivante de composeuses comportait un écran cathodique, semblable aux écrans de téléviseurs. L'image des lettres à composer apparaissait sur cet écran. Par la suite, on les projetait sur du papier photographique à travers un objectif.

Plus tard, on a intégré le faisceau au laser et l'ordinateur aux composeuses pour générer des images. Dans certains cas, on expose le papier photographique aux rayons lumineux du faisceau au laser. Dans d'autres cas, l'imprimante au laser fonctionne comme une photocopieuse, c'est-à-dire qu'elle imprime directement sur du papier ordinaire. L'ordinateur régit les fonctions d'impression.

Comme les choses ont changé depuis 550 ans !

caractères ainsi obtenus. Par exemple, il y a plusieurs polices de caractères pour le type de caractères Cheltenham (figure 10.8).

On a regroupé les milliers de types de caractères en six principaux styles : romain, à empattement carré, sans empattement, texte, écriture et fantaisie (figure 10.9).

Romain. Ce style remonte au début de la période romaine. À cette époque, on sculptait les mots dans la pierre. Les caractères en romain comportent souvent des empattements, semblables à de petites queues. La largeur des traits varie. Les types de caractères en romain sont les plus faciles à lire. On les voit couramment dans les livres et dans les magazines qui contiennent beaucoup de mots.

À empattement carré. Un certain nombre de types de caractères ont des empattements carrés. Cela les distingue des autres types de caractères.

Figure 10.8   *Le type Cheltenham propose neuf polices de caractères. Quelles différences observes-tu ?*

Cheltenham maigre
Cheltenham maigre italique
Cheltenham normal
Cheltenham normal italique
Cheltenham normal condensé
Cheltenham gras
Cheltenham gras italique
Cheltenham gras condensé
Cheltenham ultra

Figure 10.9   *Voici les six principaux styles de caractères : 1. romain, 2. à empattement carré, 3. sans empattement, 4. texte, 5. écriture et 6. fantaisie. Il faut éviter d'utiliser les styles texte et écriture en lettres majuscules, car la lecture est trop difficile.*

1. Technologie
2. Technologie
3. Technologie
4. Technologie
5. *Technologie*
6. Technologie

Sans empattement. Le mot *sans* signifie « absent ». Donc, ces types de caractères n'ont pas d'empattement. Ces caractères sont plus difficiles à lire que les caractères avec empattement. On les utilise moins pour cette raison. Par contre, ils donnent une impression de propreté et de modernité.

Texte. Ce style de caractères dérive des caractères utilisés par les scribes pour copier des livres à la main au Moyen Âge. Ces caractères très détaillés servent parfois à donner une apparence formelle. On recommande de ne pas utiliser les caractères majuscules pour un long texte, car la lecture s'avère presque impossible.

Écriture. Ce style de caractères imite l'écriture manuelle. Il y a des caractères d'apparence formelle, d'autres d'apparence informelle. On les utilise pour toutes sortes d'imprimés, par exemple des faire-part de mariage ou des cartes de vœux.

Encore une fois, on évite d'imprimer un texte en majuscules dans le style écriture en raison de la difficulté de lecture.

Fantaisie. Les typographes conçoivent toujours de nouveaux types de caractères. Dans certains cas, on ne peut pas les classer dans l'un des cinq styles précédents. Ce sont les types de caractères fantaisie. Ces types prennent des apparences dramatique, drôle et même grotesque. Ils attirent l'attention par leur différence. On s'en sert pour mettre des mots en évidence.

Les mesures

En typographie, on utilise depuis le début un système de mesure particulier. Il diffère des systèmes métrique et impérial. Ce système de mesure a le **point** comme unité de base. Un point équivaut à 0,353 mm ($1/72$ de pouce). Une unité de mesure aussi petite convient bien pour mesurer les tailles de caractères et l'interlignage. Par exemple, un caractère de 12 points peut avoir un interlignage de 14 points.

Les typographes utilisent aussi le **pica**. Un pica équivaut à 12 points (4,21 mm ou $1/6$ de pouce). Le pica sert à mesurer des éléments plus grands, par exemple la longueur d'une ligne ou d'une colonne de caractères. Ainsi, « 10 sur 12 sur 20 » signifie « un caractère de 10 points avec un interlignage de 12 points, sur une longueur de ligne de 20 picas ».

On mesure les points et les picas à l'aide d'une règle typographique. La règle comprend six échelles différentes, y compris les échelles des points et des picas (figure 10.10).

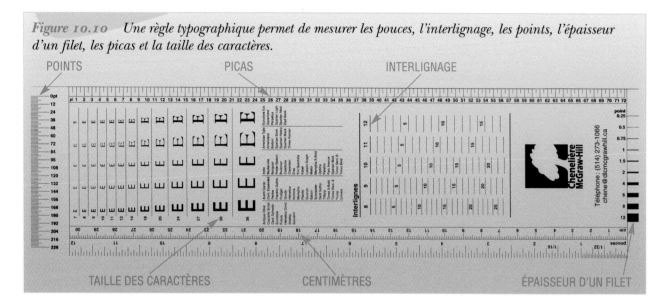

Figure 10.10 Une règle typographique permet de mesurer les pouces, l'interlignage, les points, l'épaisseur d'un filet, les picas et la taille des caractères.

L'échelle pour la taille des caractères comprend des lettres en majuscules de différentes tailles sur fond transparent. On pose la règle sur une ligne de caractères pour mesurer la taille du point. On prend cette mesure de l'ascendante d'une lettre majuscule jusqu'à la base de la descendante d'une lettre minuscule. Le plus souvent, les lettres majuscules mesurent environ les deux tiers de la hauteur de la taille du point. Par exemple, la lettre majuscule « C » de 30 points mesure en réalité près de 20 points à partir du dessus de la lettre jusqu'à sa base.

Pour déterminer l'épaisseur d'un filet (ligne), on pose la règle transparente dessus afin de repérer l'épaisseur correspondante. De même, on place l'échelle de l'interlignage par-dessus un paragraphe pour mesurer l'espace entre les lignes.

La règle typographique comporte aussi une échelle en pouces à titre de référence, même si on utilise très peu les pouces et les fractions courantes pour mesurer les caractères.

Les substrats

Quand on parle d'impression, on pense en général à l'impression sur papier.

En fait, on imprime sur toutes sortes de matériaux, y compris le papier, le plastique, le tissu, le métal, le verre, la céramique et le carton ondulé. Un matériau qui reçoit une impression s'appelle un **substrat**.

On imprime le plus souvent sur du papier. On fabrique du papier ayant de multiples poids, tailles, formes et finis (figure 10.11). Le « fini » fait référence à l'apparence de la surface du papier. Par exemple, il y a des finis mats et des finis brillants. On trouve aussi du papier calandré, c'est-à-dire poli entre deux rouleaux durs. Bien entendu, on peut aussi se procurer du papier de différentes couleurs et textures.

Figure 10.11 *Il y a cinq catégories de papier. Le format de base du papier correspond au format standard pour chaque catégorie de papier. Le poids d'une rame (500 feuilles) de papier dans le format de base s'appelle la force du papier.*

Type de papier	Format de base du papier	Utilisation courante
Livre	625 mm sur 965 mm (25 po sur 38 po)	Livres, catalogues et brochures
Écriture	432 mm sur 559 mm (17 po sur 22 po)	Papeterie, reproduction
Couverture	508 mm sur 660 mm (20 po sur 26 po)	Couvertures d'annuaires, dépliants
Bristol	571 mm sur 724 mm (22,5 po sur 28,5 po)	Cartes de visite, dossiers et cartes postales
Autres : papier journal, papier autocopiant, papier Tyvek de DuPont, papier pelure, etc.		

Les graphistes doivent choisir le papier avec soin. Un papier de qualité supérieure peut rehausser un imprimé. Un papier de mauvaise qualité peut ruiner une conception pourtant valable au départ.

Les esquisses

Au départ, les graphistes discutent d'un projet avec la cliente ou le client. L'étape suivante consiste à tracer des esquisses. De son côté, la cliente ou le client fournit aux graphistes tous les renseignements nécessaires et donne son opinion à toutes les étapes. De cette façon, l'équipe peut atteindre un consensus pour l'imprimé final (figure 10.12).

Les croquis consistent en petits dessins faits rapidement pour représenter visuellement des idées. Les graphistes en font souvent pendant la phase de conception. Les croquis les aident à sélectionner la meilleure idée. On trace habituellement les croquis avec un crayon et on inclut peu de détails. On utilise des formes pour représenter les illustrations et on trace de simples lignes droites pour indiquer l'emplacement des caractères.

Figure 10.12 *Les étapes de la conception graphique : les croquis, l'esquisse jusqu'à la maquette finale en couleurs.*

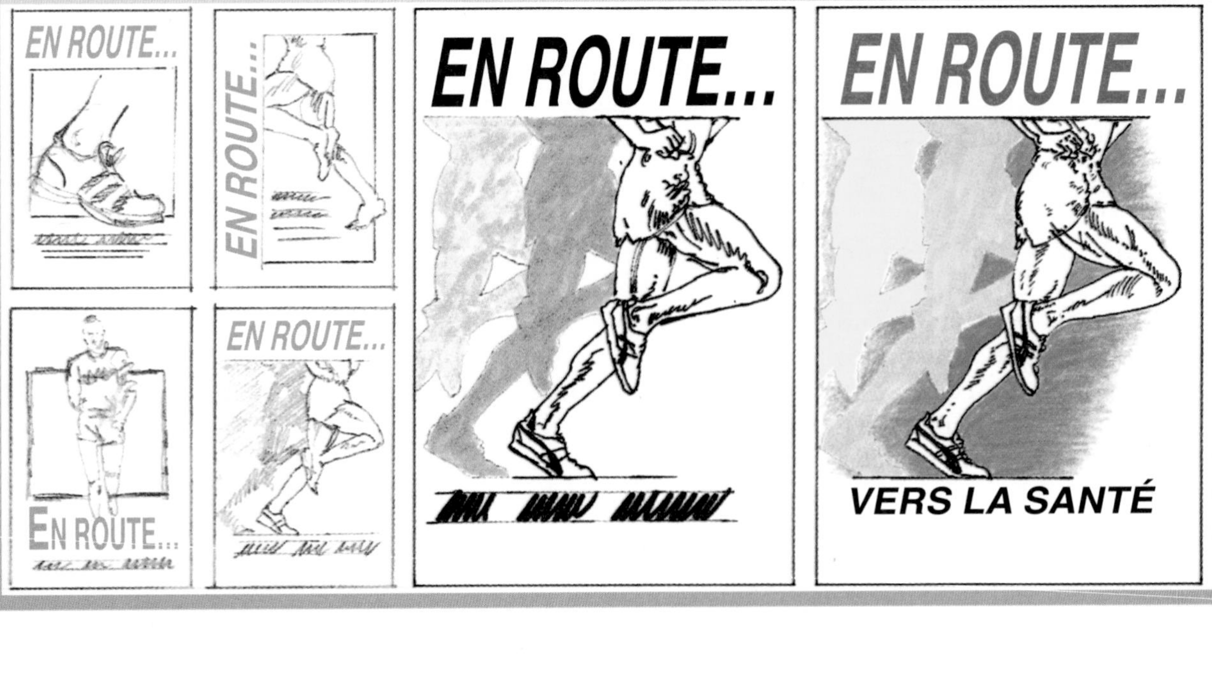

Selon le croquis sélectionné, on fait un dessin plus précis appelé une esquisse. L'esquisse contient toute l'information nécessaire à l'impression du produit final, par exemple la taille et l'emplacement des éléments. Elle permet aussi de se faire une idée du résultat final.

On fait les esquisses au crayon, comme les croquis. Le dessin tient compte de la taille prévue pour le produit final. On donne aux titres leur apparence finale. Cependant, on peut encore représenter les caractères plus petits par des lignes et inclure quelques détails dans les illustrations.

Dans le cas d'un projet plus complexe et plus coûteux, la clientèle souhaite parfois voir une esquisse en couleurs. Cela donne un aperçu du produit final après son impression. Il s'agit de la maquette finale. Par exemple, la maquette finale d'une boîte de céréales peut être en couleurs. On peut même lui donner la forme d'une boîte. À cette étape, on peut encore demander des modifications avant l'impression. On gagne du temps et on réduit les coûts.

Figure 10.13 Le système de sélection des couleurs, comme le Nuancier Pantone*, permet aux graphistes de travailler de façon efficace avec les couleurs.

*Marque de commerce de Pantone Inc. Cette photo ne reproduit peut-être pas fidèlement les couleurs du Nuancier Pantone®. Consulte les publications de PANTONE pour voir les couleurs exactes.

Le système de sélection des couleurs

Les imprimés comportent souvent plusieurs couleurs. On utilise toujours les couleurs selon les principes de conception. Cependant, il peut y avoir des problèmes. Par exemple, suppose qu'on te demande d'imprimer un travail en « rouge pâle ». Tu devrais choisir parmi des douzaines de couleurs appelées « rouge pâle ». Tu en choisirais une en souhaitant que ce soit la bonne !

Pour éviter ces situations, on a développé un système de sélection des couleurs, comme le NUANCIER PANTONE®. Un **système de sélection des couleurs** comprend plusieurs ensembles de couleurs, et chaque couleur porte un numéro d'identification (figure 10.13). Dans les indications pour l'imprimerie, les graphistes dressent la liste des numéros de couleurs, par exemple PANTONE 191C. C'est plus efficace qu'une description du rouge pâle souhaité. À l'imprimerie, on mélange les encres pour obtenir la couleur correspondant au numéro d'identification indiqué. Avec le système de sélection des couleurs, on s'assure d'obtenir les couleurs recherchées.

La conception par ordinateur

Tu as vu précédemment que les micro-ordinateurs jouent un rôle important en conception graphique. Les graphistes peuvent maintenant se servir d'un ordinateur pour concevoir un imprimé sans utiliser de matériel.

Dans de nombreux cas, la conception se fait plus efficacement par ordinateur. Par exemple, on conçoit les pages jaunes de l'annuaire téléphonique au complet par ordinateur. À l'aide des systèmes infographiques les plus simples, on peut maintenant dessiner, couper et coller, copier, stocker et imprimer des conceptions sans prendre un seul crayon (figure 10.14).

Figure 10.14 Les systèmes infographiques permettent d'expérimenter des versions avec la conception. On peut enregistrer chaque version, puis la modifier à l'ordinateur pour voir le résultat. Malgré les changements, on peut toujours revenir à une version précédente.

La composition d'un imprimé

Quand on a décidé de la conception, on peut préparer le texte, ou la copie, et les illustrations. Le fait de convertir la copie et les illustrations dans un format prêt pour l'impression s'appelle la **composition**. Au début de la composition, on traite séparément la copie et les illustrations. On écrit le texte dans les caractères appropriés et on reproduit les illustrations par voie photographique. (L'éditique fait exception à cette règle. Tu la verras plus loin.)

Figure 10.15 Même si ces paragraphes contiennent les mêmes mots, ils ont une apparence différente. On a dactylographié le premier et on a composé le second.

Ce qui se conçoit bien s'énonce clairement, et les mots pour le dire viennent aisément.

Boileau

Ce qui se conçoit bien s'énonce clairement, et les mots pour le dire viennent aisément.

Boileau

La composition consiste à convertir un texte dans les caractères appropriés en vue de l'impression. La principale différence entre un texte composé et un texte dactylographié réside dans le grand nombre de polices de caractères. L'espacement constitue une autre différence (figure 10.15). Avec une machine à écrire, la lettre « i » occupe le même espace que la lettre « w ». Par contre, en composition, les lettres occupent seulement l'espace dont elles ont besoin. Ainsi, la lettre « i » composée occupe moins d'espace que la lettre « w ». Un texte composé semble aussi plus propre, car les contours des lettres ont une meilleure définition qu'avec une machine à écrire.

La mise en page de la copie suit à peu près les mêmes étapes qu'avec une machine à écrire. Par exemple, il faut régler les marges, choisir entre un interligne simple ou double et indiquer l'emplacement du numéro de page. Tu dois aussi choisir un type de caractères parmi un grand choix de tailles, de styles et d'attributs (régulier ou gras, par exemple), ainsi que la longueur de ligne.

Il y a beaucoup de décisions à prendre. Pour cette raison, on « prépare » le texte avant de procéder à la composition finale. Pour « préparer » un texte, on écrit dans les marges les indications concernant le style, la taille du point, l'interligne et la longueur d'une ligne, ainsi que d'autres commentaires.

L'estimation de copie

La plupart des imprimés doivent tenir dans un certain format. Par exemple, une publicité destinée à un magazine doit entrer dans un format de page de 203 mm sur 279 mm (8 po sur 11 po). Il faut prévoir dès le départ l'espace que le texte occupera et garder de la place pour les illustrations. En Europe, les formats de page diffèrent de ceux d'Amérique du Nord : A1, A2, A4… Par exemple, A4 correspond à 21 cm sur 29 cm.

Le calcul de l'espace qu'occupera un texte s'appelle l'**estimation de copie**. On commence par compter le nombre de caractères (lettres, nombres et symboles) qui entrent sur une ligne de caractères. On multiplie ensuite ce nombre par le nombre de lignes qui peuvent tenir dans une page. On obtient le nombre total de caractères. Il reste à comparer ce nombre avec le nombre exact de caractères de la copie. Dans certains cas, si le texte est trop long, on peut le raccourcir. S'il est trop court, on peut ajouter des mots pour remplir l'espace disponible.

Les illustrations

On peut utiliser comme illustrations des dessins au trait, des images en noir et blanc ou des illustrations en couleurs. Tu verras au chapitre 11 le processus de reproduction des illustrations.

Le dessin au trait

Le **dessin au trait** consiste en une illustration faite de lignes et de formes continues et foncées, le plus souvent en noir sur blanc. Pour les illustrations techniques, on utilise des plumes à encre de Chine. Ces plumes permettent de tracer des lignes continues de largeurs uniformes (figure 10.16). On peut faire les dessins à main levée à l'encre ordinaire.

On peut aussi tirer des cliparts d'une bibliothèque thématique d'images. Il s'agit d'images prédessinées qu'on peut découper et utiliser pour des conceptions graphiques. On les choisit dans un catalogue ou encore on peut les télécharger à partir d'Internet. Il y a des cliparts de toutes sortes. Le plus souvent, ils se rapportent aux principales occasions et aux activités saisonnières (figure 10.17).

Les illustrations en noir et blanc

En plus des dessins au trait, on peut produire des illustrations en noir et blanc, ou en tons continus. Ces **images en tons continus** comportent des ombres grisées, par exemple comme on en obtient au fusain, à l'aérographe ou au crayon. Les photographies en noir et blanc constituent d'autres images en tons continus (figure 10.18).

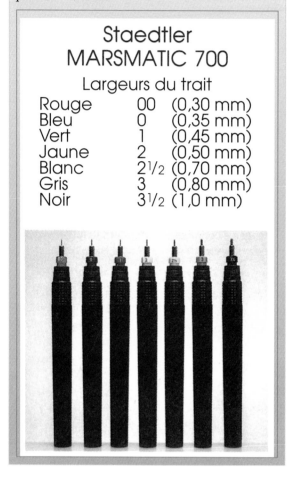

Figure 10.16 Les plumes à encre de Chine proposent différentes largeurs de trait et plusieurs couleurs.

Staedtler
MARSMATIC 700
Largeurs du trait

Rouge	00	(0,30 mm)
Bleu	0	(0,35 mm)
Vert	1	(0,45 mm)
Jaune	2	(0,50 mm)
Blanc	2½	(0,70 mm)
Gris	3	(0,80 mm)
Noir	3½	(1,0 mm)

Figure 10.17 Des cliparts. On peut acheter ces dessins en catalogues ou les télécharger à partir d'Internet.

Figure 10.18 La photo en noir et blanc (à gauche) et le dessin au fusain (à droite) contiennent différentes teintes de gris.

Les illustrations en couleurs

Les illustrations en couleurs comprennent les dessins à l'aquarelle ou à la peinture à l'huile, aux crayons de couleur et aux pastels. Il peut aussi s'agir de photographies en couleurs. La couleur peut beaucoup améliorer un imprimé.

L'éditique

Au milieu des années 1980, les micro-ordinateurs et les imprimantes laser combinés ont donné les **systèmes d'éditique** (figure 10.19), ou systèmes d'édition électronique. Au début, ces systèmes n'avaient pas tout à fait la même qualité que les composeuses des imprimeries. Cependant, ils convenaient à la plupart des publications, par exemple les bulletins d'information d'une entreprise. Ces systèmes ont eu une grande popularité auprès d'une clientèle extérieure à l'industrie graphique.

Ces systèmes d'éditique avaient un prix abordable. Grâce au développement des logiciels, ces machines ont vite montré une plus grande facilité d'utilisation que les composeuses des années 1980. Les systèmes d'éditique peuvent aussi produire et imprimer des images, ce que les composeuses ne font pas.

Avec un système d'éditique, la souris permet de dessiner une illustration. Quand on déplace la souris, on voit apparaître des lignes et des formes à l'écran. Par la suite, on peut facilement modifier l'image, l'imprimer à partir d'une imprimante laser ou l'enregistrer sur une disquette ou sur le disque dur de l'ordinateur.

La deuxième méthode pour produire des images consiste à utiliser un numériseur. Ce dispositif réfléchit la lumière de l'image originale (dessin ou photographie) et convertit la réflexion en une image numérique (figure 10.20). Cette image peut ensuite subir diverses modifications. On peut l'imprimer ou l'enregistrer sur une disquette ou sur le disque dur de l'ordinateur.

Une troisième option consiste à utiliser des cliparts. On les achète sur disquette ou sur disque dur, ou on les télécharge à partir d'Internet.

Figure 10.19   Un système d'éditique combine un micro-ordinateur, une imprimante laser et un logiciel, par exemple QuarkXPress® de Quark Corporation ou PageMaker® de Adobe.

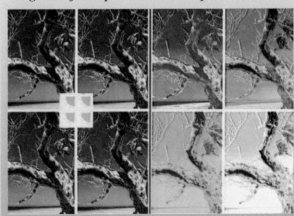

Figure 10.20   Un numériseur permet de saisir des photographies dans un ordinateur. On obtient une image modifiable par voie électronique.

L'assemblage d'un imprimé

Tu as vu comment préparer les illustrations et comment composer le texte. Quand tout est prêt, il reste à réunir tous ces éléments. Il s'agit de l'assemblage.

Le montage

Pour faire un assemblage traditionnel, on colle le texte et les dessins au trait sur un « tableau » blanc. Certains tableaux comportent des lignes guides bleu pâle qui indiquent les marges, la largeur des colonnes, etc.

On dispose le texte composé et les reproductions de dessins au trait sur le tableau selon l'esquisse produite lors de la conception. Il y a deux façons d'insérer une illustration en tons continus sur une page. La première façon consiste à fabriquer une « fenêtre », c'est-à-dire qu'on fixe un morceau de papier ou de plastique rouge à l'emplacement prévu pour la photographie. La fenêtre doit avoir la taille et la forme de l'illustration. La seconde façon consiste à fixer un cliché ou une similigravure prétramée au tableau. Tu vas voir les similigravures au chapitre suivant.

On utilise de la cire pour coller les éléments sur le tableau. La cire agit comme une sorte de colle, mais elle ne sèche pas de la même façon. Elle permet de déplacer les éléments plusieurs fois jusqu'à ce qu'on trouve la disposition appropriée.

On peut ajouter des bordures, par exemple autour des illustrations ou des blocs de texte, à l'aide d'un crayon ou d'un ruban adhésif. Il y a toutes sortes de rubans à bordure, de très simples et d'autres plus fantaisistes.

À l'aide de minuscules points, on peut donner un effet de texture à l'imprimé. On peut se procurer des modèles de textures sur feuilles autocollantes qu'on peut découper. On soulève une section de la feuille et on la met en place sur le tableau. On trouve aussi diverses figures et formes courantes, par exemple des flèches, sur feuilles autocollantes.

Quand on a disposé tous les éléments, on presse le tableau à l'aide d'un rouleau de caoutchouc pour fixer les éléments en place. On obtient alors un montage ou une **maquette** (figure 10.21).

Figure 10.21   Pour créer cette maquette, on a utilisé du ruban à bordure, un clipart, un texte composé, une trame en similigravure et de faux décalques non reproductibles.

L'assemblage informatisé

Les systèmes d'éditique peuvent exécuter des fonctions d'assemblage de façon électronique. Des logiciels spéciaux permettent aux graphistes d'extraire des textes et des illustrations à partir de supports électroniques et de les assembler. Au lieu de travailler avec du papier, de la cire et un tableau de montage, on dispose les différents éléments graphiques à l'écran d'un ordinateur.

Après l'assemblage, on peut enregistrer la « page » électronique sur un disque ou une disquette, ou on peut l'imprimer. Des systèmes avancés, raccordés à une composeuse, produisent maintenant des maquettes de qualité supérieure sans que les graphistes découpent ou collent une seule image !

■ La technologie et toi

L'éditique : Une révolution dans l'industrie des communications graphiques

L'utilisation de l'ordinateur pour la production de publications ne date pas d'hier. Les imprimeries commerciales ont intégré les ordinateurs dès la fin des années 1960. Cependant, les ordinateurs personnels d'aujourd'hui ont une puissance bien supérieure à celle des énormes ordinateurs centraux des imprimeries des années 1960. Un ordinateur personnel permet maintenant d'effectuer des tâches autrefois réservées aux imprimeries commerciales.

Avec un ordinateur personnel, tu peux configurer toi-même une publication du début à la fin. Selon la technique de montage conventionnelle, une compositrice ou un compositeur compose le texte, une ou un infographiste produit les illustrations, puis une imprimerie s'occupe du montage. Tu peux gagner beaucoup de temps si tu fais toutes ces étapes à l'aide d'un logiciel de mise en page. Tu as une grande liberté de choix, et tu prends toi-même les décisions liées à la conception. De plus, tu économises sur les coûts d'impression.

Le développement de l'éditique va de pair avec l'évolution des télécommunications. Maintenant, on peut mettre des ordinateurs en réseau, soit en réseau local, soit avec Internet. Grâce à ces connexions, les responsables de la rédaction, de l'édition et du graphisme peuvent travailler ensemble « en ligne » à une même publication. La distance ne pose plus de problème. Plusieurs personnes peuvent intervenir à la fois. Lorsque tout le monde a approuvé le résultat, on expédie le fichier électroniquement à une imprimerie commerciale. De là, on obtient une impression de qualité supérieure. (Une composeuse a une résolution de 2400 points par pouce ou supérieure pour du texte *et* des graphiques.) De plus, on réduit les délais, car l'imprimerie peut imprimer le travail et le rendre le jour suivant. Ce processus permet de gagner du temps, d'économiser de l'argent et de faire un meilleur suivi de la production du document.

L'éditique a toutefois quelques inconvénients. La plupart des personnes n'ont pas de véritable expérience en infographie. Par conséquent, elles n'obtiennent pas toujours des publications d'aussi bonne qualité qu'elles le voudraient. Ces personnes prennent beaucoup de temps à faire leur mise en page. Pendant ce temps, elles ne peuvent pas se consacrer à d'autres projets. Dans ces cas, il n'y a pas forcément d'économie de temps et d'argent.

L'éditique a sans doute eu les plus grandes répercussions dans le milieu de l'éducation. Grâce à l'éditique, beaucoup de personnes connaissent un peu mieux le domaine de l'impression. Elles comprennent davantage comment on produit un document, du début à la fin du processus. Même lorsqu'elles confient le travail à quelqu'un d'autre, elles peuvent mieux communiquer leurs besoins à l'imprimeuse ou à l'imprimeur.

À long terme, l'éditique va réduire le temps d'exécution des publications et accroître la satisfaction de la clientèle. Une meilleure communication facilite les échanges entre les intervenantes et les intervenants. Les publications n'en sont que plus belles !

Révision du chapitre 10

Questions de révision

1. Nomme et décris les six principes de conception.

2. Quels sont les six principaux styles de caractères ?

3. Nomme les éléments de conception.

4. Quel style de caractères utilise-t-on dans la plupart des manuels ? Pourquoi ?

5. Comment détermine-t-on la taille en points d'un type de caractères ?

6. Nomme les trois sortes d'esquisses produites au cours du processus de conception graphique. Décris-les.

7. Quelle est la différence entre un dessin au trait et une image en tons continus ?

8. Explique en quoi consiste l'estimation de copie.

9. Qu'est-ce qu'un système d'éditique ?

10. Décris brièvement le processus de préparation d'un montage.

Activités

1. Photocopie une publicité où tu vois un équilibre rigoureux. Découpe-la en plusieurs parties et dispose-les pour obtenir un équilibre informel.

2. Choisis une activité scolaire. Fais un ensemble de croquis et d'esquisses en vue de concevoir une publicité imprimée pour cette activité.

3. Prépare une esquisse en couleurs de la publicité que tu as conçue à l'activité 2.

4. Examine le texte de ce manuel. Détermine la taille en points, la longueur de ligne et l'interlignage du texte courant.

5. Dessine une maquette finale de la publicité que tu as conçue à l'activité 2.

La conversion en film et l'assemblage

Pour reproduire une image, on doit utiliser un appareil photo géant et de minuscules points. Ce sont le plus gros et le plus petit éléments du processus de transformation d'une image en photo. Ce processus comporte beaucoup d'étapes. On connaît certaines étapes depuis longtemps, mais d'autres s'intègrent au processus avec le développement de l'informatique. L'industrie graphique est en pleine révolution.

Vocabulaire

- banc de reproduction
- conversion en film
- échelle de gris
- exposition
- film orthochromatique
- film positif
- pelliculage
- photographie au trait
- photographie tramée
- planche
- repérage à aiguilles
- scanner couleur
- séparation de couleurs
- système de mise en page électronique

Au fil du chapitre, tu vas trouver les réponses à ces questions :

- À quoi sert le film dans le processus de production graphique ?
- Qu'est-ce qu'un négatif au trait et comment l'obtient-on ?
- Qu'est-ce qu'un négatif tramé ?
- Comment reproduit-on des illustrations en couleurs ?
- Quel rôle joue l'informatique dans le processus de conversion en film ?

chapitre

11

La conversion en film

Au chapitre 10, tu as vu les maquettes. En production graphique, l'étape qui suit la maquette s'appelle la **conversion en film.** À cette étape, on photographie les composantes graphiques, comme les maquettes ou les illustrations en tons continus, pour produire des films négatifs ou positifs.

Le banc de reproduction

L'appareil photo qu'on utilise pour produire des négatifs s'appelle un **banc de reproduction.** (Tu verras les films positifs un peu plus loin.) Il s'agit d'un très gros appareil. Souvent, il peut occuper une ou deux pièces. Il y a deux principaux types de bancs de reproduction : le banc de reproduction horizontal et le banc de reproduction vertical. Le banc de reproduction horizontal est parallèle au sol. Par contre, le banc de reproduction vertical est plus haut que large. On dirait un banc de reproduction horizontal renversé sur l'une de ses extrémités (figures 11.1 et 11.2).

Les éléments d'un banc de reproduction

Les deux bancs de reproduction comportent quatre éléments principaux : le porte-modèle, les projecteurs, l'objectif et le dos pneumatique.

Le porte-modèle reçoit la maquette, ou le prêt-à-photographier. Un cadre en verre placé sur le porte-modèle retient solidement le document en place. À l'autre extrémité du banc de reproduction, le dos pneumatique assure la stabilité du film. Les projecteurs contiennent des ampoules spéciales. Elles fournissent un éclairage beaucoup plus intense

Figure 11.1   Un banc de reproduction horizontal. La partie arrière se trouve dans une chambre noire. La partie avant (avec le porte-modèle et les projecteurs) se trouve dans une pièce éclairée.

Figure 11.2   On peut utiliser un banc de reproduction vertical dans une chambre noire ou dans une pièce éclairée. On préfère souvent s'installer dans une chambre noire, car on peut plus facilement y charger un film.

que les ampoules ordinaires. La lumière se réfléchit sur le porte-modèle puis passe à travers l'objectif qui concentre les rayons lumineux sur le film. L'objectif a une ouverture, appelée diaphragme. Cette ouverture règle la quantité de lumière qui passe à travers l'objectif. Enfin, l'obturateur se trouve derrière l'objectif. Il sert à contrôler la durée d'ouverture du diaphragme.

Il est possible de déplacer le porte-modèle et l'objectif selon un mouvement de va-et-vient. On peut ainsi déterminer la taille de l'image sur le film. Un banc de reproduction type peut agrandir une image jusqu'à trois fois et la réduire jusqu'à un tiers de sa taille originale.

Faits scientifiques

Les lampes

On peut utiliser différentes sortes de lampes en photographie. Les plus courantes sont les lampes à xénon pulsé et les lampes quartz-iode. Ces lampes ne s'affaiblissent pas avec le temps comme d'autres lampes. Elles ne produisent pas de vapeurs nocives. De plus, l'éclairage d'une lampe à xénon pulsé ressemble à la lumière du jour.

Peu importe le type de lampe que tu utilises, évite toujours de regarder la lumière directement. La lumière très puissante de ces lampes peut te blesser les yeux.

Le réglage de l'exposition

L'**exposition,** ou la quantité de lumière qui atteint le film, demande un réglage précis. Pour ce faire, il faut déterminer la durée d'ouverture de l'obturateur et le diamètre de l'ouverture du diaphragme.

Beaucoup de bancs de reproduction comportent une minuterie qui ouvre l'obturateur et le referme après un nombre de secondes donné. Les appareils photo plus récents possèdent plutôt un intégrateur de lumière. L'intégrateur de lumière ne mesure pas la durée d'ouverture de l'obturateur. Il mesure la quantité de lumière qui passe à travers l'objectif. Les intégrateurs de lumière ont une meilleure précision que les minuteries.

Le diaphragme contrôle le diamètre de l'ouverture. On peut le régler selon différents diamètres. Les diamètres plus courants sur un banc de reproduction sont f/22, f/16 et f/11. Comme tu l'as vu au chapitre 9, deux règles s'appliquent aux diamètres d'ouverture.

- Plus le diamètre est petit, plus l'ouverture est grande.
- Chaque diamètre d'ouverture laisse passer deux fois plus de lumière dans l'objectif que le diamètre suivant. Par exemple, une ouverture f/16 laisse passer deux fois plus de lumière qu'une ouverture f/22. Par contre, elle laisse passer la moitié de la lumière par rapport à une ouverture f/11. Par conséquent, un temps d'exposition de 10 secondes pour une ouverture f/16 laisse entrer la même quantité de lumière qu'un temps d'exposition de 20 secondes pour une ouverture f/22 (figure 11.3).

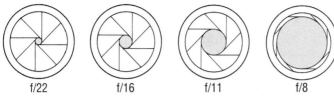

Figure 11.3 Même si le nombre est plus petit, l'ouverture f/8 est plus grande que l'ouverture f/22.

Le film orthochromatique

Le **film orthochromatique** présente un contraste très élevé. On l'utilise avec un banc de reproduction. Il s'agit d'un film pour reproduction du trait ou **film lith**. Par «contraste élevé», on entend qu'il n'y a aucune zone grise ou demi-teinte. Ce type de film ne produit que des zones noires et pâles sur le négatif. Il ne s'agit pas d'un film pour la photographie en noir et blanc.

Le film orthochromatique n'est pas sensible à la lumière de l'extrémité rouge du spectre de couleurs. Par contre, il réagit à la lumière de l'extrémité bleue du spectre. Cela présente deux avantages. Tout d'abord, le film n'est pas sensible à la lumière rouge. On peut donc le manipuler sous un **éclairage inactinique** rouge dans une chambre noire. De plus, en raison de sa sensibilité à la lumière bleue, les lignes directrices bleu pâle sur les maquettes ressortent en noir sur un négatif. Autrement dit, lorsqu'on imprime le négatif, les lignes bleu pâle n'apparaissent plus. Pour cette raison, on utilise toujours un stylo bleu «non reproductible» pour tracer les lignes directrices des maquettes.

Le film orthochromatique comporte quatre couches, comme un film en noir et blanc. (Consulte la figure 8.20 pour revoir la composition d'un film.)

La photographie d'un document en noir et blanc

Avec un banc de reproduction, on photographie deux types de documents : des documents au trait et des documents en tons continus.

La photographie au trait

La **photographie au trait** consiste à convertir un document au trait, comme les mots et les illustrations d'un montage, en un négatif au trait.

Lorsqu'on expose un négatif au trait dans un banc de reproduction, la lumière atteint le porte-modèle. D'une part, les zones (imagées) noires du document au trait absorbent la lumière, d'autre part, les zones (non imagées) blanches la réfléchissent. La lumière réfléchie passe à travers l'objectif du banc de reproduction qui concentre les rayons lumineux sur le film. Une réaction invisible se produit là où la lumière atteint le film. Une image latente (cachée) se crée. Au cours du développement du film, ces zones non imagées deviennent noires. Les zones qui contiennent les images cachées deviennent pâles.

Il faut savoir reconnaître le côté émulsion d'un négatif au trait. Il y a trois façons d'y parvenir. Du côté émulsion,

• les images apparaissent à l'envers ;
• la surface est plus terne ;

• un instrument tranchant peut rayer la surface, par exemple une lame de rasoir.

Figure 11.4 *Au cours du développement du négatif au trait, chacune des étapes de l'échelle de gris devient noire : d'abord l'étape 1, puis l'étape 2, et ainsi de suite. Lorsque l'étape 4 devient d'un noir intense, le développement du négatif prend fin.*

Pour obtenir un négatif au trait, on dépose le document sur le porte-modèle du banc de reproduction. On place une échelle de gris à côté du document. L'**échelle de gris** consiste en une bande de papier spécial présentant habituellement 12 densités qui varient du blanc au noir. On inclut l'échelle de gris dans la photographie du document au trait. Durant le développement, on peut consulter l'échelle de gris pour déterminer le temps de séjour du négatif dans le révélateur (figure 11.4).

On doit régler l'objectif et le porte-modèle du banc de reproduction par un mouvement de va-et-vient jusqu'à l'obtention de la taille de reproduction souhaitée. Rappelle-toi que le banc de reproduction peut agrandir ou réduire des images. Voici une méthode courante : On règle le nombre d'ouverture et on charge le film. On règle le temps d'exposition et on expose le film.

La photographie tramée

Les photos en noir et blanc contiennent beaucoup de tons de gris. Certains sont presque blancs, d'autres presque noirs. Il y a un grand nombre de tons de gris continus entre ces deux extrêmes. Malheureusement, aucune méthode d'impression ne peut reproduire des tons continus sur papier. On ne peut imprimer qu'un ton à la fois, par exemple de l'encre noire sur du papier blanc. Pour contourner ce problème, on exploite les illusions d'optique.

As-tu déjà observé une photo imprimée dans un journal ? Elle semble se composer de minuscules points noirs (figure 11.5). Là où les points noirs laissent paraître du blanc entre eux, la zone semble gris pâle. Là où les points noirs sont très rapprochés et ne laissent paraître que très peu de blanc, la zone semble gris foncé.

Figure 11.5 *Grâce à différents motifs de points, on obtient une illusion de gris dans une photo en noir et blanc.*

Grâce à l'illusion d'optique, on peut convertir des images en tons continus en motifs de points. Pour les zones les plus pâles d'une photographie, ou zones de haute lumière, on utilise des points minuscules. Pour les zones les plus foncées, on utilise de gros points. Ce processus de conversion s'appelle la **photographie tramée.**

On se sert de trames en similigravure pour produire les négatifs tramés. Une trame en similigravure se compose d'une feuille de plastique transparent recouverte d'un modèle de points. Il y a habituellement entre 2,5 et 5,7 points par millimètre. Les points sont d'un noir intense au centre et deviennent plus pâles vers les bords.

Si une grande quantité de lumière atteint un point de la trame, les rayons lumineux peuvent passer à travers tout ce point. Si peu de lumière arrive en un point, les rayons lumineux risquent de passer à travers les bords du point et non au centre. La quantité de lumière qui passe à travers les points de la trame en similigravure définit les différentes grosseurs de points sur un négatif tramé.

Techno liens

Cinq siècles d'illustrations publicitaires

Les illustrations des livres d'aujourd'hui n'ont aucun rapport avec les illustrations qu'on produisait il y a quelques siècles. La technologie des illustrations graphiques a beaucoup évolué.

Avant que Gutenberg invente les caractères mobiles en métal (vers 1450), on reproduisait des illustrations à l'aide de blocs de bois. On sculptait la surface d'un bloc de bois lisse de façon à laisser en relief la zone imagée. On étendait ensuite de l'encre sur ces surfaces en relief, puis on les transférait sur du papier ou un autre substrat par une simple pression.

Avec le temps, on a développé une autre technique appelée la xylographie. La xylographie (ou la gravure sur bois) se faisait sur du bois de bout. Ce bois est plus dur que le bois qu'on utilisait pour l'impression à la main. Il fallait utiliser un outil en forme de ciseau pour découper la zone imagée en lignes fines. On faisait pénétrer l'encre dans les creux de ces lignes, puis on essuyait la surface lisse du bois de bout. On exerçait une pression du bois sur le papier afin de transférer l'image.

Les gravures à l'eau forte suivent le même principe, mais utilisent du cuivre ou du zinc. Le métal permet de produire des lignes encastrées de diverses façons. En plus de graver simplement l'image, on peut aussi la graver à l'eau forte avec de l'acide nitrique. Le peintre hollandais Rembrandt a produit de très jolies gravures à l'eau forte de cette façon.

Vers la fin de 1830, des photographes, comme Daguerre, Niepce et Talbot, voulaient trouver une façon d'imprimer les photos en utilisant de l'encre sur du papier. Au début de 1870, John Moss a enfin trouvé un moyen efficace d'y parvenir. Vers 1890, on utilisait régulièrement sa méthode pour obtenir des planches à copie sur métal. Moss avait inventé la photogravure.

La photogravure convenait parfaitement aux dessins au trait, mais pas à l'impression des photos. En effet, les photos contiennent différents tons de gris. Or, avec la photogravure, on ne peut imprimer qu'une seule couleur à la fois, souvent du noir. Il fallait donc trouver un moyen d'obtenir des tons de gris avec l'encre noire.

La trame pour similigravure a résolu ce problème vers les années 1880. Pour obtenir cette trame, on gravait dans du verre des lignes perpendiculaires les unes par rapport aux autres. Quand les rayons lumineux passaient à travers la trame, l'image photographique se transformait en lignes ou en points. La trame en similigravure transformait les zones gris pâle en petits points, et les zones gris foncé, en gros points. Aujourd'hui, on imprime la plupart des photos en noir et blanc à l'aide d'une trame en similigravure. Des logiciels préparent la trame de presque toutes les photos en couleurs.

Pour obtenir une trame, on place une photographie sur le porte-modèle du banc de reproduction (figure 11.6). On dépose une trame en similigravure directement sur le film orthochromatique situé sur le dos pneumatique. On procède ensuite à une exposition « principale ».

La lumière réfléchie par les zones les plus blanches de la photo (zones de haute lumière) pénètre à travers tout le point sur la trame en similigravure. Par conséquent, il y a exposition d'un gros point sur le film derrière la trame.

Les zones foncées de la photo réfléchissent moins de lumière. Donc, les rayons lumineux ne pénètrent pas beaucoup à travers le point de la trame en similigravure. Il y a exposition d'un plus petit point sur le film.

Il est rare qu'une exposition principale permette de représenter tous les tons d'une photographie. Dans la plupart des cas, il faut effectuer

Figure 11.6   *Pour obtenir une exposition principale (à travers l'objectif), on doit fermer le dos pneumatique a). On effectue une exposition flash à travers le filtre jaune et l'arrière du banc de reproduction reste ouvert b). On utilise une trame en similigravure pour ces deux types d'expositions.*

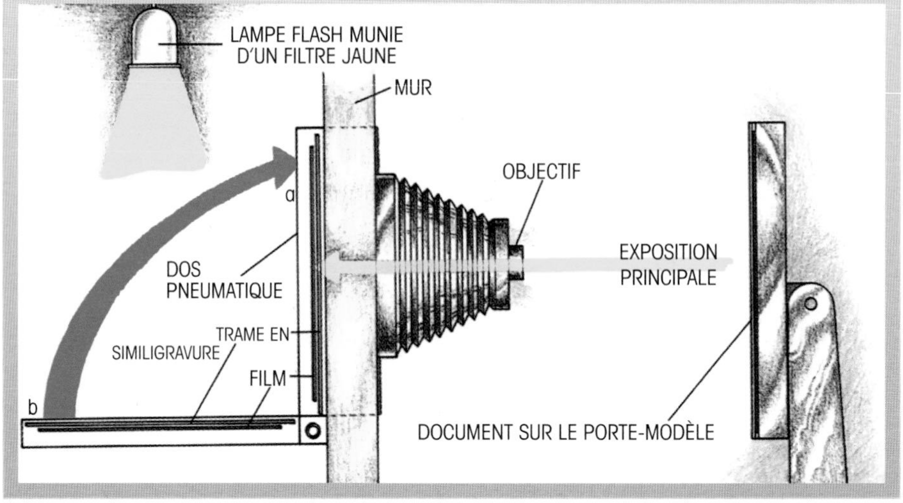

LAMPE FLASH MUNIE D'UN FILTRE JAUNE

MUR

OBJECTIF

EXPOSITION PRINCIPALE

DOS PNEUMATIQUE

TRAME EN SIMILIGRAVURE

FILM

a

b

DOCUMENT SUR LE PORTE-MODÈLE

une deuxième exposition, ou exposition flash. Cette exposition consiste surtout à accentuer les points dans les zones ombrées de la trame en similigravure. On ne se sert pas de l'objectif du banc de reproduction. On ouvre plutôt l'arrière du banc, et la lumière du flash passe à travers un filtre jaune et la trame en similigravure.

Les points produits au cours de ce processus de similigravure ressemblent à des tons continus lors de l'impression. Cependant, on n'utilise qu'une seule couleur pour l'impression, souvent du noir. Si tu regardes attentivement la photographie de la figure 11.7, tu peux voir qu'il s'agit d'une similigravure. La photo contient 5 points par millimètre. C'est un nombre courant pour les photos de livres et de magazines. Les similigravures des journaux contiennent 2,5 points par millimètre et on distingue très facilement les points.

Le développement d'un film orthochromatique

Le développement d'un film orthochromatique ressemble beaucoup au développement d'un film en noir et blanc. On utilise des plateaux pour développement dans une chambre noire. Il y a quatre étapes : le développement, l'arrêt du développement, le fixage de l'image et le rinçage du film.

Pour connaître la durée du développement complet du film, il faut consulter les instructions. Rappelle-toi qu'il s'agit d'indications générales. Une échelle de gris permet de faire une lecture plus précise. Au fil du développement, les différentes étapes de l'échelle noircissent : d'abord l'étape 1, puis l'étape 2, et ainsi de suite. En règle générale, on développe les négatifs jusqu'à ce que l'étape 4 apparaisse d'un noir intense. À ce moment, on sait que toutes les images du document qui sont aussi pâles, ou plus pâles, que l'étape 4 deviennent noires sur le négatif.

Figure 11.7   *On a fait cette similigravure à l'aide d'une trame à 5 points par millimètre. En général, on utilise des similigravures à 2,5 points par millimètre pour les journaux et à 5 points par millimètre pour les livres et les magazines.*

Pour revoir les différentes étapes de développement d'un film, consulte le chapitre 9.

Le développement automatique d'un film

Pour développer beaucoup de négatifs, on a recours à une développeuse de film automatique. Cet appareil a besoin d'un révélateur, d'une solution de bain d'arrêt, d'un agent fixateur et d'eau pour le rinçage. On insère le film dans la développeuse. Un mécanisme fait avancer le film automatiquement dans chacun des produits photographiques. Le film reste le temps approprié dans chacun de ces produits, puis ressort de la développeuse entièrement développé et sec.

Le film positif

Dans certains processus d'impression, on utilise un film positif plutôt qu'un film négatif. Dans un **film positif,** les zones imagées apparaissent en noir et les zones non imagées restent pâles. C'est l'inverse d'un négatif au trait. Le côté émulsion d'un film positif est brillant, et on y voit les images à l'endroit et non à l'envers.

Le banc de reproduction ne sert pas à produire des films positifs. On utilise un châssis pneumatique et une source lumineuse (figure 11.8). Le châssis pneumatique permet de garder le négatif au trait en contact avec une nouvelle feuille de film orthochromatique. La source lumineuse se trouve au-dessus du châssis et elle fournit la quantité de lumière nécessaire. On développe les films orthochromatiques de la même façon que les négatifs au trait.

Figure 11.8 Un châssis pneumatique maintient le négatif au trait contre une feuille de film non exposé.

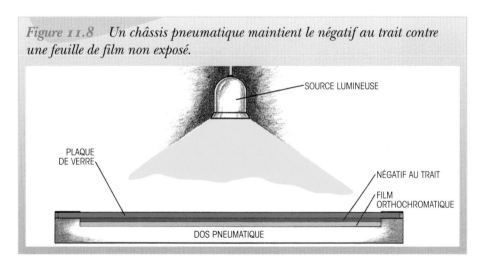

La photographie d'un document en couleurs

On dit qu'il y a sept couleurs de base dans le spectre : rouge, orangé, jaune, vert, bleu, indigo et violet. Si on les combine, on obtient beaucoup d'autres couleurs. À ta prochaine visite dans une quincaillerie, observe des échantillons de peinture. Malgré leur nombre, ils ne constituent qu'une partie des couleurs possibles.

Sais-tu que certains écrans d'ordinateur peuvent afficher plus de 1000 couleurs différentes ? En imprimerie, on pourrait mélanger séparément les couleurs connues et les imprimer une à la fois. Cependant, cette méthode s'avère peu pratique. Imagine le temps qu'il faudrait pour imprimer une photo avec toutes les couleurs que peut afficher un écran d'ordinateur.

Figure 11.9   On peut séparer une photographie en couleurs en quatre couleurs soustractives : le jaune, le magenta, le cyan et le noir. L'impression des quatre similigravures les unes par-dessus les autres donne une illusion de couleurs en continu. Observe le motif de points de l'illustration au centre, à droite.

La séparation de couleurs

Tu as vu qu'une trame en similigravure peut donner une illusion de tons continus sur une page imprimée. Le processus de **séparation de couleurs** permet de produire l'illusion de la couleur. Avant, on utilisait un banc de reproduction et des filtres colorés pour séparer l'image d'une illustration. On obtenait quatre similigravures. Chaque similigravure représentait une couleur différente à imprimer : le jaune, le magenta (rouge), le cyan (bleu) et le noir. On imprimait ensuite les quatre similigravures en couleurs les unes par-dessus les autres. Cela donnait l'illusion d'une couleur en tons continus (figure 11.9).

Dans ce processus, les négatifs exigeaient un développement rigoureux. Parfois, on observait malgré tout une certaine décoloration. On avait besoin de spécialistes pour modifier les négatifs de séparation de couleurs afin d'obtenir le résultat final souhaité. Ces étapes prenaient beaucoup de temps et coûtaient donc très cher.

Le scanner couleur

Aujourd'hui, on ne fait presque plus de séparation de couleurs avec un banc de reproduction. On utilise presque toujours l'ordinateur. Les **scanners couleur** peuvent faire des séparations de couleurs de qualité en beaucoup moins de temps (figure 11.10).

On insère les illustrations, les photographies en couleurs ou les transparents (diapositives) en couleurs dans le scanner. On les fait tourner à haute vitesse.

Figure 11.10   Le scanner couleur sépare les couleurs d'une illustration par voie électronique et produit des négatifs de séparation.

ordinateur

cellules photoélectriques
filtres pour les négatifs
du cyan, du magenta,
du jaune et du noir

transparent
ou original
opaque

faisceau
lumineux
explorateur

lampe à décharge
ou laser

film photographique

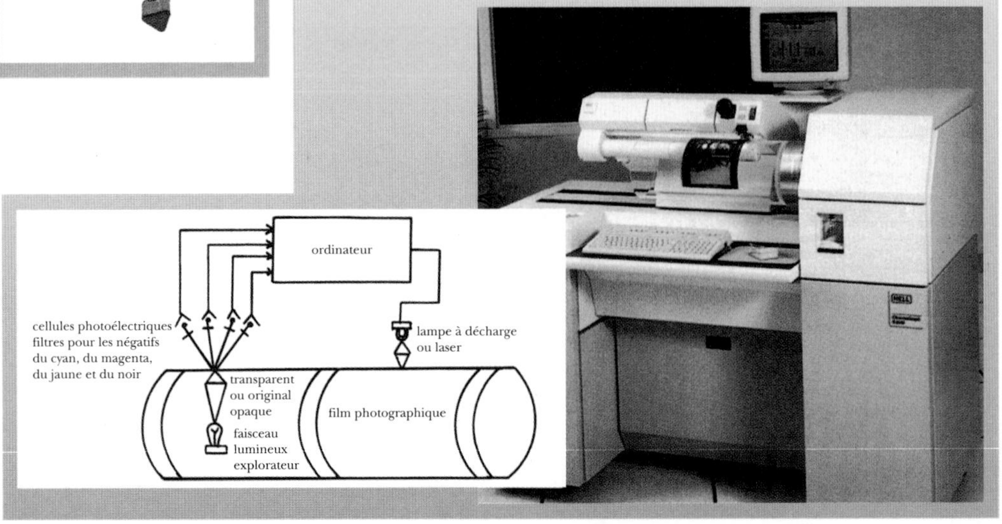

Un faisceau lumineux vient se réfléchir sur l'illustration ou passe à travers elle. L'ordinateur permet de séparer la lumière comme les filtres colorés d'un banc de reproduction. L'appareil enregistre la lumière sous forme de données électroniques, puis les envoie à un dispositif qui expose les négatifs de sélection.

L'utilisation du scanner couleur a vraiment révolutionné l'industrie de l'impression. Il y a peu de temps, on utilisait la couleur avec modération. Il y avait très peu d'illustrations en couleurs dans les manuels scolaires, entre autres. Aujourd'hui, on en voit dans les livres, les magazines et même dans les journaux. L'avènement du scanner couleur a grandement réduit les coûts liés à l'impression en couleurs.

Les systèmes de mise en page électronique

Au début des années 1980, la société Scitex a bouleversé le monde de l'imprimerie. Son nouveau système permettait de combiner des documents créés par ordinateur avec des images provenant d'un scanner couleur.

Avec ces **systèmes de mise en page électronique,** une personne seule peut composer toute une page couleur par voie électronique (figure 11.11). Elle peut modifier ou remplacer n'importe quel élément à l'écran. Par exemple, il est possible de changer la couleur des yeux d'un sujet, de brun à bleu, en quelques minutes grâce à quelques commandes informatiques. On peut effectuer ainsi un grand nombre d'opérations et vérifier tout de suite le résultat à l'écran. Après le balayage et les modifications, il reste à produire un ensemble complet de négatifs de séparation de couleurs.

Figure 11.11 Les systèmes de mise en page électronique combinent l'informatique et le scanner couleur.

Les systèmes de mise en page électronique sont des outils étonnants. Cependant, ils coûtent très cher. Seules les plus grandes imprimeries en possèdent. Souvent, les compagnies plus petites confient le traitement des images à des entreprises spécialisées dans la séparation de couleurs par scanner.

L'assemblage d'un film

Pour préparer une maquette, on doit assembler le texte et les illustrations. En production graphique, il faut souvent assembler des négatifs. Par exemple, on doit insérer les négatifs tramés dans les fenêtres de la maquette pour obtenir des pages complètes. De plus, il faut monter les négatifs de ces pages. Pense à ce manuel. On n'a pas imprimé chaque page séparément. On imprime plutôt les pages par groupes de 32 pages à la fois, car les presses peuvent recevoir de très grandes feuilles de papier. En outre, lorsqu'on imprime plus d'une couleur à la fois, on a besoin d'un négatif pour chaque couleur. Il faut placer ces négatifs les uns par-dessus les autres de façon très précise. Tout ce processus s'appelle l'assemblage de film.

L'assemblage de film ressemble à l'assemblage d'éléments graphiques sur une maquette. Par contre, on ne peut pas monter les négatifs sur une

Figure 11.12 *L'opération de pelliculage*

plaque. En effet, la lumière doit passer librement à travers les négatifs au cours de la prochaine étape du processus de production. Par conséquent, on fixe les négatifs sur un matériau très fin qu'on peut découper sur les zones imagées. Ce matériau s'appelle du papier-cache. Le processus qui consiste à fixer les négatifs sur le papier-cache est le **pelliculage** (figure 11.12). Pour de petits travaux, on peut se procurer du papier-cache muni de grilles préimprimées. Ces grilles servent de guide pour aligner les négatifs.

Pour une impression à une couleur, on fixe d'abord le négatif (côté lecture sur le dessus) sur une table lumineuse avec du ruban adhésif. Un léger éclairage à travers le négatif permet de bien placer le papier-cache sur le négatif. On découpe de petites ouvertures dans le papier-cache. Avec un ruban opaque de cellulose rouge, on colle le papier-cache au négatif de façon temporaire. On retire le ruban adhésif qui maintenait le négatif sur la table lumineuse. On retourne l'assemblage au complet. Il est alors possible de fixer le négatif au papier-cache sur la face arrière. L'ensemble s'appelle une **planche.** On retourne de nouveau la planche et on découpe encore un peu plus de papier-cache pour laisser passer la lumière à travers les zones imagées. Pour terminer, on masque tous les petits défauts du négatif avec un matériau opaque.

Le repérage à aiguilles

S'il y a plusieurs couleurs, on doit préparer une planche pour chaque négatif de séparation. Cependant, il faudra aligner parfaitement chaque planche avec les autres planches, sinon les couleurs seront floues. Pour y arriver, on fait un **repérage à aiguilles.** On perce des trous à des endroits précis de chacune des planches avant le pelliculage. Sur la table lumineuse, il y a des aiguilles en métal en face de chaque trou. On dépose les planches de séparation de couleurs sur ces aiguilles. Cela permet d'aligner les planches pour les étapes qui restent.

Le repérage à aiguilles sert aussi à aligner des grisés, des trames, des surimpressions et des inversions. Un grisé est une zone de points uniformes qui donne l'illusion d'une ombre plus pâle (figure 11.13). On décrit ces grisés à l'aide de valeurs en pourcentage. Par exemple, un grisé de 90 % est très pâle. Par contre, un grisé de 10 % se rapproche beaucoup du noir.

Figure 11.13 *Il y a beaucoup de modèles de trames. Les grisés (ci-dessous) donnent l'illusion de tons différents.*

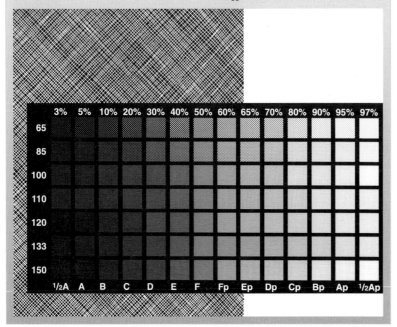

La trame ressemble beaucoup au grisé. Cependant, elle sert surtout à ajouter de la texture, par exemple une apparence de grain de bois.

La surimpression consiste à superposer une image (souvent du texte) par-dessus une autre image (par exemple une similigravure [figure 11.14]). Pour la produire, on aligne un négatif au trait correspondant au texte avec l'autre image.

L'inversion est le contraire de la surimpression (figure 11.14). Le caractère y apparaît d'une couleur pâle sur un arrière-plan foncé, qui est souvent une similigravure. Pour obtenir une inversion, on prépare un film positif pour le texte. On fait ensuite le pelliculage du film positif à l'aide d'un repérage à aiguilles sur une planche tramée.

L'assemblage automatisé d'un film

Pour les productions d'envergure, comme l'assemblage d'un magazine hebdomadaire, on dispose d'équipements de pelliculage automatisés. Ces dispositifs robotisés commandés par ordinateur prennent les négatifs dans une pile, les positionnent et les dirigent vers la prochaine étape du processus de production graphique. C'est le clichage. Tu verras le clichage au chapitre 12.

Figure 11.14 Le mot «roses» apparaît en surimpression sur les fleurs. La phrase «Un cadeau du cœur» constitue une inversion par rapport à l'arrière-plan de couleur.

Révision du chapitre 11

Questions de révision

1. Dans quelle mesure peut-on modifier la taille d'une image avec un banc de reproduction?

2. Décris la relation entre le nombre d'ouverture, le diamètre de l'ouverture du diaphragme et la quantité de lumière qui passe par l'ouverture.

3. Jusqu'à quelle étape de l'échelle de gris doit-on développer un négatif au trait?

4. Quelle est la différence entre un film positif et un film négatif?

5. Qu'est-ce qu'une similigravure? Décris comment on l'obtient.

6. Décris le processus de séparation de couleurs.

7. À quoi sert un scanner couleur?

8. Comment les systèmes de mise en page électronique ont-ils modifié le processus de conversion en film?

9. Qu'est-ce que le pelliculage? Décris ses étapes.

10. Explique l'importance du repérage à aiguilles.

Activités

1. Recouvre la moitié d'un morceau de film orthochromatique. Expose l'autre moitié du film à la lumière ambiante. Développe le film et explique le résultat.

2. Fais une recherche sur la composition chimique et le développement d'un film. Rédige un compte rendu.

3. Place un miroir dans une chambre noire et éteins toutes les lumières. Après quelques minutes, rallume les lumières et observe tes pupilles dans le miroir. En quoi ton œil ressemble-t-il à l'objectif d'un banc de reproduction? Résume ton expérience à ta classe.

4. Dans des magazines, trouve des exemples de grisé, de trame, de surimpression et d'inversion. Fabrique une affiche pour les présenter.

5. Trouve combien coûte la séparation de couleurs pour une photographie en couleurs de 12,5 cm sur 17,5 cm (5 po sur 7 po). Présente tes découvertes à ta classe.

L'impression et la conversion en produits

Qu'est-ce qu'un timbre-poste, la revue *National Geographic* et du papier peint ont en commun ? Eh bien, ce sont tous des imprimés. L'héliogravure est un procédé d'impression qui utilise des machines rotatives. Cependant, on se sert de plus en plus des ordinateurs (gravure assistée par ordinateur) et de technologies avancées (les ultrasons ou le laser, par exemple) pour imprimer toutes sortes de documents.

La boîte de céréales de ton petit déjeuner, ce manuel et les cartes de circuits imprimés de ton téléviseur sont d'autres produits imprimés, chacun selon un procédé distinct. Après l'impression, on les a pliés, rognés, puis coupés pour obtenir le résultat souhaité.

L'impression consiste à transférer le message (les mots et les images) d'un médium à un autre médium (par exemple de la plaque d'impression au papier).

Dans ce chapitre, tu vas étudier les principaux procédés d'impression et la conversion en produits. Tu comprendras alors pourquoi certains procédés s'appliquent à des produits, mais pas à d'autres.

Vocabulaire

- découpage à l'emporte-pièce
- flexographie
- gaufrage
- héliogravure
- impression électrostatique
- impression par jet d'encre
- offset
- photopolymère
- pochoir
- reliure
- sérigraphie
- thermographie
- typographie

Au fil de ce chapitre, tu vas trouver les réponses à ces questions :

- Quels sont les principaux procédés d'impression ? En quoi consistent-ils ?
- À quelle utilisation chacun de ces procédés correspond-il le mieux ?
- Comment convertit-on les matériaux imprimés en produits finis ?

chapitre 12

Les méthodes d'impression

On peut obtenir tous les produits imprimés à l'aide de l'une des méthodes suivantes : l'offset, la typographie, l'héliogravure, la sérigraphie, l'impression électrostatique, l'impression par jet d'encre et la reproduction à coûts réduits. Les détails des méthodes peuvent varier, mais le processus qui permet de transmettre le message au substrat est le même. Il comprend l'exposition du support du message à partir d'un montage de film et le transfert du message du support au substrat à l'aide d'une machine à imprimer.

Après l'impression, on applique certains traitements aux produits, par exemple le gaufrage, le pliage, la reliure ou l'emballage.

L'offset

En 1798, le dramaturge Aloys Senefelder a inventé une nouvelle façon d'imprimer. Il a d'abord tracé un dessin sur une pierre lisse à l'aide d'un « crayon » gras. Il a versé de l'eau sur le dessin, puis de l'encre. Il a alors observé deux choses. D'une part, l'eau roulait sur le crayon gras, mais elle pénétrait dans la pierre vierge. D'autre part, l'encre se fixait sur le crayon gras, mais pas sur la pierre mouillée. Senefelder a ensuite pressé une feuille sur la pierre pour transférer le dessin. Il a nommé ce procédé « lithographie » (du grec *lithos*, pierre et *graphein*, écrire), ce qui signifie « écrire sur de la pierre » (figures 12.1 et 12.2).

Vers le XIX\ :e siècle, on a conçu des machines à imprimer. Les machines ont amélioré la qualité de l'impression, car on transférait dorénavant le dessin sur une feuille caoutchoutée. Ce nouveau procédé s'appelle l'**offset**. Aujourd'hui, l'offset représente près de 50 % des revenus de l'industrie graphique.

Figure 12.1 Cette ancienne lithographie de l'artiste français Henri de Toulouse-Lautrec (1895) s'intitule La Revue blanche.

Figure 12.2 Avec la lithographie, on obtient l'impression à partir d'une surface plate (une plaque). On dit que c'est un processus d'impression planographique.

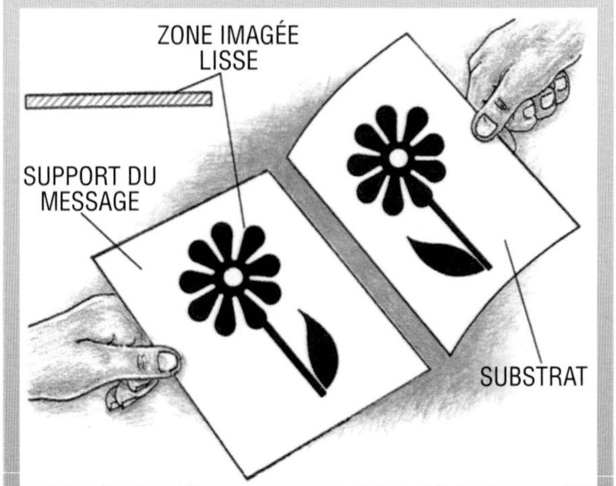

ZONE IMAGÉE LISSE

SUPPORT DU MESSAGE

SUBSTRAT

Les plaques offset

En offset, on utilise beaucoup de supports, ou plaques offset. Il peut s'agir d'une feuille de papier, d'une reproduction par transfert, d'une feuille ou d'une plaque d'aluminium, ou encore d'une plaque bimétallique. Le prix et la durabilité varient selon le matériau. Les feuilles de papier résistent mal après plusieurs centaines d'impressions. Par contre, la plaque bimétallique permet de produire plus de 500 000 copies.

En offset, le clichage se fait à partir de l'assemblage du film. Le clichage est la fabrication d'une plaque pour la reproduction. On fixe le film sur la plaque, puis on l'expose à la lumière vive. Par la suite, on développe la plaque à la main, dans une cuve à clichage, ou à l'aide d'une développeuse de plaque. Cette étape sert à fixer les parties imprimantes « qui attirent l'encre » sur la surface de la plaque (figure 12.3).

L'impression offset

Une presse offset transfère l'encre et l'eau à la plaque. Elle fait ainsi passer le message de la plaque au substrat. Toutes les presses offset exécutent les fonctions suivantes : l'encrage, le mouillage, l'alimentation, le repérage, l'impression et la réception (figures 12.4 et 12.5).

L'encrage

L'encrage consiste à étendre une mince pellicule d'encre sur la zone imagée de la plaque offset. On remplit d'abord le bac d'encre. Puis, au moment où la presse démarre, le barboteur s'enduit d'encre.

Figure 12.3 *Le développement d'une plaque ressemble au développement d'un film et varie selon le type de plaque. Ici, on fait le travail à la main.*

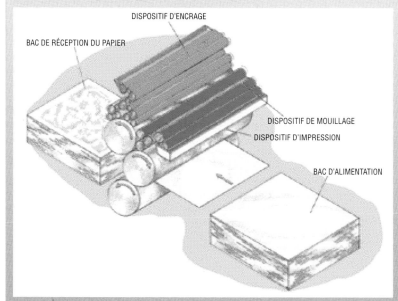

Figure 12.4 *(Ci-dessous) La position des dispositifs d'encrage, de mouillage et d'impression. (À droite) Une presse offset à bobines moderne.*

DISPOSITIF D'ENCRAGE
BAC DE RÉCEPTION DU PAPIER
DISPOSITIF DE MOUILLAGE
DISPOSITIF D'IMPRESSION
BAC D'ALIMENTATION

Figure 12.5   *Le fonctionnement d'une presse offset pour l'impression d'une seule couleur.*

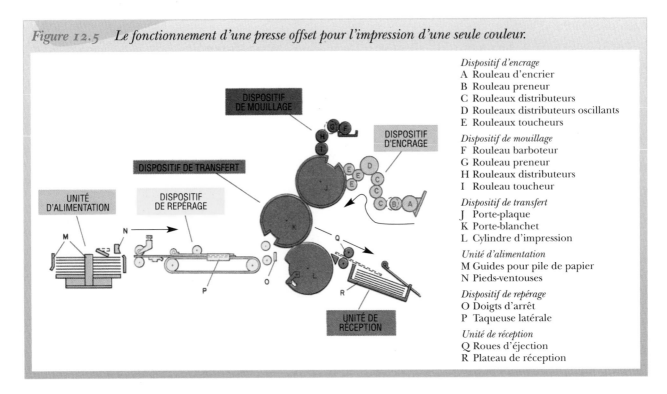

On peut déterminer la quantité d'encre à l'aide de touches sur le bac. À mesure que le barboteur tourne, il achemine l'encre vers le rouleau preneur. Ce rouleau effectue des mouvements de va-et-vient entre le barboteur et les rouleaux distributeurs. Ceux-ci distribuent l'encre sur les rouleaux toucheurs. Ces rouleaux transfèrent alors l'encre sur les zones imagées de la plaque.

Le mouillage

Le mouillage fonctionne aussi à l'aide d'une série de rouleaux. Ces rouleaux acheminent la solution de mouillage, surtout composée d'eau, vers la plaque offset. Cette solution sert à mouiller les zones non imagées. On met de la solution de mouillage dans le bac à solution de mouillage. La solution de mouillage passe du barboteur au rouleau preneur, jusqu'aux rouleaux distributeurs. Enfin, les rouleaux toucheurs transfèrent la solution de mouillage sur la plaque. Une fois sur la plaque, la solution adhère aux zones non imagées.

L'alimentation

L'unité d'alimentation fait circuler le papier ou un autre substrat dans la presse. Le mécanisme se compose d'une table d'alimentation, de guides pour la pile de papier, de buses de soufflage et de pieds-ventouses. Les guides retiennent le papier en place sur la table d'alimentation. Chaque feuille de papier doit entrer dans la presse exactement au même endroit. L'air qui sort des buses de soufflage sert à soulever le dessus de la feuille de papier. Les pieds-ventouses finissent de soulever entièrement la feuille de papier et la font avancer.

Le repérage

Le papier doit toujours avoir la même position pour assurer un alignement exact des couleurs et des images lorsqu'on imprime une feuille deux ou plusieurs fois. C'est le repérage. Des doigts d'arrêt freinent le mouvement du papier pendant que la taqueuse latérale pousse ou tire la feuille de côté. Certaines presses offset plus petites ne peuvent pas disposer le papier de façon précise. Elles ne conviennent pas bien à l'impression en plusieurs couleurs.

L'impression

L'impression requiert trois cylindres. Ils effectuent des mouvements de rotation les uns par rapport aux autres durant le cycle d'impression. Il y a le porte-plaque, le porte-blanchet et le cylindre d'impression. Certaines presses combinent les cylindres porte-plaque et d'impression.

On monte la plaque offset sur le cylindre porte-plaque. En tournant, la plaque entre en contact avec l'encre et la solution de mouillage provenant des rouleaux toucheurs. Un blanchet en caoutchouc monté sur le porte-blanchet reçoit d'abord l'image. Puis le substrat passe entre le porte-blanchet et le cylindre d'impression. Des pinces sur le cylindre d'impression transportent le papier dans la presse. Le cylindre d'impression applique alors une pression à l'arrière du papier pour y transférer le message.

La réception

Après le transfert, le papier sort de la presse et s'accumule sur la table de réception. Avec les systèmes de sortie à glissement, le papier parvient jusqu'à la table de réception par un système de roues d'éjection. Avec les systèmes de sortie à chaîne, des pinces fixées à une chaîne sortent les feuilles de papier imprimées de la presse.

Les presses multicouleurs

Certaines presses offset peuvent imprimer une, deux, quatre ou même sept couleurs d'encre au cours d'une même impression (figure 12.6). Elles nécessitent le raccordement de plusieurs dispositifs d'encrage, de mouillage et d'impression. Des dispositifs de séchage entre chaque étape permettent de sécher l'encre rapidement après chaque application de

Figure 12.6   Cette presse Heidelberg Speed-master peut imprimer cinq couleurs à la fois.

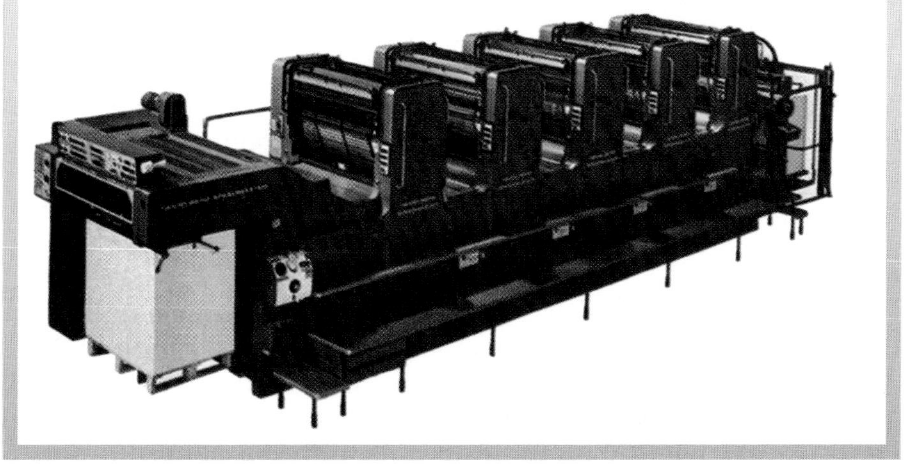

couleur. Par exemple, il est courant d'utiliser une presse à quatre couleurs pour imprimer le jaune, le magenta, le cyan et le noir nécessaires aux reproductions en couleurs.

Les utilisations de l'offset

L'offset permet d'imprimer sur toutes sortes de substrats. Par exemple, on utilise la lithographie offset pour imprimer la plupart des livres ainsi que la plupart des journaux, des magazines, des brochures, des affiches et bien d'autres produits.

Avec l'offset, on peut imprimer un petit nombre d'exemplaires (10) jusqu'à de grandes quantités (des millions). Ce procédé convient aux petites et aux grandes imprimeries. Il permet de produire autant des documents de qualité moyenne que des documents de première qualité à grands tirages en quadrichromie.

L'impression en relief

L'impression en relief consiste à imprimer à partir d'une surface en relief (figure 12.7). Il faut appliquer de l'encre sur la surface en relief, puis presser cette surface contre le substrat pour transférer l'image.

Figure 12.7 Voici un exemple d'impression en relief. Les lettres de la zone imagée sont en relief.

En fait, il s'agit de la plus vieille méthode d'impression. On sait qu'on l'utilisait en Chine en l'an 200 apr. J.-C. On pense que la première impression d'un livre remonte à l'an 868. Pour ce faire, on avait sculpté des images dans des blocs de bois.

Les processus d'impression en relief comprennent la typographie et la flexographie. En typographie, on utilise des caractères en métal. En flexographie, on se sert d'une plaque en caoutchouc ou en plastique.

La typographie

Vers 1450, le forgeron Johannes Gutenberg a fabriqué les premiers caractères mobiles en métal. Ce faisant, il a révolutionné l'impression. Aujourd'hui encore, on estime qu'il s'agit de l'une des plus importantes inventions de l'histoire de l'humanité. Pour la première fois, on a pu imprimer des livres en grandes quantités. On appelle ce type d'impression la **typographie** (du grec *tupos*, empreinte et *graphein*, écrire). Pendant 500 ans, on a utilisé presque uniquement la typographie comme forme d'impression !

Cependant, des années 1950 à 2000, la typographie a perdu de sa popularité. Aujourd'hui, elle représente moins de 5 % de toutes les formes d'impression. Toutefois, on l'utilise encore pour le travail de finition. Le gaufrage, l'impression à chaud sur feuille métallique et le découpage à l'emporte-pièce (voir plus loin) suivent un procédé typographique.

La flexographie

La **flexographie** ressemble à la typographie et utilise le relief. Sa principale caractéristique est le matériau du support de message, soit le caoutchouc ou le plastique.

Au début, on a appelé la flexographie « impression à l'aniline ». On fabriquait les encres à partir de l'aniline. Cette substance provenait d'une plante appelée l'indigotier anil. Les encres à l'aniline séchaient très vite. En 1930, avec l'invention de la cellophane, l'impression à l'aniline s'est avérée idéale pour imprimer des images sur ce nouveau substrat. On choisissait surtout ce type d'impression dans l'industrie de l'emballage des aliments.

Vers les années 1950, on a pensé que les encres à l'aniline étaient peut-être toxiques. Dans ce cas, elles ne pouvaient pas convenir à l'emballage des aliments. Quand on a pu prouver que ces encres ne représentaient aucun danger, le mal était fait. Les encres avaient désormais une mauvaise réputation. On a alors adopté un nouveau nom pour ce procédé : la flexographie.

De nouvelles encres, de meilleures presses et de nouveaux substrats en plastique ont permis à la flexographie de gagner une grande part du marché. Aujourd'hui, ce procédé représente 20 % des ventes totales en imprimerie.

Les plaques flexographiques

Il y a trois principaux types de plaques flexographiques : le caoutchouc, le photopolymère liquide et le photopolymère en feuille. Le **photopolymère** est un plastique sensible à la lumière, semblable à du miel (figure 12.8).

Pour fabriquer la plaque en caoutchouc, on doit faire un moule. On fait une impression en relief dans le matériau avec les caractères en métal, puis on chauffe. On verse ensuite du caoutchouc liquide dans le moule. Grâce à la chaleur et à la pression, le caoutchouc prend la forme du moule. Un timbre en caoutchouc constitue une plaque flexographique simple.

Si on utilise un photopolymère liquide, on doit verser le liquide sur une mince feuille de film transparent qui recouvre le négatif. On expose ensuite ce « sandwich ». Un révélateur fait durcir les zones imagées exposées. On lave la plaque avec un détergent pour éliminer les zones non imagées qui n'ont pas durci. On obtient comme résultat une surface en relief en plastique flexible.

Les plaques en photopolymère préfabriquées ressemblent aux plaques en photopolymère liquide. Cependant, on utilise du photopolymère en feuille pour les préparer. On peut les manipuler plus librement que les autres. Par contre, elles coûtent plus cher. On procède à l'exposition et au lavage à peu près comme pour les plaques en photopolymère liquide.

Figure 12.8 En flexographie, on utilise ces deux types de plaques : à gauche, tu vois une plaque en caoutchouc, et à droite, une plaque fabriquée à partir d'un photopolymère. Ces deux types de plaques peuvent produire des millions d'exemplaires. Elles conviennent bien aux gros volumes d'impressions.

L'impression flexographique

Les presses flexographiques comportent un rouleau à substrat continu, appelé une bobine. Souvent, on utilise des presses flexographiques à bobines étroites pour imprimer des étiquettes. Avec des presses à bobines

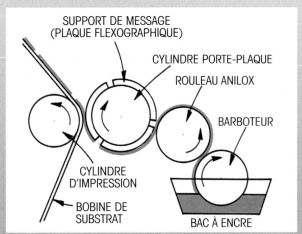

Figure 12.9   Le procédé flexographique.
On enroule la plaque flexographique autour
du cylindre porte-plaque.

SUPPORT DE MESSAGE
(PLAQUE FLEXOGRAPHIQUE)

CYLINDRE PORTE-PLAQUE

ROULEAU ANILOX

BARBOTEUR

CYLINDRE
D'IMPRESSION

BOBINE DE
SUBSTRAT

BAC À ENCRE

plus larges, on peut imprimer des produits plus gros, par exemple des contenants alimentaires.

Avec une presse flexographique, on utilise une encre très fine (figure 12.9). Le barboteur transfère cette encre sur le rouleau anilox. Ce rouleau a de minuscules alvéoles gravées à sa surface. Il transfère l'encre sur la plaque. Un coussin de mousse à dos adhésif double face maintient la plaque sur le cylindre porte-plaque. La pression du cylindre d'impression provoque le transfert de l'encre de la plaque au substrat. Le dérouleur alimente la bobine dans la presse et l'enrouleur enroule de nouveau la bande après l'impression.

Faits scientifiques

Les polymères

Un polymère est une grosse molécule formée à partir d'une chaîne de petites unités appelées des monomères. Le préfixe *poly* signifie «plusieurs», alors que l'élément *mer* vient du grec et signifie «parties».

Les plastiques sont des polymères. Il y a deux grands types de plastiques : les thermoplastiques et les thermodurcissables. Lorsqu'on chauffe les thermoplastiques, les longues chaînes de molécules glissent les unes sur les autres. Le plastique se ramollit et fond. Par contre, les thermodurcissables ont des chaînes reliées entre elles. Ainsi, si on les chauffe, ils ne fondent pas, mais ils peuvent se ramollir ou brûler.

Figure 12.10   On a imprimé ces emballages
par procédé flexographique.

Les utilisations de la flexographie

Les encres flexographiques sèchent presque instantanément sur n'importe quel substrat, y compris les pellicules et les feuilles en plastique. Pour cette raison, on les utilise souvent pour les emballages. Dans les épiceries et les grands magasins, tu peux voir des milliers d'étiquettes et d'emballages imprimés par flexographie (figure 12.10).

La flexographie a ses limites. Elle ne permet pas d'imprimer clairement des petits détails, comme des similigravures à 5 points. Voilà pourquoi on ne l'utilise pas pour imprimer des livres, des magazines ou d'autres publications. Toutefois, l'impression flexographique pourrait un jour remplacer l'offset pour imprimer les journaux.

L'héliogravure

L'**héliogravure** consiste à transférer de l'encre à partir de zones imagées sous la surface d'une plaque (figure 12.11). On doit l'héliogravure à Nicéphore Niepce. En 1822, Niepce a réussi, par étapes successives, à produire une image qui se révélait à l'aide de la lumière (d'où le mot *hélios*, qui signifie soleil en grec). En fait, l'héliogravure est l'inverse de l'impression en relief. Au cours du XIVᵉ siècle, les artistes sculptaient des lignes dans le bout de blocs de bois. On enduisait le bloc d'encre, puis on essuyait complètement la surface du bois. On transférait ensuite sur le papier l'encre insérée dans chaque ligne à l'aide d'une simple pression (figure 12.12). Peu après, on a remplacé les plaques en cuivre par des plaques en bois. On obtenait de très belles illustrations. Par contre, le processus était très lent.

En 1879, Karl Klic a inventé un processus de création d'image sur une plaque de cuivre par voie photographique. Un peu plus tard, il a remplacé les plaques par des cylindres. Il a appelé son nouveau procédé la rotogravure. Aujourd'hui, on parle tout simplement de gravure.

Les plaques à héliogravure

Une plaque à héliogravure, ou cylindre en creux, se présente au départ comme un cylindre plaqué de cuivre et parfaitement lisse. On grave à l'eau forte ou on creuse une image sur la surface de la plaque. Auparavant, on faisait un pochoir en exposant un papier charbon photosensible à travers un négatif. On fixait le papier charbon au cylindre et on le submergeait dans l'acide. L'acide gravait les zones imagées sur le cylindre.

Aujourd'hui, les cylindres à héliogravure comportent un dispositif commandé par ordinateur pour l'hélio-impression. Le dispositif effectue un balayage du document et le convertit en données informatiques. Une pointe diamantée reproduit ces données sur le cylindre à héliogravure en rotation. Pense à un pic-bois qui donne des coups de bec sur un arbre. La pointe diamantée produit des milliers de trous minuscules qu'on appelle des alvéoles. Les alvéoles vont créer la zone imagée (figure 12.13).

L'impression par héliogravure

On monte le cylindre à héliogravure sur une plaque à héliogravure (figure 12.14). Le cylindre tourne dans un bac d'encre et s'enduit d'une fine pellicule d'encre. Une racle enlève tout l'excès d'encre du cylindre et il ne reste que l'encre contenue dans les alvéoles. Par une pression du rouleau d'impression sur le substrat, on procède au transfert de l'image.

Les utilisations de l'héliogravure

L'héliogravure représente environ 20 % de toutes les ventes dans le domaine de l'imprimerie. Elle coûte cher à réaliser. Cependant, les

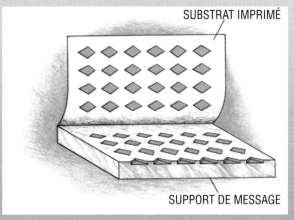

Figure 12.11 Le fonctionnement de l'héliogravure. L'encre s'emmagasine dans les alvéoles encastrées dans la surface de la plaque.

SUBSTRAT IMPRIMÉ

SUPPORT DE MESSAGE

Figure 12.12 Durant des siècles, les artistes ont utilisé l'héliogravure comme mode d'impression. Albrecht Dürer (1471-1528) a fait cette impression à l'aide de blocs de bois.

Figure 12.13 *L'impression par héliogravure. Le système recueille des données par balayage et les transmet à l'ordinateur.*

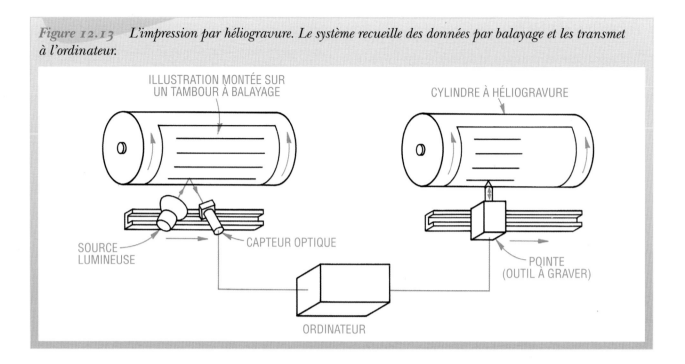

Figure 12.14 *La pression transfère l'encre emprisonnée dans les alvéoles au substrat.*

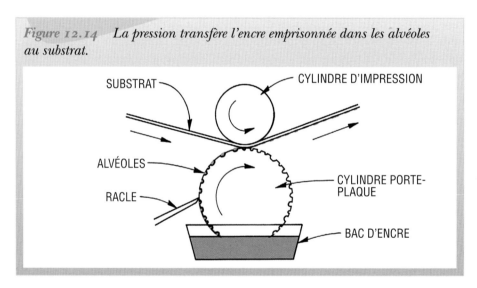

cylindres permettent de faire plusieurs millions d'impressions. Ils conviennent parfaitement aux impressions à gros tirage. Par exemple, la Monnaie canadienne se sert de la gravure en taille-douce et de la lithographie pour faire ressortir les chiffres sur les billets de 10 dollars. On utilise l'héliogravure pour produire les reproductions du photographe canadien Karsh, connu pour ses photographies en noir et blanc. L'héliogravure s'avère économique si on veut une impression de qualité et qu'on imprime plus de 100 000 exemplaires. De plus, elle fournit des impressions en couleurs de qualité supérieure aux autres méthodes de reproduction graphique. Par conséquent, on utilise parfois l'héliogravure pour des travaux qui exigent une qualité supérieure (figure 12.15).

Les encres à héliogravure sèchent presque instantanément. L'héliogravure a donc une bonne place dans l'industrie de l'emballage, comme la flexographie. Elle a l'avantage lorsqu'il s'agit d'effectuer des impressions de qualité supérieure ou d'imprimer de très petits détails.

Pour en savoir plus sur les reproductions du photographe Karsh, rends-toi à l'adresse suivante :

 www.dlcmcgrawhill.ca

Figure 12.15 *L'héliogravure sert à imprimer, entre autres, des magazines, des journaux, des catalogues et des timbres.*

On peut composer une image continue sur le cylindre, c'est-à-dire sans début ni fin. Cela permet d'imprimer par héliogravure des produits qui requièrent des modèles continus, comme les rouleaux de papier peint et les revêtements en vinyle.

La sérigraphie

Imagine que tu découpes une forme dans un morceau de papier. Tu étends le papier sur une autre feuille de papier et tu le colories. Que se passe-t-il ? Tu transfères la forme découpée sur la feuille qui se trouve en dessous. La feuille de papier découpée peut servir plusieurs fois à « imprimer » la même forme. Cependant, après quelques utilisations, la feuille de papier se détériore peu à peu. Tu pourrais la préserver plus longtemps si tu la fixes à un écran semblable à la moustiquaire d'une porte. Pour imprimer, tu pourrais pulvériser de la peinture sur la forme.

Voilà une description générale de la sérigraphie. On remplace la moustiquaire par une mince toile, plus fine et plus solide. Cet écran évite de transférer le modèle de l'écran sur le substrat. On utilise en général de l'encre et non des crayons ou de la peinture pulvérisée.

La **sérigraphie** consiste simplement à transférer l'encre à travers un pochoir retenu en place par un écran (figure 12.16). Ce **pochoir** est une mince feuille remplie de trous ayant la forme de lettres, de dessins, etc. Il permet à l'encre de passer à travers les zones imagées (les trous), mais pas à travers les zones non imagées.

En Asie, on imprimait à l'aide de pochoirs dès le Xe siècle apr. J.-C. Au tout début, on maintenait les pochoirs en place à l'aide de cheveux. Plus tard, on a remplacé les cheveux par de la soie. Cependant, la soie coûte cher et elle est plus fragile que les tissus synthétiques modernes. Aujourd'hui, on n'utilise plus la soie dans l'industrie de l'imprimerie.

Figure 12.16 *Un écran retient le pochoir en place. Avec la raclette, on étend l'encre, qui passe à travers l'écran.*

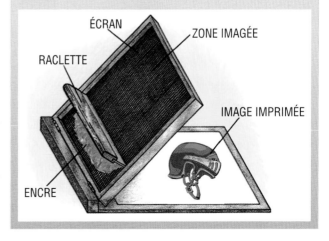

ÉCRAN

ZONE IMAGÉE

RACLETTE

IMAGE IMPRIMÉE

ENCRE

Figure 12.17   En sérigraphie, on utilise des pochoirs à partir de découpages manuels (en haut), de photos par transfert indirect (au centre) et de photos par contact direct (en bas).

Les pochoirs pour sérigraphie

Il y a plusieurs matériaux possibles pour les pochoirs de sérigraphie. Nous en décrivons quelques-uns (figure 12.17).

Les pochoirs pour thermogravure

Le pochoir de papier est sans doute le plus simple, suivi du thermocopieur. Plusieurs entreprises produisent des transparents pour rétroprojecteur à l'aide d'un thermocopieur. On met le transparent en contact avec le document au trait et on les fait passer dans le thermocopieur. On obtient l'écran et le pochoir combinés en une seule feuille. On peut monter le tout sur un cadre en plastique, puis faire l'impression.

Les pochoirs à découpage manuel

Pour faire un pochoir à découpage manuel, on utilise une feuille de plastique transparent enduite d'une mince couche de plastique plus mou. On découpe le plastique mou, puis on le retire du plastique transparent. On crée ainsi la zone imagée. On fixe ensuite le pochoir à l'écran à l'aide d'eau ou de laque. À cette étape, on retire aussi le plastique transparent pour ouvrir les zones imagées et permettre à l'encre de passer à travers.

Les pochoirs photographiques

On obtient des pochoirs photographiques en les exposant à travers une image positive transparente. On peut utiliser un film positif ou un dessin au trait sur un film transparent. On développe ensuite le pochoir, ce qui fait durcir les zones exposées (non imagées). On élimine les zones non durcies par un lavage. L'encre passera à travers ces zones.

Il y a deux types courants de pochoirs photographiques : les pochoirs photographiques à contact direct et les pochoirs photographiques à transfert indirect. Les premiers consistent en émulsions liquides déposées directement sur l'écran. On les expose, puis on les développe. Les pochoirs photographiques à transfert indirect comportent des feuilles de matériau exposées et développées au préalable, puis fixées à l'écran.

Les tissus à pochoir

Les tissus synthétiques comme le polyester, le nylon ou l'acier inoxydable conviennent bien à la sérigraphie. Ils ont une grande résistance. De plus, ils présentent un espacement idéal entre les fils, soit la qualité la plus recherchée pour un tissu à pochoir.

Plus il y a un petit espacement entre les fils du tissu, plus on peut imprimer de détails. Par contre, il est plus difficile d'imprimer à travers une très petite ouverture qu'à travers une ouverture plus grande.

On mesure l'espacement par le compte. Pour mesurer le compte, on utilise le plus souvent une échelle graduée de 6XX à 25XX. Un compte de 6XX représente une grosse trame. Par contre, un compte de 25XX correspond à une trame serrée. En sérigraphie, on recommande des tissus ayant un compte entre 12XX et 16XX.

Les cadres

Il y a des cadres à sérigraphie en bois ou en métal. Les cadres en bois, moins chers, durent assez longtemps. Par contre, les cadres en métal sont plus stables. On s'en sert pour les travaux de grande qualité ou lorsqu'on a besoin d'un cadre plus durable.

Pour fixer un écran à un cadre en bois, on utilise une corde qui retient fermement le tissu dans une rainure. Une autre méthode consiste à étirer un tissu et à le coller en place (figure 12.18).

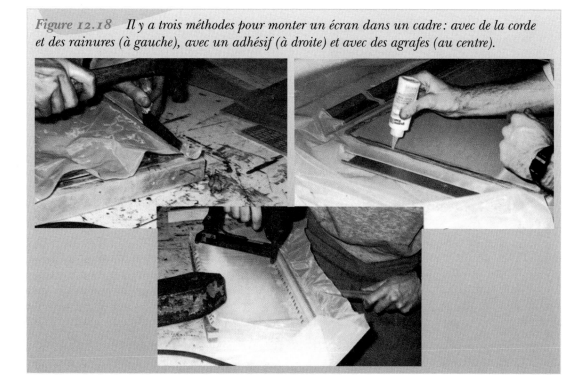

Figure 12.18   Il y a trois méthodes pour monter un écran dans un cadre : avec de la corde et des rainures (à gauche), avec un adhésif (à droite) et avec des agrafes (au centre).

Les encres et les substrats

La sérigraphie a l'avantage de permettre de travailler avec toutes sortes d'encres et de substrats. Il y a des encres pour presque toutes les surfaces, comme le papier, le métal, le tissu et le plastique. D'autres encres conviennent pour l'extérieur, par exemple pour les enseignes commerciales.

Dans certains cas, on n'utilise pas d'encre. Par exemple, pour fabriquer des panneaux de signalisation routière, on imprime en sérigraphie un adhésif qui contient de minuscules billes de verre. Ces billes réfléchissent la lumière des phares des automobiles. Cela permet de mieux distinguer le panneau dans l'obscurité.

L'impression à l'aide d'un pochoir

Pour imprimer au pochoir, on doit faire pénétrer l'encre dans les zones imagées à l'aide d'une raclette. Cette raclette comporte une lame de caoutchouc solide mais flexible. Pour des impressions à petits tirages, on peut fixer le cadre à une surface de travail à l'aide de charnières et passer la raclette à la main sur tout l'écran. Après l'impression, on dépose le substrat sur un support pour le faire sécher à l'air. Par contre, pour des impressions à grands tirages, on peut utiliser une presse à sérigraphie.

Figure 12.19 *Pour des impressions à grands tirages, on utilise des presses à sérigraphie.*

Ces presses effectuent mécaniquement presque toutes les tâches (figure 12.19).

Les utilisations de la sérigraphie

La sérigraphie permet d'imprimer sur n'importe quelle surface en deux dimensions, ou presque. Le plus souvent, on utilise comme substrats le papier, le métal, le verre, la céramique, le tissu et le bois (figure 12.20).

Dans l'industrie du textile, on se sert de la sérigraphie pour imprimer sur des vêtements. Par exemple, les t-shirts imprimés en sérigraphie et avec des « décalques au fer chaud » ont une grande popularité. Les décalques au fer chaud consistent à transférer une image sur un vêtement au moyen de chaleur.

Dans l'industrie de la céramique, on utilise la sérigraphie pour décorer des verres, des tasses et d'autres accessoires. Une méthode consiste à imprimer en sérigraphie sur de la vaisselle de minuscules particules de verre broyé en suspension dans un liquide. On chauffe ensuite la vaisselle pour faire fondre le verre. On imprime aussi directement sur les verres et les tasses à l'aide d'encres permanentes.

De plus, la sérigraphie sert à imprimer des chemins conducteurs entre les composantes de cartes de circuits imprimés en plastique d'équipements électroniques. Pour ce faire, on utilise une encre conductrice ou un vernis de protection contre l'acide. Le vernis de protection empêche l'acide de ronger la carte de circuit imprimé en cuivre qui doit contenir les chemins conducteurs. On utilise même la sérigraphie pour produire les minuscules puces électroniques qui sont soudées à la carte de circuits imprimés.

La sérigraphie constitue un bon moyen d'imprimer de grandes images en petit nombre. Un grand cadre en bois et un pochoir coûtent beaucoup moins cher que l'équipement nécessaire aux autres procédés d'impression. Par conséquent, on va souvent imprimer des écriteaux, de grandes affiches publicitaires et même des panneaux publicitaires par sérigraphie.

Figure 12.20 *On a utilisé la sérigraphie pour imprimer ces produits.*

L'impression électrostatique

L'**impression électrostatique** transfère un message d'une plaque à un substrat grâce à l'électricité statique (figure 12.21). Une photocopieuse représente le meilleur exemple d'impression électrostatique.

Figure 12.21   Dans l'impression électrostatique, la zone imagée et chargée du substrat attire la poudre.

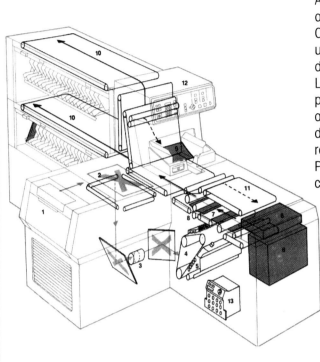

Avec ce type de photocopieuse, l'alimentateur (1) achemine l'original vers la plaque d'impression (2). C'est là que le document est exposé à la lumière et à un miroir à travers une lentille (3). Cette lentille sert à diriger l'image sur la courroie du photorécepteur (4). Les rouleaux magnétiques (5) balaient la courroie du photorécepteur avec de l'encre sèche. Cette encre adhère à la zone imagée. La copie parvient ensuite du plateau principal ou secondaire (6) vers la courroie sur laquelle se fait le transfert de l'encre (7). Puis, la copie passe entre deux rouleaux (8) où la chaleur et la pression font fondre l'image sur le papier.

Les copies simples aboutissent dans le plateau de réception (9). Les documents à plusieurs pages ressortent dans le trieur (10), qui les rassemble. Le transporteur (11) ramène les copies recto verso vers le plateau secondaire. De là, elles suivent de nouveau le même processus.

La console de commande permet d'entrer les commandes souhaitées (12). On effectue les réglages et les essais à partir du module de maintenance (13).

La lumière se réfléchit sur le document original et forme une zone d'image chargée sur un tambour cylindrique. Il y a transfert de cette charge au substrat (en général du papier). La zone chargée attire de minuscules grains de poudre, souvent noire. Cette poudre fond sur le substrat au contact de la chaleur.

Dans les entreprises, on apprécie les photocopieuses pour la reproduction de petites quantités de documents. Pour photocopier des milliers de documents à l'heure, on utilise plutôt des photocopieuses à haute vitesse (figure 12.22). Par ailleurs, les systèmes d'éditique (chapitre 10) constituent des combinaisons d'imprimantes électrostatiques et d'ordinateurs.

Figure 12.22   Cette photocopieuse électrostatique haute vitesse peut produire 135 copies à la minute. Elle peut aussi relier des feuilles ou les agrafer.

Les plaques électrostatiques

La plaque qui sert à l'impression électrostatique consiste en un tambour qui achemine la charge électrostatique. Il y a deux façons de charger le tambour. La première façon utilise la lumière réfléchie par la copie. On retrouve le plus souvent

Figure 12.23   Cette imprimante au laser exécute les commandes d'un ordinateur.

ce processus dans les entreprises et les ateliers d'impression à reproduction rapide.

La deuxième façon est l'utilisation du laser. Une imprimante au laser obéit aux commandes provenant de l'ordinateur (figure 12.23). On peut employer un clavier d'ordinateur pour saisir un texte et un scanner pour numériser une illustration. Une fois traitées, les données passent de l'ordinateur à l'imprimante au laser. Le laser effectue un balayage sur tout le tambour et charge la zone imagée. Comme dans la photocopieuse, il y a transfert de la charge vers le substrat où la poudre d'encre fond au contact de la chaleur.

Faits scientifiques

L'électricité statique

As-tu déjà ressenti un choc électrique alors que tu marchais sur du tapis ou que tu tendais la main vers une poignée de porte? Qu'est-ce qui cause ce choc électrique? C'est l'électricité statique.

L'électricité correspond au déplacement d'électrons. Elle peut se transmettre comme un courant, par exemple dans les fils qui l'acheminent vers les appareils électriques. Elle peut aussi demeurer en place : on parle alors d'électricité statique.

Que se passe-t-il lorsque tu marches sur du tapis? Tu ramasses les électrons qui se trouvent dans le tapis. Ton corps accumule une charge négative. Lorsque tes doigts s'approchent d'une poignée de porte, la charge d'électricité statique bondit littéralement sur la poignée. Dans l'obscurité, tu peux même voir l'étincelle produite.

L'électricité statique peut causer des problèmes et représente parfois du danger. (Les éclairs sont une décharge d'électricité statique.) Cependant, on peut exploiter l'électricité statique dans des applications utiles, comme l'impression électrostatique.

L'impression par jet d'encre

Dans l'**impression par jet d'encre,** de minuscules pistolets pulvérisent de l'encre sur un substrat (figure 12.24). Au cours de l'impression, il n'y a pas de contact entre le support d'image et le substrat. Il n'y a pas d'impact non plus. Pour cette raison, on appelle parfois ce processus l'impression sans impact.

L'absence de contact au cours du transfert d'image permet d'imprimer des images sur des substrats variés, par exemple des surfaces en relief ou délicates (figure 12.25).

Figure 12.24 *(À gauche) Un jet d'encre continu. (À droite) Des balayages verticaux successifs construisent chaque caractère.*

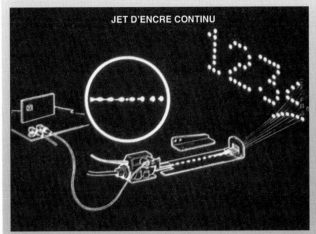

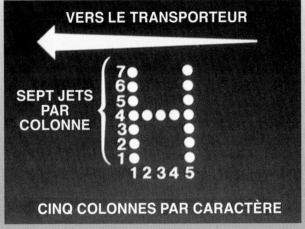

Figure 12.25 *L'impression par jet d'encre permet d'imprimer sur presque toutes les surfaces, même sur un jaune d'œuf.*

Figure 12.26 *Cette imprimante à jet d'encre sert à imprimer des codes sur des cartouches destinées à des analyses médicales.*

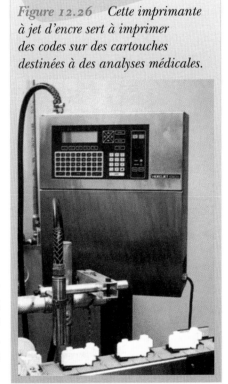

Pour une imprimante à jet d'encre, un ordinateur joue le rôle de support de message. Les données numériques contrôlent les minuscules pistolets qui pulvérisent des gouttelettes d'encre sur le substrat. Un champ électrostatique attire l'encre au bon endroit pendant son trajet entre l'air et le papier. Il y a des imprimantes à jet d'encre de différentes qualités (figure 12.26).

La reproduction économique

Pour des impressions à petits tirages, les entreprises utilisent la dittographie ou la duplication par stencil. Une plaque dittographique possède une zone imagée en carbone. On enduit cette zone imagée d'une mince couche d'alcool. Une simple pression suffit pour transférer l'image en carbone sur le papier. À mesure que le carbone s'use, les copies deviennent plus pâles. Par conséquent, une plaque dittographique ne permet d'imprimer que 100 copies environ.

Dans la duplication par stencil, on découpe le stencil, souvent à l'aide d'une machine à écrire. L'encre passe à travers le stencil jusqu'au papier.

On obtient des copies de meilleure qualité qu'avec le carbone de la dittographie. De plus, le stencil dure plus longtemps que le carbone. Cependant, on réserve la duplication par stencil aux documents qui ne demandent pas une grande qualité ou durabilité.

La conversion en produits

La conversion en produits regroupe toutes les tâches qu'il faut effectuer sur les produits après l'impression. Voici quelques exemples :

- rogner les feuilles imprimées selon les dimensions finales ;
- plier et assembler un journal ;
- rogner, plier, assembler et relier les pages d'un livre ;
- gaufrer, imprimer à chaud et découper à l'emporte-pièce une étiquette ;
- donner sa forme à un contenant de boisson gazeuse ;
- découper, plier et coller un contenant.

Examinons certains de ces procédés.

Le gaufrage, l'impression à chaud et le découpage à l'emporte-pièce

Le **gaufrage** consiste à produire une zone imagée en relief sur un substrat. Pour ce faire, on doit presser le substrat entre deux matrices de gaufrage (figure 12.27). Les matrices sont des moules en trois dimensions qui impriment leur image sur le papier par une forte pression.

L'impression à chaud ressemble beaucoup au gaufrage. On utilise de la chaleur et des feuilles de métal en couleurs. Sous l'effet de la chaleur et de la pression, l'image qui se trouve sur la feuille de métal fond sur le substrat.

As-tu déjà découpé de la pâte à biscuits avec un emporte-pièce ? Le **découpage à l'emporte-pièce** en imprimerie ressemble beaucoup à cette opération. Les emporte-pièce sont des couteaux affilés montés sur une base en bois (figure 12.28). Ces couteaux découpent la partie du substrat dans laquelle ils pénètrent.

Figure 12.27 *On obtient une zone imagée en relief quand on presse le substrat entre deux matrices.*

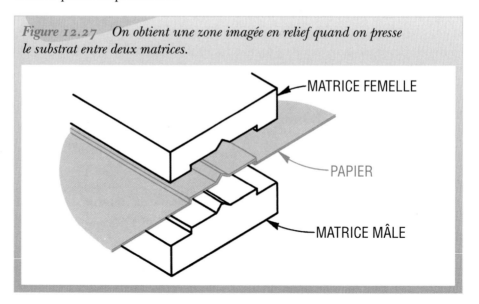

MATRICE FEMELLE

PAPIER

MATRICE MÂLE

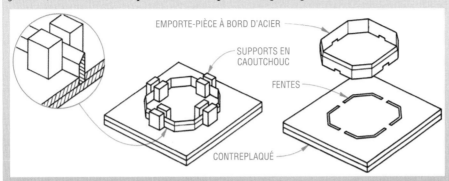

Figure 12.28 Les emporte-pièce (ci-dessus) restent en place grâce à des supports en caoutchouc. Ces supports s'affaissent lorsque l'emporte-pièce pénètre dans le substrat. L'emporte-pièce découpe ainsi la forme du produit final. (Ci-dessous) Des produits découpés à l'emporte-pièce.

Tous ces procédés demandent d'appliquer une forte pression. Par conséquent, on choisit souvent la typographie comme procédé d'impression parce qu'elle peut fournir cette pression. Le gaufrage, l'impression à chaud et le découpage à l'emporte-pièce permettent de produire des cartes de souhaits de grande qualité.

La thermographie

La **thermographie** signifie « écrire avec la chaleur ». Ce procédé permet d'obtenir une zone imagée en relief sans utiliser le gaufrage. On recouvre le produit imprimé d'une poudre de plastique finement moulue avant que l'encre ne sèche. La poudre se fixe aux zones imagées. Par la suite, on retire la poudre libre des zones non imagées. On envoie le substrat dans un dispositif de chaleur qui fait fondre la poudre. On obtient alors une image en relief lisse et brillante. On utilise couramment la thermographie pour des faire-part de mariage, des cartes de visite ou des cartes professionnelles.

L'assemblage et la reliure

L'assemblage est le processus qui consiste à réunir des feuilles imprimées. Il y a trois modes d'assemblages : le collationnement, l'assemblage en cahiers et l'encartage. Le collationnement représente l'assemblage des feuilles dans un certain ordre. L'assemblage en cahiers consiste à attacher ensemble les feuilles pliées, ou cahiers. Les magazines et les livres comportent souvent des cahiers. L'encartage est l'action d'insérer une feuille dans un cahier. Par exemple, on peut imprimer des bons de commande ou des annonces sur du papier épais, puis les insérer dans un magazine (figure 12.29).

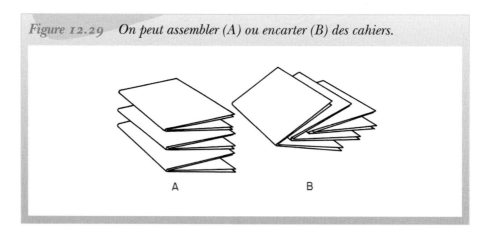

Figure 12.29 *On peut assembler (A) ou encarter (B) des cahiers.*

La **reliure** consiste à attacher ensemble des pages de façon permanente. Parmi les méthodes de reliure les plus courantes, il y a la piqûre à plat, la piqûre à cheval, la reliure sans couture et la reliure à l'anglaise (figure 12.30).

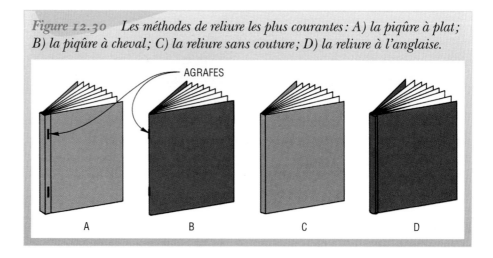

Figure 12.30 *Les méthodes de reliure les plus courantes : A) la piqûre à plat ; B) la piqûre à cheval ; C) la reliure sans couture ; D) la reliure à l'anglaise.*

La piqûre à plat consiste à piquer des agrafes sur le côté d'un produit, à travers toute l'épaisseur. Avec la piqûre à cheval, on pique des agrafes dans le pli du dos d'un cahier. Ces deux techniques conviennent bien aux produits de quelques pages seulement.

Dans la reliure sans couture, on met de la colle chaude au dos des feuilles et des cahiers assemblés. On en profite souvent pour ajouter une couverture souple pendant que la colle est encore chaude. La couverture protège le produit et lui donne une apparence plus soignée. Les magazines et les livres de poche ont souvent une reliure sans couture.

La reliure à l'anglaise produit des reliures rigides. On assemble les cahiers, on les coud, puis on les colle ensemble. On termine par l'installation d'une couverture rigide.

Le pliage, le perçage et la découpe

Il y a plusieurs façons de plier une feuille imprimée. Il y a des machines à pliage de table et d'autres modèles beaucoup plus gros.

Une perceuse sert à perforer une pile de papier. Il s'agit d'une perceuse à colonne munie d'une tête à tourillon. On perfore le papier destiné à recevoir des reliures à trois anneaux ou des accessoires à suspendre.

Avant l'impression, on coupe souvent le papier dans de grandes feuilles pour l'adapter aux dimensions requises de la presse. Après l'impression, il faut rogner ces feuilles de tirage pour obtenir le format final. Certains coupe-papier peuvent découper d'épaisses piles de papier d'un seul coup.

Santé et sécurité

Le gouvernement se préoccupe de la sécurité

Chaque jour, au Canada, des millions de personnes subissent une exposition à des produits chimiques dangereux. Le Système d'information sur les matières dangereuses utilisées au travail (SIMDUT) offre une protection à l'égard des matières dangereuses. L'application du SIMDUT découle de lois fédérales, provinciales et territoriales. La loi demande aux employeuses et aux employeurs d'informer leur personnel des risques possibles et de prendre les mesures appropriées. Cette loi exige un étiquetage clair de tous les produits dangereux. Chaque entreprise doit conserver dans des dossiers toute l'information sur ces produits. De plus, le personnel doit recevoir une formation adéquate sur la façon de manipuler ces produits en toute sécurité.

Les étiquettes doivent fournir les renseignements suivants :
- le nom du produit chimique ;
- la mention « Attention », « Avertissement » ou « Danger » ;
- une brève description des principaux risques encourus, par exemple « extrêmement inflammable » ;
- ce qu'il faut faire pour éviter certains risques, par exemple : « Bien se laver les mains après avoir manipulé ce produit » ;
- les instructions de premiers soins en cas d'exposition à un produit chimique ;
- comment éteindre un feu causé par le produit chimique ;
- l'information pertinente destinée au personnel soignant ;
- les directives d'entreposage et de manipulation.

Dans l'industrie de l'imprimerie, on utilise beaucoup de produits chimiques, par exemple des produits de développement et des solvants. La loi sur la communication des renseignements à l'égard des matières dangereuses s'applique à la plupart d'entre eux.

Renseigne-toi sur les risques possibles et assure-toi d'éviter toute contamination. Utilise des méthodes de travail sécuritaires, lis attentivement les étiquettes et suis des cours de premiers soins. En cas de doute, n'hésite pas à poser des questions sur les risques possibles.

Révision du chapitre 12

Questions de révision

1. Nomme cinq différents types de plaques offset.

2. Nomme les six opérations effectuées par une presse offset. Décris-les.

3. Décris deux différents types de pochoirs photographiques.

4. Qu'est-ce qu'un photopolymère ?

5. Quel est le rôle d'un rouleau anilox dans une impression flexographique ?

6. En héliogravure, qu'est-ce qu'une alvéole ?

7. Comment une imprimante électrostatique transfère-t-elle une image ?

8. Quelles sont les tâches de finition courantes en typographie ?

9. Comment fait-on l'assemblage et la reliure des livres ?

10. À quoi sert la racle en héliogravure ?

Activités

1. Fais un dessin au crayon sur une plaque offset fournie par ton enseignante ou ton enseignant. Étends de l'eau sur la plaque avec une éponge. Étends ensuite de l'encre. Essaie de transférer l'image sur une feuille de papier.

2. À l'aide du matériel fourni par ton enseignante ou ton enseignant, tends une pièce de tissu dans un cadre à sérigraphie.

3. Effectue une recherche sur les photopolymères et rédige un compte rendu de tes découvertes.

4. Trouve des exemples de piqûre à plat, de piqûre à cheval, de reliure sans couture et de reliure à l'anglaise. Présente-les à ta classe.

5. Va à ton épicerie ou dans un grand magasin. Trouve des exemples de chaque procédé d'impression vu dans ce chapitre. Présente-les à la classe.

Profil de carrière

MARIE-JOSÉE HOTTE, *infographiste*

Marie-Josée Hotte est infographiste. Elle a pour principal client le Centre franco-ontarien de ressources pédagogiques (CFORP).

« Au Centre, je m'occupe de la conception graphique et de la mise en pages des documents imprimés », explique-t-elle.

Madame Hotte n'a pas toujours travaillé en infographie : « J'ai débuté ma carrière comme opératrice de traitement de texte au CFORP. Puis, des besoins en infographie se sont fait sentir ; mes goûts et mes aptitudes m'ont permis d'y répondre ! » Voilà ce qui explique son arrivée dans ce milieu. « Je n'ai pas suivi un parcours normal ! », reconnaît celle qui est passée par le journalisme et l'enseignement avant d'arriver à l'infographie.

En effet, alors qu'elle étudiait en journalisme écrit et radiophonique au Collège algonquin (Ottawa), elle a étudié la mise en pages de journal assistée par ordinateur. Cette expertise lui a permis de relever le défi de l'infographie. De plus, elle a acquis les connaissances requises pour travailler dans un domaine de son choix.

Marie-Josée Hotte a des journées de travail bien remplies. Ses tâches varient selon les étapes du projet. « Avant d'arriver au résultat final, je dois commencer par la conception globale du document. Il faut que je sois capable d'imaginer l'aspect visuel général », dit-elle. Une réunion avec sa cliente ou son client, ou avec l'auteure ou l'auteur du texte s'avère alors nécessaire : « Je vérifie ainsi les attentes, poursuit-elle, et cela me permet de passer à la phase suivante, celle de la conception de la maquette à l'ordinateur. » À cette étape, madame Hotte procède au choix des types de caractères et à la mise en place des éléments visuels. Une fois la maquette terminée, il lui faut obtenir l'approbation de la cliente ou du client. Elle peut ensuite passer à la mise en pages proprement dite, au design de la page couverture et à l'agencement des couleurs : « Bien souvent, je dois faire le suivi du projet à l'imprimerie ! », tient-elle à préciser.

Outre la créativité, l'ordinateur constitue un outil essentiel de l'infographiste. « J'utilise plusieurs logiciels tels que Quark Xpress®, Page Maker®, Adobe Photoshop® et Adobe Illustrator® », mentionne madame Hotte. Ce travail demande d'avoir une bonne connaissance du traitement de texte et de pouvoir utiliser les « périphériques » suivants : numériseur, graveur de disques audionumériques, imprimante au laser, tablette à dessin, télécopieur, disques durs externes, lecteurs de disques externes et calibreur d'écran couleur.

« Comme on peut s'en rendre compte, pour exercer le métier d'infographiste, on doit se servir chaque jour d'outils "très pointus" », déclare Marie-Josée Hotte. Elle poursuit : « Mais il ne faut pas oublier l'aspect créatif de mon métier. Je dois, au fil des projets, renouveler sans cesse l'allure visuelle des documents que je conçois afin d'éviter les répétitions. Par-dessus tout, il est indispensable de respecter les échéanciers. »

L'infographie exige un grand sens de l'esthétisme et la capacité de travailler en équipe. « Garder la tête "froide" et s'ajuster aux goûts de ma clientèle sont des qualités importantes pour mener à terme un projet », insiste madame Hotte.

Quels conseils donne-t-elle aux personnes qui aimeraient exercer ce métier ? « Suivre des cours de niveau collégial en infographie, en graphisme ou en publicité, ajouter un cours de base en art ou l'étude des différentes techniques du dessin et de l'illustration afin d'élargir son champ d'activités. Laisser libre cours à son imagination, rester humble face à la critique et être disponible sont aussi des gages de réussite. »

Madame Hotte rappelle que le métier d'infographiste ouvre de nombreuses portes : « On peut être amené à travailler dans une imprimerie, dans une maison d'édition, dans un journal, et même à enseigner ! », dit-elle en conclusion.

Pour obtenir une brochure sur toutes les écoles qui offrent de tels programmes, consulte le programme *Choix*, que tu peux obtenir auprès de la conseillère ou du conseiller en orientation de ton école.

Autres professions dans le domaine des communications graphiques

- Graphiste
- Maquettiste
- Gestionnaire de l'imprimerie
- Productrice ou producteur en imprimerie
- Chercheuse ou chercheur en industrie graphique
- Chef de service – Contrôle de la qualité
- Relationniste avec la clientèle
- Représentante commerciale ou représentant commercial dans l'imprimerie
- Technicienne ou technicien en étude de prix
- Microéditrice ou microéditeur
- Graphiste Internet

Pour en savoir davantage sur les professions en communications graphiques, informe-toi auprès de la conseillère ou du conseiller en orientation de ton école.

Corrélations

Corrélations

Français

1. La copie, c'est-à-dire le texte, constitue une composante importante de la préparation d'un imprimé. Rédige un texte pour annoncer un événement à venir dans ton école, par exemple une danse ou un événement sportif. Ton texte doit entrer dans une page de 22 cm sur 28 cm (8,5 po sur 11 po). Quand tu as terminé, échange ton texte contre celui d'une ou d'un camarade de classe. Lis le texte afin de trouver des fautes d'orthographe, de ponctuation ou de grammaire. Le message est-il clair? Donne-t-il tous les renseignements nécessaires?

2. Cherche la définition des termes suivants: le calandrage, le colophon, la similigravure deux tons, l'hypothiosulphate, la gravure en creux, le logotype, la postérisation, la rame et la surimpression. Quelle relation y a-t-il entre ces termes et la production graphique?

Sciences

Pourquoi les zones exposées d'un film lithographique deviennent-elles noires lors du développement? Au centre de ressources de ton école, essaie de trouver ce qui se passe lorsqu'on expose une pellicule photographique à la lumière et pourquoi elle devient noire dans le révélateur. Tu peux aussi fabriquer ton propre matériel photographique en guise d'expérience scientifique.

Mathématiques

Les photographes doivent souvent agrandir ou réduire leurs photos pour les faire entrer dans un montage. Si on change une dimension, on change aussi l'autre dimension de façon proportionnelle. Prenons une photographie de 50 mm ou 50 pixels de largeur sur 100 mm ou 100 pixels de longueur. Le montage prévoit un espace de 10 mm de largeur. Si tu doubles la largeur de la photo, la longueur doublera aussi et mesurera 200 mm ou 200 pixels. Trouve le facteur d'agrandissement ou de réduction dans chaque cas et détermine la dimension manquante:

Photo originale	Espace disponible
20 cm sur 25 cm	5 cm sur ?
12,5 cm sur 18 cm	19 cm sur ?
10 cm sur 18 cm	18 cm sur ?
28 cm sur 35,5 cm	7 cm sur ?
6 cm sur 9 cm	14,5 cm sur ?

Études sociales

L'imprimerie a une grande influence sur nos vies. Dresse une liste des façons dont l'imprimerie a changé la société dans laquelle nous vivons. Au besoin, consulte la rubrique «Les types de répercussions» au chapitre 3.

Activités

Les activités de base

Activité de base n° 1 :
Le montage et la maquette

Pour la plupart des publications, on n'imprime pas qu'une page à la fois. On place plutôt les pages les unes à côté des autres sur une très grande feuille de papier. Après l'impression, on plie la feuille et on la rogne pour obtenir un « cahier ». Il reste à assembler ces cahiers pour obtenir un magazine ou un livre.

Tu dois trouver des exemples des divers éléments graphiques mentionnés et les monter pour obtenir un cahier de 16 pages (figure IV.1).

Matériel
une feuille de papier blanc de 28 cm sur 43 cm (11 po sur 17 po)
un crayon bleu non reproductible
de la cire ou de la colle en caoutchouc
une piqueuse à cheval ou une agrafeuse

Marche à suivre

1. Plie la feuille de papier de façon à obtenir un cahier de 16 pages à plis croisés. Pour ce faire, suis les étapes a à d de la figure IV.1.
2. Déplie la feuille. Trace les plis au crayon non reproductible pour indiquer clairement la bordure extérieure de chaque page.
3. À l'aide du crayon non reproductible, numérote chaque page exactement comme à la figure IV.1.
4. Découpe les éléments suivants dans de vieux magazines et colle-les avec soin et précision sur la feuille :
   Toutes les pages (sauf la page couverture) : Le numéro de page dans le coin inférieur droit ou gauche.

Page 1 (page couverture) : Un titre pour ton livret mentionnant ton nom (tu peux utiliser du lettrage par transfert) et une illustration en couleurs de ton choix.

Page 2 : Une table des matières qui énumère le contenu du livret sous forme de texte composé, d'un texte saisi à l'ordinateur ou d'un texte dactylographié.

Page 3 : Une illustration présentant un équilibre rigoureux.

Page 4 : Une illustration présentant un équilibre informel.

Page 5 : Une illustration qui met en évidence un élément particulier de l'image.

Page 6 : Un paragraphe en caractères romains.

Page 7 : Un paragraphe en caractères sans empattement.

Pages 8 et 9 : Une similigravure en noir et blanc qui couvre les deux pages.

Page 10 : Une illustration au trait.

Page 11 : Une illustration faite par ordinateur.

Page 12 : Une image en tons continus qui n'est pas une photographie.

Page 13 : Une illustration avec un fond tramé.

Page 14 : Un paragraphe en caractères scripts.

Page 15 : Un paragraphe en caractères fantaisie.

Page 16 : Une mention du titre du cours, du nom de ton enseignante ou de ton enseignant, du nom de ton école et de la date.

5. Une fois le montage terminé, replie la feuille et rogne soigneusement les bordures pliées au-dessus et devant, en enlevant le moins de papier possible.
6. Fais une piqûre à cheval ou agrafe ton livret sur la pliure arrière.

Activités

a

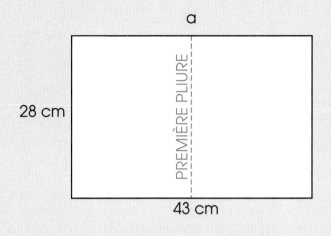

28 cm

PREMIÈRE PLIURE

43 cm

b

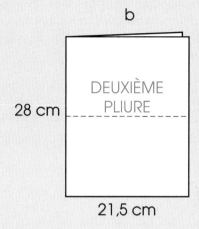

28 cm

DEUXIÈME PLIURE

21,5 cm

c

14 cm

TROISIÈME PLIURE

21,5 cm

d

14 cm

10,8 cm

e

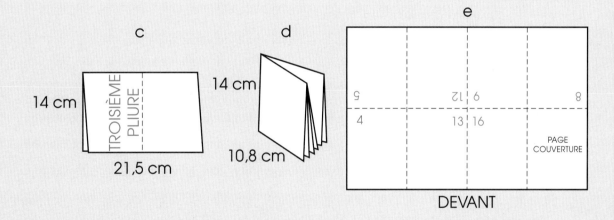

PAGE COUVERTURE

DEVANT

f

Figure IV.1

REVERS DE LA COUVERTURE

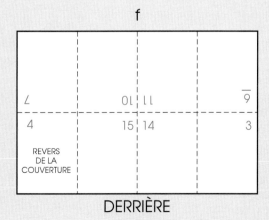

DERRIÈRE

Activité de base n° 2 : Négatif au trait

À partir d'une page de ton livret de l'activité n° 1 ou d'un document au trait fourni par ton enseignante ou ton enseignant, produis un négatif au trait dans une chambre noire.

Matériel

un document au trait
un banc de reproduction
un révélateur lith
un bain d'arrêt
un agent fixateur
une échelle de gris à 12 étapes
du papier blanc épais

Marche à suivre

1. Monte le document au trait sur le papier blanc et place l'échelle de gris sur le côté. Dépose le papier au centre du porte-modèle du banc de reproduction.
2. Expose le document au trait sur un film (lithographique) orthochromatique pour une durée indiquée par ton enseignante ou ton enseignant.
3. Développe le film dans un révélateur lithographique. Tu dois obtenir un noir intense à l'étape 3 ou 4 sur l'échelle de gris.
4. Place le négatif au trait dans un bain d'arrêt, puis dans un agent fixateur. Rince-le à l'eau et fais-le sécher.
5. Grave ton nom sur le côté émulsion (l'envers) du négatif.

Activité de base n° 3 : Décalque au fer chaud

On utilise souvent les décalques au fer chaud pour décorer des t-shirts ou des chandails. Dans cette activité, tu vas concevoir ton propre t-shirt à l'aide d'un système infographique.

Matériel

un Mac ou un PC
un logiciel Print Shop® ou Print Master® (ou l'équivalent), Corel Draw®, Adobe Photoshop®, Adobe Pagemaker®, Quark®, etc.
une imprimante laser ou à jet d'encre
un t-shirt qui contient au moins 50 % de fibres synthétiques

Marche à suivre

1. Installe le logiciel. Utilise-le pour dessiner le motif à imprimer sur ton t-shirt.
2. Imprime ton dessin, soit avec l'imprimante à jet d'encre, soit avec l'imprimante laser.
3. Repasse l'image sur le t-shirt. Avant, fais un essai sur une chute de tissu pour t'assurer que le transfert se fait correctement.

Activité de base n° 4 : L'impression électrostatique

Conçois et réalise une carte de vœux, une invitation ou une annonce à l'aide d'un dispositif d'impression électrostatique (une photocopieuse).

Matériel

plusieurs feuilles de papier blanc de 22 cm sur 28 cm ($8^1/_2$ po sur 11 po)
un crayon
du lettrage par transfert
des bordures adhésives
une illustration
un dispositif d'impression électrostatique (une photocopieuse)

Marche à suivre

1. Fais un « pli à la française » dans une feuille de papier. Pour ce faire, suis les étapes a à c de la figure IV.2.

Activités

2. Compte tenu du matériel disponible, fais quelques croquis sur du papier brouillon afin d'illustrer tes idées de graphisme pour une carte de vœux, une invitation ou une annonce.
3. Choisis le croquis que tu préfères. Dessine une esquisse au crayon sur la feuille de papier pliée.
4. Avec le lettrage par transfert, les bordures adhésives et l'illustration, fais un montage de la carte. Consulte l'étape d de la figure IV.2 pour disposer tes pages.
5. Reproduis la carte à l'aide d'une photocopieuse.
6. Plie la carte dans sa forme finale.

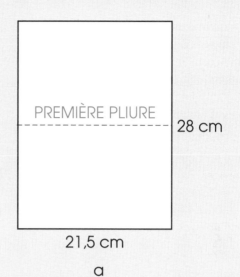

PREMIÈRE PLIURE

28 cm

21,5 cm

a

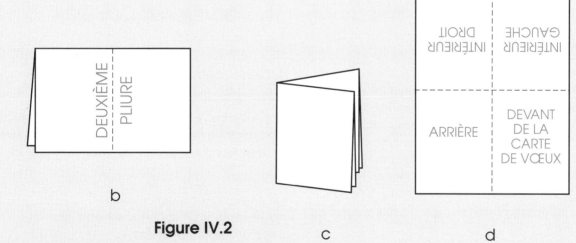

DEUXIÈME PLIURE

b

INTÉRIEUR DROIT

INTÉRIEUR GAUCHE

ARRIÈRE

DEVANT DE LA CARTE DE VŒUX

c

d

Figure IV.2

Les activités intermédiaires

Activité intermédiaire n° 1 : L'infographie

À l'aide d'un système infographique, conçois une affiche de 21,5 cm sur 28 cm.

Matériel

un logiciel Print Shop® ou Print Master® (ou l'équivalent), Corel Draw®, Adobe Photoshop®, Adobe Pagemaker®, Quark®, etc. une imprimante laser ou au laser

un logiciel comme MacPaint®, Blazing Paddles®, PC Paint® (ou l'équivalent)

Marche à suivre

1. À l'aide d'un système infographique, crée trois boîtes ou plus de 5,5 cm sur 7 cm.
2. À l'aide de la souris ou d'une tablette graphique, trace trois emplacements possibles pour le texte et les illustrations à l'intérieur de ces petites boîtes.
3. Choisis le croquis que tu préfères. Utilise-le comme modèle pour dessiner une esquisse

Activités

à l'ordinateur. Insère ton texte et une illustration acceptable.

4. Imprime le résultat avec une imprimante matricielle ou au laser.

Activité intermédiaire n° 2 : Un prototype d'emballage

On t'a sûrement déjà dit de ne pas te fier aux apparences. Pourtant, on achète souvent des produits en fonction de leur emballage. Conçois et réalise un emballage pour une bouteille de parfum, de cologne ou de lotion après-rasage.

Matériel

un grand carton
un système de sélection de couleurs
des marqueurs à pointe de feutre
une composeuse ou du lettrage par transfert
des ciseaux
de la colle de caoutchouc

Marche à suivre

1. Pour concevoir ta boîte, trace un développement sur du papier brouillon. Pense à inclure les rabats aux endroits appropriés. Découpe ton développement et plie-le. Consulte la figure IV.3 pour voir un modèle de développement.

2. Quand ta boîte a la forme souhaitée, trace le développement sur une feuille de papier vierge.

3. Fais plusieurs photocopies de ton développement.

4. Dessine les décorations de l'emballage sur les photocopies.

5. Lorsque tu as trouvé la conception qui te plaît, reporte le développement et les décorations sur le grand carton.

6. Utilise des marqueurs à pointe de feutre et une composeuse, ou du lettrage par transfert, pour donner son apparence finale à l'emballage.

7. Fais des rainures, puis plie et colle le développement pour obtenir ton emballage dans sa forme finale.

Figure IV.3

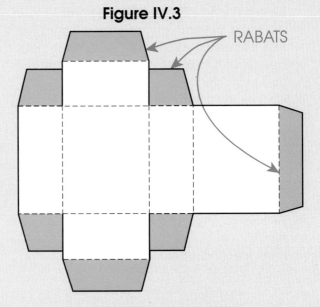

RABATS

BOÎTE RECTANGULAIRE

Activité intermédiaire n° 3 : Similigravure par transfert

La similigravure permet de reproduire des photographies sur des produits. Fais une similigravure par transfert d'une photographie en noir et blanc.

Matériel

une photographie en noir et blanc
une développeuse et un agent activant pour reproduction par transfert
un négatif pour reproduction par transfert et un matériau destiné à recevoir la reproduction
une trame pour similigravure
un banc de reproduction
une lampe éclair (flash)

Marche à suivre

1. Place la photographie en noir et blanc sur le porte-modèle du banc de reproduction.

2. Règle le banc de reproduction selon le pourcentage d'agrandissement ou de réduction souhaité.

3. Place une feuille de négatif pour reproduction par transfert à l'arrière du banc de

reproduction. Recouvre-la d'une trame pour similigravure.

4. Effectue une exposition « principale » selon la durée indiquée par ton enseignante ou ton enseignant.

5. Ouvre l'arrière du banc de reproduction et fais une exposition « éclair » selon la durée indiquée par ton enseignante ou ton enseignant.

6. Place une feuille du matériau à reproduction en contact avec le négatif. Procède à la reproduction à l'aide de la développeuse pour reproduction par transfert.

7. Attends 30 secondes et sépare les deux feuilles. Tu as une similigravure.

Activité intermédiaire n° 4 :
Le timbre flexographique

On utilise la flexographie pour imprimer des étiquettes ou des dessins d'emballage. Produis un timbre « caoutchouc » flexographique.

Matériel

un banc de reproduction
un film lith
une plaque flexographique PRINTIGHT®
un cliché

Marche à suivre

1. Dessine ou trouve une illustration pour un petit timbre.

2. Fais un négatif au trait de ton illustration. Réduis-le à la taille d'un timbre caoutchouc (10 cm² ou moins).

3. Retire la pellicule de protection de la plaque PRINTIGHT®.

4. Expose le film sur un cliché à travers le négatif au trait. Ton enseignante ou ton enseignant peut t'indiquer la durée d'exposition appropriée.

5. Pour laver la partie non exposée de la plaque, asperge-la d'eau à 20 °C pendant quelques minutes.

6. Fais sécher la plaque à l'air libre ou à l'aide d'un séchoir à cheveux.

7. Expose de nouveau la plaque dans la développeuse pendant cinq minutes.

8. Monte la plaque flexographique sur une presse flexographique, une presse typographique ou un petit morceau de bois.

9. Imprime le timbre flexographique sur une feuille de papier.

Les activités avancées

Activité avancée n° 1 :
Une épreuve de postérisation

À partir d'une photographie en noir et blanc, fais une épreuve de postérisation à deux ou trois couleurs.

Matériel

une photographie en noir et blanc
une échelle de gris
un banc de reproduction
un film lith
un pochoir à transfert indirect et un révélateur
un cliché
un cadre pour sérigraphie et une raclette
de l'encre pour sérigraphie
du papier

Marche à suivre

1. Place la photographie en noir et blanc sur le porte-modèle du banc de reproduction. Installe une échelle de gris à 12 étapes à côté de la photographie.

2. Expose le film lith selon la durée recommandée pour une exposition au trait.

3. Développe le film exposé dans un révélateur lith. L'étape 3 de l'échelle de gris doit apparaître d'un noir intense.

4. Sur une seconde feuille de film lith, fais une exposition trois fois plus longue que la première.

5. Développe ce film dans un révélateur lith. L'étape 8 de l'échelle de gris doit apparaître d'un noir intense.

6. Fais des positifs par contact de ces négatifs. Tu pourrais aussi replacer les négatifs sur le

porte-modèle du banc de reproduction avec une feuille de papier blanc derrière, puis les exposer comme une exposition au trait.

7. Utilise ces positifs par contact ou ces films positifs pour exposer les pochoirs par transfert indirect. Fais un pochoir pour chaque positif.

8. Colle les pochoirs sur un écran et masque l'écran.

9. Imprime d'abord le pochoir qui a l'image la plus grande avec une couleur pâle. Aligne bien le papier à l'aide des dispositifs de cadrage.

10. Imprime la seconde couleur. Assure-toi de faire un bon repérage avec la première impression.

Activité avancée n° 2 : L'éditique

Réalise une brochure promotionnelle à l'aide d'un système d'éditique.

Matériel
le logiciel Print Shop® ou Print Master®
*   (ou l'équivalent), Corel Draw®, Adobe*
*   Photoshop®, Adobe Pagemaker®, Quark®, etc.*
un logiciel d'éditique
des fournitures et de l'équipement pour offset

Marche à suivre
1. Trouve un groupe ou un club de ton école qui aimerait avoir une brochure promotionnelle. Consulte ton enseignante ou ton enseignant si tu as besoin d'idées.

2. Avec les membres de ce groupe, rédige le texte et trouve les illustrations et les photographies à inclure dans la brochure.

3. Travaille étroitement avec le groupe. Fais une esquisse de la brochure.

4. Effectue la saisie du texte à l'aide d'un logiciel de traitement de texte.

5. Crée des images par ordinateur à l'aide d'un logiciel approprié.

6. À l'aide du logiciel PageMaker® (ou l'équivalent), combine le texte et les illustrations

afin d'obtenir un original de la brochure prêt à photographier. Réserve des fenêtres si tu dois ajouter des similigravures plus tard.

7. Selon les indications de ton enseignante ou de ton enseignant, scanne chacune des photographies requises ou fais-en des similigravures par transfert.

8. Importe les similigravures scannées ou fais un montage avec les similigravures par transfert.

9. Reproduis la brochure à l'aide des méthodes d'offset. Ton enseignante ou ton enseignant t'aidera au besoin.

Activité avancée n° 3 : L'annuaire de l'école

Cette activité t'invite à réaliser l'annuaire de l'école. Il s'agit d'un travail à faire en équipe.

Pour pouvoir réaliser un annuaire, tu dois être capable :
- d'utiliser un logiciel de création de pages Web,
- d'utiliser un logiciel de photos,
- d'utiliser un logiciel d'animation,
- d'utiliser un tableur et un logiciel de traitement de texte,
- d'utiliser un scanner,
- de travailler en équipe et sous pression,
- de résoudre des problèmes,
- de bien communiquer,
- d'accepter la critique.

Matériel
un logiciel de création de page Web (Dreamweaver®,
*   Frontpage®, etc.)*
des documents à publier : photos, vidéos, textes,
*   diaporamas, enregistrements musicaux, etc.*
des ordinateurs branchés en réseau
un graveur de disques compacts
un scanner avec option texte
un logiciel de mise en page ou de traitement de texte
un logiciel d'animation (Flash®, Swish®, etc.)

Activités

Marche à suivre

1. Définis clairement le projet en équipe. Réfléchis aux questions suivantes :
   - Que contiendra l'annuaire (par exemple activités de l'année, renseignements sur les finissantes et les finissants) ?
   - Quand l'annuaire sera-t-il publié (déterminer une date) ?
   - Quelle forme aura-t-il (document papier, cédérom) ?
   - Qui le vendra ? Combien ?
   - Qui en fera la réalisation (les élèves du cours *Technologie des communications*, par exemple) ?
2. Vérifie ensuite de quels outils tu disposes : main-d'œuvre, moyens financiers, matériel, milieu et méthode de travail, échéancier.
   - Combien de personnes participeront au projet ?
   - Établis un budget afin de prévoir un moyen de financement (des commanditaires, par exemple) au cas où l'argent obtenu de la vente de l'annuaire ne couvre pas tous les frais.
   - Vérifie si le matériel nécessaire à la réalisation du projet est disponible à l'école.
   - Élabore une méthode de travail et un plan. Ainsi, il sera possible de faire un suivi des étapes de réalisation du projet.
   - Dresse un échéancier de production. Fais des choix réalistes en fonction des contraintes de temps et d'argent.

   Pour faire un portrait global et détaillé du projet, utilise avec ton équipe des outils comme le remue-méninges, des tableaux de définition des étapes à suivre ou des diagrammes. Chaque membre de l'équipe doit pouvoir apporter sa contribution et participer à la réalisation du produit.
3. Dès le début du projet, procède à la répartition des rôles :
   - chef de projet, qui peut aussi suivre la méthode de travail ;
   - chef de la distribution des tâches ;
   - responsable du budget ;
   - responsable technique.

   Ces quatre personnes doivent travailler en étroite collaboration et se rencontrer régulièrement.
4. Une planification détaillée de toutes les étapes de réalisation t'aidera à anticiper les problèmes et les retards possibles, et à les éviter. Elle permet d'assurer un meilleur suivi du travail. Souvent, on utilise de 25 % à 33 % du temps alloué à un projet à la planification.

   Voici un tableau utile pour la planification des étapes de réalisation du projet.

Étape	Activité suggérée	Conseil
Déterminer les critères d'évaluation : qualité, respect des délais, etc.	Noter les critères auxquels votre projet doit répondre.	Bien définir les attentes. Les noter par écrit.
Chercher des idées.	Remue-méninges, diagrammes, tableaux, utilisation d'un projet similaire déjà réalisé.	À ce stade, tous les membres de l'équipe doivent pleinement participer.
Faire des choix parmi les idées soulevées.	Classer les idées en fonction de critères préétablis : coûts, équipement et matériel nécessaires, habileté technique, temps nécessaire, etc.	Demeurer réaliste.

Suite

Étape	Activité suggérée	Conseil
Analyser la faisabilité des idées.	Au besoin, constituer une nouvelle idée à partir de deux idées.	Dans ce processus, il faut rechercher le consensus et non la confrontation.
Arrêter son choix sur une idée réalisable.	Vérifier le temps, l'équipement, le personnel et le budget disponibles, en fonction de l'idée retenue.	Toujours se rappeler les attentes définies au début.
Développer l'idée retenue.	Définir l'idée en détail et déterminer qui va faire quoi et comment.	Distribuer les rôles aux membres de l'équipe.
Élaborer un plan détaillé de réalisation en définissant toutes les tâches.	Répartir ces tâches sur un calendrier, attribuer ces tâches à des personnes et noter les prévisions de coûts.	Se servir d'un outil de communication facile à consulter (courrier électronique, logiciel Powerpoint®, etc.) pour noter la planification.
Vérifier les règles de sécurité et les besoins de formation.	Anticiper les problèmes ou les retards possibles, les questions de sécurité et de formation dans l'utilisation du matériel.	Prévoir un accident possible ou un manque de formation technique.
Mettre le plan de travail en pratique.	Respecter l'ordre des étapes planifiées : comparer ce qu'on a fait avec ce qu'on a prévu, définir les problèmes et utiliser une méthode de résolution de problèmes pour les résoudre.	Ne jamais improviser, cela coûte du temps, de l'argent et de la motivation.
À la fin du projet et en cours de réalisation : évaluer le travail en fonction des critères définis lors de l'étape préliminaire.	Vérifier si le travail répond aux attentes ou aux besoins définis lors de la première étape. Faire une analyse détaillée des réalisations en toute objectivité.	Utiliser une grille d'analyse préalablement établie.
Recommencer.	Améliorer ce qui ne va pas par rapport aux attentes.	Éviter le perfectionnisme exagéré.
Mettre un point final au projet une fois le travail accepté.	Se rappeler qu'un travail n'est jamais complètement fini, mais qu'il faut savoir s'arrêter. Célébrer.	Féliciter et remercier toutes les personnes qui ont permis le succès du projet.

5. Vérifier si on dispose de tous les éléments pour réaliser le projet sur le plan technique.
   - Mettre en place un réseau d'appareils pour résoudre rapidement les questions techniques.
   - Installer en réseau les ordinateurs des membres de l'équipe : avoir un modem ou des câbles de connexion idoines.
   - Ouvrir un groupe de discussion sur intranet ou sur le Web pour partager des idées, poser des questions et communiquer l'information.

- Permettre la saisie des images en numérique et en analogique : avoir un scanner, un magnétoscope pour les images analogues et des logiciels de conversion avec les câblages correspondants.
- Permettre la production d'images en analogique (bande VCR) et numérique (CD) avec les logiciels correspondants : pour le montage vidéo et le montage sonore.
- Prévoir un serveur ou un ordinateur jouant ce rôle de manière à avoir une sauvegarde de secours en cas de problème.
- Prévoir la production en formats compatibles avec ceux du marché.
- Mettre en place un système pour vérifier si ce que l'on fait est légal ou conforme aux normes.
- Vérifier la légalité des licences des logiciels utilisés.
- Obtenir le consentement des personnes photographiées, par exemple en leur faisant signer un formulaire.
- S'assurer de respecter les droits d'auteur, au besoin prévoir un formulaire pour libérer les droits d'auteur.
- S'assurer de respecter les règles et les conventions légales.
- Être capable de résoudre les problèmes de communication de documents.
- Dresser un inventaire des formats utilisables pour les catégories suivantes : le texte (RTF, Word®, HTML, etc.), les images (JPEG, GIF, TIF, etc.), les vidéos, le dessin, le son. Prévoir les logiciels de traduction d'un format à l'autre si nécessaire. Comparer les besoins en mémoire requis par les différents formats.
- Préconiser l'usage de certains formats types compatibles avec le matériel mis à votre disposition.
- Désigner des personnes-ressources, par exemple pour l'utilisation de logiciels, le transfert d'images, etc.
- S'assurer d'obtenir la meilleure qualité possible.
- Établir des critères de qualité précis. Les mettre par écrit : par exemple, pour une image ou une photo, centrage de l'image, cadrage, qualité des grains, retouches, etc. Pour une vue d'écran : cadrage, liens, facilité de lecture, qualité du français, etc.
- Utiliser de bons logiciels : Adobe Photoshop®, Adobe PageMaker®, Macromédia®, etc.

6. Veiller à ce que tout le monde soit motivé et au courant de ce qui est fait et de ce qui reste à faire.

   Faire régulièrement le point avec tous les membres de l'équipe, par exemple chaque semaine. Voici un ordre du jour type :
   - avoir un mot gentil pour chacune et chacun ;
   - montrer ce que l'équipe a déjà accompli dans la planification du travail ;
   - définir les écarts entre ce qui a été prévu et ce qui est réalisé ;
   - résoudre les problèmes simples en équipe, les problèmes complexes à part ;
   - s'assurer que toutes les personnes puissent s'exprimer pour anticiper les problèmes à venir, pour partager leurs idées et suggestions.
   - s'assurer que toutes les personnes sachent bien ce qu'elles ont à faire pendant les jours suivants.

   Fixer une date pour la prochaine réunion.

7. Prévoir du temps de formation et d'apprentissage pour les membres de l'équipe.
   - Si vous avez choisi un logiciel spécialisé pour produire un annuaire, planifier le temps de formation nécessaire selon les recommandations. On peut utiliser des logiciels génériques : Page Maker®, Quark Xpress®, ou spécialisés. Il y en a un grand nombre sur le marché.

8. Rechercher et motiver des commanditaires.
   - Leur faire part de l'avancement du projet. Discuter avec eux des décisions techniques ayant une incidence sur le plan financier.

partie 5

Les systèmes audio et vidéo

Thomas Edison a non seulement inventé l'ampoule électrique, il a aussi inventé le phonographe et le microphone. À l'époque, il n'imaginait pas à quel point ses propres inventions et celles d'autres personnes allaient transformer nos vies. Il a même déclaré, en 1880 : « Le phonographe n'a pas de valeur marchande. » Il pensait la même chose des films sonores. En 1913, il a dit : « Ces films muets ont tant de valeur qu'il serait absurde de les remplacer. » Neuf ans plus tard, il a prédit que l'engouement pour la radio finirait par tomber.

Peux-tu t'imaginer qu'un savant comme Edison puisse se tromper ainsi ? Selon les théories de Howard Gardner sur l'intelligence, Edison avait une excellente intelligence logique et mathématique, mais une intelligence intra-personnelle moindre. Peu importe. Ses trois inventions, soit la radio, les disques et les films sonores, ont enrichi la vie moderne. En effet, à quoi ressemblerait notre vie sans eux ?

Aujourd'hui, les technologies audio et vidéo nous entourent. Pourtant, peu de gens les connaissent en détail. Bien sûr, tu peux te servir d'un équipement audio et vidéo sans savoir comment il fonctionne. Par contre, si tu sais comment il fonctionne, tu peux choisir les produits appropriés et les utiliser correctement.

Dans cette section, tu vas étudier les différents types de systèmes de communication audio et vidéo qu'il y a autour de toi. Tu pourras mieux comprendre comment ils fonctionnent. Tu les apprécieras peut-être davantage lorsque tu connaîtras leurs secrets !

Les principes de la communication audio et vidéo

Que sais-tu à propos des téléviseurs ? Comment peuvent-ils transmettre le son et l'image ? Et le téléphone ? Comment ta voix peut-elle parcourir un réseau de fils ? Pourquoi peut-on l'entendre à l'autre extrémité du fil ? Comment la voix voyage-t-elle avec le téléphone sans fil ? Comment un satellite transmet-il de l'information ?

Le téléviseur et le téléphone font partie des systèmes de communication audio et vidéo. (Le terme *audio* désigne ce qu'on perçoit par l'ouïe ; le terme *vidéo* qualifie ce qu'on perçoit par la vue.) Parmi ces systèmes, mentionnons le télégraphe, le téléphone, le lecteur de disques compacts, la radio et la télévision. Dans ce chapitre, tu vas étudier les principes scientifiques qui sont à la base des communications audio et vidéo.

Vocabulaire

- bandes de fréquences
- circuit électrique
- code de déontologie
- courant alternatif
- décodeur
- électromagnétisme
- émetteur
- induction
- micro-ondes
- modulation d'amplitude
- modulation de fréquence
- ondes radioélectriques
- récepteur
- satellites
- voie de transmission
- voies de transmission atmosphériques
- voies de transmission physiques

Au fil de ce chapitre, tu vas trouver les réponses à ces questions :

- En quoi l'électricité et le magnétisme sont-ils à la base des communications audio et vidéo ?
- Comment envoie-t-on un message électronique ? Comment le reçoit-on ?
- Qu'est-ce qu'une onde radioélectrique ? Comment sert-elle à transmettre des communications audio et vidéo d'un point à un autre ?

chapitre 13

Le fonctionnement des communications électroniques

Tu as vu dans les chapitres précédents que les modèles de communication nous aident à comprendre des idées abstraites. Un modèle de communication électronique de base consiste en un émetteur, une voie de transmission et un récepteur (figure 13.1). L'**émetteur** envoie le message. La **voie de transmission** transporte le message. Le **récepteur** reçoit le message. Par exemple, quand on parle au téléphone, un micro intégré dans le téléphone (l'émetteur) transmet ta voix au moyen d'un fil (la voie de transmission) jusqu'à un autre téléphone (le récepteur).

Le modèle illustre le fonctionnement général des communications électroniques. Pour bien comprendre les différents systèmes, tu dois avoir quelques notions de base en conversion d'énergie, en électricité et en magnétisme.

La conversion d'énergie

L'énergie est à l'origine de toutes les communications électroniques. Par exemple, les communications audio découlent d'une énergie mécanique. En effet, les ondes sonores résultent d'un déplacement d'air. Les communications vidéo utilisent plutôt de l'énergie lumineuse. Dans les deux cas, il s'agit de transformer l'énergie en énergie électrique.

Dans un système audio, les ondes sonores (énergie mécanique) se transforment en énergie électrique. Dans les systèmes vidéo, les caméras convertissent la lumière en énergie électrique. Les appareils transmettent cette énergie électrique sous la forme d'un signal.

On combine parfois un signal à un autre signal plus puissant. Ce dernier lui permet de parcourir de plus grandes distances. Par exemple, dans les communications radio, les ondes « radio » transportent le signal

Figure 13.1   L'énergie subit plusieurs traitements dans la communication électronique. Par exemple, le son subit une conversion en signal électrique, une amplification, la transmission par un médium physique ou dans l'air, un décodage, puis une reconversion sous sa forme d'origine, c'est-à-dire en son.

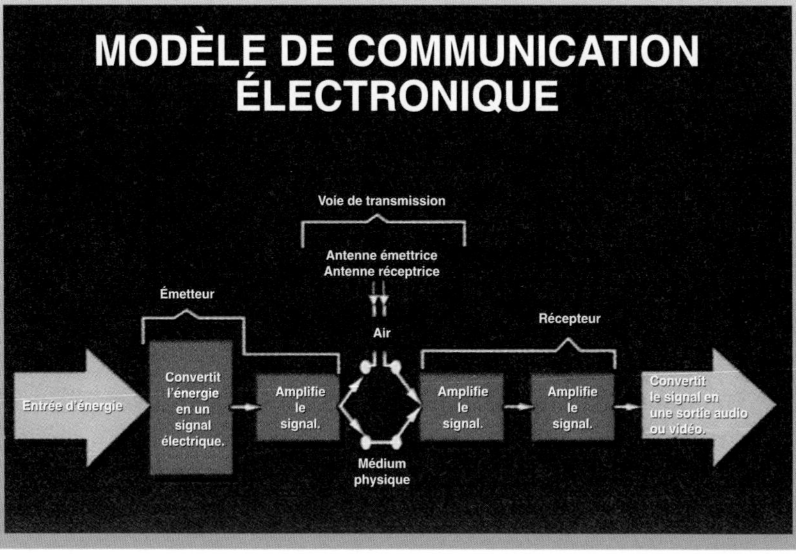

sonore de la source jusqu'au récepteur. Il faut souvent régler le signal pour éliminer les bruits (interférence) ou pour les amplifier.

Ces signaux se propagent soit dans l'atmosphère, soit dans un fil ou une fibre spéciale. Une antenne ou un autre dispositif les reçoit au point d'arrivée.

Au point de réception, le processus s'inverse. Le récepteur doit décoder le signal, puis redonner à l'énergie sa forme originale (figure 13.1). Par exemple, dans le cas d'une radio, le signal redevient de l'énergie sonore. Il y a des signaux de nature analogique et des signaux de nature numérique (chapitre 14).

Faits scientifiques

Comment entends-tu ?

Le son, par exemple la voix, le bruit d'un moteur de voiture ou la musique d'un orchestre rock, est en fait une série d'ondes qui se propagent dans l'air. Dans ton oreille, un passage étroit guide ces ondes vers ton tympan. Le tympan consiste en une fine membrane. Il vibre sous l'effet des ondes sonores. Ces vibrations parviennent à ton système nerveux. À son tour, le système nerveux envoie des signaux à ton cerveau qui les enregistre tels que tu les entends.

Il y a toutes sortes d'ondes sonores dans la nature. Les êtres humains peuvent entendre entre 40 et 15 000 ondes à la seconde. Les ondes sonores voyagent dans l'air à la vitesse de 1232 km/h.

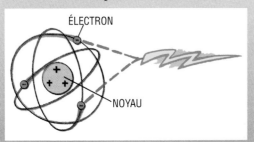

Figure 13.2   Quand des électrons s'échappent d'un atome, ils produisent un courant électrique.

On définit l'électricité comme un courant d'électrons libres. Au chapitre 7, tu as vu que les électrons sont de minuscules particules autour du noyau d'un atome (figure 13.2). Le noyau de l'atome a une charge positive. Les électrons ont une charge négative. Les charges positives et négatives s'attirent entre elles. Ainsi, les parties des atomes restent ensemble. Cependant, il arrive que les atomes de certains matériaux laissent aller des électrons. À mesure que ces électrons s'échappent, il y a formation d'un courant électrique. Toutes les communications électroniques fonctionnent grâce au déplacement des électrons.

L'électricité voyage dans des matériaux qui facilitent le passage de l'électricité. On les appelle des conducteurs. Les fils de cuivre constituent des conducteurs efficaces. Voilà pourquoi on les utilise souvent dans les systèmes de communication. La pression ou la force qui permet au courant de parcourir les fils s'appelle la tension.

Un **circuit électrique** représente le chemin parcouru par l'électricité à travers un conducteur, de la source jusqu'au dispositif de réception. Par exemple, le circuit d'une lampe de poche contient une pile (la source), un fil (le conducteur) et une ampoule électrique (le dispositif de réception) [figure 13.3].

L'électromagnétisme

Dans certains cas, un message converti en courant parcourt un fil jusqu'à destination. Le téléphone fonctionne ainsi. D'autres formes de communication, comme la radio, utilisent plutôt les ondes électromagnétiques. Ces ondes se déplacent sans connexion de fils.

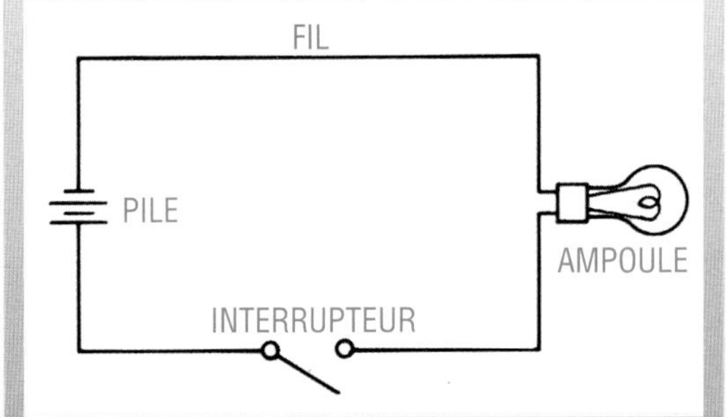

Qu'est-ce qu'une onde électromagnétique? Pense à un aimant. Tu ne peux pas voir le magnétisme lui-même, seulement ses effets. Le magnétisme correspond à un « champ » ou à une force. Cette force magnétique permet à un aimant d'attirer un trombone. L'électricité produit aussi un champ magnétique. Cette forme de magnétisme s'appelle l'**électromagnétisme**. Chaque fois qu'un courant électrique se déplace dans un conducteur, il produit un champ électromagnétique invisible.

Par exemple, si de l'électricité traverse un fil de cuivre, il se forme un champ magnétique autour du fil. Pour le vérifier, déplace une boussole sur un plan perpendiculaire par rapport à un fil et où un courant circule dans une seule direction (figure 13.4).

L'aiguille de la boussole pointe toujours une ligne *autour* du fil. Elle ne pointe jamais vers le fil ni dans la direction opposée. La boussole suit les lignes de force.

Si tu enroules le fil autour d'un morceau de fer, comme un clou, la force du champ électromagnétique augmente (figure 13.5). Tant qu'il y a de l'électricité dans le fil, il y a un champ magnétique. Dès qu'il n'y a plus de courant, le champ magnétique disparaît. Pour le vérifier, place un aimant électromagnétique près d'un trombone. Quand le courant circule, l'aimant attire le trombone. Sans courant, le trombone tombe.

L'induction

L'électricité produit un champ magnétique. De même, un champ magnétique peut produire de l'électricité. Si tu déplaces un fil sur un aimant, tu peux produire un courant électrique dans le fil. Ce phénomène s'appelle l'**induction**. On dit que l'aimant induit du courant dans le fil. Tu peux aussi déplacer un aimant près du fil (figure 13.6).

Figure 13.3 *Le trajet de l'électricité dans une lampe de poche.*

FIL

PILE

AMPOULE

INTERRUPTEUR

Figure 13.4 *Quand l'électricité traverse le fil, l'aiguille de la boussole s'oriente vers les lignes du champ magnétique.*

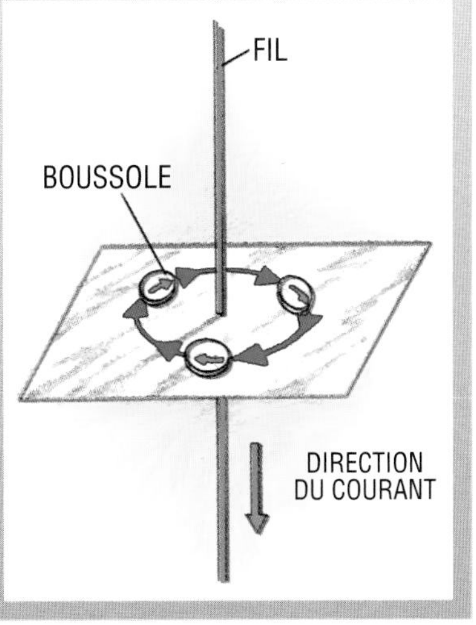

FIL

BOUSSOLE

DIRECTION DU COURANT

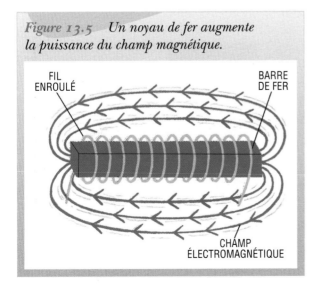

Figure 13.5 *Un noyau de fer augmente la puissance du champ magnétique.*

FIL ENROULÉ

BARRE DE FER

CHAMP ÉLECTROMAGNÉTIQUE

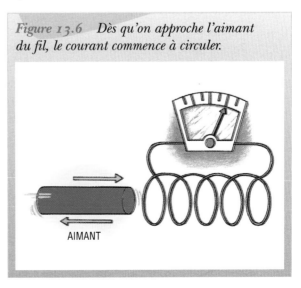

Figure 13.6 *Dès qu'on approche l'aimant du fil, le courant commence à circuler.*

AIMANT

Techno liens

Un message qui a transformé le monde

Peux-tu lire ce message?

```
•--  ••••  •-  -
••••  •-  -  ••••
--•  ••  -••
•--  •  ••  •  •  ••-  --•  ••••  -  -••-•
```

En 1802, le système Chappe permettait de communiquer sur de grandes distances. On pouvait envoyer un message simple en quelques minutes de Moscou à Paris. Mais, cela exigeait une infrastructure très coûteuse.

En 1837, Sir Charles Wheatstone a inventé le premier télégraphe pratique. Mais c'est le modèle inventé par Samuel F. B. Morse qui a rapidement été adopté dans le monde. Morse a également conçu un code, appelé « alphabet morse ». En 1844, Samuel Morse a télégraphié le message ci-dessus de Washington, DC, à Baltimore, au Maryland.

A	•-	P	•••••
B	-•••	Q	••-•
C	•• •	R	• ••
D	-••	S	•••
E	•	T	-
F	•-•	U	••-
G	--•	V	•••-
H	••••	W	•--
I	••	X	•-•-
J	-•-•	Y	•• ••
K	-•-	Z	••••
L	–	Point	••--••
M	--	Virgule	•-•-
N	-•	Point d'interrogation	-••-•
O	••		

L'alphabet morse est un code destiné à représenter et à transmettre l'information sous la forme de points et de traits. Il permet de télégraphier des messages. Au haut de la page, tu peux voir un message en morse. Cet alphabet marque le début des télécommunications en Amérique. Utilise la légende pour déchiffrer le message.

Le premier télégraphe comportait une batterie, un émetteur ou « clé », un fil et un récepteur. La clé était en fait un interrupteur qui ouvrait et fermait un circuit. Quand le circuit était fermé, une impulsion de courant allait activer le « récepteur télégraphique » au bout de la ligne. Le récepteur émettait un clic. En morse, un clic bref indique un point et un clic plus long indique un trait. La lettre A correspond à la combinaison point, trait. La lettre B correspond à la combinaison trait, point, point, point, et ainsi de suite. Pour son premier message télégraphié, Morse a utilisé son code et écrit cette phrase tirée de la Bible: « *What hath God wrought?* » (« Qu'est-ce que Dieu a donc manigancé? ») En effet, Morse s'interrogeait alors sur les aspects positifs et les aspects négatifs de son innovation d'un point de vue éthique.

Le télégraphe a vite servi de principal moyen de communication de masse. Au Canada, on a établi une première entreprise de télégraphie à Toronto, en 1856. Elle desservait Toronto, Hamilton et Niagara. On a envoyé le premier message de l'hôtel de ville de Toronto, le 24 mai 1856. En 1866, on a réussi à relier l'Amérique et l'Europe grâce à un câble télégraphique déposé au fond de l'océan Atlantique.

Le télégraphe a permis l'apparition d'autres technologies de communication. Le téléscripteur a remplacé l'alphabet morse par des lettres dactylographiées. Les journaux appréciaient beaucoup cet appareil. Tu verras certaines de ces technologies au chapitre suivant.

Le courant alternatif

Quand un fil traverse un champ magnétique, les électrons (le courant) se déplacent dans une seule direction. On parle de courant continu. Par contre, si on enroule le fil et qu'on le fait tourner dans le champ magnétique, les électrons se déplacent dans une direction, puis dans la direction opposée. On parle alors de **courant alternatif.**

Chaque changement de direction constitue un cycle. Le courant alternatif peut changer de direction des milliers et même des milliards de fois par seconde. Les ondes électromagnétiques qui en découlent se propagent sur de grandes distances. On les utilise pour transmettre les signaux de radio et de télévision. Ces ondes se déplacent à la vitesse de la lumière.

Les ondes radioélectriques

Dans le cas des signaux de radio et de télévision, l'antenne émettrice qui transporte le courant alternatif émet des ondes électromagnétiques dans l'air. Ces ondes servent à plusieurs types de diffusions, mais on les appelle tout de même des **ondes radioélectriques**. Elles peuvent parcourir des centaines de kilomètres. Des antennes réceptrices captent les ondes. On induit alors dans l'antenne réceptrice un courant électrique plus faible, semblable à celui qui a produit ces ondes.

L'amplitude et la fréquence

Toutes les ondes ont une amplitude, une longueur et une fréquence : les ondes sonores, les ondes radio et les ondes sur l'eau (figure 13.7). L'amplitude définit la force d'une onde. On la mesure du point milieu de l'onde jusqu'à sa crête. La longueur d'onde correspond à la distance entre un point sur une onde et le même point sur l'onde suivante. Le nombre d'ondes qu'une source émet en une seconde détermine sa fréquence.

On exprime la fréquence d'une onde radioélectrique en hertz (Hz), soit en cycles par seconde. Un kilohertz (kHz) représente 1000 cycles par seconde. Un mégahertz (MHz) équivaut à un million de cycles par seconde. Un gigahertz (GHz) correspond à un milliard de cycles par seconde. Il y a dans l'atmosphère des ondes radio de différentes fréquences. Au Canada, pour éliminer la confusion, le ministère fédéral des Communications attribue une fréquence distincte à chaque station qui émet un signal radio.

Figure 13.7 La fréquence d'une onde correspond au nombre de cycles par seconde (hertz). Cette onde a une fréquence de 3 Hz. L'amplitude indique la force (la hauteur) de l'onde.

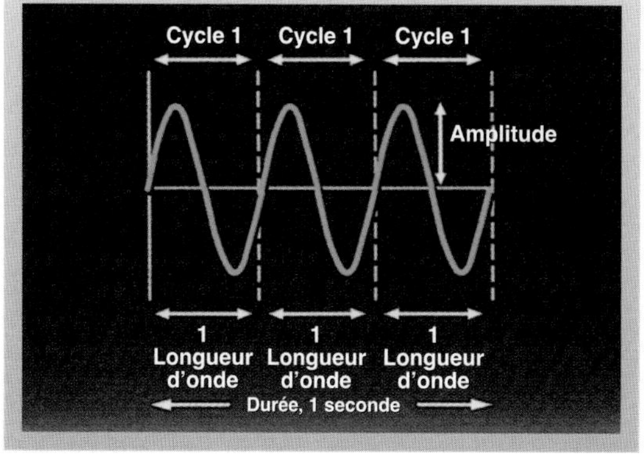

Les bandes de fréquences

Les bandes de fréquences des ondes radio se situent entre 30 Hz et 300 GHz. Toutes ces fréquences peuvent transmettre de l'information. Pour mieux les retracer, on les a réparties en **bandes de fréquences** (figure 13.8). Tu as peut-être déjà vu les abréviations VHF ou UHF. On utilise ces bandes de fréquences pour transmettre les signaux de télévision.

Les grandes ondes, GO ou LW (*long waves*), ont des fréquences de 150 à 280 kHz, ou des longueurs d'onde de 1070 à 2000 m (ondes kilométriques). Les petites ondes, PO, ou ondes moyennes, MW (*medium waves*), ont des fréquences de 525 à 1605 kHz, ou des longueurs d'onde de 187 à 570 m (ondes hectométriques). Les ondes courtes, OC ou SW (*short waves*), ont des fréquences de 3,2 à 26 kHz, ou des longueurs d'onde de 11 à 90 m (ondes décamétriques).

Enfin, la modulation de fréquence, FM (*frequency modulation*) ou VHF (*very high frequency modulation*), va de 88 à 108 MHz. Ce sont des ondes métriques. Les ondes UHF sont décimétriques. La télévision couvre la bande de fréquences de 43 à 880 MHz.

Figure 13.8 *Les bandes de fréquences vont de 30 Hz à 300 GHz.*

Bandes de fréquences radio			
	Appellation française	**Appellation canadienne**	**Abréviations mondiales**
30 Hz à 300 Hz	Fréquences mégamétriques	Ondes longues	ELF
300 Hz à 3 kHz	Fréquences hectokilométriques	Ondes longues	VF
3 kHz à 30 kHz	Fréquences myriamétriques	Ondes longues	VLF
30 kHz à 300 kHz	Fréquences kilométriques	Ondes longues	LF
300 kHz à 3 000 kHz	Fréquences hectométriques	Ondes moyennes	MF
3 MHz à 30 MHz	Fréquences décamétriques	Ondes courtes	HF
30 MHz à 300 MHz	Fréquences métriques	Très hautes fréquences	VHF
300 MHz à 3 000 MHz	Fréquences décimétriques	Ultra hautes fréquences	UHF
3 GHz à 30 GHz	Fréquences centimétriques	Superhautes fréquences	SHF
30 GHz à 300 GHz	Fréquences millimétriques	Extra-hautes fréquences	EHF

Certaines fréquences permettent des communications audio et vidéo particulières (figure 13.9 et annexe). D'une part, certaines fréquences subissent les effets du climat et des changements dans la couche ionosphère. (L'ionosphère est une couche de particules chargées électriquement à environ 100 et 320 km au-dessus de la surface de la Terre.) Durant le jour, les fréquences de la bande moyenne (MF) parcourent seulement de courtes distances (quelques centaines de kilomètres ou moins). Le soir, l'ionosphère perd un peu de sa charge électrique. Les ondes de la plage moyenne (MF) peuvent alors se propager jusqu'à l'autre extrémité de la Terre.

D'autre part, le gouvernement réglemente la radiodiffusion. Au Canada, le ministère des Communications attribue les fréquences aux stations radiophoniques. Par exemple, une station radiophonique AM (à modulation d'amplitude) occupe une fréquence entre 540 et 1600 kHz. Les fréquences des stations qui émettent en modulation de fréquence (FM) se situent entre 88,1 et 107,9 MHz.

La modulation

Sans traitement, les ondes radio ont une amplitude et une fréquence constantes. Elles produisent seulement du bruit dans la radio. Afin de transmettre un message, il faut absolument modifier ces ondes. On appelle ce traitement la modulation.

Figure 13.9 Dans cette liste, repère les fréquences de radio ou de télévision que tu as l'habitude de syntoniser.

Fréquence	Description
30 Hz à 18 kHz	Plage perceptible par l'oreille humaine
10,02 kHz à 13,6 kHz	OMEGA : Communications pour les sous-marins de la marine américaine et de la marine canadienne
100 kHz	LORAN-C : Navigation maritime et aérienne longue portée
285 kHz à 325 kHz	Radiophare utilisé en navigation par les bateaux et les avions ; portée de 3200 km
540 kHz à 1600 kHz	Ondes radio AM (à l'échelle mondiale)
1,665 MHz à 1,770 MHz	Anciens téléphones portables
2,182 MHz	Urgences maritimes internationales
5,950 à 6,200 MHz 7,100 à 7,300 MHz 9,500 à 9,900 MHz 11,650 MHz à 12,050 MHz	Poste à fréquences décamétriques (nationales et internationales)
26,965 MHz à 27,405 MHz	Poste bande publique (BP) ; traditionnellement utilisé par les routiers ; la chaîne 23 est réservée aux dispositifs électroniques d'ouverture de portes de garage ; destiné aux communications locales
30 MHz à 49 MHz	Fréquences réservées à la police fédérale et aux patrouilles routières
46,610 MHz à 46,970 MHz	Téléphones portables et postes émetteurs-récepteurs (jusqu'à 800 m)
54,00 MHz à 88,00 MHz	Télévision VHF ; chaînes 2 à 6
88,1 MHz à 107,9 MHz	Radiodiffusion FM ; 200 chaînes
108 MHz à 135 MHz	Exploitation et navigation aérienne
136 MHz à 138 MHz	Satellites météorologiques pour les cartes météorologiques
144 MHz à 148 MHz	Bande de radio amateur la plus populaire
156,050 MHz à 157,425 MHz	Communications maritimes locales
162 MHz	Service météorologique du Canada
162 MHz à 174 MHz	Agences fédérales (GRC, douanes, etc.)
174 MHz à 216 MHz	Télévision VHF ; chaînes 7 à 13
470 MHz à 890 MHz	Télévision UHF ; chaînes 14 à 83
1 GHz et plus	Micro-ondes, radar

Par exemple, en radiodiffusion, on doit superposer les vibrations sonores qu'on veut transmettre (figure 13.10A) à des ondes radio, ou ondes porteuses (figure 13.10B). En premier, on convertit les ondes sonores en signaux électriques (à l'aide d'un microphone, par exemple). Ensuite, on combine le signal sonore à fréquences hectokilométriques au signal porteur à fréquences décamétriques.

Tu trouveras, en annexe, un tableau d'Industrie Canada qui te présente l'attribution des fréquences radio-électriques au Canada.

Tu vois à la figure 13.10C que l'amplitude ou la force de l'onde porteuse a changé. L'onde porteuse a subi une **modulation d'amplitude**. Un poste de radio AM peut recevoir ce signal. On peut aussi moduler des fréquences (figure 13.10D). La **modulation de fréquence** consiste à comprimer les ondes, soit à les éloigner les unes des autres. La modulation de fréquence a un avantage : les bruits perturbent moins les signaux lors de la transmission, car ils affectent l'amplitude d'un signal et pas sa fréquence. Les postes de radio FM peuvent recevoir ce type de signal. En télédiffusion, on utilise d'une part la modulation d'amplitude pour

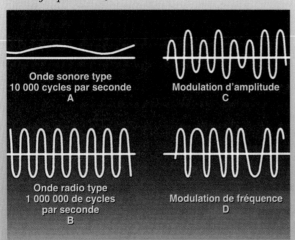

Figure 13.10 On combine une onde sonore normale A) à une onde radio type B). On peut moduler l'onde porteuse radio en amplitude C) ou en fréquence D).

transmettre le signal vidéo, et on utilise d'autre part la modulation de fréquence pour transmettre le signal sonore.

Des normes très strictes s'appliquent à la distribution des plages d'émission afin de garantir la sécurité et la confidentialité des transmissions radio. Avant d'émettre, tu dois faire une demande d'autorisation auprès du ministère responsable des télécommunications. Ce ministère s'occupe de trois aspects. Il t'accorde une bande de fréquences de façon à éviter une surcharge d'ondes. Il établit la largeur de la bande pour éviter les interférences avec d'autres stations. Enfin, il vérifie si tu possèdes les compétences nécessaires pour émettre des ondes radio. Ce faisant, il s'assure que tu es en mesure de régler les problèmes techniques possibles.

Depuis 1999, on voit se développer la radio Internet. Ce type de radiodiffusion doit aussi se conformer à une réglementation.

Les voies de transmission

Lorsque tu téléphones à une personne de ton quartier, ta voix se rend jusqu'à elle sous la forme d'un signal électrique. Ce signal parcourt un fil téléphonique qui est le chemin de communication que ta voix emprunte pour se rendre à destination. Si tu veux joindre une personne à Hong Kong, tu peux le faire par téléphone. Cependant, cette fois, des signaux aériens ou satellites transmettront ta voix. Ces deux types de signaux permettent aussi de faire des transmissions audio et vidéo.

■ Une question de déontologie

Le Conseil canadien des normes de la radiotélévision (CCNR) tient compte des préoccupations de la population en matière d'éthique et de respect de la personne. En effet, les émissions de radio et de télévision doivent respecter les lois canadiennes. Les productrices et les producteurs doivent suivre un **code de déontologie.** Ce code définit les règles d'éthique et de morale qui guident la conduite professionnelle. La plupart des professions possèdent un code de déontologie.

Voici un extrait du code de déontologie des directrices et des directeurs d'émissions de radio ou de télévision : « Les journalistes de la radio et de la télévision ne rendront compte, à moins que cela ne soit pertinent, d'éléments touchant la race, l'origine nationale ou ethnique, la couleur, la religion, l'orientation sexuelle, l'état matrimonial ou l'incapacité physique ou mentale. Les journalistes de la radio et de la télévision présenteront l'information sans déformation des faits. Les entrevues peuvent être remaniées pourvu que le sens n'en soit pas modifié ni déformé. Les journalistes de la radio et de la télévision ne présenteront pas des actualités qui sont répétées ou reconstituées sans en prévenir l'auditoire. Les salles de rédaction doivent s'assurer de l'authenticité des bandes vidéo et audio provenant d'amatrices ou d'amateurs avant de les mettre en ondes. Les éditoriaux et les commentaires doivent être présentés comme tels. »

Pour te renseigner sur les normes canadiennes en matière de radiotélévision, rends-toi à l'adresse suivante :

 www.dlcmcgrawhill.ca

Les **voies de transmission atmosphériques** utilisent des ondes électromagnétiques pour transporter l'information dans l'air. Une antenne génère des ondes ; un satellite retransmet ces ondes. Les postes de radio, les téléviseurs et les téléphones cellulaires fonctionnent grâce à ces voies de transmission. Cependant, les appareils récepteurs doivent comporter un **décodeur**, car ils reçoivent des signaux soit numériques, soit analogiques. Le décodeur traduit un message dans un langage que le récepteur reconnaît. Il contient généralement un traducteur et un décrypteur.

Les communications dépendent de plus en plus des **satellites** qui sont des dispositifs orbitant autour de la Terre. Pour la transmission d'émissions de télévision, les liaisons téléphoniques et d'autres types de communications, on utilise des satellites géostationnaires. Ces satellites ont une vitesse qui les maintient toujours au-dessus du même point de la Terre. Les satellites possèdent des systèmes complexes pour émettre et capter des **micro-ondes.** Ils peuvent aussi corriger les effets de la vitesse des courants atmosphériques lors des transmissions. De plus, ils comportent des systèmes de codage et de décodage. Les micro-ondes sont des ondes électromagnétiques de très petite longueur et de fréquences comprises entre 300 MHz et 300 GHz.

Les **voies de transmission physiques** consistent en un fil ou un autre type de connexion entre l'émetteur et le récepteur. Les téléphones ordinaires et la câblodistribution utilisent ces voies de transmission. Tu verras plus en détail ces deux types de voies de transmission au chapitre 14.

La **fibre optique** est un matériau qui permet de transmettre jusqu'à 200 gigabits par seconde (un gigabit équivaut à un milliard de bits). En 2003, on a conçu des câbles transmettant jusqu'à cinq térabits par seconde sur une distance de 1500 km (un térabit équivaut à mille milliards de bits). Les câbles de fibre optique ne subissent pas l'effet des perturbations électromagnétiques, car ils transportent de la lumière. Ils éliminent aussi l'écoute clandestine, puisqu'une tierce personne qui se brancherait sur ce type de câble couperait la connexion. Il y a des fibres optiques en plastique à faible coût et à faible performance. On les utilise pour construire des circuits de commande dans un milieu fermé perturbé par des secousses mécaniques ou par des impulsions électromagnétiques (avion, métro, véhicule militaire).

En résumé...

Pense au modèle de communication électronique (figure 13.1). Comment tes nouveaux apprentissages s'y insèrent-ils ?

Tu sais qu'on peut décrire tous les systèmes audio et vidéo à l'aide de ce modèle. Prends l'exemple de la radiodiffusion (figure 13.11). L'animateur parle, c'est-à-dire qu'il produit un son. Il y a ensuite une conversion du son en énergie électrique, puis une transmission de cette énergie dans l'air sous forme d'ondes radio. Ces ondes atteignent ensuite l'antenne d'un récepteur radio. Les fréquences d'ondes pénètrent dans l'antenne du récepteur radio par induction. Le récepteur les reconvertit en son.

Au chapitre 14, tu vas découvrir le fonctionnement d'un téléphone, d'un poste de radio, d'un téléviseur, d'un lecteur de disques compacts, d'un magnétophone et d'un magnétoscope. Même si ces systèmes diffèrent les uns des autres, ils respectent tous le modèle de communication électronique. Ce modèle te donne un aperçu du fonctionnement de ces systèmes. Le chapitre 14 décrira les équipements de chacun de ces systèmes qui servent à transmettre, à canaliser et à recevoir des messages.

Figure 13.11 *Le modèle de communication électronique. Peux-tu nommer d'autres systèmes qui fonctionnent selon ce modèle ?*

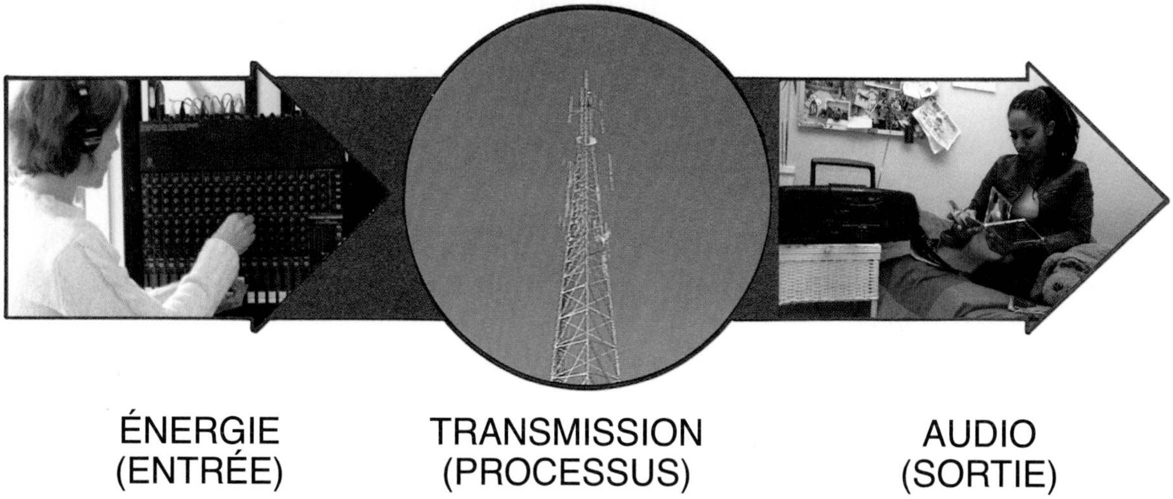

ÉNERGIE (ENTRÉE)　　　**TRANSMISSION (PROCESSUS)**　　　**AUDIO (SORTIE)**

Révision du chapitre *13*

Questions de révision

1. Quels sont les trois principaux éléments du modèle de communication électronique?

2. Qu'est-ce qu'un courant électrique? un circuit?

3. Qu'est-ce que l'électromagnétisme?

4. Qu'est-ce que l'induction? Pourquoi est-ce un élément important en communication?

5. Quelle est la différence entre le courant alternatif et le courant continu?

6. Explique la relation entre le courant alternatif et les ondes électromagnétiques.

7. Définis la fréquence et l'amplitude.

8. Qu'est-ce que la modulation? Décris les différents types de modulations.

9. Quels sont les deux types de voies de transmission? Indique leurs différences.

10. Explique comment les ondes radioélectriques transportent des messages dans l'atmosphère.

11. Explique le fonctionnement d'un câble optique. Compare le câble optique au câble en cuivre: coût, durée de vie, sécurité de transmission, rapidité de transmission, etc. Quels sont les avantages et les inconvénients de ces deux technologies?

12. Les satellites transmettent des micro-ondes à la Terre. L'exposition au rayonnement de ces micro-ondes est-elle dangereuse? Fais une recherche. Consulte Internet, des sources imprimées ou des personnes qui connaissent le sujet. Justifie ta réponse.

13. Explique pourquoi l'électromagnétisme forme la base des communications sonores et visuelles.

Activités

1. Construis un circuit simple à l'aide d'une ampoule électrique, d'un fil de cuivre et d'une pile. Envoie un message en alphabet morse à une ou à un camarade de classe à l'aide de ton dispositif.

2. Fabrique un électroaimant à l'aide d'une pile, d'un fil de cuivre et d'un clou en métal. Démontre comment le champ magnétique dépend du courant électrique.

3. Dresse la liste, par fréquences, des stations radiophoniques AM que tu captes dans ta région. Trace une ligne qui représente le spectre des fréquences radiophoniques AM (540 kHz à 1 600 kHz). Situe les stations radiophoniques de ta liste sur cette ligne.

4. Fais passer un rouleau de fil de cuivre à travers une feuille de papier. Place des boussoles autour du fil. Raccorde chacune des extrémités du fil aux bornes d'une batterie. Que se passe-t-il avec les boussoles? Trace un diagramme qui montre le champ magnétique.

5. Fais une recherche sur l'histoire des modes de transmission sur de grandes distances (Antiquité, système télégraphique Chappe, système Morse, câbles en cuivre, fibre optique, transmission à haute vitesse, etc.). Rédige un compte rendu de tes découvertes.

6. Remplis une demande d'autorisation pour faire une émission de radio amateur. Fais une recherche pour déterminer le matériel nécessaire ainsi que la formation et les compétences requises pour opérer une radio amateur.

L'équipement audio et vidéo

Savais-tu qu'une image de téléviseur se compose de points lumineux ?
Savais-tu que les satellites de communication tirent leur énergie du Soleil ?

Dans le chapitre 13, tu as vu les fondements scientifiques des communications audio et vidéo. Dans ce chapitre, tu vas apprendre comment fonctionne l'équipement audio et vidéo.

Vocabulaire

- amplificateur
- cartouche
- cible
- diaphragme
- format vidéo
- mélangeur vidéo
- mixage
- multiplexage
- plaque-signal
- réflecteurs paraboliques
- réponse en fréquence
- table de mixage
- têtes d'enregistrement
- tube analyseur

Au fil de ce chapitre, tu vas trouver les réponses à ces questions :

- Dans un téléphone, comment se fait la conversion des ondes sonores en signaux électriques, puis leur reconversion en ondes sonores ?
- Comment fonctionne une radio ?
- Quel est le rôle des satellites dans une transmission radio ?
- Comment une caméra de télévision convertit-elle ce qu'elle « voit » en signaux électriques ?
- En quoi un magnétophone et un magnétoscope sont-ils semblables ?

chapitre 14

Le téléphone

Le 14 février 1876, Elisha Gray et Alexander Graham Bell font chacun une demande de brevet. Tous deux viennent de concevoir un téléphone, chacun de leur côté. Après une longue bataille juridique, on accorde les droits de brevet à Bell. On connaissait déjà les avantages du télégraphe à l'époque. Le téléphone a donc reçu un bon accueil (figure 14.1).

Au début, un fil de fer reliait directement tous les téléphones entre eux. Vers les années 1900, on a commencé à acheminer le signal vers des points intermédiaires. Cela facilitait le câblage. Depuis, le téléphone a subi des transformations majeures ! Il offre toutes sortes de fonctions comme la recomposition automatique, l'enregistrement des messages ou la mise en mémoire de numéros. Il y a même des téléphones sans fil.

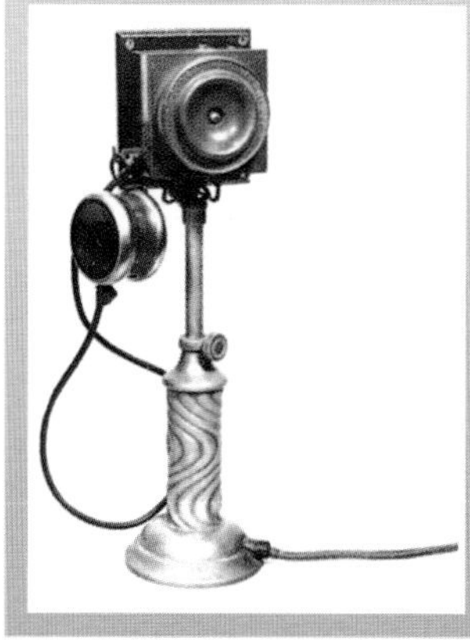

La transmission téléphonique

Un émetteur de téléphone consiste en une embouchure et un « boîtier » muni d'un cadran. Dans l'embouchure, un microphone capte le son de ta voix.

Tu as vu au chapitre 13 qu'il faut convertir les ondes sonores en signaux électriques avant de les émettre sur de grandes distances. C'est le rôle du microphone. Ce n'est pas le même genre de microphone que les micros qu'on utilise dans les spectacles.

La réponse en fréquence est ce qui varie le plus dans les microphones. La **réponse en fréquence** désigne la plage de fréquences sonores qu'un microphone peut reproduire correctement. Le microphone d'un téléphone ne peut reproduire qu'une petite plage de fréquences. Il s'agit d'un microphone à charbon (figure 14.2).

Le microphone à charbon consiste en un petit récipient rempli de granules de charbon. Un petit courant électrique parcourt ces granules en tout temps. À côté du récipient, il y a une pièce de métal flexible appelée **diaphragme**. Le diaphragme vibre sous l'effet des ondes sonores. Lorsqu'il vibre, il exerce une pression sur les granules de charbon. La pression augmente le courant électrique entre ces granules. Lorsque la pression diminue, il y a moins de courant. La variation de courant crée un signal électrique qui reproduit le son transmis.

À l'époque des téléphones à cadran, on faisait tourner le cadran. Un contact électrique ouvrait et fermait un circuit. Il ouvrait et fermait le circuit une fois pour le chiffre 1, deux fois pour le chiffre 2, et ainsi de suite. Les téléphones à boutons-poussoirs, pour leur part, envoient des signaux de différentes fréquences. Chaque fréquence correspond à un chiffre. Un dispositif pouvant envoyer de telles fréquences peut composer un numéro. C'est aussi de cette façon que plusieurs ordinateurs « composent » un numéro de téléphone.

Figure 14.1
Ce téléphone de 1892 a été l'un des premiers modèles sur table.

Figure 14.2 *Lorsque le diaphragme vibre contre les granules de charbon du microphone, il se produit un changement de tension.*

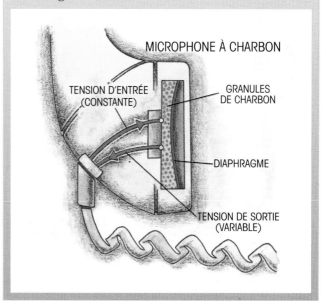

MICROPHONE À CHARBON

TENSION D'ENTRÉE (CONSTANTE)

GRANULES DE CHARBON

DIAPHRAGME

TENSION DE SORTIE (VARIABLE)

Les voies de transmission

La plupart des appels téléphoniques se font par voies de transmission matérielles, par exemple des fils, des fibres ou des câbles (pour les téléphones cellulaires, la technologie est différente comme tu as pu le constater au chapitre 6).

Le signal parcourt un fil qui relie ton téléphone à un câble raccordé à l'endroit où tu habites. Ce câble se rend ensuite à la station de commutation qui alimente le système local (figure 14.3). De là, la station achemine ton appel à une autre station de commutation. Les trois premiers chiffres du numéro composé correspondent à cette deuxième station. (Dans le cas d'un appel interurbain, on tient compte des six premiers chiffres.) Les quatre derniers chiffres localisent le téléphone raccordé à cette station. Toute cette commutation se fait de façon automatique.

Lorsque le téléphone est fermé, le circuit entre ton téléphone et la station de commutation est ouvert. En cas d'appel téléphonique, la station envoie un courant de basse tension le long du circuit. Ce courant fait sonner ton téléphone. Lorsque tu réponds au téléphone, le circuit se ferme. Cela indique à la station que tu as répondu. La station achemine donc l'appel vers ton téléphone.

La voie de transmission par fils de cuivre

Pour la transmission téléphonique locale, on utilise souvent un câblage à paires torsadées. Il s'agit de deux minces fils de cuivre isolés et torsadés. Si on regroupe ces paires torsadées, on produit de gros câbles qui peuvent traverser tout le pays. Les fils de cuivre servent à raccorder les différents points de connexion entre eux. Ils raccordent aussi les téléphones personnels aux centraux téléphoniques.

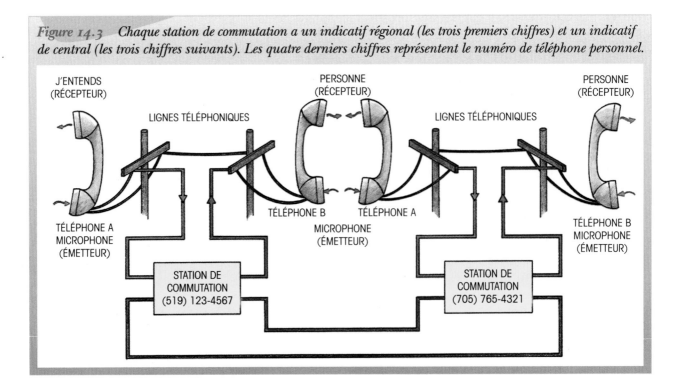

Figure 14.3   *Chaque station de commutation a un indicatif régional (les trois premiers chiffres) et un indicatif de central (les trois chiffres suivants). Les quatre derniers chiffres représentent le numéro de téléphone personnel.*

Les voies de transmission par fibre optique

La fibre optique permet de transmettre des appels sur de grandes distances. Il s'agit d'un mince tube de verre flexible. (Consulte le chapitre 7.) Dans la fibre optique, le signal se déplace sous forme d'impulsions lumineuses. C'est pourquoi les câbles de fibre optique peuvent transporter beaucoup plus de messages que les câbles en fils de cuivre (figure 14.4). De plus, la fibre optique réduit la distorsion du signal. Les câbles de fibre optique remplacent progressivement les fils de cuivre.

Dans la fibre optique, le laser sert de source lumineuse. (Consulte le chapitre 7.) Une micropuce ou une puce permet de produire un faisceau laser (figure 14.5). Lorsqu'un courant électrique excite ces puces, elles émettent une lumière laser. Cette lumière subit une modulation pour transporter l'information. Le signal modulé parvient à la fibre, et la fibre le transmet. Au point de réception, il se produit une démodulation et une reconversion en son du signal. Ce son correspond au son de la voix.

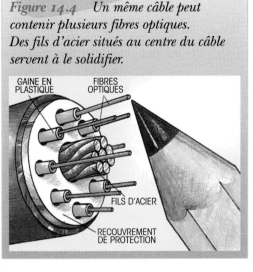

Figure 14.4 *Un même câble peut contenir plusieurs fibres optiques. Des fils d'acier situés au centre du câble servent à le solidifier.*

GAINE EN PLASTIQUE
FIBRES OPTIQUES
FILS D'ACIER
RECOUVREMENT DE PROTECTION

Le multiplexage

Si on ne pouvait envoyer qu'un seul signal à la fois sur une voie de transmission physique, il y aurait peu de communications. Imagine que tu doives attendre que toutes les lignes téléphoniques se libèrent avant de pouvoir faire un appel. Cela n'arriverait probablement jamais! Ce type de situation peut par contre se produire, à l'occasion, dans les pays dont le système est encore rudimentaire. Imagine que tu as une camarade dans un pays en développement. Il est possible que tu n'arrives pas à la joindre immédiatement s'il s'agit d'une période de grande affluence! En effet, il peut arriver que tu doives recomposer son numéro à plusieurs reprises avant de pouvoir obtenir une ligne téléphonique. C'est une chose presque impossible ici, car le **multiplexage** permet d'envoyer deux ou plusieurs signaux à la fois sur une même voie de transmission.

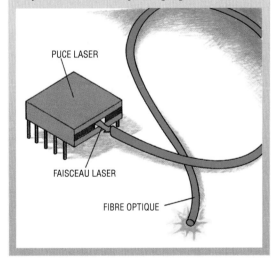

Figure 14.5 *Une micropuce produit un faisceau laser. Après modulation, ce faisceau transporte l'information au moyen d'un câble de fibre optique.*

PUCE LASER
FAISCEAU LASER
FIBRE OPTIQUE

Il y a deux modes de multiplexages. Le premier consiste à diviser la voie de transmission en deux bandes de fréquences ou plus. C'est le multiplexage en fréquence. On envoie chaque message à l'aide d'un signal porteur qui a une fréquence distincte. Cela ressemble à la radiodiffusion, mais le multiplexage se fait à l'intérieur du câble ou du fil.

L'autre mode est le multiplexage temporel. On utilise surtout cette méthode en transmission numérique. On fait des envois de bits de données à intervalles fixes. Par exemple, suppose que trois ordinateurs doivent envoyer des données en même temps. Le premier ordinateur peut envoyer ses données au cours du premier intervalle de temps, le deuxième ordinateur fait l'envoi au cours du deuxième intervalle, et le troisième le fait au cours du troisième intervalle. Ce processus se poursuit tant qu'il y a des messages à envoyer. En réalité, la vitesse de transmission est si grande qu'on ne remarque même pas les intervalles entre les envois.

Les voies de transmission atmosphériques

Aujourd'hui, on ne se limite plus aux voies de transmission physiques pour transmettre des appels. Les téléphones portables constituent en réalité des émetteurs-récepteurs radio à faible puissance. Ils permettent d'envoyer et de recevoir des messages par voie électromagnétique.

On peut utiliser deux types de voies de transmission pour un même appel. Un appel téléphonique fait sur un réseau de fils peut se voir converti en un signal micro-ondes et ainsi parvenir à une station de réception atmosphérique. Les micro-ondes sont des ondes électromagnétiques plus courtes que les ondes radio, mais plus longues que les ondes infrarouges. Elles possèdent une meilleure convergence que les ondes radio.

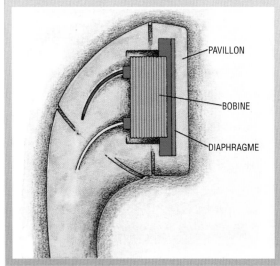

Figure 14.6   L'électroaimant à l'intérieur du récepteur provoque la vibration du diaphragme. C'est cette vibration qui reproduit le son.

PAVILLON

BOBINE

DIAPHRAGME

La réception

Un récepteur fonctionne à l'inverse d'un émetteur. Il se trouve dans le pavillon du combiné (figure 14.6). Il s'agit d'une bobine de fil métallique autour d'un noyau en fer. Cet ensemble forme un électroaimant. Il y a un diaphragme en métal flexible fixé au noyau en fer. Lorsque le signal électrique entre dans le récepteur, il parcourt la bobine de fil. Le noyau en fer devient magnétique, attirant le diaphragme qui se met à vibrer et reproduit le son.

La radio

Une radio peut envoyer et recevoir des signaux sans fil. L'invention de la radio a permis de communiquer rapidement sur de grandes distances.

On n'attribue l'invention de la radio à personne en particulier. En 1897, Guglielmo Marconi a construit un dispositif qui permettait d'envoyer et de recevoir des signaux sur une distance de 6,5 km. On a rapidement amélioré le dispositif de Marconi, entre autres grâce au tube à vide. Celui-ci permettait d'amplifier un signal faible ; le signal pouvait ainsi se rendre plus loin et rejoindre plus de personnes. Peu de temps après, tout le monde voulait avoir une radio (figure 14.7).

En 1920, une station de Pittsburgh produisait la première émission de radio. Elle a diffusé les résultats de l'élection présidentielle de cette année-là. On a ensuite voulu faire des émissions pour divertir les gens. En peu de temps, tout le monde a commencé à écouter la radio.

Figure 14.7   Cette ancienne radio s'appelait un récepteur à cristal. Elle fonctionnait à l'aide d'un cristal piézoélectrique. Ce type de cristal produit une basse tension lorsqu'une pression s'exerce sur lui.

La transmission radioélectrique

Tu vas voir l'équipement qui permet de transmettre un signal radio. Au fil du texte, rappelle-toi que les différents dispositifs sont liés entre eux. On te présente ici le processus général.

Les microphones transforment l'énergie sonore en un signal électrique. Dans une salle de régie, les ingénieures

Guide d'utilisation *en technologie*

Choisir un téléphone et des services téléphoniques

Il n'y a pas si longtemps, choisir un téléphone et un service téléphonique ne présentait aucun problème ! Aujourd'hui, tu as beaucoup de possibilités. Cela signifie que tu dois prendre beaucoup de décisions. Voyons ces possibilités.

- *Le téléphone classique.* On trouve encore ces appareils, mais ils se font plus rares. Il y en a de différentes tailles, formes et couleurs.
- *Le téléphone sans fil.* Ce téléphone fonctionne à l'aide d'une pile et d'une petite antenne. L'antenne du combiné envoie des signaux à une autre antenne fixée sur une base. Tu peux installer cette base sur une table ou la fixer au mur. Tu raccordes la base au service téléphonique standard. Avec les téléphones sans fil, tu peux parler et te déplacer en même temps. Cependant, tu dois rester à une certaine distance de la base pour une communication de qualité.
- *Le téléphone cellulaire.* Il ressemble à un minuscule émetteur radio et permet de transmettre des signaux vocaux à une antenne d'un « site cellulaire » local, dans un rayon de 40 km du téléphone cellulaire. Ce site cellulaire transmet l'appel téléphonique à un « centre de commutation de téléphones mobiles » (CCTM). Le CCTM achemine alors l'appel vers sa destination. Plus le nombre de CCTM va augmenter, plus les téléphones cellulaires vont se multiplier.
- *Le visiophone.* Avec un visiophone, tu peux voir la personne à qui tu parles. Internet donne l'occasion de se fabriquer un visiophone peu coûteux. Il suffit de raccorder une simple caméra vidéo en noir et blanc (ou en couleurs) à l'ordinateur et d'utiliser un logiciel de vidéoconférence en ligne.

Une fois que tu as choisi un téléphone, tu dois sélectionner des services téléphoniques. Rappelle-toi que certains services fonctionnent uniquement avec les téléphones à clavier. Il est préférable de te limiter aux services vraiment nécessaires. Les coûts de chacun de ces services semblent souvent minimes. Cependant, mis ensemble, ils peuvent faire grimper très vite le montant de la facture.

- *L'appel en attente.* Pendant une conversation téléphonique, un signal t'indique qu'une autre personne essaie de te joindre.
- *Le renvoi d'appel.* Si tu t'absentes de la maison, tu fais transférer tes appels automatiquement à un autre numéro.
- *L'appel conférence à trois.* Cette fonction te permet de parler en même temps à deux personnes qui se trouvent à deux endroits différents.
- *L'appareil téléscripteur (ATS).* C'est un appareil de télécommunication pour personnes malentendantes. Grâce à un clavier et à un écran, une personne malentendante peut communiquer avec d'autres personnes qui possèdent un ATS. Si l'une des personnes ne possède pas d'ATS, le personnel des stations de retransmission peut quand même acheminer les messages vers des téléphones ordinaires.
- *La ligne partagée.* Une même ligne peut accepter plusieurs numéros de téléphone. Dans ce cas, chaque numéro de téléphone a une sonnerie distincte.
- *L'identification de l'appel.* Grâce à un afficheur, tu peux voir le numéro de téléphone de la personne qui t'appelle.

Si tu as des questions, communique avec une représentante ou un représentant de ta compagnie de téléphone. Ces personnes se feront un plaisir de te répondre.

et les ingénieurs du son modifient ou combinent ce signal avec d'autres signaux à l'aide d'une table de mixage. Après amplification, on transmet à l'émetteur le signal modifié ou combiné. L'émetteur crée des ondes porteuses électromagnétiques modulées avec le signal audio. On doit amplifier le signal ainsi combiné, puis l'envoyer vers une antenne qui le libère dans l'atmosphère.

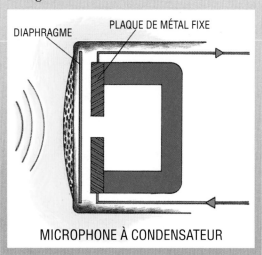

Figure 14.8 Dans un microphone à condensateur, une plaque de métal fixe produit le changement de tension à l'origine du signal.

DIAPHRAGME   PLAQUE DE MÉTAL FIXE

MICROPHONE À CONDENSATEUR

Les microphones

En radiodiffusion, on peut utiliser plusieurs types de microphones. Il y a, entre autres, les microphones électro-dynamiques, les microphones à ruban, les microphones à cristal et les microphones à condensateur. On se sert le plus souvent des microphones à condensateur.

Un microphone à condensateur comporte un diaphragme en métal monté près d'une plaque de métal fixe. La plaque de métal a une charge électrique (figure 14.8). Sous l'effet des ondes sonores, le diaphragme se met à vibrer. Cette vibration entraîne un changement de tension dans la plaque. C'est ce changement de tension qui représente le signal.

Les microphones à condensateur ont une excellente réponse en fréquence. On en fabrique des miniatures, par exemple pour les magnétophones à cassettes.

Les autres microphones fonctionnent de la même façon. La plupart fonctionnent grâce à un diaphragme et à un changement de tension. Il y a des microphones sans fil, utiles pour les gens qui se déplacent beaucoup. Par exemple, des journalistes peuvent utiliser un microphone sans fil pour faire leurs reportages. Comme un téléphone portable, le microphone sans fil contient un minuscule émetteur à piles.

La salle de régie

Dans une station de radio, l'ingénieure ou l'ingénieur du son travaille dans une salle de régie insonorisée. La salle de régie abrite un panneau de répartition, un système de surveillance du son et une table de mixage (figure 14.9). Le panneau de répartition sert à connecter différents dispositifs d'entrée et de sortie. Grâce au système de surveillance du son, on fait le suivi des différentes données audio qu'on utilise ou qu'on crée.

Il y a des **tables de mixage** de différentes formes et de plusieurs tailles. Toutes ont la même fonction. Elles permettent de contrôler le volume et la qualité des sons qui entrent. Pour ce faire, on effectue les tâches suivantes :

Figure 14.9 Cette ingénieure du son se trouve devant une table de mixage. Elle s'en sert pour régler ou modifier le son de différentes façons.

- Augmenter ou diminuer le volume d'entrée en faisant glisser les boutons qui permettent d'effectuer des réglages sensibles.
- Équilibrer les sons. Par exemple, on peut augmenter le volume de la voix d'une chanteuse ou d'un chanteur et diminuer celui de l'orchestre.
- Équilibrer les hautes fréquences (aiguës), les fréquences de milieu et les basses fréquences (graves).
- Produire un effet d'écho.
- Combiner un certain nombre d'entrées sonores, comme plusieurs voix et plusieurs instruments, en un seul signal et contrôler ce signal à l'aide d'un seul bouton.
- Surveiller la puissance globale de la sortie d'un son vers un dispositif d'enregistrement à l'aide d'un mètre.

La plupart des émissions de radio combinent les sons préenregistrés et les sons en direct. Le **mixage** consiste à réunir les sons en direct, la musique préenregistrée, les effets audio spéciaux, les enregistrements de voix sur des sons audio déjà existants, etc. C'est un travail rempli de défis.

Par exemple, l'enregistrement de musique en direct demande qu'on s'occupe de divers points. Idéalement, l'orchestre s'installe dans un studio d'enregistrement situé à côté de la salle de régie. Dans la régie, on veille à la qualité du son et à l'enregistrement.

Il faut fournir un microphone à chaque interprète et à chaque instrument. L'égaliseur permet ensuite de régler les niveaux de contrôle pour chaque microphone.

Pour obtenir le produit final, on superpose les pistes de sons. Par exemple, on peut enregistrer les instruments au cours d'une séance et ajouter la piste vocale un peu plus tard. Les interprètes entendent la piste instrumentale pendant l'enregistrement de leur prestation. Cette méthode facilite le mixage du son.

On ajoute souvent des effets sonores spéciaux de la même façon. On peut fabriquer ces effets en studio ou les tirer d'enregistrements à effets spéciaux.

Les amplificateurs

Le signal sonore parvient à l'amplificateur à partir de la salle de régie. Un **amplificateur** est un dispositif qui permet d'amplifier un signal électrique. Il contient des transistors ou d'autres composantes qui peuvent contrôler et augmenter le niveau d'un signal audio sans modifier sa forme d'onde. On utilise différentes sortes d'amplificateurs au cours de l'émission et de la réception.

L'émetteur

L'émetteur crée des ondes électromagnétiques qui vont transporter le signal (figure 14.10). Pour ce faire, il faut canaliser le courant continu vers un dispositif qu'on appelle un oscillateur. L'oscillateur sert à transformer le courant continu en courant alternatif. La fréquence et l'amplitude du courant alternatif sont constantes. C'est le courant alternatif qui crée l'onde porteuse.

Figure 14.10 Cet émetteur AM numérique à semi-conducteurs contient des amplificateurs de puissance et un modulateur.

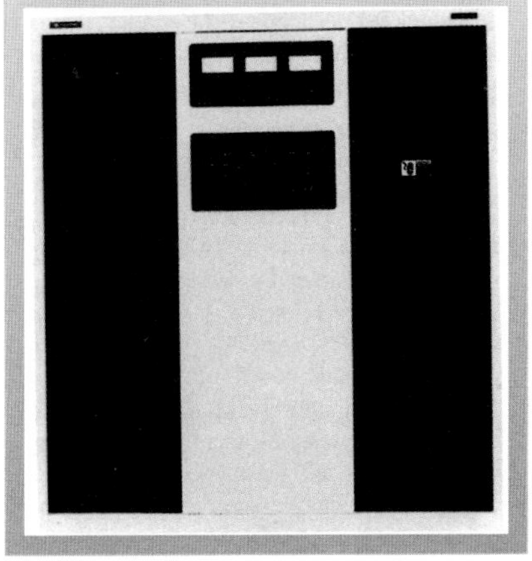

Il y a combinaison du signal audio et de l'onde porteuse. Puis, on amplifie de nouveau le signal et on l'envoie à l'antenne émettrice.

Les antennes

On utilise des antennes pour émettre et recevoir des signaux électromagnétiques. Les antennes émettrices consistent soit en tours, soit en réflecteurs paraboliques (figure 14.11). Les ondes radio qui quittent les tours s'en vont dans toutes les directions. Les **réflecteurs paraboliques** (ou soucoupes) peuvent transmettre des ondes radio en ligne directe vers une cible.

Les voies de transmission

Tu as vu que les voies de transmission atmosphériques permettent d'envoyer des signaux radio. Ces voies ne nécessitent aucun câble entre l'émetteur et le récepteur. L'antenne émettrice envoie dans l'atmosphère les ondes électromagnétiques de trois types : les ondes directes, les ondes de sol et les ondes réfléchies (figure 14.12).

Figure 14.11 *Les antennes servent à émettre et à recevoir des signaux. Il peut s'agir de tours (à gauche) ou de réflecteurs paraboliques (à droite).*

RÉFLECTEUR PARABOLIQUE

Figure 14.12 *Les ondes de sol suivent la courbe de la Terre. Les ondes directes voyagent en ligne droite. Les ondes réfléchies reviennent vers la Terre après réflexion sur l'ionosphère.*

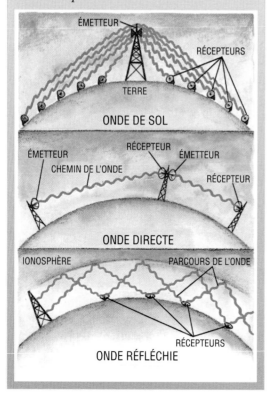

ÉMETTEUR

RÉCEPTEURS

TERRE

ONDE DE SOL

ÉMETTEUR

CHEMIN DE L'ONDE

RÉCEPTEUR

ÉMETTEUR

RÉCEPTEUR

ONDE DIRECTE

IONOSPHÈRE

PARCOURS DE L'ONDE

RÉCEPTEURS

ONDE RÉFLÉCHIE

Les ondes directes voyagent en ligne droite d'un point à un autre. Les émetteurs à micro-ondes constituent un exemple de systèmes d'ondes directes. Les micro-ondes parviennent directement à une soucoupe réceptrice ou à un satellite qui les relaie (figure 14.13). On installe habituellement les soucoupes à micro-ondes sur des tours espacées d'environ 16 km selon le relief.

Les ondes de sol suivent la courbe de la Terre. Elles peuvent parcourir plusieurs centaines de kilomètres avant de s'affaiblir.

Les ondes réfléchies irradient vers l'espace. L'ionosphère réfléchit vers la Terre les basses fréquences. La radiodiffusion sur courtes ondes, se base sur les ondes réfléchies. Dans des conditions favorables, ces ondes peuvent faire le tour du monde.

La réception

Un récepteur radio type comprend une antenne, un amplificateur radiofréquence, un mélangeur, un amplificateur à fréquence intermédiaire, un détecteur, un amplificateur audiofréquence et un haut-parleur.

L'antenne réceptrice ressemble à l'antenne émettrice. Cependant, elle capte les radiations électromagnétiques au lieu de transmettre. Disons que n'importe quel bout de fil métallique peut servir d'antenne. Les antennes réceptrices prennent différentes formes (figure 14.14).

Les antennes bipolaires sont légères et coûteuses. La longueur de l'antenne correspond au quart de la longueur de l'onde reçue. On peut faire pointer l'antenne en forme de flèche Yagi dans la direction du signal d'entrée.

Les ondes radio induites dans l'antenne parviennent ensuite à trois amplificateurs différents. L'amplificateur radiofréquence sélectionne d'abord la fréquence précise à laquelle la chaîne de radio correspond. Par exemple, si tu syntonises une chaîne de radio AM à 1540, l'amplificateur radiofréquence sélectionne uniquement les ondes radio qui voyagent à cette fréquence.

Cet amplificateur amplifie le signal et l'envoie au mélangeur qui convertit le signal d'entrée en une fréquence intermédiaire, soit 455 kHz. Peu importe si tu syntonises la station AM à 540 ou à 1600, le mélangeur modifie toujours le signal à 455 kHz. En fait, le signal doit subir une nouvelle amplification. Il est plus facile pour un récepteur d'amplifier une seule fréquence intermédiaire standard que plusieurs fréquences différentes. Ensuite, un amplificateur à fréquence intermédiaire amplifie à son tour le signal à fréquence intermédiaire.

À cette étape, le signal a encore la forme d'une onde porteuse modulée. Il faut donc le démoduler. Un détecteur effectue cette démodulation. Enfin, un amplificateur audiofréquence amplifie de nouveau le signal obtenu. De là, le haut-parleur reçoit le signal.

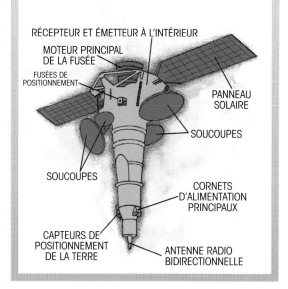

Figure 14.13 *Ce satellite capte les signaux radio à l'aide d'un groupe d'antennes. Il amplifie les signaux et les transmet à un autre groupe d'antennes. Des panneaux solaires captent les rayons du Soleil pour produire l'énergie nécessaire au fonctionnement du satellite.*

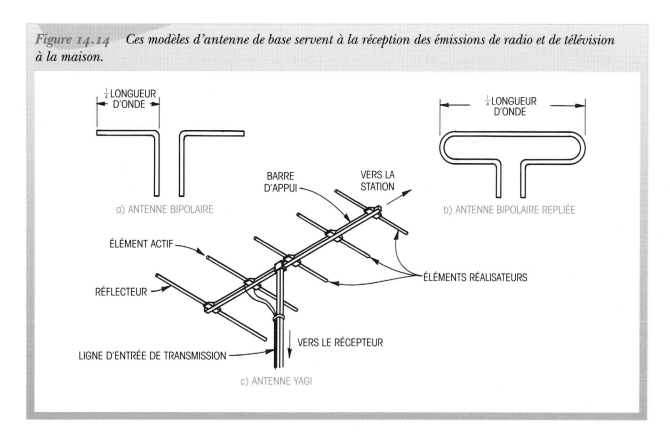

Figure 14.14 *Ces modèles d'antenne de base servent à la réception des émissions de radio et de télévision à la maison.*

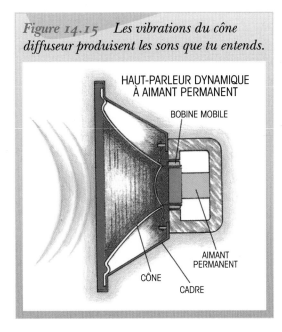

HAUT-PARLEUR DYNAMIQUE
À AIMANT PERMANENT

BOBINE MOBILE

AIMANT
PERMANENT

CÔNE

CADRE

Les haut-parleurs

Le haut-parleur retransforme le signal en son. On utilise souvent le haut-parleur dynamique à bobine mobile. Il y en a deux types : le haut-parleur dynamique à aimant permanent et le haut-parleur dynamique électro-dynamique.

Le haut-parleur à aimant permanent consiste en un aimant permanent et une bobine mobile montée derrière un cône diffuseur (figure 14.15). Le signal électrique entre dans la bobine mobile. Cela produit un changement de champ magnétique qui fait vibrer la bobine. La bobine mobile est raccordée à un cône diffuseur en papier flexible ; par conséquent, le cône se met aussi à vibrer. Cette vibration produit les ondes sonores que tu entends.

Le haut-parleur électrodynamique fonctionne à peu près comme le haut-parleur à aimant permanent. Cependant, un aimant électromagnétique remplace l'aimant permanent.

Dans les deux cas, le cône diffuseur est important. On utilise différents types de papiers traités pour ces cônes. Les cônes en buvard plus souples servent à reproduire les sons graves. Par contre, les papiers plus rigides reproduisent mieux les tonalités plus aiguës. En général, plus le cône est grand, plus le haut-parleur est puissant et meilleure est la qualité des sons graves. Les cônes diffuseurs courbés reproduisent mieux les sons aigus que les cônes droits (figure 14.16). Plus le son reproduit est aigu, plus la région du cône doit être petite autour de la bobine mobile.

Certains haut-parleurs n'ont pas besoin de cône diffuseur pour générer des ondes sonores. Grâce à sa longue forme évasée, le type « pavillon » permet de capter une colonne d'air mise en mouvement par une bobine mobile. Le pavillon ne vibre pas de la même façon qu'un cône.

On doit tenir compte de tous ces facteurs dans la conception des haut-parleurs. Par conséquent, on trouve des haut-parleurs de tailles, de formes et de styles variés. Par exemple, dans certains haut-parleurs, il y a des cônes faits de deux ou de plusieurs matériaux. D'autres haut-parleurs comportent des cônes ondulés ou encore une combinaison de cône et de pavillon (figure 14.17).

Le coffret ou le boîtier qui contient le haut-parleur joue aussi un rôle important dans la qualité du son. La taille, la forme et le matériau utilisé contribuent à l'effet obtenu. Par exemple, certains coffrets renferment différents types de haut-parleurs. On obtient ainsi une multitude de tonalités distinctes.

Les écouteurs ressemblent à de minuscules haut-parleurs fixés à nos oreilles. Parce que le son généré pénètre directement dans nos oreilles, les écouteurs produisent un son plus riche. Les haut-parleurs situés à l'intérieur des écouteurs ressemblent beaucoup à ceux des récepteurs téléphoniques (figure 14.18).

Figure 14.16   *Des modèles de haut-parleurs*

Figure 14.17   *Un haut-parleur de graves produit des sons graves, un haut-parleur d'aigus produit des sons aigus et un haut-parleur de milieu de gamme produit des sons intermédiaires. Voici différents modèles disponibles.*

Figure 14.18   *Étant donné que les haut-parleurs d'un écouteur se trouvent directement sur nos oreilles, la qualité du son demeure intacte.*

HAUT-PARLEURS

CHAMP MAGNÉTIQUE

DIAPHRAGME
(MÉTAL)

SIGNAL D'ENTRÉE
(TENSION VARIABLE)

La télévision

Pour te renseigner sur l'histoire de la télévision, rends-toi à l'adresse suivante :

▶ www.dlcmcgrawhill.ca

Pour te renseigner sur la Ouimet Télévision, rends-toi à l'adresse suivante :

▶ www.dlcmcgrawhill.ca

En 1817, Jons Berzelim isole le sélénium. Sa découverte va s'avérer plus tard essentielle pour la fabrication des téléviseurs. Il faut attendre un peu plus d'un siècle pour voir les premiers téléviseurs. En 1928, on en fait la démonstration lors d'une exposition. Ces premiers appareils étaient mécaniques et fonctionnaient grâce à des disques.

Au début, on transmettait l'image et le son séparément. La voix passait par le réseau des ondes radiophoniques. Au Canada, on a diffusé la première véritable émission de télévision le 20 juillet 1931. On estime à 20 le nombre de propriétaires d'une télévision à l'époque !

Inspiré par les technologies élaborées par Baird et Jenkins, un jeune homme entreprend de fabriquer un poste de télévision canadien. J. Alphonse Ouimet propose en 1932 la Ouimet Télévision. Le téléviseur demeure toutefois un objet de luxe, et la crise économique nuit temporairement à son expansion. Il faudra attendre les années 1960 avant que la télévision prenne vraiment sa place dans les maisons.

Figure 14.19   *Ce téléviseur des années 1930 a un écran si petit qu'il faut s'asseoir tout près pour regarder une émission.*

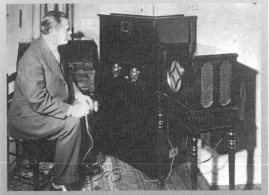

Les transmissions radio et télé ont beaucoup de ressemblances. Le téléviseur est en quelque sorte une radio avec une image. Les signaux de télévision se transmettent à l'aide des bandes de fréquences VHF et UHF (voir le tableau en annexe). Chaque chaîne de télévision possède une fréquence distincte attribuée par le CRTC. Le sélecteur de chaînes (le récepteur) situé à l'intérieur du téléviseur syntonise le poste à la fréquence appropriée à la façon d'un cadran de radio.

La transmission télévisuelle

La radio transmet des signaux audio, mais la télévision doit transmettre des signaux audio et vidéo. Cependant, les signaux vidéo en couleurs sont plus complexes.

La caméra de télévision

La caméra de télévision convertit ce qu'elle «voit» en signaux électriques, puis retransmet ces signaux.

Santé et sécurité

Quand est-ce trop fort?

De nos jours, les dispositifs électroniques peuvent reproduire des sons de grande qualité. Cependant, il faut se rappeler qu'un niveau de bruit trop élevé présente des risques. Un bruit intense et prolongé peut engendrer la surdité. Un bruit continu ou même occasionnel peut provoquer la fatigue et l'irritabilité. Des niveaux de bruit élevés peuvent avoir des effets sur la fréquence cardiaque et la tension artérielle d'une personne, et même modifier le rythme naturel des ondes du cerveau et causer un stress.

On mesure l'intensité du son en décibels (dB). Les sons les plus doux que l'être humain peut entendre se situent à une valeur arbitraire de 0 dB. Outre le tonnerre ou une éruption volcanique, rien dans la nature ne produit un bruit excédant 100 dB. Un niveau de 75 dB qui dure un certain temps peut endommager l'ouïe d'une personne. Voici certains niveaux de bruit courants en décibels.

Une pièce insonorisée	40
Une conversation normale	60
Le trafic à l'heure de pointe	92
Un marteau-piqueur	105
Un orchestre rock, près d'un haut-parleur	110
Le moteur d'un avion à réaction, à 30 m (100 pi) d'altitude	140

On a fait des tests sur des jeunes qui écoutent de la musique rock à un volume très élevé. Les tests ont montré des problèmes d'audition. Des sons très bruyants peuvent être agréables à l'occasion, mais ils sont aussi dangereux. Fais preuve de modération lorsque tu utilises de l'équipement audiovisuel afin de ne pas abîmer ton ouïe.

Lis cette description d'une caméra en noir et blanc.

L'objectif de la caméra dirige la lumière vers le **tube analyseur**, à l'intérieur de la caméra (figure 14.20). (Le plus souvent, il s'agit d'un tube vidicon.) Le tube analyseur comporte une dalle en verre. Une **plaque-signal** recouvre l'arrière de cette dalle. La **cible** se trouve derrière cette plaque.

La lumière traverse d'abord la dalle transparente et la plaque-signal. Puis elle frappe la cible. La cible est enduite d'un matériau qui conduit l'électricité en cas d'exposition à la lumière.

La lumière force les électrons chargés négativement et situés dans la cible à se déplacer vers la plaque-signal. Le nombre d'électrons émis est proportionnel à la quantité de lumière. Lorsque les électrons quittent la cible, ils laissent derrière eux des zones chargées positivement qui correspondent à l'image originale. La charge positive de ces zones dépend de la quantité de lumière reçue de l'image.

Figure 14.20   *Une caméra de télévision comporte un canon à électrons. Ce canon permet de créer le signal.*

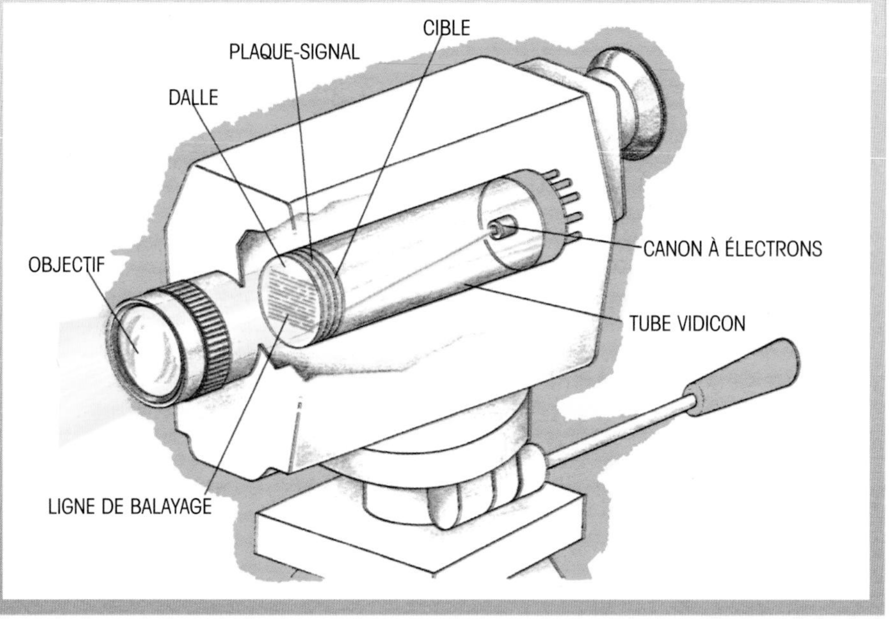

CIBLE

PLAQUE-SIGNAL

DALLE

OBJECTIF

CANON À ÉLECTRONS

TUBE VIDICON

LIGNE DE BALAYAGE

À l'autre extrémité du tube analyseur, un canon à électrons génère un faisceau qui balaie la surface de la cible. Il balaie l'image de gauche à droite et de haut en bas. Le diagramme de balayage se compose de 525 balayages horizontaux effectués 30 fois par seconde. On retrouve le même processus en vidéo, soit 30 images par seconde.

À mesure que le faisceau effectue un balayage, les zones positives attirent les électrons chargés négativement. Ce sont les zones les plus pâles (les plus positives) sur la cible qui attirent le plus d'électrons. Les zones les plus foncées (les moins positives) en attirent très peu. Les électrons traversent la cible et se rendent jusqu'à la plaque-signal. Lorsqu'ils frappent la plaque-signal, ils créent un courant électrique. La tension de ce signal change constamment, selon le nombre d'électrons qui entrent en contact avec la plaque-signal. Ce signal est ensuite transmis à l'extérieur de la caméra.

Dans certaines caméras, on utilise maintenant des dispositifs à transfert de charge au lieu de tubes analyseurs traditionnels. Un dispositif à transfert de charge est un type spécial de circuit intégré composé d'une fine grille de condensateurs sensibles à la lumière. Les condensateurs emmagasinent les électrons. La tension à la sortie de ces condensateurs varie en fonction de la quantité de lumière qui les frappe (figure 14.21). Les variations de ces tensions forment le signal vidéo. Les dispositifs à transfert de charge sont petits, durables, légers et facilement adaptables à une vaste plage d'intensités lumineuses. Ces dispositifs peuvent donc très bien remplacer les tubes analyseurs.

La vidéo en couleurs. La vidéo en couleurs se fonde sur le principe des couleurs additives (chapitre 7). Le rouge, le vert et le bleu constituent les couleurs primaires additives. Lorsqu'on projette ces trois couleurs les unes sur les autres, on obtient du blanc. Avec différentes combinaisons et différentes intensités de rouge, de vert et de bleu, on peut créer n'importe quel ton ou n'importe quelle couleur.

Figure 14.21   *Les dispositifs à transfert de charge peuvent remplacer les tubes analyseurs dans les caméras vidéo.*

Les caméras vidéo en couleurs comportent trois tubes analyseurs, soit un tube pour le rouge, un tube pour le vert et un tube pour le bleu (RVB) [figure 14.22A]. La lumière qui traverse l'objectif frappe trois miroirs ou un prisme. Chaque image reflétée par un miroir parvient à un tube analyseur distinct. Devant chacun de ces tubes, un filtre ne laisse passer qu'une seule couleur. Les tubes analyseurs effectuent ensuite les mêmes étapes que les tubes analyseurs d'une caméra en noir et blanc (figure 14.22B). L'information sur la luminance et la force des couleurs vient se combiner à l'autre information.

Combinés, les trois signaux forment un signal composite. Une impulsion électrique s'ajoute au signal au début de chaque balayage de la cible. Cette impulsion sert éventuellement à synchroniser le téléviseur.

Figure 14.22A **Les trois tubes analyseurs d'une caméra vidéo servent à traiter les trois couleurs primaires de la lumière.**

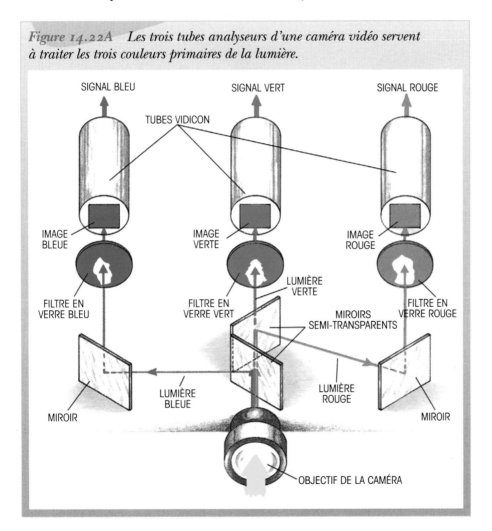

Les microphones

On produit la partie audio d'un signal de télévision de la même façon qu'un signal radio. Un microphone très sensible convertit les ondes sonores en un signal électrique. On utilise les mêmes microphones pour la radio et la télévision.

Le microphone à condensateur électret peut avoir des dimensions aussi petites qu'une épingle à cravate. On s'en sert souvent dans les productions où le microphone ne doit pas paraître.

Figure 14.22B   Les canons à électrons servent à créer l'image en couleurs, de la même façon qu'une image en noir et blanc.

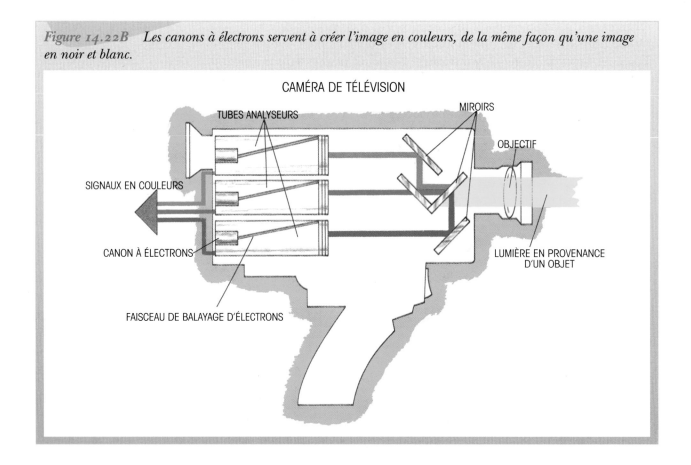

CAMÉRA DE TÉLÉVISION

La salle de régie

L'équipement de contrôle du son de la télévision ressemble à celui de la radio, avec un pupitre de son. Il arrive qu'on combine les postes de commandement audio et vidéo, mais le plus souvent ils se trouvent dans des pièces différentes. Dans la salle de régie, on s'occupe de contrôler l'équipement vidéo au cours d'une émission. On se sert d'un mélangeur vidéo ou d'une console d'aiguillage, d'écrans de contrôle, d'un titreur et d'un dispositif de montage électronique.

Le mélangeur vidéo – la console d'aiguillage. Même pour une production vidéo très simple, on peut avoir à utiliser au moins deux caméras vidéo. Le plus souvent, on en utilise plusieurs. Lors d'un événement sportif, comme une partie de hockey, il peut y avoir une *douzaine* de caméras réparties autour et au-dessus de la patinoire. Le **mélangeur vidéo** reçoit les signaux qui proviennent de chacune des caméras (figure 14.23).

Le mélangeur vidéo permet à la réalisatrice ou au réalisateur responsable de la production de choisir l'image à enregistrer par un simple transfert de caméra. Il permet d'effectuer les tâches suivantes :

Figure 14.23   Dans la salle de régie, le mélangeur vidéo permet de voir les images transmises par chacune des caméras. Il est facile de passer d'une caméra à l'autre.

- « Passer » d'une caméra à l'autre ou passer à une source vidéo distincte, comme un film ou un magnétoscope.
- Afficher un écran « noir » ou vide.

- Effectuer un fondu ou un enchaîné de l'image. Dans un fondu, l'image apparaît graduellement sur un écran noir (ou disparaît graduellement de l'écran).
- Afficher du texte sur un arrière-plan vidéo. En général, on produit le texte, dit « super » (pour superposition d'un titre) ou « générique », à l'aide d'un ordinateur appelé titreur ou générateur de caractères (figure 14.24). On peut produire des lettres de tailles et de couleurs différentes. Ce procédé s'appelle le procédé de transparence électronique.
- Superposer une scène sur une autre. On se sert de cette technique pour les scènes de « rêve ». Dans ce cas, une première caméra montre une personne endormie ; la seconde caméra montre le rêve. On l'utilise aussi lorsqu'on diffuse un concert. On peut superposer une musicienne ou un musicien sur l'interprète, par exemple.
- Visionner l'image en cours de montage.
- Remplacer une image par une autre. L'effet ressemble au fait de glisser une page pour en laisser voir une autre. Le mouvement peut se faire vers le haut, vers le bas, vers la gauche ou vers la droite.
- Diviser l'écran pour afficher plusieurs images en même temps. On peut diviser l'écran selon différentes tailles ou formes et selon différents styles.
- Faire apparaître une image dans une fenêtre sur une autre image. On utilise beaucoup cette technique dans les bulletins de nouvelles télévisées pour présenter la ou le reporter qui parle.

L'écran de contrôle. Une salle de régie comprend plusieurs écrans de contrôle. Il s'agit de téléviseurs qui montrent les scènes en provenance des différentes caméras ou d'autres sources, comme des magnétoscopes. La réalisatrice ou le réalisateur observe ces écrans et choisit l'image à enregistrer. L'image choisie apparaît à l'écran de contrôle principal.

Le dispositif de montage électronique. Le montage consiste à modifier les programmes préenregistrés. À cette étape, l'équipe de réalisation choisit des images de diverses sources et les assemble. Pour ce faire, on utilise un dispositif de montage électronique (figure 14.25).

Figure 14.24 *Le générateur de caractères permet de générer du texte, par exemple le générique d'une émission.*

Figure 14.25 *Le dispositif de montage électronique permet d'assembler de bout en bout deux ou plusieurs scènes de façon électronique.*

Le dispositif de montage électronique commande le lecteur-enregistreur vidéo et le magnétoscope. Pour travailler, on insère la bande originale qui contient un métrage de toutes sortes dans le lecteur-enregistreur vidéo, et on dépose une bande vierge dans le magnétoscope. On choisit les images à conserver et on les enregistre sur la bande vierge dans l'ordre souhaité.

Le dispositif de montage numérique. Avec un dispositif de montage numérique, le stockage et la gestion des images se font par ordinateur. De tels logiciels peuvent à la fois traiter l'image, le son et le texte. Une fois le montage effectué, on achemine le produit final vers sa destination.

La plupart du temps, on produit les émissions de télévision à l'avance et on les conserve sur une bande magnétoscopique ou sur disque vidéonumérique (DVD). Au moment voulu, on les transmet comme un signal radio.

Les émissions de télévision en extérieur. On enregistre à l'occasion des émissions de télévision à l'extérieur des studios. Pour ce faire, on a besoin de caméras mobiles. On se rend avec un véhicule de reportage près de l'endroit où on prévoit tourner les scènes (figure 14.26). Le véhicule de reportage contient une salle de régie et l'équipement nécessaire pour produire les signaux de télévision. On peut utiliser une antenne émettrice en forme de soucoupe pour transmettre ces signaux à une antenne relais ou à un satellite. Le véhicule de reportage et les caméras mobiles conviennent bien pour filmer des reportages en direct ou des événements sportifs.

L'antenne. Les signaux audio et vidéo sortant de la salle de régie parviennent à l'émetteur après amplification. Un oscillateur produit des ondes porteuses. D'une part, le signal vidéo sert à moduler l'amplitude de l'onde porteuse. D'autre part, le signal audio sert à moduler la fréquence d'une autre onde porteuse. Ces deux ondes se retrouvent combinées en un signal. Ce signal subit aussi une amplification, puis parvient à l'antenne émettrice.

Les édifices et autres grands obstacles peuvent bloquer les signaux de télévision. Ces signaux se propagent sur de courtes distances seulement (environ 120 km). La portée d'un signal de télévision représente à peu près la région visible de la tour de transmission. On parle alors d'émission « en visibilité ». Pour transmettre un signal à une distance plus éloignée, il faut qu'une ou plusieurs tours ou stations relaient le signal. On utilise parfois le satellite comme type de relais. Chaque station relais possède une antenne réceptrice et un émetteur. Ainsi, chaque station reçoit le signal, l'amplifie et le transmet à la station suivante.

Figure 14.26 *On produit les émissions de télévision en extérieur à partir d'un véhicule de reportage. Ce véhicule contient tout ce qu'il faut pour transmettre le signal.*

LIAISON STUDIO-ÉMETTEUR

TOUR DE TRANSMISSION

STUDIO

VÉHICULE DE REPORTAGE ET ÉQUIPE DE PRODUCTION

Les voies de transmission

Pour la plupart des signaux de télévision et de radio, la transmission s'effectue à l'aide d'ondes électromagnétiques. Les signaux de télévision passent par les bandes de fréquences VHF et UHF (voir l'annexe).

Depuis plusieurs années, la câblodistribution gagne en popularité. Le câble est une voie de transmission physique. Par conséquent, il n'est pas sensible aux conditions atmosphériques. Les signaux reçus par câblo-distribution ont plus de puissance que les signaux transmis par une antenne. Ils emmagasinent moins de bruit et ils subissent moins les effets des interférences extérieures.

Tu as vu qu'un fil de cuivre permet de transmettre une conversation téléphonique sur une courte distance. Par contre, le fil de cuivre ne convient pas à la transmission de signaux de télévision. Ces signaux utilisent une fréquence plus élevée que le téléphone. Une paire de fils torsadés ne peut pas les transporter de façon efficace.

On utilise donc le câble coaxial pour transmettre des signaux vidéo (figure 14.27). Le câble coaxial consiste en un certain nombre de fils de cuivre entourés d'isolants en plastique. Le tout tient dans un cylindre creux. Grâce à sa conception, le câble coaxial peut transmettre un plus grand nombre de signaux que la paire de fils torsadés.

La réception

Le récepteur d'un signal de télévision est bien entendu le téléviseur. Le signal arrive par induction dans une antenne à même le téléviseur ou encore à l'extérieur de la maison. Après amplification, les signaux parviennent au syntoniseur. Lorsque tu choisis une chaîne, tu indiques au syntoniseur sur quelle fréquence il doit se stabiliser. Le syntoniseur extrait le signal et le transmet au mélangeur. Le mélangeur transforme ensuite le signal en une fréquence intermédiaire. Puis un autre amplificateur l'amplifie.

Ensuite, des détecteurs séparent les signaux audio et vidéo de l'onde porteuse. Le détecteur microphonique extrait le signal audio et l'envoie aux haut-parleurs. Un haut-parleur de téléviseur ressemble à celui d'une radio FM. Longtemps, la plupart des téléviseurs ont reproduit un son monaural (une seule voie) de mauvaise qualité. De plus en plus, les téléviseurs offrent un son stéréophonique de haute qualité. On peut également acheminer le signal à un magnétoscope, qui envoie le signal vidéo au téléviseur et le signal audio à une chaîne stéréo.

Figure 14.27 *Dans un câble coaxial (à gauche), on peut voir les fils de cuivre séparés par les isolants. On peut réunir plusieurs fils et isolants pour former un câble (à droite).*

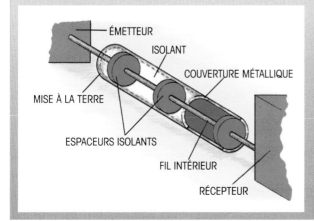

Le détecteur vidéo extrait le signal vidéo. La portion couleur du signal de télévision a deux composantes : un signal pour la couleur et un signal pour la luminance. Un décodeur (oscillateur) convertit ces signaux en un signal rouge, un signal vert et un signal bleu qui correspondent au signal d'origine. Enfin, l'image apparaît à l'écran.

Le tube cathodique. L'écran de téléviseur est un tube cathodique (figure 14.28). Il rappelle l'écran d'ordinateur. (Consulte le chapitre 5.) Il y a des sels de phosphore à l'extrémité plate du tube. Un canon à électrons se trouve à l'autre extrémité. Le canon lance des électrons qui excitent les sels de phosphore et les rendent luminescents. Ces points lumineux créent l'image que tu vois.

Dans un tube cathodique en couleurs, trois canons à électrons balaient la surface plate. Il y a un canon pour chaque couleur primaire. Les canons balaient toute la surface du tube 525 fois par image. La surface plate est couverte de groupes de phosphores rouges, verts et bleus. Chaque groupe s'appelle un « élément d'image » ou pixel.

Le signal télédiffusé par la station de télévision commande la sortie des trois canons à électrons. Si les trois phosphores du groupe sont excités en même temps et dans les bonnes proportions, on obtient un pixel blanc. Si le canon n'excite que le phosphore rouge, le pixel devient rouge. Selon la combinaison et l'intensité de l'excitation des phosphores d'un pixel, on peut produire n'importe quelle couleur à l'écran.

L'impulsion de synchronisation qui intervient lors de la création du signal dans la caméra garantit que le balayage de l'écran de télévision sera conforme à celui de la caméra. Pour une meilleure qualité, on peut régler l'image à l'aide des commandes « Horizontal » et « Vertical » du téléviseur.

La télévision à haute définition offre une résolution horizontale et verticale deux fois plus grande que la télévision conventionnelle. Par conséquent, les images comportent plus d'éléments, donc elles présentent une plus grande qualité. On dit que la résolution est six fois meilleure avec un téléviseur haute définition. Sur le plan sonore, on réussit à produire une qualité semblable à celle des disques audionumériques.

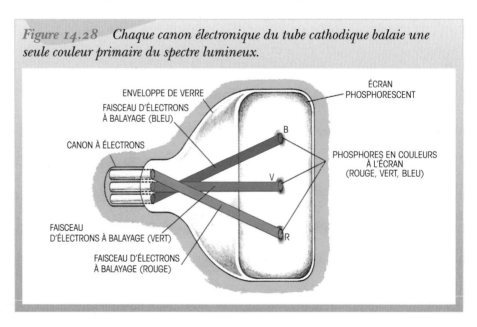

Figure 14.28 *Chaque canon électronique du tube cathodique balaie une seule couleur primaire du spectre lumineux.*

ENVELOPPE DE VERRE

FAISCEAU D'ÉLECTRONS
À BALAYAGE (BLEU)

CANON À ÉLECTRONS

ÉCRAN
PHOSPHORESCENT

PHOSPHORES EN COULEURS
À L'ÉCRAN
(ROUGE, VERT, BLEU)

FAISCEAU
D'ÉLECTRONS À BALAYAGE (VERT)

FAISCEAU D'ÉLECTRONS
À BALAYAGE (ROUGE)

Faits scientifiques

La télévision te joue des tours !

Une image télévisée consiste en minuscules points lumineux. Tes yeux reçoivent le message télévisé de la même façon qu'ils reçoivent une autre forme de lumière. (Consulte le chapitre 7.)

En réalité, la vidéo est une série d'images «fixes» qui changent rapidement. Pour donner l'illusion du mouvement, les images doivent se succéder à un rythme d'environ 30 fois par seconde, soit à une vitesse supérieure à la capacité de perception du cerveau. Donc, une nouvelle image apparaît avant que ton cerveau ait enregistré la précédente. Ton cerveau interprète ces changements rapides comme une image en mouvement.

Le tourne-disque

En 1877, l'invention du phonographe par Thomas Edison a bouleversé le monde (figure 14.29). Pour la première fois, on pouvait écouter des sons enregistrés chez soi.

Pour fabriquer un disque, Edison a enveloppé un cylindre de métal avec du papier d'étain. Il a placé le cylindre sur un axe et l'a fait tourner. À mesure que le cylindre tournait, une personne parlait dans l'embouchure. Dans celle-ci, il y avait un diaphragme en métal qui vibrait sous l'effet du son. Une aiguille fixée au diaphragme faisait une marque dans l'étain. Les marques correspondaient aux ondes sonores. Pour écouter le disque, on inversait le processus. On plaçait une autre aiguille sur le cylindre. Puis, on fixait un diaphragme sur cette aiguille. À mesure que le cylindre tournait, le diaphragme vibrait et produisait des sons identiques aux sons d'origine.

Les tourne-disques, les magnétoscopes et les magnétophones à bande sont différents des autres systèmes audio et vidéo que tu as vus jusqu'à maintenant. Ils ne produisent pas des émissions ni des sons «en direct». Ils permettent d'enregistrer le message à l'avance et de le transmettre plus tard.

L'enregistrement

On enregistre les sons sur une bande dans un studio d'enregistrement. (Tu verras la bande magnétique dans la section suivante.) On attribue une piste de la bande à chaque son de l'ensemble. Par exemple, on peut enregistrer les voix de deux artistes sur deux pistes différentes à l'aide de deux microphones distincts.

Une bande peut comporter jusqu'à 48 pistes. On peut modifier et combiner les différentes pistes à partir d'une table de mixage (figure 14.30). Par exemple, on peut augmenter ou diminuer l'intensité du son de différents instruments. Une fois les pistes ajustées, on les combine en deux pistes principales. On envoie les

Figure 14.29 *Même s'il est devenu sourd à la fin de sa vie, Thomas A. Edison avait de l'oreille. Il a supervisé plusieurs enregistrements. Il plaçait son oreille contre le haut-parleur d'un phonographe et il pouvait automatiquement déceler une fausse note.*

Figure 14.30 *La table de mixage permet de modifier ou de combiner des sons.*

deux pistes principales vers deux haut-parleurs pour produire une bande originale en stéréophonie.

On fabrique les disques à l'aide d'une aiguille qui transforme l'impulsion magnétique sur la bande originale en vibrations. Ces vibrations servent à guider un poinçon qui creuse des sillons dans un disque d'aluminium traité chimiquement. On appelle ce disque un disque de laque. On fabrique un moule à partir de ce disque. Pour ce faire, on enduit le disque d'argent que l'on recouvre d'une solution de nickel. Lorsque la solution a durci, on la retire et on l'utilise pour obtenir le moule d'un disque en vinyle. Le moulage se fait à l'aide d'une presse. On verse le vinyle chaud dans le moule. On ferme la presse et on exerce une pression. On obtient alors un disque qui est une reproduction en vinyle du disque de laque original.

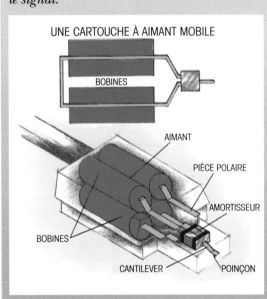

Figure 14.31   Le mouvement de l'aimant situé près des bobines induit un courant dans les bobines. Le courant reproduit alors le signal.

L'écoute

Lorsqu'un disque tourne sur une table tournante, l'aiguille du bras de lecture glisse dans le sillon. À mesure que la table tourne, l'aiguille vibre de haut en bas, et dans un mouvement de va-et-vient, car elle « suit la piste » du sillon. La cartouche transforme cette vibration en signal audio. La **cartouche** est le petit objet rectangulaire situé à l'extrémité du bras de lecture. Le signal, amplifié, sert à activer les haut-parleurs. Les types de cartouches les plus courants sont le cristal ou la céramique, la bobine mobile, l'aimant induit et l'aimant mobile. On rencontre le plus souvent la cartouche à aimant mobile (figure 14.31).

Dans une cartouche à aimant mobile, les vibrations de l'aiguille forcent le petit aimant à se déplacer librement tout près d'une bobine de fil. Ce mouvement induit un courant dans la bobine. Le courant reproduit alors le signal qui a créé les sillons du disque au départ.

Le magnétophone à bande et le lecteur de cassettes

Vers les années 1880, Vladimir Poulsen a inventé une machine qui enregistrait les sons sur des fils. Beaucoup plus tard, vers les années 1930, des ingénieurs allemands ont utilisé pour la première fois une bande magnétique. Aujourd'hui, les magnétophones à bande et les lecteurs de cassettes font partie de la vie courante.

L'enregistrement

Il y a différents types de magnétophones à bande : les magnétophones à bobines, les magnétophones à cassettes et les magnétophones numériques. Chaque type utilise une forme de magnétisme pour stocker le signal.

Les microphones servent à transformer les ondes sonores en signaux électriques. Le signal peut aussi provenir directement d'un autre dispositif audio, comme une radio, un magnétophone ou un lecteur de disques compacts. Les microphones amplifient le signal, puis l'acheminent vers une ou plusieurs **têtes d'enregistrement**. Ces têtes d'enregistrement sont en réalité des électroaimants (figure 14.32). La variation de tension du signal modifie le champ magnétique dans la tête d'enregistrement.

Une bande d'enregistrement magnétique consiste en un plastique, comme un polyester, enduit d'oxydes métalliques magnétisables, comme le fer ou le chrome. Lorsque la bande magnétique passe par-dessus la tête d'enregistrement, cela magnétise les oxydes selon un modèle qui représente le signal audio. Une tête d'effacement peut démagnétiser une bande qu'on veut réutiliser.

Il y a plusieurs qualités de bandes d'enregistrement audio et différentes largeurs. Pour des raisons pratiques, on utilise généralement des bandes de cassettes de ¼ po pour les systèmes stéréophoniques. Dans le milieu professionnel, on utilise souvent des bandes de ½ po, de 1 po et même de 2 po montées sur une bobine. La qualité du son dépend du type d'oxyde utilisé et de la vitesse à laquelle on enregistre la bande. Plus la bande avance vite, meilleure est la qualité. En effet, plus la vitesse est élevée, plus le signal se répand sur la bande.

Le magnétophone à bande enregistre le signal sur une bande sous forme de pistes. Les pistes sont de fins tracés le long de la bande (figure 14.33). Un magnétophone « pleine piste » utilise toute la largeur de la bande pour enregistrer le signal. Un magnétophone stéréophonique, qui enregistre deux signaux audio distincts en même temps, utilise au moins deux pistes. Les équipements stéréophoniques ont besoin de quatre pistes. Ce sont la deuxième et la quatrième pistes qui jouent lorsqu'on retourne la bande.

Figure 14.32   *a) Le signal électrique qui parvient à la bobine de la tête d'enregistrement modifie le champ magnétique. Le champ magnétique réorganise les oxydes métalliques enduits sur la bande d'enregistrement. b) Une tête d'effacement démagnétise (efface) une bande.*

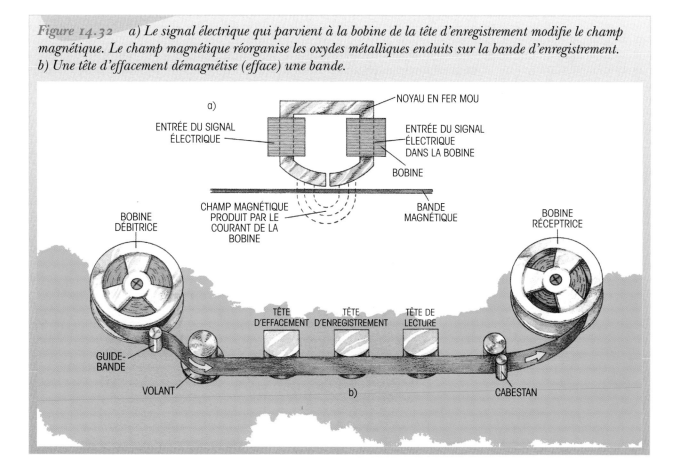

Figure 14.33 *Chaque piste de la bande transporte un signal audio distinct.*

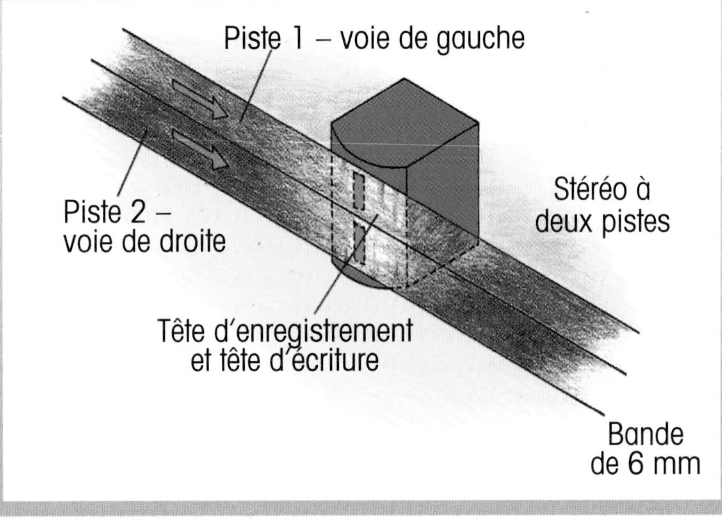

Piste 1 – voie de gauche

Piste 2 – voie de droite

Stéréo à deux pistes

Tête d'enregistrement et tête d'écriture

Bande de 6 mm

L'écoute

La tête d'écriture fonctionne tout à fait à l'inverse de la tête d'enregistrement. Il s'agit aussi d'un électroaimant. Lorsque la bande passe au-dessus de la tête d'écriture, les oxydes magnétisés induisent un petit courant dans la bobine. Ce courant recrée le signal électrique qu'on a enregistré. Le signal amplifié se dirige vers les haut-parleurs. Ces haut-parleurs, comme ceux décrits précédemment, reproduisent le son original.

L'enregistrement numérique

Le signal électrique des magnétophones à bande et des lecteurs de cassettes est un signal analogique. Un signal analogique constitue un signal continu qui varie selon l'entrée audio. Un magnétophone à bande audionumérique (DAT) convertit le signal créé par les microphones en bits de données numériques (figure 14.34).

(Le chapitre 4 traite des systèmes numériques.) Les têtes d'écriture reconvertissent le signal numérique en signal analogique. Les haut-parleurs traduisent ce signal analogique en musique.

Les systèmes numériques produisent un son plus réel que les enregistrements analogiques. Lorsqu'on reproduit des bandes numériques pour les vendre, la qualité du son demeure la même. Plusieurs logiciels te permettent d'enregistrer du son sur ton ordinateur, transformant ce dernier en véritable studio d'enregistrement. Par exemple, le logiciel

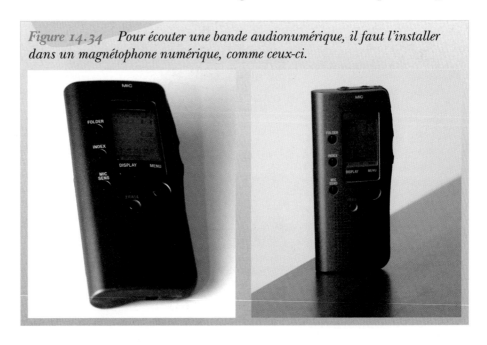

Figure 14.34 *Pour écouter une bande audionumérique, il faut l'installer dans un magnétophone numérique, comme ceux-ci.*

Cool edit dans sa version gratuite te permet d'enregistrer ta voix, de la musique en autant de pistes que tu désires et te permet d'utiliser jusqu'à deux fonctions à la fois. Tu peux sauvegarder tes fichiers sonores en format .wav ou .mp3.

Les disques compacts sont des disques de stockage optique qui stockent un signal audio de façon numérique. Un laser enregistre le son. Le laser brûle des sillons sur la surface du disque. Ces sillons représentent la forme numérique du signal audio. Un autre laser situé à l'intérieur du lecteur de disques compacts « lit » la lumière réfléchie à partir de ces sillons. Cette lumière redevient ensuite du son. Le chapitre 5 décrit les disques de stockage optiques.

Étant donné qu'il n'y a pas de sillons à fabriquer, les disques compacts offrent présentement la meilleure qualité de son qui soit. On peut enregistrer plusieurs minutes de son sur un seul côté du disque.

Les magnétoscopes

Dans les années 1950, on a créé les magnétoscopes. Ces appareils pouvaient enregistrer du son et des images sur des bandes magnétiques. Vers les années 1970, les magnétoscopes à cassettes ont fait leur apparition. Beaucoup de gens s'en sont procurés en raison de leur prix plutôt bas.

Les signaux vidéo et audio se ressemblent beaucoup. Par conséquent, les magnétoscopes à bande ressemblent beaucoup aux magnétophones à bande. Les têtes d'enregistrement électromagnétiques magnétisent les oxydes sur la bande à partir d'une entrée de signal effectuée à l'aide d'un microphone ou d'une caméra vidéo. Les têtes d'écriture vidéo transforment ce signal en un signal transmis au téléviseur. La complexité vient du fait que les magnétoscopes à bande font appel à des signaux audio et vidéo.

De plus, les signaux audio et vidéo contiennent beaucoup d'information. Ils occupent donc beaucoup d'espace-bande. Une solution consiste à faire dérouler la bande à très grande vitesse. En réalité, il faudrait des centaines de kilomètres de bande pour faire un enregistrement d'une heure. Pour résoudre ce problème, on munit les magnétoscopes à bande de deux ou quatre têtes d'enregistrement. Plusieurs têtes peuvent couvrir une plus grande étendue de bande.

On a conçu un système qui utilise des têtes d'écriture et d'enregistrement vidéo fixées à angle droit sur une bande du disque qui tourne à très grande vitesse (figure 14.35). À mesure que les têtes balaient la bande, l'enregistrement du signal vidéo se fait de façon verticale sur la bande. Le balayage permet d'utiliser une plus grande surface d'enregistrement de la bande.

Figure 14.35 *Les données des signaux audio et vidéo occupent beaucoup d'espace-bande. Tu vois ici un enregistrement vertical du signal.*

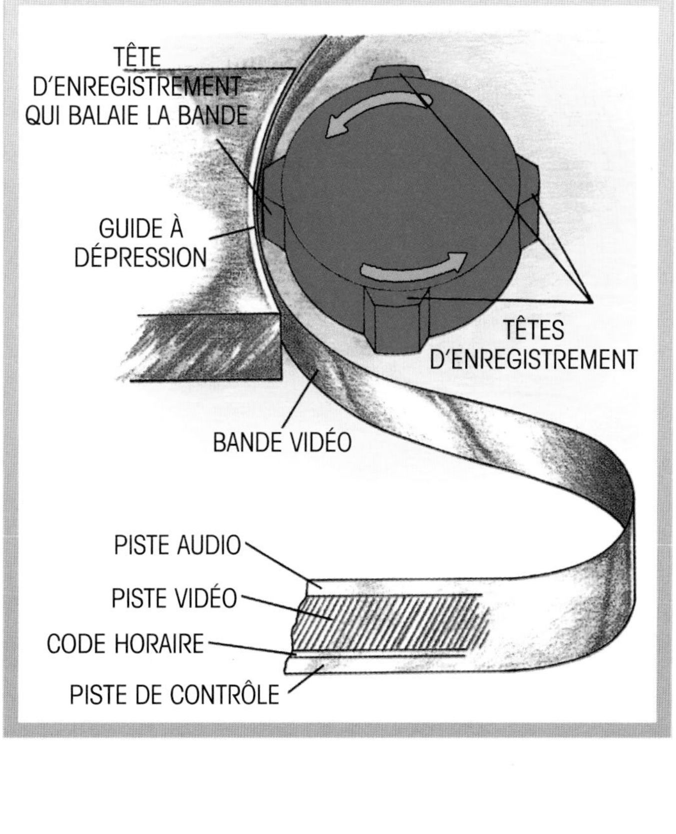

TÊTE D'ENREGISTREMENT QUI BALAIE LA BANDE

GUIDE À DÉPRESSION

TÊTES D'ENREGISTREMENT

BANDE VIDÉO

PISTE AUDIO
PISTE VIDÉO
CODE HORAIRE
PISTE DE CONTRÔLE

En plus des têtes d'enregistrement vidéo, les magnétoscopes à bande possèdent aussi des têtes audio qui enregistrent et lisent une ou deux pistes audio. Une impulsion enregistrée sur la piste de contrôle permet de synchroniser l'enregistrement et la lecture.

Les formats vidéo

Il y a beaucoup de formats vidéo différents. Un **format vidéo** correspond au type de bande vidéo propre à chaque système. Les formats vidéo sont des bandes vidéo de 2 po, de 1 po, de ¾ po, de ½ po et de 8 mm. Certaines caméras numériques enregistrent sur des disques audiovidéonumériques. Jusqu'en 2001, on utilisait surtout des bandes de 1 po ou de 2 po pour les enregistrements professionnels et le montage en studio. Auparavant, on avait recours au format ¾ po dans les bulletins de nouvelles télévisés. Les magnétoscopes à vidéocassettes de ½ po sont très populaires pour la maison depuis plusieurs années (figure 14.36). De plus en plus toutefois, les gens se tournent vers les lecteurs DVD. Il y a deux formats de ½ po pour les magnétoscopes à vidéocassettes : le Beta et le VHS. Même si le format Beta offre une meilleure qualité d'image, le VHS a pris la plus grande part du marché.

Figure 14.36 *Les magnétoscopes de format ½ po ont connu une très grande popularité.*

Le format 8 mm, populaire pendant un certain temps, convenait aux caméscopes. Il fallait cependant copier la vidéo en format VHS pour la rendre compatible avec le format du magnétoscope maison. En peu de temps, les caméras « mini VHS » (½ po) ont gagné la faveur du public puisqu'elles permettent de visionner directement la cassette grâce au magnétoscope maison.

Figure 14.37 *Un caméscope permet de filmer des scènes et de les visionner à partir d'un magnétoscope VHS.*

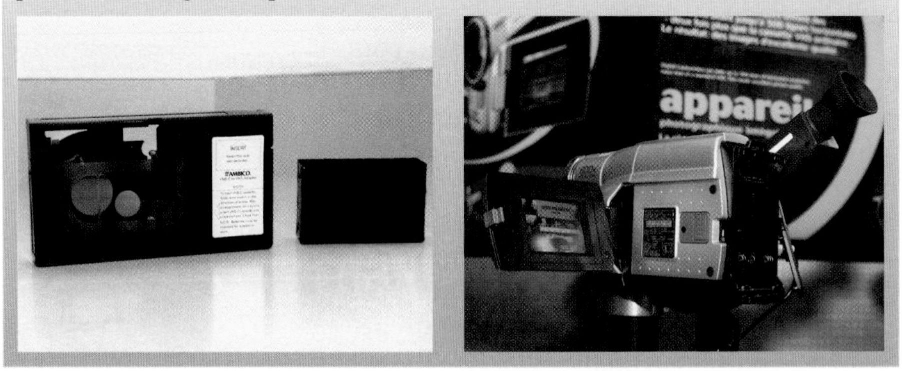

Figure 14.38 *Un lecteur DVD*

Révision du chapitre 14

Questions de révision

1. Explique le fonctionnement d'un microphone à charbon. En quoi est-il différent d'un microphone à condensateur?

2. Qu'est-ce que le multiplexage? À quoi sert-il dans une communication téléphonique?

3. Énumère les sept parties d'un récepteur radio et décris brièvement le rôle de chacune de ces parties.

4. Comment le haut-parleur d'une radio transforme-t-il un signal en son?

5. Explique comment fonctionne un tube analyseur d'un téléviseur.

6. Décris le fonctionnement d'un haut-parleur.

7. Décris le fonctionnement d'un disque compact.

8. Décris les têtes d'enregistrement d'un magnétoscope à bande ou d'un magnétophone à bande.

9. Pourquoi un enregistrement vidéo nécessite-t-il plus d'espace-bande qu'un enregistrement audio?

10. Lequel des deux formats suivants est le plus facile à visionner sur un téléviseur: mini-VHS, Hi 8 ou mini-DVD?

Activités

1. Découvre comment fonctionne une sonnette de porte électrique. Décris le fonctionnement au reste de la classe. En quoi la sonnette de porte fait-elle partie des systèmes de communication?

2. À l'aide du matériel approprié, construis une antenne qui améliore la réception d'une radio. Décris ce qui a bien fonctionné et ce qui a moins bien fonctionné.

3. À l'aide d'un appareil photo 35 mm, photographie des images télévisées avec cinq vitesses d'obturation différentes. Inscris la vitesse d'obturation pour chacune des photos que tu as prises. Fais développer le film. Explique tes résultats à la classe.

4. Construis un modèle d'un ancien dispositif de communication audio, comme une radio ou un télégraphe. Rédige un rapport qui indique le fonctionnement de ton dispositif.

5. Procure-toi une caméra vidéo portative. Rends-toi à un événement de ton quartier ou de ton école et filme pendant 15 minutes. Filme autant de scènes d'action que tu le peux.

6. À l'aide d'un système de mixage analogique ou par ordinateur, recompose en courtes prises, un sommaire de durée de 60 secondes.

Les applications des systèmes audio et vidéo

Plus nous avons de dispositifs de communication, plus nous imaginons des façons de les utiliser. Certains de ces dispositifs remplacent d'autres dispositifs déjà sur le marché. Par contre, des inventions comme les magnétoscopes ont créé de nouvelles activités et industries.

Dans ce chapitre, tu vas voir des applications du téléphone, de la radio, de la télévision, du lecteur de disques compacts, du lecteur de cassettes et du magnétoscope. Tu pourrais faire des découvertes! Une section du chapitre portera sur la façon d'utiliser l'équipement et les méthodes que tu as étudiés pour produire une émission de télévision.

Vocabulaire

- angle de prise de vues
- appel conférence
- dispositifs d'écoute électronique
- girafe
- productrice ou producteur
- radar
- radio amateur
- radioastronomie
- radio bande publique (ou radio BP)
- réalisatrice ou réalisateur
- scénario
- télévision en circuit fermé

Au fil de ce chapitre, tu vas trouver les réponses à ces questions:

- Comment le téléphone a-t-il remplacé les salles de conférences dans les entreprises?
- Quel est le rôle de la radio dans le programme spatial?
- Comment la télévision a-t-elle aidé la médecine?
- Que se passe-t-il derrière la caméra pendant la production d'une émission de télévision?

chapitre 15

Le téléphone

L'emploi du téléphone comme moyen de communication quotidien est devenu tellement populaire que la demande pour de nouvelles voies de communication ne cesse d'augmenter. Il y a au moins 71 pays dans le monde qui ont plus de 100 000 téléphones en service.

Figure 15.1 Les systèmes téléphoniques des entreprises permettent de gérer de nombreux appels simultanément, et ce, à partir d'un seul numéro de téléphone entrant.

Les communications personnelles

Aujourd'hui, le téléphone représente l'outil privilégié pour les communications personnelles. Il permet aux gens de garder le contact. Grâce au téléphone, les gens peuvent s'échanger les nouvelles de la journée, prendre des rendez-vous ou entretenir des relations.

On peut dire que les répondeurs, les services de réponse téléphonique automatisés et les afficheurs jouent le rôle d'un service de réceptionniste. Ils donnent la possibilité aux personnes de filtrer leurs appels, de rappeler plus tard ou d'ignorer certaines communications. On peut dorénavant rester en contact avec le reste du monde sans sacrifier sa vie privée. De plus, les téléavertisseurs permettent de savoir si quelqu'un veut nous joindre, même si nous ne sommes pas près d'un téléphone.

Le numéro d'urgence 911 permet à la population d'un quartier ou d'une ville d'avoir accès à des services d'aide en cas de difficulté. Par exemple, si une personne se blesse et qu'elle compose le 911, un service de repérage peut identifier le numéro de téléphone d'où elle appelle et connaître sa position. On peut alors envoyer une voiture de police ou une ambulance (figure 15.2).

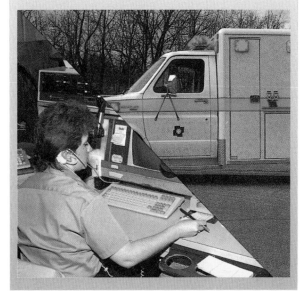

Figure 15.2 Cette opératrice répond à un appel 911. Elle peut envoyer immédiatement une ambulance et des secours.

L'avènement des téléphones cellulaires a répondu aux besoins des personnes qui doivent souvent se déplacer. Il s'agit de téléphones portables qu'on porte sur soi. Grâce au téléphone cellulaire, une personne peut faire un appel ou en recevoir un peu importe où elle se trouve. Un nouveau téléphone de poche est sur le point de dépasser en popularité le téléphone pour voiture. Ces deux types de téléphones fonctionnent à l'aide de piles radio et par voie de transmission atmosphérique.

Le monde des affaires

Avec le développement des services téléphoniques, les entreprises peuvent aujourd'hui faire des appels conférences. Un **appel conférence** permet à plusieurs personnes, situées à des endroits différents, de communiquer entre elles, en même temps, à partir d'une même ligne téléphonique. Autrement dit, ces personnes se réunissent sans avoir à se déplacer. Le système téléphonique tient lieu de salle de réunion.

Certaines entreprises utilisent des lignes téléphoniques privées à des fins précises. Par exemple, les stations de télévision et de radio sont raccordées à de gros réseaux à l'aide de lignes téléphoniques privées.

Grâce au télécopieur, on peut envoyer des photos, des dessins ou d'autres documents par le truchement de lignes téléphoniques.

Dans d'autres cas, on se sert du téléphone pour la vente et la publicité. Il arrive que le personnel de représentation commerciale téléphone chez des gens pour leur faire part d'offres spéciales. Le but est de les persuader d'acheter leurs produits. Le téléphone constitue également un outil de sondage. Les sondages servent à définir ce que les personnes pensent d'un produit ou d'un service donné. Les numéros sans frais améliorent la qualité des services des entreprises, car la clientèle peut effectuer une commande par téléphone, se renseigner au sujet d'un produit ou d'un service, ou encore formuler une plainte sans défrayer les coûts de l'appel.

Les liaisons téléphoniques servent à la transmission de données entre ordinateurs. Pour ce faire, on doit équiper les ordinateurs de modems. Grâce au téléphone, on a pu établir des réseaux d'ordinateurs sur de grandes distances. On peut maintenant avoir accès rapidement à l'information sans devoir quitter le bureau ou la maison.

La radio

On connaît surtout la radio comme médium d'information et de divertissement. Pourtant, elle sert aussi à d'autres fins.

Les divertissements et l'information

Avant l'arrivée de la télévision, les stations de radio proposaient toutes sortes d'émissions. Des radioromans comme *La famille Plouffe* ou *Les belles histoires des pays d'en haut* envoûtaient le public, comme la télévision le fait aujourd'hui. Au fil des années, la radio a subi des transformations. Aujourd'hui, les gens semblent plutôt rechercher les émissions musicales, sportives, d'information et les tribunes téléphoniques. En 2002, la radio de Radio-Canada a repris sa tradition et a diffusé un radioroman de Michel Tremblay intitulé *Autour de Nana*.

En général, les émissions de radio visent à plaire aux personnes très occupées. Par exemple, certaines stations ne diffusent que des nouvelles. Elles présentent plusieurs fois les mêmes nouvelles durant une heure afin de permettre aux gens qui ne peuvent attendre l'heure suivante de connaître tout de suite les événements de la journée. On estime que la radio représente le média le plus efficace en temps de crise. Rappelle-toi la crise du verglas de 1998. Sur la route, on peut syntoniser des stations qui décrivent l'état de la circulation et ainsi éviter les embouteillages.

Les tribunes téléphoniques plaisent à un large auditoire. Il y en a depuis de nombreuses années, mais leur nombre a augmenté dans les 10 dernières années. Il y a des tribunes sur tous les sujets possibles. Outre l'actualité, on discute de médecine, de psychologie, de jardinage, etc. Les gens appellent pour poser des questions ou donner leur opinion. Quelques émissions reposent sur la personnalité de l'animatrice ou de l'animateur (figure 15.3). On invite l'auditoire à se prononcer sur un sujet particulier, par exemple les affaires internationales. Les personnes appellent pour donner leur point de vue. Ce type d'émission permet aux gens qui ont des horaires différents de demeurer en contact avec la réalité et d'approfondir leurs connaissances.

Certaines personnes appellent si souvent à une même émission que l'animatrice ou l'animateur les connaît par leur nom.

Des groupes d'intérêt se servent de la radio pour transmettre leurs messages à la population. Par exemple, les organisations politiques utilisent la radio pour faire connaître leurs positions.

La radio offre parfois un service de publicité. On insère des annonces publicitaires dans les émissions de radio en échange de sommes d'argent.

Les stations de radio publiques sont des organisations sans but lucratif. Leur financement provient de l'État et parfois de dons du public. En général, ces stations diffusent des émissions avec un plus grand contenu culturel que les stations commerciales.

La communication bidirectionnelle

La radiodiffusion permet de communiquer dans une seule direction. Cependant, la radio a longtemps servi de mode de communication bidirectionnelle. Il y a quelques années, beaucoup de gens s'adonnaient à la **radio bande publique**, ou **radio BP**. Au début, les personnes vivant en régions éloignées ou sur des bateaux utilisaient ce type de radio. Les routières et les routiers ont progressivement installé des radios BP dans leurs camions (figure 15.4). Cela leur permettait de communiquer avec les membres de leur famille ou avec d'autres personnes qui possédaient une radio BP se situant à portée. La radio s'avérait utile en cas d'urgence, notamment pour joindre une équipe de réparation. Très rapidement, il y a eu un engouement pour la radio BP. Au lieu d'utiliser un indicatif d'appel, les gens s'identifiaient par des pseudonymes. Ainsi, la radio BP a joué le rôle d'une forme de communication sociale, c'est-à-dire une façon de se lier d'amitié et de rester en contact avec les gens.

Avec la **radio amateur**, on utilise les signaux radio à ondes courtes pour communiquer avec d'autres radios amateurs partout dans le monde. Contrairement aux signaux de bande publique, les ondes courtes voyagent très loin. Les radios amateurs possèdent des licences émises par le gouvernement.

On utilise aussi des radios bidirectionnelles pour la sécurité et la défense. Il y en a dans toutes les voitures de police, dans les ambulances, dans les voitures d'incendie et dans de nombreux véhicules militaires.

Figure 15.3   Jean Dusseault (Radio-Canada) invite les personnes à téléphoner pour donner leur point de vue sur l'actualité.

Gracieuseté de Radio-Canada

Figure 15.4   Les radios BP permettent aux personnes qui n'ont pas accès au téléphone de communiquer avec d'autres personnes.

Les émetteurs-récepteurs portatifs permettent de communiquer sur de courtes distances. Par exemple, l'équipe de sécurité qui patrouille dans un parc industriel la nuit peut appeler les secours grâce à ces appareils. Il y a sur le marché des interphones de surveillance pour la maison. Ils permettent aux parents de surveiller à distance leurs jeunes enfants et de prévenir les incidents.

Certaines radios bidirectionnelles servent à des fins commerciales. Ainsi, tous les taxis possèdent une radio. La personne responsable de la répartition communique avec chaque voiture pour lui indiquer où il faut se rendre. En outre, certains téléavertisseurs sont en fait des radios bidirectionnelles. La personne qui reçoit l'appel parle dans l'appareil, qui contient un récepteur. Les pilotes d'avion reçoivent les consignes de décollage et d'atterrissage par radio. Le personnel du domaine de la construction qui travaille en hauteur communique avec les équipes au sol grâce à la radio.

En 1932, on a découvert que les étoiles émettent des ondes radio. La **radioastronomie** a alors vu le jour. On a installé d'énormes antennes paraboliques afin de capter les ondes radio provenant de l'espace. Les différentes formes de ces ondes fournissent aux astronomes des renseignements additionnels sur l'univers (figure 15.5). Des personnes supposent que des êtres extraterrestres pourraient essayer d'entrer en communication avec nous à l'aide de la transmission radio. Il y a des scientifiques qui essaient de communiquer avec des peuples d'autres planètes au moyen de signaux radio continus.

Figure 15.5   *Cette image composite de la galaxie NGC 1316 montre des émissions radio et optiques. Les deux grands lobes rouges représentent les émissions radio. La zone en bleu et blanc représente les émissions optiques. L'étude de ces données radio et optiques a révélé aux astronomes que NGC 1316 avait consommé ses deux galaxies voisines. La prochaine victime pourrait être la petite galaxie en bleu et blanc située au « nord » de cette photo.*

Faits scientifiques

Les radiotélescopes

Les étoiles et les autres objets dans l'espace produisent toutes sortes de radiations électromagnétiques. Toutefois, l'atmosphère terrestre réfléchit ou absorbe la plupart de ces radiations. Seules les longueurs d'onde optiques et radio atteignent le sol.

Depuis longtemps, les scientifiques se servent du télescope pour étudier l'Univers. Depuis les années 1930, ils utilisent aussi le radiotélescope. La plupart des radiotélescopes modernes comportent une antenne en forme de parabole. Ce réflecteur parabolique recueille les signaux et les concentre sur l'antenne, qui les convertit en signaux électriques. Ces signaux sont amplifiés et acheminés vers un dispositif de mesure.

Les signaux radio qui proviennent de l'Univers sont très faibles. Si on combinait toute l'énergie reçue par tous les radiotélescopes du monde depuis les 50 dernières années, l'énergie ne suffirait pas pour allumer une lampe de poche. Étant donné que ces signaux sont très faibles, il faut en recueillir un très grand nombre pour produire une image. Une façon d'y arriver consiste à construire une immense parabole. À Arecibo, à Porto Rico, il y a une parabole de 300 m de diamètre. On peut aussi relier une série de paraboles plus petites par voie électronique. Cet agencement produit le même effet qu'avec une immense parabole. Le VLA (*Very Large Array*) près de Socorro, au Nouveau-Mexique, consiste en 27 paraboles placées en forme de Y. Chaque antenne ne mesure que 25 m de diamètre. Cependant, l'effet de cette combinaison correspond à celui d'une antenne dont le diamètre mesure 27 km.

D'autres utilisations de la radio

Il y a quelques années, les États-Unis ont refusé d'occuper l'édifice qui devait servir d'ambassade américaine à Moscou parce qu'on y a découvert des **dispositifs d'écoute électronique** (figure 15.6). Ce sont de très petites radios émettrices. Le gouvernement soviétique souhaitait ainsi se tenir au courant de ce qui se disait à l'ambassade. On utilise des dispositifs d'écoute électronique en espionnage industriel ou politique.

Les dispositifs de commande à distance fonctionnent par transmission radio, par exemple la télécommande de porte d'un garage ou la télécommande d'un téléviseur. La télécommande permet d'actionner un

Figure 15.6   *Cet édifice en brique situé à Moscou n'a jamais pu servir d'ambassade pour les États-Unis, car il contenait des dispositifs d'écoute électronique.*

mécanisme, d'allumer ou d'éteindre un téléviseur, de changer de chaîne ou de régler le volume. En fait, il s'agit d'un simple émetteur qui envoie un signal au récepteur du mécanisme en question. Ce signal transmet des données, au téléviseur par exemple, comme le numéro de la chaîne ou le niveau sonore.

Plusieurs bateaux naviguent à l'aide des signaux radio émis à partir de la rive. Les astronautes utilisent une méthode semblable pour guider leur vaisseau spatial. Des signaux radio servent aussi à commander l'équipement du vaisseau spatial. De plus, la NASA se sert de la radio non seulement pour communiquer avec les astronautes, mais aussi pour transmettre des renseignements informatisés directement au vaisseau spatial.

Figure 15.7 *Au-dessus de la tête du pilote, tu peux voir un petit écran radar. Le signal radar apparaît sur l'écran après réflexion.*

Le radar est une autre forme importante de transmission radio. Le terme **radar** vient de l'expression *radio direction and ranging*. Il signifie « radiodétection ». Cet appareil permet de détecter des objets très éloignés grâce aux signaux radio que les objets réfléchissent. Par exemple, un émetteur et une antenne transmettent un faisceau de micro-ondes très concentré sous forme de courtes impulsions. Si un objet solide passe dans le faisceau, sa surface réfléchit l'énergie vers le récepteur. L'objet apparaît alors sur l'écran radar (figure 15.7). Dans les avions, le radar sert à la navigation et à la sécurité. Un faisceau transmis vers l'avant de l'appareil permet de détecter la présence d'un autre avion ou de tout autre objet sur son chemin. Le radar sert aussi à détecter les missiles antiaériens et les tempêtes tropicales. Les voitures de police sont parfois munies d'un radar qui permet de détecter les voitures qui roulent trop vite.

Les lecteurs de cassettes et les magnétoscopes

Une bande audio sert le plus souvent à enregistrer de la musique, mais on a aussi enregistré des livres et des pièces de théâtre. Dans certains cas, les stations de radio enregistrent d'abord les émissions sur bande, puis les diffusent plus tard. Il y a des bandes audio dans les dictaphones des bureaux. Une personne dicte une lettre sur une bande, puis la ou le secrétaire écoute la bande et dactylographie le texte.

La bande vidéo a davantage d'usages. À peu près tout ce qu'on voit dans l'objectif d'une caméra vidéo peut s'enregistrer sur bande vidéo. Les systèmes de sécurité en circuit fermé enregistrent une bande vidéo à partir de caméras. S'il y a infraction, l'enregistrement peut aider à identifier les coupables. Les entreprises préparent des vidéos pour tenir des réunions ou faire de la formation professionnelle. À la télévision, on enregistre souvent les émissions au préalable et on les diffuse plus tard.

On utilise le magnétoscope à la maison de deux façons principalement. D'abord, il permet d'enregistrer des émissions de télévision, soit parce qu'on est trop occupé pour regarder l'émission, soit parce qu'on veut en garder une copie. Il n'y a qu'à visionner la bande à un moment qui convient. Ensuite, on peut louer ou acheter un film sur bande vidéo et le regarder tranquillement chez soi. La location et la vente de vidéocassettes ont beaucoup aidé l'industrie du cinéma à récupérer une partie des énormes investissements nécessaires à une production cinématographique.

Le tourne-disque

Le tourne-disque a eu une longue durée de vie. Il y en a eu dans à peu près toutes les maisons. Il servait surtout à écouter de la musique. Par contre, on trouvait aussi sur les disques en vinyle des pièces de théâtre, des comédies et des livres pour non-voyants. Aujourd'hui, le lecteur de disques compacts a remplacé le tourne-disque. Les disques compacts, plus petits que les disques en vinyle, offrent une qualité de son supérieure à celle des disques en vinyle. Cependant, le tourne-disque n'a pas complètement disparu. Les groupes de hip hop et les disc-jockeys des discothèques s'en servent pour créer l'effet « scratch ».

La télévision

La télévision a surtout une mission de divertissement et d'information. Cependant, on peut aussi l'utiliser en circuit fermé.

La télévision en circuit fermé

Avec une **télévision en circuit fermé**, on peut envoyer le signal à certains récepteurs de télévision seulement. On trouve une application de télévision en circuit fermé dans les hôpitaux, pour le suivi des patientes ou des patients. Le personnel infirmier peut surveiller tous les écrans et répondre rapidement à une urgence. Il y a aussi des caméras de télévision dans les salles d'opération. Cela permet aux étudiantes et aux étudiants de suivre le déroulement d'une opération, ce qu'ils ne pourraient pas faire autrement. Plusieurs interventions chirurgicales se font maintenant à l'aide de très petites incisions. On y insère un tube flexible contenant de la fibre optique. Ce tube permet de voir l'intérieur du corps sur un écran de télévision (figure 15.8). Il suffit ensuite de faire entrer dans l'incision des instruments à longs manches pour effectuer l'opération. L'équipe de chirurgie peut voir ce qu'elle fait à l'écran. On procède même à des opérations à distance.

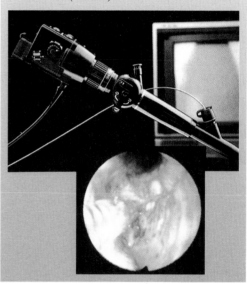

Figure 15.8 La caméra vidéo située à l'intérieur de cet endoscope permet de repérer des lésions à l'intérieur du corps, comme cette excroissance cancéreuse (en bas).

Beaucoup de satellites contiennent des caméras. Elles permettent de détecter les changements climatiques. Le mouvement des nuages dans une région peut correspondre à une variation de température. Les météorologistes se servent de telles données pour faire les prévisions météo. D'autres satellites avec caméras ont une fonction d'espionnage. Il y a quelques années, un satellite espion a réussi à prendre une photo d'une usine de production de gaz toxiques en Libye. Grâce au satellite espion, on a pu avertir les autres pays. La télévision a aussi joué un rôle dans l'exploration de l'espace. Avec des caméras de télévision, les scientifiques ont obtenu des gros plans de la Lune et des planètes (figure 15.9).

Les industries et les entreprises utilisent la télévision pour la formation de leur personnel. Par des émissions enregistrées, on fait connaître une entreprise au nouveau personnel ou on donne une formation professionnelle. On peut aussi tenir des réunions un peu

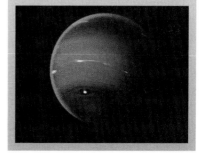

Figure 15.9 Les caméras vidéo qui se trouvaient sur le satellite Voyager II *nous ont renvoyé des images des autres planètes, entre autres celle de Neptune (ci-dessous).*

Guide d'utilisation *en technologie*

Le multimédia numérique à la maison

Le virage de l'analogique vers le numérique est presque chose faite. Il a transformé l'industrie de la transmission audio et vidéo. En effet, la plupart des signaux audio et vidéo se transmettent aujourd'hui sous forme numérique.

Un système audiovisuel pour la maison comporte en général un des éléments ou tous les éléments suivants :

- un téléviseur grand écran ;
- un magnétoscope stéréo ;
- un amplificateur audio et vidéo qui transmet les signaux audio du téléviseur aux haut-parleurs. Ces haut-parleurs, dans des enceintes acoustiques réparties dans la pièce, servent à créer un son d'ambiance, c'est-à-dire « l'ambiophonie » ;
- une chaîne stéréo qui comprend un récepteur radio, un lecteur de cassettes et un lecteur de disques compacts ;
- un lecteur DVD ou un lecteur de disques compacts interactif qui transmet le signal vidéo au téléviseur.

Les systèmes audiovisuels pour la maison sont maintenant numériques. On n'a jamais eu une vue d'aussi bonne qualité à partir de son divan (même chose pour le son) ! Ces systèmes coûtent de moins en moins cher. De plus, ils offrent l'interactivité et une qualité supérieure. Ils comportent beaucoup d'options. Va faire un tour dans une boutique de produits électroniques près de chez toi.

Au cœur du « nouveau » système audiovisuel pour la maison, il y a le téléviseur numérique. Ce téléviseur peut combiner un ordinateur et un téléviseur. Le signal de télévision parvient à l'appareil sous forme numérique, par fibre optique, par câbles coaxiaux ou par transmission sans fil (à l'aide d'une antenne satellite). Dorénavant, on pourra contrôler ce signal à l'aide d'un logiciel. Les options sont innombrables.

Imagine que tu peux modifier l'image vidéo et le son. Par exemple : tu pourrais changer la grandeur de l'image ou ses couleurs, scinder l'écran en plusieurs fenêtres, choisir l'angle de prise de vues de la caméra, etc. Tu aurais le choix parmi des centaines de chaînes de télévision ; il suffirait d'un mot clé (par exemple, « horreur ») pour avoir accès aux chaînes correspondantes. Tu pourrais créer des effets sonores et tes propres reprises, obtenir une « copie » numérique de n'importe quelle image à l'écran, etc.

La musique se transmet aussi au système audiovisuel sous forme numérique. Le système transmet à son tour les signaux sous forme numérique à tous les haut-parleurs répartis dans la pièce, par un système de transmission avec ou sans fil. Le signal numérique rend la qualité du son équivalente à celle d'un disque compact. Les entreprises de télévision par satellite offrent ce service de musique à la carte. Il y a de plus en plus de signaux disponibles par abonnement à une compagnie satellite ou à une entreprise de câblodistribution – on a accès à de nombreuses stations de musique. On choisit aussi des films à la carte.

Avec un tel système, on n'a plus besoin d'un magnétoscope, sauf pour enregistrer le film ou l'émission commandée. On peut simplement télécharger les films ou les jeux directement dans le téléviseur ou l'ordinateur, de n'importe où sur la planète. Contrairement aux signaux analogiques, les signaux numériques ne se dégradent pas avec la distance.

La technologie existe déjà, mais il faut pouvoir transmettre tous ces signaux à des coûts abordables. Le téléphone « fonctionne » parce que presque tout le monde en possède au moins un. Il en ira de même pour les systèmes audiovisuels pour la maison.

partout en présentant le contenu sur bande vidéo. Dans des usines robotisées, on surveille le travail des robots à l'aide d'une caméra et d'un écran.

En génie des centrales nucléaires, on garde un œil sur l'intérieur d'un réacteur grâce à des systèmes de télévision en circuit fermé. Les caméras évitent d'exposer le personnel à la radioactivité.

On fait d'autres utilisations de la télévision en circuit fermé. Dans les banques et les magasins, on s'en sert pour surprendre les coupables de vol à l'étalage et d'autres types de vols (figure 15.10). Dans les prisons, elle permet de surveiller des blocs de cellules. Dans les résidences privées, elle peut faire partie d'un système de sécurité. Dans ces cas, une caméra filme les faits et gestes d'une intruse ou d'un intrus.

Enfin, la télévision en circuit fermé s'avère utile pour les archéologues qui font des recherches sous l'eau. En effet, l'être humain ne peut descendre qu'à certaines profondeurs. Pour explorer plus profond, on fait descendre des caméras vidéo. De plus, les caméras «voient» mieux que l'œil humain en eau boueuse. Avant de récupérer les pièces d'une épave, les archéologues filment l'épave au fond de l'eau. Ils peuvent ensuite se baser sur cet enregistrement pour recréer exactement la scène sur terre.

Figure 15.10 Des caméras vidéo en circuit fermé filment les activités de cette entrée de bâtiment. En cas de vol, on aura sur bande des images des coupables.

La télévision commerciale et la télévision publique

Les stations de télévision privées tirent principalement leurs revenus de la vente de publicité. On peut nommer le Groupe TVA inc., RDS, TQS, Global Television et CTV. Les réseaux publics, comme Radio-Canada, TFO et Télé-Québec, obtiennent leur financement des gouvernements et de la vente de publicité.

Il y a de plus en plus de chaînes spécialisées. Ces chaînes se consacrent à un thème en particulier, par exemple : Canal D présente des documentaires de nature scientifique, Musimax se consacre à la scène musicale et Canal Vie traite de sujets touchant la vie de tous les jours. Certaines entreprises de câblodistribution et de diffusion par satellite offrent des longs métrages et d'autres types d'émissions moyennant des frais supplémentaires.

L'information. La télévision est un puissant média d'information. Matin, midi, soir ou nuit, tous les réseaux et plusieurs stations privées rapportent les événements de la journée. Des chaînes spécialisées diffusent de l'information en continu. C'est le cas de RDI pour le réseau public et de LCN pour le réseau privé.

D'autres émissions comme les documentaires, les sessions de la Chambre des communes ou le lancement d'un vaisseau spatial donnent aussi de l'information même s'il ne s'agit pas de bulletins de nouvelles à proprement parler.

On inclut dans l'information les reportages sur des événements d'envergure, comme les Jeux olympiques ou d'autres événements sportifs. Il peut aussi s'agir d'émissions sur les voyages, la cuisine, les finances, etc.

La publicité. À 18 ans, une personne aura vu en moyenne 360 000 annonces publicitaires à la télévision. Ces annonces ont une mission : pousser les gens à acheter les produits des commanditaires. Il y a des personnes ayant des aspirations politiques qui croient au pouvoir de la télévision. Ces personnes embauchent des agences de communications afin d'apprendre à gagner des votes par le truchement de la télévision.

La croissance personnelle. La télévision, privée ou publique, peut contribuer à la croissance personnelle des gens. Cependant, la télévision publique joue davantage ce rôle. Les émissions de services traitant de cuisine,

de rénovation domiciliaire, de peinture et d'exercice ont toutes la cote (figure 15.11). Depuis quelques années, des tribunes télévisées, comme « Claire Lamarche » ou « Droit de parole », offrent une plateforme de discussion ouverte où les gens peuvent donner leur opinion.

Le divertissement. La plupart des émissions visent à divertir. En plus des drames et des comédies, la télévision propose des spectacles de variétés, des téléromans, des émissions pour enfants et des longs métrages. La télévision a une grande influence culturelle et sociale sur nous.

Comment produit-on une émission de télé ? La section suivante décrit les différentes étapes de la conception de l'émission jusqu'à sa diffusion.

La production télévisée

Dans une émission de télé, tu ne vois que les personnes qui travaillent devant la caméra. Il s'agit soit d'actrices et d'acteurs ou d'animatrices et d'animateurs. Pourtant, beaucoup d'autres personnes participent à toutes les étapes de la production d'une émission.

Au début, une émission est une idée. De là, on commence la tâche de planification, qu'on appelle la préproduction. Les gens rattachés au service de la programmation d'un réseau ou d'une station déterminent les idées à retenir pour la création d'une émission. Traditionnellement, les stations et les réseaux produisaient leurs propres émissions. Aujourd'hui, on tend à confier la production à des entreprises indépendantes. Dans les deux cas, dès qu'on retient une idée, une **productrice** ou un **producteur** devient responsable de l'émission.

La tâche de production consiste à se procurer le scénario, à établir les plans d'éclairage et les décors, à choisir les interprètes et à vérifier chaque détail de la production. En outre, il faut faire le suivi des dépenses et s'assurer de respecter le budget de production.

La rédaction d'un scénario

La première étape d'une production vidéo est le scénario. Le **scénario** est une description point par point de l'émission. Il indique tout le contenu de la production. Prends l'exemple d'une annonce publicitaire. Le scénario énumère les personnages, leurs répliques ainsi que des indications aux spécialistes de la production, comme les cadreuses et les cadreurs.

Le format d'un scénario dépend du type d'émission. Il peut varier selon qu'il s'agit d'émissions dramatiques, d'annonces publicitaires, de bulletins de nouvelles, d'événements sportifs ou de tribunes télévisées.

La réalisation

La productrice ou le producteur embauche une **réalisatrice** ou un **réalisateur**. Sa tâche consiste à diriger la création de l'émission. Après l'approbation du scénario, la réalisatrice ou le réalisateur choisit avec la productrice ou le producteur le personnel qui doit travailler à la production de l'émission.

La réalisatrice ou le réalisateur détermine par ses choix l'aspect final de la production. Il y a plusieurs façons de filmer les scènes d'un scénario. Souvent, ce sont les choix de la réalisatrice ou du réalisateur qui font qu'une production va se distinguer ou non (figure 15.12).

Les spécialistes de la production

Lorsqu'on produit une émission, il faut faire appel à des personnes ayant différentes compétences. Il faut des gens pour confectionner des costumes, concevoir des décors, se procurer certains accessoires comme du mobilier. On a besoin de personnel apte à choisir et à faire fonctionner les caméras, les éclairages, les microphones, etc. À la fin d'une émission télévisée, si tu lis le générique, tu peux voir combien de personnes interviennent dans la création d'une émission.

Figure 15.12 *Cette réalisatrice travaille dans la salle de régie pendant l'enregistrement d'une émission. Elle donne ses indications à son personnel à l'aide d'un casque d'écoute.*

Les répétitions

Les répétitions s'avèrent essentielles à la qualité d'une émission. Par exemple, les artistes répètent longtemps leurs pièces de musique avant un enregistrement. Une émission vidéo peut exiger encore plus de répétitions parce qu'il y a souvent plus d'une personne. Les répétitions font partie des responsabilités de la réalisatrice ou du réalisateur.

La production

Le plus souvent, on fait l'enregistrement dans un studio d'enregistrement ou de télévision. On y trouve tout l'équipement nécessaire à l'enregistrement. Il y a des projecteurs sur rampes, des toiles de fond et de l'espace de rangement pour les décors. De plus, il y a beaucoup d'espace pour le déplacement des caméras. Ces studios offrent la meilleure qualité de son possible. On y construit même des décors scéniques complets pour des films et pour des émissions de télé destinées aux heures de grande écoute. À Hollywood, il y a des « villages » entiers de décors scéniques.

Les caméras. En télévision, on utilise des caméras grosses et lourdes. Des roues permettent de les déplacer facilement. La réalisatrice ou le réalisateur décide à l'avance les prises de vues que prendra la ou le responsable du cadrage.

Tu as étudié la photographie aux chapitres 8 et 9. Tu sais déjà qu'il y a plusieurs façons de photographier un sujet. Le même principe s'applique à l'enregistrement d'une émission de télé. Chaque fois que tu changes la position de ton appareil photo, tu produis un effet différent sur la photo. Un appareil photo standard te permet de modifier le champ angulaire.

Les caméras vidéo comportent une fonction « zoom » qui permet de régler facilement l'objectif de la caméra. Ce zoom permet de sélectionner un champ angulaire juste en appuyant sur un bouton (figure 15.13).

Si on filme un même sujet à partir de différentes positions, on obtient des effets différents. On dit qu'on change l'**angle de prise de vues**. L'angle « normal » d'une caméra se situe au niveau des yeux du sujet (figure 15.14). Si la caméra se trouve au-dessus du niveau des yeux du sujet, il s'agit d'un plan en plongée. Le sujet paraît alors plus petit. On utilise souvent ce type de plan pour obtenir une « vue d'ensemble » d'une scène.

Figure 15.13 *Grâce à un zoom, tu peux obtenir différentes prises de vues. Tu peux passer d'un champ angulaire très éloigné à un champ angulaire très rapproché en appuyant sur un bouton.*

a) plan très éloigné   *b) plan d'ensemble*   *c) plan moyen*

d) gros plan   *e) très gros plan*

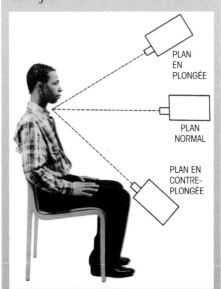

Figure 15.14 *L'angle « normal » d'une caméra se situe au niveau des yeux du sujet. Si la caméra se trouve au-dessus du niveau des yeux du sujet, il s'agit d'un plan en plongée. Dans un plan en contre-plongée, la caméra est sous le niveau des yeux du sujet.*

PLAN EN PLONGÉE

PLAN NORMAL

PLAN EN CONTRE-PLONGÉE

Par contre, un plan en contre-plongée rend le sujet plus grand. Dans ce cas, la caméra est en dessous du niveau des yeux du sujet. Un plan en contre-plongée sur un individu méchant permet de le faire paraître deux fois plus mauvais.

Un plan incliné produit un effet mystérieux. Par contre, un plan subjectif nous montre la scène à travers les yeux d'un personnage.

Les différentes positions d'une caméra servent à rendre les scènes plus intéressantes. La figure 15.15 montre les différentes positions d'une caméra.

L'éclairage. Comme tu le sais déjà, la plupart des caméras ne fonctionnent pas sans éclairage. L'éclairage constitue un outil essentiel d'une production vidéo.

L'éclairage peut servir à ajouter de la profondeur à une scène. On utilise généralement un éclairage « local » pour attirer l'attention sur une partie précise de la scène. De plus, la variation de la luminosité et de la couleur de l'éclairage permet de créer différentes atmosphères.

En production vidéo, il y a quatre types d'éclairages : l'éclairage principal, l'éclairage d'appoint, l'éclairage à contre-jour et l'éclairage d'ambiance (figure 15.16). L'éclairage principal éclaire le sujet. On place souvent les projecteurs au-dessus et sur les côtés du sujet.

Figure 15.15 *Les positions habituelles d'une caméra.* Panoramique horizontal : *La caméra pivote de façon horizontale. Le trépied de la caméra reste au même endroit.* Panoramique vertical : *La caméra pivote de haut en bas sur le trépied.* Travelling : *La caméra au complet se déplace vers le sujet ou s'éloigne du sujet.* Travelling latéral : *La caméra au complet se déplace de façon latérale.* Travelling circulaire : *La caméra se déplace en formant une courbe autour du sujet.* Travelling vertical : *La caméra se déplace de façon verticale.* Travelling vertical avec grue de studio : *La caméra se déplace de façon verticale avec la cadreuse ou le cadreur installés sur la grue de studio.*

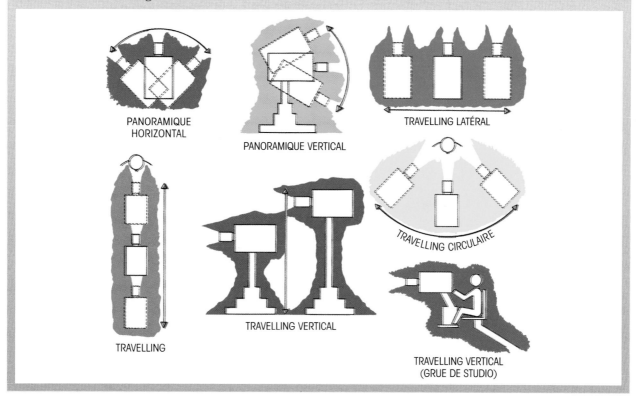

PANORAMIQUE HORIZONTAL

PANORAMIQUE VERTICAL

TRAVELLING LATÉRAL

TRAVELLING

TRAVELLING VERTICAL

TRAVELLING CIRCULAIRE

TRAVELLING VERTICAL
(GRUE DE STUDIO)

On utilise un éclairage d'appoint doux pour éliminer les ombres formées par l'éclairage principal. Le plus souvent, ces projecteurs vont du côté opposé à l'éclairage principal.

L'éclairage à contre-jour se trouve derrière le sujet. Il éclaire les contours du sujet, comme les cheveux et les épaules. Il permet de préserver l'apparence tridimensionnelle.

Enfin, l'éclairage d'ambiance sert à éclairer la toile de fond du plateau. On l'utilise pour mettre en relief certaines régions et pour éliminer les ombres indésirables.

Dans un studio, les projecteurs sont mobiles et fixés à des rampes au plafond. Grâce aux rampes, on peut placer les projecteurs aux endroits voulus. On peut aussi fixer les projecteurs sur des châssis verticaux. Ces châssis sont très utiles à l'extérieur des studios. On s'en sert souvent pour l'éclairage à contre-jour et pour les autres types d'éclairage en contre-plongée.

Le son. Sur un plateau de production vidéo, on se sert couramment d'un microphone-lavallière, ou micro-cravate, car on peut difficilement le voir. On fixe ce petit microphone au vêtement de la personne. Les micros qu'on

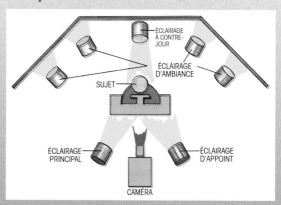

Figure 15.16 *Une disposition d'éclairage classique dans les émissions de télé en direct.*

ÉCLAIRAGE À CONTRE-JOUR

ÉCLAIRAGE D'AMBIANCE

SUJET

ÉCLAIRAGE PRINCIPAL

ÉCLAIRAGE D'APPOINT

CAMÉRA

Figure 15.17 *Au-dessus du plateau, tu peux voir la girafe.*

tient dans la main conviennent bien aux chanteuses et aux chanteurs, aux présentatrices et aux présentateurs ainsi qu'aux reporters qui travaillent à l'extérieur des studios. Pour enregistrer de la musique jouée par un groupe ou un orchestre, on utilise plutôt des microphones sur pied.

Dans une production vidéo, on garde souvent le micro hors du champ de la caméra. La **girafe** est un microphone fixé à une perche ou à un chariot qu'on peut déplacer sur le plateau (figure 15.17). On peut aussi fixer certains microphones à un casque d'écoute. Ces microphones se trouvent très près de la bouche. Ainsi, ils captent la voix et très peu de bruit ambiant.

L'enregistrement de l'émission. Tu as vu déjà que, souvent, on enregistre l'émission, puis on la diffuse plus tard. La personne responsable de la réalisation s'installe dans la salle de régie avec le personnel responsable de la technique du son et de la vidéo. À cette étape, il faut donner les instructions pour le cadrage des images, observer les écrans qui montrent les images prises par chaque caméra et sélectionner les images pour la production finale. Grâce à un casque d'écoute muni d'un microphone, la réalisatrice ou le réalisateur communique avec les artisanes et les artisans de l'émission.

On peut toujours modifier l'enregistrement plus tard, y ajouter de la musique d'ambiance ou de nouvelles scènes. On entrepose la bande de l'émission terminée jusqu'à sa diffusion.

■ *La technologie et toi*

Le coloriage d'un film en noir et blanc

Il y a deux méthodes pour colorier un film en noir et blanc. Dans les deux cas, il faut une bande vidéo en noir et blanc du film. On entre à l'ordinateur la liste de toutes les prises de vues des différentes scènes. Des équipes techniques étudient ensuite les scènes et décident quelles couleurs on devra ajouter à chaque élément d'une scène. La luminosité et les différents tons de gris sur la bande vidéo permettent de déterminer les couleurs et les ombres.

La première méthode consiste à attribuer une couleur à chacun des pixels de l'image. À mesure qu'on change de scène, les pixels conservent leur couleur. Si on ajoute un nouvel élément à l'image, on doit lui attribuer une couleur.

La deuxième méthode consiste à utiliser des masques pour les zones qui ont la même luminosité. On colorie alors entièrement la zone plutôt que de colorier un élément à la fois. De plus, les masques permettent de mélanger les couleurs, ce qui permet d'obtenir des contours diffus.

La colorisation est un processus long et coûteux. On estime qu'il faut une entreprise de 200 personnes travaillant 24 h sur 24 pour colorier 6 à 10 minutes de film. Le coloriage peut durer quatre mois pour un film entier. Les coûts s'élèvent à environ 3 000 $ la minute, soit environ 400 000 $ pour un film de deux heures.

Le jeu en vaut-il la chandelle ? Dans l'industrie cinématographique, certaines personnes pensent que oui ; d'autres pensent que non. Les opinions varient aussi dans le public. Essaie de visionner un film en noir et blanc dans sa version originale, puis de visionner sa version en couleurs. Tu pourras te faire ta propre opinion.

Révision du chapitre **15**

Questions de révision

1. Qu'est-ce qu'un appel conférence?

2. En quoi les radios amateurs sont-elles différentes des radios bande publique?

3. Définis la radioastronomie.

4. Comment un radar fonctionne-t-il?

5. À quoi servent les télévisions en circuit fermé dans les hôpitaux?

6. Comment les archéologues se servent-ils de la télévision en circuit fermé?

7. Décris les tâches associées à la production et à la réalisation d'une émission de télévision.

8. À quoi sert un scénario?

9. Nomme les différents types d'éclairages utilisés dans une émission de télé.

10. Décris les étapes de l'enregistrement d'une émission de télé.

Activités

1. Renseigne-toi sur le service 911 dans un annuaire téléphonique ou auprès d'une représentante ou d'un représentant du service à la clientèle. Présente tes découvertes à la classe.

2. Conçois le scénario d'une publicité radio d'intérêt public de 30 secondes, par exemple pour prévenir la conduite en état d'ébriété ou pour inviter les gens à faire du bénévolat.

3. Certaines bibliothèques prêtent des bandes audio. Si possible, emprunte quelques bandes d'anciennes émissions de radio de ta bibliothèque et écoute-les. Tu peux aussi faire une recherche dans Internet pour en entendre. Rédige un bref commentaire sur ces émissions. Compare-les aux émissions de radio d'aujourd'hui.

4. Choisis trois annonces publicitaires à la télévision. Si possible, enregistre-les à l'aide d'un magnétoscope. Combien de temps dure chaque annonce? Combien de montages (changements de prise de vues ou de scènes) as-tu remarqués? Décris les différents angles de prise de vues, les champs angulaires et les autres techniques que tu peux repérer. Le message contient-il une narration? de la musique? des effets spéciaux? Décris le rythme de chaque publicité. Résume tes découvertes dans un compte rendu.

5. Les entreprises de câblodistribution offrent des services télé au grand public. Il s'agit de chaînes à accès public. Renseigne-toi auprès de l'entreprise de câblodistribution de ta région pour savoir si elle offre une chaîne à accès public. Si oui, communique avec une personne de cette chaîne. Demande-lui de quelle façon tu pourrais produire une émission. Tu peux aussi proposer ton aide à titre de bénévole auprès d'une équipe technique. Fais part de ton expérience à la classe.

Profil de carrière

Profil de carrière

**PIERRE
LELIÈVRE,**
technicien
du son

Pierre Lelièvre est technicien du son à la radio de Radio-Canada, à Toronto.

Tous les matins, très tôt, Pierre est à son poste à côté du lecteur de nouvelles. « Mon rôle est primordial, car la réussite technique de l'émission dépend de la qualité du son », explique-t-il.

Son travail repose sur plusieurs critères essentiels au bon déroulement d'une émission :
- une bonne connaissance « physique » du son : comprendre en quoi consiste le son et étudier son fonctionnement ;
- une oreille toujours alerte : il faut être capable de réagir immédiatement au moindre problème technique avant que l'auditeur s'en rende compte ;
- un sens artistique sûr afin de permettre « la fluidité » de l'émission ;
- un sens critique bien aiguisé pour assurer la qualité du son de la programmation lors de chaque émission ;
- une bonne capacité de travailler en équipe avec tout ce que cela suppose : accepter de recevoir des instructions et de suivre les directives données par la réalisatrice ou le réalisateur.

C'est sa grande passion pour la musique qui a amené Pierre à exercer ce métier. « Au départ, j'aurais voulu être réalisateur de disques », raconte-t-il. « Mon bagage scientifique acquis au cégep et à l'École polytechnique a rejoint mon côté artistique. »

Pierre a donc suivi un cours de conception sonore assistée par ordinateur à l'Institut Trebas (un collège privé). Là, il a appris à décortiquer le son, à se familiariser avec une terminologie propre au milieu et à synchroniser l'image et le son.

Aujourd'hui, ses apprentissages lui servent chaque matin lorsqu'il s'assoit devant sa table de mixage. Dès son arrivée au studio, il commence par écouter les nouvelles et reportages préenregistrés (la matière envoyée par les journalistes). Il prépare ensuite les bandes sonores qui compléteront les propos du lecteur de nouvelles. « Le mixage donne une dimension définitive au texte », précise-t-il. « C'est un processus important, autant sur le plan technique que sur le plan artistique. Il doit par-dessus tout contribuer à donner un résultat harmonieux. Cette qualité est importante puisque tous nos auditeurs ne possèdent pas nécessairement une radio haute fidélité ; une mauvaise qualité au départ ne s'améliorera pas rendue à sa destination ! »

Une bonne synchronisation est indispensable, car elle fait partie intégrante de la qualité de l'émission. Le direct comporte des risques et Pierre, en tant que technicien du son, en est parfaitement conscient.

Pierre Lelièvre travaille avec un équipement audio très perfectionné qui comprend un ordinateur, une table de mixage, un égaliseur de son, des microphones, des compresseurs, des téléphones, un dispositif de commutation audionumérique et un routeur de signaux. Tous ces outils font partie du quotidien en technique du son. Ils permettent de travailler aussi bien en studio qu'à l'extérieur, et même à distance.

« Je dois posséder une bonne capacité d'adaptation pour faire face aux différentes situations que je rencontre afin de les régler rapidement. C'est comme avoir un sixième sens ! », s'exclame Pierre. Du talent artistique conjugué à de bonnes connaissances scientifiques lui permettent de pratiquer son métier depuis plusieurs années. « Mais, comme dans beaucoup de professions, il faut être persévérant, ouvert à la critique, car bien souvent un travail porteur d'une vision artistique est une source de conflits », tient à préciser le technicien. « Une bonne dose d'humour et de décontraction augmente donc les chances de survivre au stress du métier ! », conclut-il.

Profil de carrière

Profil de carrière

Carrières

Animatrice ou animateur à la radio

Il y a plusieurs possibilités d'emploi dans le domaine de l'animation à la radio : disc-jockey, commentatrice ou commentateur sportif, journaliste, animatrice ou animateur de tribunes téléphoniques.

Le rôle de disc-jockey ne se limite pas à faire jouer de la musique. Il faut aussi présenter les pièces, les pauses publicitaires et faire des commentaires qui vont maintenir l'intérêt de l'auditoire. En fait, l'émission repose sur la personnalité des disc-jockeys. Dans certains cas, l'animation amène les disc-jockeys à faire des entrevues, à animer des émissions dans des lieux publics et à répondre à des appels téléphoniques en ondes.

Par ailleurs, on connaît deux types de présentatrices ou de présentateurs sportifs : un type commente les événements sportifs, l'autre type en fait l'analyse. Dans chaque cas, il faut une bonne connaissance du sport en question. Le rôle de la commentatrice ou du commentateur consiste à expliquer le déroulement d'une partie. L'analyste complète ce commentaire en fournissant des détails intéressants sur certains points, comme la performance d'une ou d'un athlète.

Les tribunes téléphoniques donnent l'occasion au public de faire connaître son opinion. Ces émissions attirent un grand auditoire, surtout parce qu'on ne sait jamais ce que les gens vont dire durant l'appel. L'animatrice ou l'animateur doit diriger les questions, les commentaires et s'assurer que l'émission se déroule bien. Pour ce type d'emploi, il faut avoir l'esprit vif et un bon sens de la répartie.

Les études

Pour travailler dans une station radiophonique, il faut obtenir un diplôme d'études collégiales en radiodiffusion ou un baccalauréat en communication. Selon le cours, la durée des études sera de deux ou quatre ans. Les programmes du niveau collégial amènent l'élève à faire un stage en milieu de travail avant l'obtention du diplôme. Par le biais de programmes d'internat, de formation et de programmes coopératifs, les élèves acquièrent une expérience précieuse en radiodiffusion. Plusieurs collèges possèdent leurs propres stations radiophoniques et les élèves y gagnent de l'expérience.

Une autre bonne façon d'acquérir de l'expérience dans ce domaine consiste à travailler comme bénévole dans une station publique ou un collège du quartier. Plusieurs collèges n'ont pas assez d'élèves pour combler certaines de leurs périodes de programmation. Ils acceptent donc de faire appel à des bénévoles. Même si ce travail n'est pas rémunéré, l'expérience acquise est sans prix !

Autres professions liées à la radiotélévision

- spécialiste de la programmation radio
- présentatrice ou présentateur à la télévision
- cadreuse ou cadreur
- monteuse ou monteur
- preneuse ou preneur de son
- éclairagiste
- accessoiriste
- machiniste
- maquilleuse ou maquilleur
- décoratrice ou décorateur
- costumière ou costumier

Pour de plus amples renseignements

Pour en savoir davantage sur les professions en radiotélévision, consulte le site suivant :

www.dlcmcgrawhill.ca
http://www.quebec.audiovisuel.com/fran/core/lien.asp.

Celui-ci fait l'inventaire de tous les sites utiles dans ce domaine.

Corrélations

Français

L'histoire des systèmes de communication audio et vidéo est riche en inventions célèbres. En plus des personnes que nous nommons dans cet ouvrage, beaucoup d'autres ont contribué à l'essor de la technologie audio et vidéo. À la bibliothèque ou dans Internet, fais une recherche sur l'une de ces personnes. Dans un compte rendu, décris les circonstances qui ont entouré son invention.

Sciences

Tu as vu que la télévision en couleurs emploie les trois couleurs primaires additives : le rouge, le vert et le bleu. À l'aide de cellophanes en couleurs, fabrique tes propres filtres : un rouge, un vert et un bleu. Installe trois sources de lumière (les projecteurs pour diapositives conviennent pour cette activité) et fixe un filtre à chaque source. Dirige la lumière qui provient des trois sources vers un endroit précis sur un mur ou un écran blanc. Que remarques-tu ? Refais l'expérience, mais utilise seulement deux sources et deux filtres. Quels résultats obtiens-tu ? Essaie aussi de faire varier l'intensité des sources lumineuses. (La plupart des projecteurs pour diapositives possèdent deux intensités de lumière. Tu peux aussi ajouter du cellophane gris pâle sur les filtres.) Que se passe-t-il lorsque tu changes l'intensité des couleurs ? Fais part de tes résultats à la classe.

Mathématiques

Voici la formule mathématique qui décrit la relation entre le courant, la tension et la résistance, appelée loi d'Ohm :

$$\text{courant} = \frac{\text{voltage}}{\text{résistance}}$$

Le courant se mesure en ampères (A), la résistance se mesure en ohms (Ω) et la tension se mesure en volts (V). D'après la loi d'Ohm, quelle est la relation entre le courant et la tension ? Si tu doubles la tension dans un circuit électrique, qu'arrive-t-il au courant ? Qu'arrive-t-il à la résistance ? Pour t'aider, tu peux remplacer les termes de la formule par des nombres. Si tu doubles la résistance, qu'arrive-t-il à la tension ? Qu'arrive-t-il au courant ?

Études sociales

Peu de pays dans le monde ont le même niveau de technologie que nous. Prends une carte du monde et choisis un pays. Renseigne-toi sur l'emploi de la télévision ou du téléphone dans ce pays. Quel système de diffusion y utilise-t-on ? NTSC comme en Amérique ? PAL ? SECAM ? Quelle différence chacun apporte-il ? Quelle est la population de ce pays ? Combien de personnes possèdent leur propre téléviseur ou leur propre téléphone ? Combien y a-t-il de stations de télévision là-bas ? Combien d'heures par jour fonctionnent-elles ? De façon générale, en quoi consiste l'économie de ce pays ? Quelles sont les répercussions qui peuvent découler d'une augmentation de l'emploi de la télévision ou du téléphone dans ce pays ? Fais part de tes découvertes à la classe.

Activités

Activités

Activités de base (11ᵉ)

Activité de base n° 1 :
La construction d'un électroscope

Tu ne peux pas voir l'électricité, mais tu peux voir ses effets. Comme tu le sais déjà, l'électricité peut circuler librement dans certains matériaux (conducteurs). Les isolants sont des matériaux qui ne conduisent pas l'électricité, par exemple le plastique. Un électroscope est un dispositif qui permet de distinguer un conducteur d'un isolant.

Matériel

une petite bouteille à pilules en plastique transparent
un bouchon de liège
du fil de cuivre
une ligne à pêche monofilament
une baguette en plastique
une base en bois ou en carton rigide
du ruban adhésif
du papier d'aluminium
un crochet en fil métallique
un morceau de tissu en laine

Marche à suivre

1. Construis l'électroscope d'après la figure VI.I. Choisis une journée peu humide pour faire ton expérience.
2. Attache le fil de cuivre au crochet qui retient le papier d'aluminium. Fixe le fil à la base en bois, ou en carton rigide, avec du ruban adhésif. Le fil doit dépasser légèrement le dessus de la base.
3. Charge la baguette en plastique d'électricité statique en la frottant avec un morceau de tissu en laine.
4. Touche l'extrémité du fil en cuivre avec la baguette en plastique. Observe ce qui se produit avec le papier d'aluminium.
5. Refais l'expérience avec une ligne à pêche monofilament. Qu'arrive-t-il au papier d'aluminium ?

Figure V.1

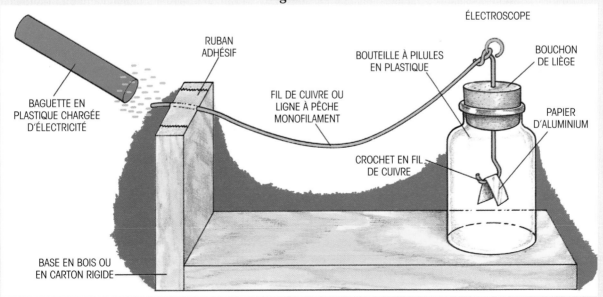

Activité de base n° 2 :
Le microphone à écouteurs (11e)

La plupart des écouteurs fonctionnent à l'inverse des microphones. Cependant, cette activité va te montrer en quoi ces deux appareils sont semblables.

Matériel

un magnétophone à bande
des écouteurs
une bande audio vierge

Marche à suivre

1. Raccorde les écouteurs à la prise « mic » (ou « aux ») du magnétophone à bande. Si la prise n'est pas compatible avec le magnétophone, procure-toi un adaptateur.
2. Règle le magnétophone en mode d'enregistrement.
3. Parle ou chante dans les « oreilles » des écouteurs.
4. Rembobine le ruban et écoute l'enregistrement. La bande a-t-elle enregistré le son ? Explique pourquoi.

Activité de base n° 3 : Le satellite de télécommunication (12e)

Il y a plus de 500 satellites de télécommunication en orbite autour de la Terre. Ils servent de relais pour la radio, la télévision, le téléphone et la transmission de données informatiques dans le monde.

Matériel

une planche en mousse
du carton rigide
du papier d'aluminium
de la colle
du ruban adhésif
des pailles

Marche à suivre

1. Trouve plusieurs illustrations différentes de satellites de télécommunication (en plus de celles qui se trouvent dans ce manuel).

2. Inspire-toi de ces illustrations et conçois un modèle de satellite de télécommunication.
3. Construis une maquette à l'aide du matériel énuméré ci-dessus. Tu peux utiliser d'autre matériel au besoin.
4. Les satellites de télécommunication fonctionnent de façon similaire, mais ils ne se ressemblent pas tous. Pourquoi, selon toi ?

Activité de base n° 4 :
Les filtres de « gel » (12e)

Parfois, il faut colorer l'éclairage destiné aux productions vidéo pour obtenir des effets spéciaux. Pour ce faire, on fixe des filtres colorés devant les projecteurs. Ces filtres s'appellent des filtres de « gel ». Tu vas fabriquer des filtres de gel pour un enregistrement vidéo.

Matériel

du cellophane de différentes couleurs
du fil de poids moyen
du ruban adhésif ou de la colle

Marche à suivre

1. Plie le fil de fer pour former les cadres de tes filtres de gel. Il est préférable de prévoir une forme qui s'adaptera bien aux projecteurs utilisés pour l'enregistrement vidéo. Essaie différentes formes.
2. Rappelle-toi que les lumières dégagent beaucoup de chaleur. Tu dois prévoir une façon d'installer les filtres assez loin du projecteur pour qu'ils ne se déforment pas, qu'ils ne brûlent pas ou qu'ils ne fondent pas. Fais plusieurs essais pour connaître la meilleure distance.
3. Une fois que tu as terminé les cadres, coupe des morceaux de cellophane et fixe-les aux cadres avec du ruban adhésif ou de la colle.
4. Fais un filtre de gel de chaque couleur. Plus tard, tu pourras faire différents essais avec ces filtres de gel pour voir les effets qu'ils produisent.

Activités

Activités intermédiaires

Activité intermédiaire n° 1 :
L'induction (12ᵉ)

Comme tu l'as vu dans cette section, le courant peut circuler dans un fil lorsque ce fil passe par-dessus un aimant ou lorsqu'on déplace un aimant à l'intérieur d'une bobine de fil.

Matériel
une paille de 7,5 cm
9 m de fil isolé de calibre 30
du ruban adhésif
un clou en fer
un aimant
un microampèremètre pour mesurer des microampères

Marche à suivre

1. Coupe et enlève l'isolant des extrémités du fil. Pour fabriquer une bobine, enroule le fil autour de la paille (figure VI.2).
2. Insère le clou dans la paille.
3. Raccorde les extrémités du fil à l'ampère-mètre.
4. Déplace l'aimant dans un mouvement de va-et-vient le long de la bobine. Surveille l'ampèremètre pour voir l'effet.
5. Retire le clou et déplace de nouveau l'aimant. Qu'arrive-t-il à l'ampèremètre ?

Activité intermédiaire n° 2 :
Les effets sonores (12ᵉ)

On utilise souvent des effets sonores préenregistrés quand on fait le montage d'émissions de radio et de télé. Un chien qui aboie, une porte qu'on ouvre et qu'on ferme, de l'eau qui coule et le son de la pluie sont des effets sonores types. Imagine que tu es une ingénieure ou un ingénieur du son pour l'une de tes émissions préférées. Quels sons utiliserais-tu ?

Matériel et équipement
un ordinateur avec microphone
un logiciel d'enregistrement sonore

Marche à suivre

1. Enregistre ta propre voix pour vérifier l'intensité des réglages du logiciel d'enre-gistrement sonore. Exerce-toi à régler les commandes (par exemple, mono ou stéréo, 8,16 ou 32 bits, etc.) et à écouter les enre-gistrements afin d'obtenir un enregistre-ment de bonne qualité.
2. Enregistre autant de sons que tu le peux. Sauvegarde chaque fichier de son enregis-tré et identifie-le de façon à le retrouver facilement.
3. Fais ensuite un montage sonore à partir de tes fichiers. Fais écouter ton montage à la

Figure V.2

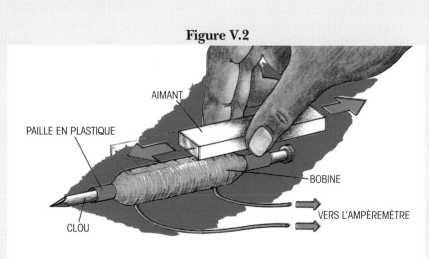

AIMANT

PAILLE EN PLASTIQUE

BOBINE

CLOU

VERS L'AMPÈREMÈTRE

classe. Mets tes camarades au défi de nommer les sons. Quels sons peut-on facilement reconnaître ? Lesquels sont plus difficiles à reconnaître ?

Activité intermédiaire n° 3 : Le microphone et le pied de projecteur (12ᵉ)

Une girafe est un microphone fixé à une perche qu'on ne voit pas dans le champ de la caméra. On peut tenir ces microphones à la main ou on peut les fixer sur un support de plancher. Dans cette activité, tu dois concevoir et construire un support pour une girafe ou pour un projecteur.

Matériel
un morceau de bois de 5 cm sur 5 cm
une boîte de conserve de 4,5 l ou 9 l
du béton
plusieurs clous 12d

Marche à suivre

1. Coupe le morceau de bois de 5 cm sur 5 cm sur une longueur de 1,5 m.
2. Enfonce des clous dans le morceau de bois à quelques centimètres de l'une des extrémités. Dépose cette extrémité dans la boîte de conserve.
3. Mélange le béton et verse-le dans la boîte de conserve autour du morceau de bois. Immobilise le morceau de bois dans une position verticale jusqu'à ce que le béton soit sec (environ toute une nuit).
4. Conçois une façon de fixer une lampe ou un microphone à ton poteau. Tu pourrais fixer un autre morceau de bois de 5 cm sur 5 cm au haut du poteau de façon à former un T.

Activité intermédiaire n° 4 : Une simulation de réseau (12ᵉ)

Les réseaux téléphoniques consistent en une série de stations de commutation. Tu peux fabriquer ton propre réseau de commutation pour montrer ce concept.

Matériel
du fil de cuivre isolé
une ou plusieurs piles pour lampe de poche
plusieurs ampoules pour lampe de poche
un carton rigide ou du contreplaqué mince de 30 cm sur 60 cm
plusieurs interrupteurs à pôles multiples
des agrafes ou du ruban adhésif

Marche à suivre

1. Conçois un réseau où tu raccorderas plusieurs interrupteurs. Tu devras raccorder une ampoule de lampe de poche à chacun des pôles des interrupteurs. Assure-toi que les piles de la lampe de poche peuvent alimenter tout le réseau. Tu as un exemple de configuration à la figure VI.3.
2. Construis ton réseau sur le contreplaqué ou le carton rigide. Fixe le fil et les interrupteurs avec du ruban adhésif ou de petites agrafes.
3. Numérote chaque pôle de chaque interrupteur. Numérote aussi chaque ampoule avec le numéro de son pôle correspondant.
4. « Compose » le numéro d'une des ampoules. Pour ce faire, tourne chacun des interrupteurs à la position du numéro de l'ampoule.
5. Fais une démonstration de ton réseau à ta classe et explique comment il fonctionne.

Activités

Activités

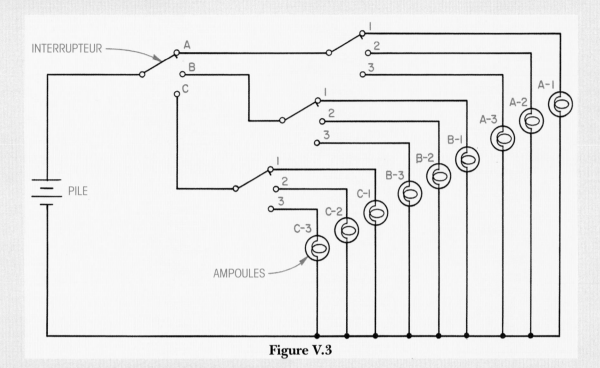

INTERRUPTEUR

PILE

AMPOULES

Figure V.3

Activités avancées

Activité avancée n° 1 : Une annonce publicitaire audio (12ᵉ)

Planifie et réalise une annonce publicitaire de 30 secondes pour la radio. Elle peut concerner une activité scolaire, donner des renseignements sur un cours facultatif ou promouvoir un organisme communautaire.

Matériel
un ordinateur
un logiciel d'édition sonore
un microphone
des haut-parleurs reliés à l'ordinateur

Marche à suivre
1. Pense aux éléments que tu peux inclure dans ton message pour le rendre intéressant. Rappelle-toi qu'il n'y aura que du son.
2. Conçois un scénario complet qui comprend des effets sonores, un fond sonore musical, un texte, etc.
3. Assure-toi que ton message ne dure pas plus de 30 secondes. Modifie ton scénario autant de fois qu'il le faut.
4. Enregistre ton message. Tu devras peut-être faire plusieurs essais avant d'obtenir le message qui te plaît. Ne te décourage pas. C'est le processus normal.
5. Fais écouter ton message à la classe.

Activité avancée n° 2 : Une annonce publicitaire vidéo

La production d'une annonce publicitaire télé va te donner une idée du travail que représente la production vidéo. Planifie et réalise une annonce publicitaire télé de 30 secondes sur l'un des sujets suivants : un événement sportif à l'école, un message pour combattre la consommation de drogues, des moyens pour préserver l'environnement autour de l'école (ramasser les ordures, planter des arbres, etc.), une élection scolaire ou tout autre projet approuvé par ton enseignante ou ton enseignant.

Activités

Activités

Matériel

du matériel pour un scénario-maquette (papier, crayon, crayons de couleur, marqueurs, etc.)
un ordinateur
un logiciel de montage vidéo
un caméscope
une bande vidéo vierge

Marche à suivre

1. Pense à différents éléments intéressants que tu pourrais inclure dans ton message. Choisis celui qui mettra le plus en valeur l'aspect visuel.

2. Conçois un scénario-maquette qui illustre chaque prise de vues ou plan.

3. Conçois un scénario conforme à ton scénario-maquette. Ton scénario doit comprendre un texte, un fond sonore musical, des effets spéciaux, etc.

4. Assure-toi que ton message ne dure que 30 secondes. S'il le faut, modifie ton scénario et ton scénario-maquette. Conçois un plan qui indique aussi la disposition de l'éclairage et des microphones. Dessine ton plan afin de pouvoir le consulter plus tard.

5. Dans ton scénario, indique les consignes audio et vidéo à suivre durant l'enregistrement.

6. Enregistre tous les effets spéciaux, le fond sonore musical, etc.

7. Relis ton scénario jusqu'à ce que tu sois à l'aise.

8. Une fois que tu es à l'aise avec tous les aspects de ton annonce, filme ta production. Si tu possèdes un système de montage vidéo, tu peux filmer plusieurs scènes différentes, puis les assembler plus tard. Sinon, planifie une série de prises de vues de courte durée qui, combinées, formeront ton annonce publicitaire, ou une seule prise de vues de longue durée.

9. Montre ta production à la classe.

Industry Canada Industrie Canada

ATTRIBUTION DES FRÉQUENCES RADIOÉLECTRIQUES AU CANADA

Le spectre

Les ondes radioélectriques occupent la partie inférieure du spectre électromagnétique. Aux fréquences les plus basses, correspondent les ondes radio les plus longues, aux fréquences les plus élevées, les ondes radio les plus courtes.

Les ondes se caractérisent par leur fréquence, qui se mesure en hertz (Hz) et correspond au nombre d'ondes de crêtes franchissant un point fixe en une seconde. On dira donc d'un signal pour lequel une onde franchit un point fixe en une seconde qu'il a une fréquence de un hertz. Le kilohertz (kHz) vaut 1 000 ondes par seconde, le mégahertz (MHz), 1 000 kilohertz et le gigahertz (GHz), 1 000 mégahertz.

Le spectre est composé de bandes de fréquences dont chacune possède des particularités qui en déterminent la meilleure utilisation. Les accords internationaux intervenant lors d'une Conférence mondiale de radiocommunication (CMR) attribuent, à chaque bande, un ou plusieurs services radio ou un usage déterminé. Parrainées par l'Union internationale des télécommunications, un organisme des Nations unies, les CMR ont pour but d'étudier, de revoir et d'étendre l'attribution des bandes de fréquences.

À l'issue de chacune de ces conférences et, à l'occasion, entre elles, Industrie Canada attribue à des services précis des bandes de fréquences particulières, selon les besoins du Canada. Les dispositions réglementaires officielles dans le domaine de l'attribution des fréquences au Canada figurent dans le Tableau Canadien d'attribution des bandes de fréquences ainsi que les autres politiques du spectre.

Parmi les nombreux utilisateurs du spectre radioélectrique, on compte les radiodiffuseurs, les taxis, l'industrie du bâtiment et d'autres secteurs de la construction, les transports aériens, maritimes et routiers, les radioamateurs, les télécommunicateurs, les réseaux de distribution du courant électrique, la police, ainsi que les administrations fédérales, provinciales et municipales.

Pour obtenir des renseignements supplémentaires sur le spectre ou la radio, veuillez communiquer avec la Direction de la politique du spectre d'Industrie Canada à Ottawa, ou avec l'un de ses bureaux, situés à Moncton, Montréal, Toronto, Winnipeg et Vancouver.

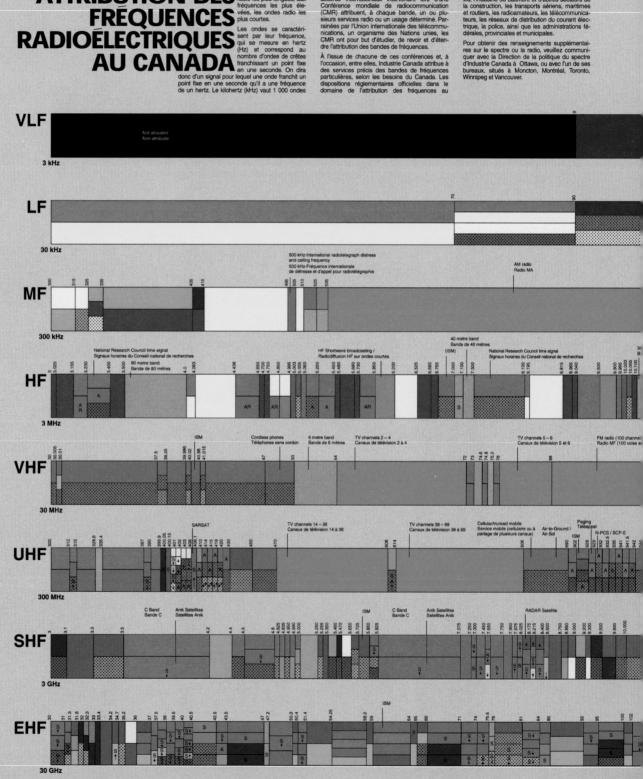

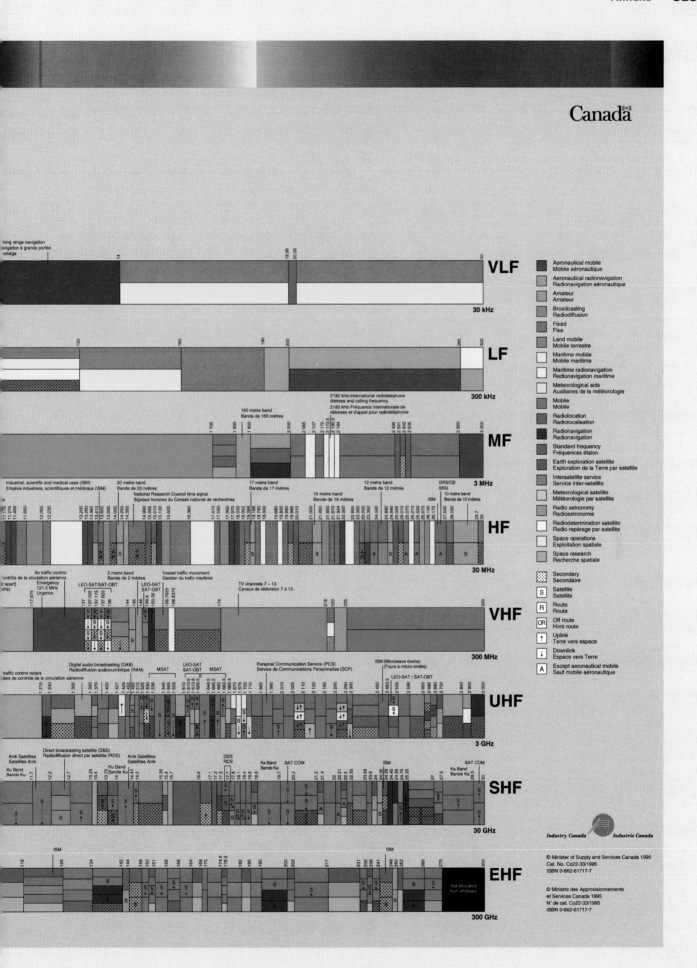

Glossaire

A

afficher (v) : faire apparaître une information visuelle sur un écran.

agent fixateur (m) : en photographie, substance qui fixe l'image de façon permanente sur le film et qui enlève les cristaux d'argent non exposés.

agrandisseur (m) : appareil qui sert à agrandir des négatifs.

AM (f) : voir modulation d'amplitude.

amplificateur (m) : dispositif contenant généralement des transistors qui permet d'amplifier un signal électrique.

amplitude (f) : mesure de l'intensité de la lumière ; hauteur d'une onde.

angle de prise de vues (m) : position de la caméra par rapport au sujet.

appareil photo numérique (m) : appareil qui stocke des images numérisées dans une mémoire intégrée ou sur un support amovible ; cet appareil photo n'utilise pas de pellicule.

appareil photo reflex mono-objectif (m) : avec cet appareil photo, la visée et la prise de photos se font à l'aide d'un même objectif.

appel conférence (m) : communication téléphonique qui permet à plusieurs personnes, situées à des endroits différents, de communiquer entre elles, en même temps, à partir d'une même ligne téléphonique.

asynchrone (adj.) : en temps différé.

B

bain d'arrêt (m) : en photographie, solution à 18 % d'acide acétique qui arrête le processus de développement en neutralisant le développeur.

balise HTML (f) : code servant à mettre en forme un document HTML.

banc de reproduction (m) : appareil photo qu'on utilise pour produire des négatifs en production graphique.

bandes de fréquences (f) : portions du spectre électromagnétique qui correspondent à un groupe de fréquences utilisées pour la transmission des signaux.

bavardage-clavier (m) : mode de communication dans Internet en mode synchrone, c'est-à-dire en temps réel ; on dit aussi clavardage.

C

canal (m) : en informatique, voie de communication.

CAO (f) : voir conception assistée par ordinateur.

cartouche (f) : dans un tourne-disque, petit objet rectangulaire situé à l'extrémité du bras de lecture qui permet de reproduire le signal qui a créé les sillons du disque de vinyle au départ.

champ angulaire (m) : en photographie, espace dont l'image est enregistrée par un appareil photo.

(colonne de droite)

cible (f) : dans une caméra de télévision, pièce enduite d'un matériau qui conduit l'électricité en cas d'exposition à la lumière, située derrière la plaque-signal.

circuit électrique (m) : chemin parcouru par l'électricité à travers un conducteur, de la source jusqu'au dispositif de réception.

clavardage (m) : voir bavardage-clavier.

code de déontologie (m) : ensemble des règles d'éthique et de morale qui guident la conduite professionnelle.

commande d'exposition (f) : en photographie, réglage qui permet de déterminer le temps pendant lequel une surface sensible est exposée à la lumière.

composition (f) : en photographie, agencement de tous les éléments d'une photo ; en impression, conversion de la copie et des illustrations dans un format prêt pour l'impression.

conception assistée par ordinateur (CAO) (f) : version informatisée du dessin traditionnel où un logiciel remplace le crayon, la règle et la planche à dessin.

contraste (m) : différence de luminosité entre les zones ombrées et les zones claires d'une photographie.

conversion en film (f) : photographie des composantes graphiques, comme les maquettes ou les illustrations en tons continus, pour produire des films négatifs ou positifs.

couleurs primaires additives (f) : rouge, vert et bleu ; couleurs qui produisent les différentes couleurs qu'on voit à l'écran d'un téléviseur.

couleurs primaires soustractives (f) : cyan, magenta et jaune ; couleurs qu'on obtient par la combinaison de couleurs primaires additives.

courant alternatif (m) : type de courant électrique où les électrons se déplacent dans une direction, puis dans la direction opposée.

courrier électronique (m) : application d'Internet qui permet de transmettre des documents de manière électronique.

culturel (adj.) : relatif à l'art et aux compétences développées dans une société à une époque donnée.

D

décodeur (m) : dispositif qui traduit des signaux dans un langage que le récepteur reconnaît ; il contient habituellement un traducteur et un décrypteur.

découpage à l'emporte-pièce (m) : procédé qui consiste à découper un produit imprimé au moyen de couteaux affilés montés sur une base en bois.

dépendant de la résolution : se dit d'un logiciel avec lequel l'apparence de l'image peut varier en fonction de sa taille.

dessin au trait (m) : illustration faite de lignes et de formes continues et foncées, le plus souvent en noir sur blanc.

développement (m) : recherche visant à résoudre un problème particulier (recherche et développement) ; on dit également recherche appliquée.

développeur (m) : en photographie, solution qui fait noircir les cristaux d'argent exposés sur un négatif.

diaphragme (m) : pièce de métal flexible qui vibre sous l'effet des ondes sonores.

dispositifs d'écoute électronique (m) : petites radios émettrices qu'on utilise en espionnage industriel ou politique.

distance focale (f) : en photographie, distance entre le centre de l'objectif et la pellicule lorsque la mise au point est à l'infini.

données (f) : éléments d'information.

E

échantillonnage (m) : enregistrement d'une pièce de musique par voie électronique, parfois suivi d'une modification des notes et des sons enregistrés.

échelle de gris (f) : bande de papier spécial présentant habituellement 12 densités qui varient du blanc au noir.

éclairage inactinique (m) : se dit d'un éclairage de laboratoire dont les caractéristiques sont telles qu'il n'impressionne pas les surfaces sensibles pendant la journée normale du traitement.

économique (adj.) : qui concerne l'économie.

éditeur de pages Web (m) : outil informatique qui permet de créer des documents multimédias pour un site Web.

éditeur HTML (m) : de *HyperText Markup Language* ; langage de balisage hypertexte qui permet de produire des documents hypertextes pour le Web.

édition numérique (f) : modification de fichiers numériques comportant des mots, des images et des sons.

électromagnétisme (m) : forme de magnétisme produit par un courant électrique qui se déplace dans un conducteur.

éléments de conception (m) : en graphisme, techniques ou méthodes utilisées pour obtenir des effets particuliers : la ligne, la forme, le format, l'espace, la couleur, la texture et les trames claire ou foncée.

émetteur (m) : composante d'un système de communication qui envoie le message.

émulsion (f) : couche d'un film photographique qui contient des cristaux d'argent sensibles à la lumière.

émulsion orthochromatique (f) : en photographie, émulsion sensible à toutes les longueurs d'onde visibles sauf le rouge.

émulsion panchromatique (f) : en photographie, émulsion sensible à presque tout le spectre visible, surtout au bleu.

entrée (f) : l'information, les matériaux, l'énergie, les ressources financières et le travail humain qui permettent de développer et d'utiliser une technologie.

environnemental (adj.) : qui a un effet sur l'environnement physique.

épreuve par contact (f) : impression sur papier photographique qui donne un aperçu des photos qu'une personne a prises.

estimation de copie (f) : calcul de l'espace qu'occupera un texte lors de son impression.

éthique (f) : relatif à ce qui est bien ou mal d'un point de vue moral.

évaluation technologique (f) : étude des effets d'une nouvelle technologie.

exposition (f) : en photographie, quantité de lumière qui atteint un film.

F

fibres optiques (f) : fibres de verre transparent qui peuvent transmettre la lumière sur des distances variant de quelques centimètres à quelques centaines de kilomètres.

fiche signalétique SIMDUT (f) : étiquette qui mentionne les dangers qu'un produit présente et les actions à poser en cas d'accident.

fil de discussion (m) : bloc logique de la répartition des messages dans des groupes de discussion.

film lith (m) : film à contraste très élevé que l'on développe dans des révélateurs spéciaux « lith ».

film orthochromatique (m) : pellicule photographique qui offre un contraste très élevé, utilisée avec un banc de reproduction.

film positif (m) : en impression, film dans lequel les zones imagées apparaissent en noir et les zones non imagées restent pâles.

filtre (m) : en photographie, dispositif utilisé pour éliminer certaines longueurs d'onde de la lumière ; il y a trois filtres de base : les filtres à contraste, les lentilles de trucage et les filtres correcteurs de couleurs.

fisheye (m) : en photographie, type particulier d'objectif court qui couvre un champ angulaire de 180 degrés.

flexographie (f) : procédé d'impression semblable à la typographie, utilisant le relief, et destiné à l'impression sur caoutchouc ou sur plastique.

FM (f) : voir modulation de fréquence.

format vidéo (m) : type de bande vidéo propre à chaque système.

forum (m) : voir groupe de discussion en ligne.

foyer (m) : point de rencontre des rayons concentrés par une lentille.

fréquence (f) : nombre d'ondes lumineuses qui traversent un point donné en une seconde.

fureteur (m) : dans Internet, instrument de navigation qui aide à se rendre là où on veut et à trouver l'information recherchée ; logiciel d'application conçu pour retrouver des documents hypertextes dans le Web.

G

gaufrage (m) : en impression, procédé qui consiste à produire une zone imagée en relief sur un substrat par pression entre deux matrices.

girafe (f) : microphone fixé à une perche ou à un chariot qu'on peut déplacer sur le plateau de tournage, en télévision.

graphiste (f/m) : personne qui s'occupe de tous les détails de l'apparence d'un imprimé au sein d'une équipe d'édition.

groupe de discussion en ligne (m) : outil pour communiquer dans Internet avec des personnes qui partagent un intérêt commun, en temps différé ; on dit aussi forum.

H

héliogravure (f) : procédé d'impression qui consiste à transférer de l'encre à partir de zones imagées sous la surface d'une plaque.

holographie (f) : utilisation de lasers pour enregistrer des images réelles en trois dimensions.

hyperlien (m) : dans un document hypertexte, ensemble de mots, soulignés ou d'une couleur différente du reste du texte, ou image graphique ; permet par un clic d'amener l'internaute dans un autre site Web ou dans d'autres parties du document.

I

images en tons continus (f) : illustrations comportant une gradation infinie des tons gris compris entre le blanc pur et le noir pur.

impression électrostatique (f) : procédé d'impression qui consiste à transférer un message d'une plaque à un substrat grâce à l'électricité statique.

impression par jet d'encre (f) : procédé d'impression dans lequel de minuscules pistolets pulvérisent l'encre sur un substrat, sans contact ni impact entre le support d'image et le substrat.

impression sur demande (f) : méthode qui consiste à stocker des documents dans des fichiers informatiques et à les imprimer au besoin.

indépendant de la résolution : se dit d'un logiciel avec lequel l'apparence de l'image reste toujours la même peu importe sa taille.

induction (f) : phénomène de la production d'un courant électrique par un champ magnétique.

informatisation (f) : phénomène selon lequel les systèmes de communication dépendent de plus en plus de la puissance des ordinateurs pour fonctionner.

intégration (f) : combinaison des systèmes de communication.

intelligence artificielle (f) : science dont l'objectif est de créer des ordinateurs ayant une forme de raisonnement, d'apprentissage et d'intelligence semblable à celle de l'être humain.

internaute (f/m) : utilisatrice ou utilisateur d'Internet.

Internet (m) : réseau informatique qui permet de relier des millions d'internautes les uns aux autres grâce aux lignes téléphoniques, aux câbles et aux satellites.

L

lampe inactinique (f) : lampe qui possède un enduit filtrant certaines couleurs de la lumière et empêchant les autres rayons lumineux de passer à travers les surfaces sensibles d'un papier photographique.

langage de programmation (m) : outil à base de mots anglais simples qui simplifie les tâches de programmation informatique.

laser (m) : amplification de la lumière par émission de radiations stimulée ; faisceau étroit d'ondes lumineuses parallèles.

lentille (f) : morceau d'un matériau transparent qui sert à concentrer les rayons lumineux.

liste de contacts (f) : liste de camarades, de membres de ta famille ou de collègues que tu dresses toi-même pour participer à des séances de bavardage-clavier avec des personnes que tu connais seulement.

liste de diffusion (f) : outil qui permet à plusieurs personnes de communiquer sur un sujet commun dans Internet et qui utilise le courrier électronique ; en temps différé.

logiciel de conception (m) : logiciel qui comporte des programmes graphiques vectoriels, c'est-à-dire qui traite chaque ligne comme une équation mathématique ou comme un vecteur.

logiciel de gestion de projet (m) : programme permettant aux gestionnaires de planifier des échéanciers et de faire le suivi des coûts d'un projet.

logiciel de peinture d'image (m) : logiciel graphique en mode point qui permet de modifier des images numériques par une intervention sur chaque pixel à l'écran.

logiciel de retouche photo (m) : programme informatique qui permet de manipuler et de retoucher des photos numériques à l'écran d'un ordinateur.

logiciel d'exploitation (m) : programme informatique capable de gérer l'information et d'exécuter d'autres logiciels.

loi de l'inverse des carrés (f) : en physique, principe selon lequel l'intensité lumineuse diminue de façon proportionnelle au carré de la distance entre un sujet et la source de lumière.

lumière polarisée (f) : lumière qui se propage dans un seul plan.

M

maquette (f) : en graphisme, montage préliminaire assez élaboré d'un document en production qui donne un aperçu du résultat final.

maquillage (m) : en photographie, technique consistant à éclaircir une zone foncée d'un négatif.

média de masse (m) : média qui rejoint un grand nombre de personnes (télévision, radio, journaux, magazines et livres).

mélangeur vidéo (m) : appareil qui reçoit les signaux provenant de chacune des caméras ; permet à la réalisatrice ou au réalisateur de choisir l'image à enregistrer par un simple transfert de caméra.

messagerie instantanée (f) : service de messagerie électronique en mode synchrone ; les messages apparaissent directement à l'écran de la personne qui les reçoit.

microcircuit (m) : circuit miniature imprimé sur une puce, qui peut contenir des milliers de transistors et de fils de connexion.

micro-ondes (f) : ondes électromagnétiques de très petite longueur et de fréquences comprises entre 300 MHz et 300 GHz.

microprocesseur (m) : puce informatique qui traite des données, les stocke, gère l'entrée et la sortie de l'information.

miniaturisation (f) : fait de fabriquer les choses en plus petit.

mixage (m) : procédé qui consiste à réunir les sons en direct, la musique préenregistrée, les effets audio spéciaux, les enregistrements de voix avec des sons audio déjà existants, etc.

modèle universel de système (m) : modèle selon lequel tout système comporte une entrée, un processus et une sortie.

modem (m) : de modulateur-démodulateur ; périphérique qui permet à plusieurs ordinateurs de se transmettre des données par un réseau téléphonique, un réseau câblé ou un satellite.

modem analogique (m) : périphérique qui convertit les signaux numériques de l'ordinateur en signaux analogiques que la ligne téléphonique peut transmettre, et vice versa.

modulation d'amplitude (AM) (f) : variation de l'amplitude de l'onde porteuse.

modulation de fréquence (FM) (f) : variation de la fréquence de l'onde porteuse, soit par une compression des ondes, soit par leur éloignement les unes des autres.

multiplexage (m) : procédé permettant d'envoyer deux ou plusieurs signaux à la fois sur une même voie de transmission.

N

navigateur (m) : programme qui interprète les documents hypertextes du Web et les affiche à l'écran d'un ordinateur.

négatif (m) : film photographique sur lequel les zones claires apparaissent sombres et les zones sombres apparaissent claires.

nétiquette (f) : règles de bon comportement qui s'appliquent en particulier aux communications électroniques.

nombre d'ouverture (m) : code servant à désigner les différentes grandeurs d'ouverture du diaphragme d'un appareil photo.

numérisation (f) : passage d'un système analogique à un système numérique.

O

objectif grand-angle (m) : objectif court qui a un champ angulaire plus large qu'un objectif normal.

obturateur (m) : partie de l'appareil photo qui s'ouvre pour laisser passer la lumière ou qui se ferme pour empêcher la lumière de passer.

offset (m) : procédé d'impression dans lequel une presse transfère l'encre et l'eau à la plaque et fait ainsi passer le message de la plaque au substrat.

ondes radioélectriques (f) : ondes électromagnétiques qui peuvent parcourir des centaines de kilomètres par voie atmosphérique.

ordinateur (m) : machine qui fait des calculs dans un certain ordre et qui traite l'information très rapidement.

ouverture (f) : en photographie, orifice variable, réglé par le diaphragme, et qui permet l'admission de lumière dans l'objectif.

P

passerelle (f) : point dans le réseau Internet où l'information doit prendre une autre forme pour pouvoir circuler.

pelliculage (m) : processus qui consiste à fixer les négatifs sur le papier-cache lors de l'assemblage d'un film.

périphérique de liaison (m) : dispositif qui peut transmettre les données dans leur format numérique original, le long des fils téléphoniques ou de câblodistribution.

photographie au trait (f) : technique qui consiste à convertir un document au trait, comme les mots et les illustrations d'un montage, en un négatif au trait.

photographie tramée (f) : processus de conversion d'images en tons continus en motifs de points.

photon (m) : particule très petite qui s'échappe de l'atome lorsqu'il perd de l'énergie.

photopolymère (m) : plastique sensible à la lumière, semblable à du miel.

pica (m) : unité de mesure typographique qui s'applique à des éléments plus grands que les caractères, comme la longueur d'une ligne ; un pica équivaut à 12 points (4,21 mm ou 1/6 de pouce).

planche (f) : résultat de l'assemblage d'un film avec du papier-cache en prévision de l'impression.

plaque-signal (f) : dans une caméra de télévision, plaque située en avant de la cible et qui reçoit les électrons qui quittent la cible.

pochoir (m) : mince feuille remplie de trous ayant la forme de lettres, de dessins, etc.

point (m) : unité de mesure typographique assez petite pour mesurer les tailles de caractères et l'interlignage ; un point équivaut à 0,353 mm ou 1/72 de pouce.

police de caractères (f) : ensemble des caractères d'un même type ayant différents attributs de taille, d'épaisseur et de style.

politique (adj.) : relatif aux gouvernements.

posemètre (m) : partie d'un appareil photo qui sert à mesurer la quantité de lumière présente.

principes de conception (m) : règles de graphisme pour la conception d'un imprimé, comme le rythme, l'équilibre, la proportion, la variété, la mise en évidence et l'harmonie.

processus (m) : traitement qu'on applique aux entrées, dans un système.

processus de design (m) : méthode de résolution de problèmes établie pour trouver des solutions.

productrice ou producteur (f/m) : personne responsable de la production d'une émission de télévision ; la productrice ou le producteur se procure le scénario, établit les plans d'éclairage et les décors, choisit les interprètes, vérifie chaque détail de la production, fait le suivi des dépenses et s'assure de respecter le budget de production.

profondeur de champ (f) : en photographie, distance entre le point de l'image le plus près de l'appareil photo et le point le plus éloigné de l'appareil photo.

protocole http (m) : de *HyperText Transfer Protocol*, protocole de transfert hypertexte ; ensemble de règles qui gèrent l'interprétation des documents HTML accessibles à l'aide d'un navigateur.

puce (f) : en informatique, pièce de petites dimensions sur laquelle on grave un microcircuit.

R

radar (m) : de *radio direction and ranging* ; appareil qui peut détecter des objets très éloignés grâce aux signaux radio qu'ils réfléchissent.

radio amateur (f) : mode de communication bidirectionnelle de grande portée par émission de signaux radio à ondes courtes pour communiquer avec d'autres radios dans le monde.

radio bande publique (f) : mode de communication bidirectionnelle de petite portée utilisé par les personnes vivant en régions éloignées ou sur des bateaux et par les routières et les routiers ; on dit aussi radio BP.

radio BP (f) : voir radio bande publique.

radioastronomie (f) : étude des ondes radio captées en provenance de l'espace.

réalisatrice ou réalisateur (f/m) : personne qui dirige la création d'une émission de télévision ; la réalisatrice ou le réalisateur choisit le personnel qui travaillera à la production de l'émission et détermine par ses choix l'aspect final de la production.

récepteur (m) : composante d'un système de communication qui reçoit le message.

recherche (f) : collecte de données en vue d'acquérir de nouvelles connaissances.

réflecteurs paraboliques (m) : antennes en forme de soucoupe qui peuvent transmettre des ondes radio en ligne directe vers un point donné.

réfraction (f) : déviation des rayons lumineux.

règle des tiers (f) : en photographie, principe selon lequel on compose une image en la divisant en trois tiers horizontaux et verticaux ; on place en général le sujet au centre de l'image.

reliure (f) : procédé qui consiste à attacher ensemble des pages de façon permanente.

repérage à aiguilles (m) : en impression, système pour garantir un bon alignement des planches ; des trous percés à des endroits précis de chacune des planches avant le pelliculage correspondent à des aiguilles en métal sur la table lumineuse.

repiquage (m) : technique qui consiste à repeindre avec une solution grise des parties d'une photo où on voit des marques de poussière.

réponse en fréquence (f) : plage de fréquences sonores qu'un microphone peut reproduire correctement.

rétroaction (f) : retour sur les résultats d'un processus technologique qui a des effets sur l'ensemble du système.

routeur (m) : dispositif qui achemine les paquets d'information circulant dans un réseau informatique.

S

satellites (m) : dispositifs orbitant autour de la Terre et possédant des systèmes complexes pour émettre et capter des micro-ondes.

scanner couleur (m) : appareil qui convertit une image en couleurs en données numériques qu'un ordinateur peut utiliser.

scénario (m) : description point par point d'une émission de télévision qui indique tout le contenu de l'émission.

schéma de PERT (m) : de *Program Evaluation Review Technique* ; en gestion de projet, type de schéma qui permet de dégager les étapes à terminer avant de pouvoir entreprendre les autres ; utile pour le suivi de projets complexes.

séparation de couleurs (f) : processus qui permet de produire l'illusion de la couleur dans un imprimé à l'aide de filtres colorés pour séparer le jaune, le magenta, le cyan et le noir ; imprimées les unes par-dessus les autres, les similigravures donnent l'illusion d'une couleur en tons continus.

sérigraphie (f) : procédé d'impression qui consiste à transférer l'encre à un substrat à travers un pochoir retenu en place par un écran.

service IRC (m) : de *Internet Relay Chat* ; technologie qui accorde un canal à chaque sujet de conversation ; rend le bavardage-clavier possible.

social (adj.) : relatif au mode de vie d'une collectivité.

sortie (f) : résultat du processus, dans un système.

spectre visible (m) : ensemble des couleurs qui composent la lumière blanche : rouge, orangé, jaune, vert, bleu, indigo et violet.

substrat (m) : matériau qui reçoit une impression.

surexposition sélective (f) : technique qui consiste à exposer une zone trop claire d'un négatif au cours du processus d'agrandissement dans le but de l'assombrir.

synchrone (adj.) : en temps réel.

système de commande par ordinateur (m) : système qui accepte les entrées, traite les données, puis émet des signaux de commande à d'autres dispositifs ; lorsqu'une machine donne des ordres à une autre machine, on parle de commande.

système de communication technique (m) : système de communication qui dépend d'outils et d'équipements particuliers.

système de mise en page électronique (m) : système qui combine l'informatique et le scanner couleur et qui permet de composer toute une page couleur par voie électronique.

système de sélection des couleurs (m) : ensembles de couleurs pour l'imprimerie dans lesquels chaque couleur porte un numéro d'identification.

système optique (m) : système qui utilise la lumière pour capter une image.

systèmes d'éditique (m) : systèmes d'édition électronique issus de la combinaison de micro-ordinateurs, de logiciels et d'imprimantes laser offrant une qualité moindre que les composeuses des imprimeries, mais qui conviennent à la plupart des publications.

T

table de mixage (f) : appareil électronique qui permet de contrôler le volume et la qualité des sons qui entrent.

TCP/IP (m) : ensemble de règles et de procédures complexes qui détermine la structure que doivent prendre les données pour voyager dans Internet.

technologie de l'information (TI) (f) : ensemble des systèmes électroniques et informatiques qui servent à gérer, à traiter et à transmettre l'information.

technologie des communications (f) : utilisation des connaissances, d'outils et de compétences pour communiquer.

télécommunication (f) : communication à distance.

téléobjectif (m) : en photographie, objectif long qui fait paraître les objets éloignés plus proches.

télévision en circuit fermé (f) : système qui envoie un signal de télévision à certains récepteurs seulement.

test de lumination (m) : technique qui permet de déterminer la quantité de lumière nécessaire ou le temps d'exposition approprié au développement d'un négatif.

têtes d'enregistrement (f) : dans un magnétoscope, électroaimants dont le champ magnétique change selon la variation de tension du signal ; lorsque la bande magnétique passe sur la tête d'enregistrement, cela magnétise les oxydes selon un modèle qui représente le signal.

thermographie (f) : procédé d'impression qui utilise la chaleur pour obtenir une zone imagée en relief.

tirage par projection (m) : en photographie, préparation des épreuves par projection de lumière à travers un négatif sur une feuille de papier photographique.

traitement parallèle (m) : pour un ordinateur, capacité d'exécuter plusieurs programmes ou de traiter de grandes quantités d'information en même temps.

transistor (m) : composant électronique actif associant en deux jonctions trois régions semi-conductrices munies d'électrodes.

tube analyseur (m) : dans une caméra de télévision, tube vidicon muni d'une dalle en verre, d'une plaque-signal et d'une cible, qui reçoit la lumière.

type de caractères (m) : conception typographique d'un caractère qui a une taille et une épaisseur données.

typographie (f) : procédé d'impression qui utilise des caractères mobiles en métal.

U

URL (m) : de *Universal Resource Locator* ; adresse qui permet au navigateur de repérer un site Web.

V

vidéoconférence (f) : technologie qui permet à des personnes situées à différents endroits de travailler en direct, c'est-à-dire de se voir, de s'entendre, de bavarder, de se transmettre et de modifier des fichiers en temps réel.

vidéodisque (m) : disque optique de 30 cm sur lequel on peut stocker des images vidéo sous forme analogique et du son sous forme analogique ou numérique.

virus informatique (m) : programme nuisible caché à l'intérieur d'un autre programme.

voie de transmission (f) : composante d'un système de communication qui transporte le message.

voies de transmission atmosphériques (f) : ondes électromagnétiques qui transportent l'information dans l'air.

voies de transmission physiques (f) : matériaux qui servent à transporter les données de communication entre l'émetteur et le récepteur, par exemple un fil ou un autre type de connexion.

W

Web (m) : de *World Wide Web* ; ensemble des millions de documents hypertextes qu'on peut consulter au moyen du réseau Internet.

Z

zoom (m) : en photographie, objectif qui permet de modifier la distance focale, au besoin.

Sources des photos

Agence spatiale canadienne, 84
AP/Wide World Photos, 301
AT&T Archives, 32, 135
Apple Computer, Inc., 33, 34
Arnold & Brown, 34, 118, 122, 128, 132, 141, 143, 145, 149, 153, 158-159, 162, 167, 168, 175, 232, 308, 310
Art Resource/Sotheby Parke-Bernet, 220

Bean, Roger B., 53, 55-56, 128, 140, 148, 163, 164, 188, 202, 214, 221, 234, 254
Bernier, Marc, 114
Bettman Archive, (The), 25, 26, 32, 33, 49, 123, 227, 260, 269, 280, 289
Bourgès, Claudine, 30, 74, 77

Canon U.S.A., Inc., 233
Chambre des communes d'Ottawa, Gracieuseté de, 48
City of Peoria Police Departement/Roger B. Bean, 297
City of Peoria Police Departement, 297
CS&A, 17, 19, 26, 122, 124, 126, 153, 257, 261, 262, 263, 264
Control Data, 192, 193
Corning Glass Works, 32
Coventry Creative Graphics, 195, 260
Croassfield Electronics, Ltd., 57, 202, 211
Custom Video, Dallas, Texas/Ann Garvin, 33

Design Associates, 192
Dycam, Inc., Chatsworth, CA, 145

Eastman Kodak Company, 235
Epson America, Inc., 23

Flexographic Technical Association, 225, 227

Gangloff, Bob, 21, 22, 31, 47, 55/56, 58, 124, 125, 129, 130, 131, 135, 136, 140, 141, 142, 143, 152, 156, 157, 169, 176, 191, 192, 194, 198, 201, 210, 213, 220, 221, 227, 229, 258, 259, 269, 270, 271, 272, 274, 276, 277, 278, 280, 282, 283, 284, 287, 288, 290, 291, 292, 293, 309, 315, 317
Garvin, Ann, 33, 47
Graphic Associates, 53

Harris Corporation, 275, 276
Heidelberg, Inc., 223
Hell Graphics, 214
Hedrich-Blessing/Pentair, 188
Henline, Jeffery R., OD./Arnold & Brown, 133
Hewlett-Packard Company, 34, 254

Honeywell, Inc., 23
Hotte, Marie-Josée, 242
Houle, Sylvie, 146
Hughes Aircraft Company, 14, 33, 134, 302

Industrie Canada, 322-323
Intel Corporation, 32
International Business Machines Corporation, 32, 34, 75, 76, 77

Jupiter Transportation Company/Ann Garvin, 299

Knight-Ridder, Inc., 27, 118
Knight-Ridder, Inc./Paul Barton Photography, 27
Knight-Ridder, Inc./Chuck Mason Photography, 27
Knoxville Clinic/Roger B. Bean, 297

Lamoureux, Luc, 188 (à droite), 226, 229 (à gauche), 237
Leith, Emmett N., College of Engineering, The University of Michigan, 33
Lelièvre, Pierre, 312
Lemoyne, Françoise, 126, 266 (à droite), 305
Loral Fairchild Systems, 282

Megapress/Bilderberg, 52, 99
Ministère de l'Ontario, 43
Minolta Corporation, 147
Morin, Jean, 18, 87
Morin, Stéphane, 134
Motorola Advanced Messaging Systems Division, 33
Multi-Ad Services, Inc., 23
Museum of Science & Industry, (The), Chicago, IL/Ted Mishima, 32, 272

NASA, 32, 33, 303
NRAO/AUI, 300
New York Stock Exchange, 53
North Wind Picture Archives, 25, 32, 33, 118, 254
NuArc Company, Inc., 207

Olympus Corporation, 303

Pantone, Inc., 199
Pelot, Stephanie, 114
Peoria Public Library/Roger B. Bean, 21
Peterson, Judith, 192, 217
Phelps, Brent, 122, 163, 164, 165, 266, 308
Philips and DuPont Optical Company, 70
PHOTRI, Inc., 14
Pixar, © 1988, 177
Proctor Community Hospital/Charles Hofer, 297
Public Safety Dispatch Center of Peoria County/Roger B. Bean, 297
Purcell, Liz, 32, 121, 147, 224, 308

Index